Wissenschaftliche Monographien zum Alten und Neuen Testament

Begründet von
Günther Bornkamm und Gerhard von Rad

In Verbindung mit
Erich Gräßer und Hans-Jürgen Hermisson
herausgegeben von
Ferdinand Hahn und Odil Hannes Steck

50. Band
Wolf-Henning Ollrog
Paulus und seine Mitarbeiter

Neukirchener Verlag

Wolf-Henning Ollrog

Paulus und seine Mitarbeiter

Untersuchungen zu Theorie und Praxis
der paulinischen Mission

1979

Neukirchener Verlag

225.97W
O27
80033116

© 1979
Neukirchener Verlag des Erziehungsvereins GmbH
Neukirchen -Vluyn
Alle Rechte vorbehalten
Umschlaggestaltung: Kurt Wolff, Düsseldorf
Gesamtherstellung: Breklumer Druckerei Manfred Siegel
Printed in Germany – ISBN 3-7887-0548-5

CIP-Kurztitelaufnahme der Deutschen Bibliothek

Ollrog, Wolf-Henning:
Paulus und seine Mitarbeiter: Unters. zu
Theorie u. Praxis d. paulin. Mission/Wolf-
Henning Ollrog. – Neukirchen-Vluyn: Neukirche-
ner Verlag, 1979.
   (Wissenschaftliche Monographien zum Alten
   und Neuen Testament; Bd. 50)
   ISBN 3-7887-0548-5

Vorwort

Die vorliegende Arbeit wurde 1974 der Theologischen Fakultät der Universität Heidelberg als Dissertation eingereicht. Für den Druck habe ich sie an etlichen Stellen überarbeitet und umgestellt, außerdem gekürzt, besonders in den Anmerkungen; zwei Exkurse über die Abfassungsverhältnisse von Röm 16 und die persönlichen Notizen in den Pastoralbriefen sind entfallen. Darüber hinaus habe ich der Übersichtlichkeit wegen zahlreiche Zwischenüberschriften eingefügt. Zu Einzelfragen, z.b. zum antiochenischen Streitfall, zur Kollekte, zur Gefangenschaft oder zum Apostolat des Paulus u.a.m. sei auf die Register verwiesen. Die ursprünglichen Aussagen und Ergebnisse haben sich in der Druckfassung nur unwesentlich verändert. Literatur wurde bis etwa Ende 1976 eingearbeitet. Spezielle Literatur zum Thema findet sich selten und ist mir seit Fertigstellen der Arbeit nicht bekanntgeworden.

Danken möchte ich besonders Professor D. Günther Bornkamm, in dessen Seminar »Zur Geschichte des Paulus« ich im Wintersemester 1966/67 die Anregung zum vorliegenden Thema bekam und der die Arbeit später mit Rat und Kritik begleitete. Was ich bei ihm gelernt habe, geht aus den Literaturverweisen durchaus nicht genügend hervor. Danken möchte ich auch dem jetzigen Mitherausgeber der WMANT, Herrn Prof. Dr. Ferdinand Hahn, für die Aufnahme des Buches in diese Reihe und für seine Mühe bei Herausgabe und Korrektur des Bandes. Danken möchte ich schließlich dem Verlag und allen, die an Schreibtischen, Setz- und Druckmaschinen am Entstehen dieses Buches mitarbeiteten.

Hannover, im Mai 1978   Wolf-Henning Ollrog

Inhalt

1
Einleitung

1.1
Die Fragestellung

Etwa vierzig Personen werden in den echten Paulusbriefen[1] erwähnt, die mutmaßlich als Mitarbeiter des Paulus anzusehen sind[2]. Um mindestens acht Namen verlängert die Apostelgeschichte diese Reihe[3], und nochmals zehn weitere zählen die Pastoralbriefe auf[4]. Zu diesen durch die Überlieferung namentlich bekanntgewordenen sind außerdem eine ganze Reihe für uns namenlos gebliebener Personen hinzuzufügen, die entweder nur summarisch[5] oder ohne Nennung ihres Namens[6] in den Briefen des Paulus Erwähnung finden. Dabei ist noch in Rechnung zu stellen, daß wir nur einen Ausschnitt der paulinischen Korrespondenz kennen[7]. Sieht man von einigen häufiger erwähnten Mitarbeitern ab, dann hat nur der Zufall uns gerade diese Namen überliefert und nicht andere und weitere.

Daß sich Paulus mit einer solchen Anzahl von Mitarbeitern umgab, besitzt in der urchristlichen Mission keine Parallele und kann kein Zufall sein. Apostelgeschichte und Pastoralbriefe haben diesen Tatbestand entsprechend festgehalten. Zudem hat Paulus selbst des öfteren in seinen Briefen die Mitarbeiterschaft in besonderer Weise betont[8]. Die Frage nach den Mit-

---

1 Zu den echten Pls.-Br. werden im folgenden gezählt: 1Thess; Gal; 1Kor; Phlm; Phil; 2Kor; Röm. Außerdem wird für die Fragestellung dieser Arbeit der Kol stärker herangezogen. Zur Frage der historischen Auswertbarkeit seiner Angaben wird auf Exkurs 1 verwiesen.

2 Explizit werden sechzehn Personen als Mitarbeiter bezeichnet: Apollos, Aquila, Aristarchos, Clemens, Demas, Epaphroditos, Euodia, Jesus Justus, Lukas, Markus, Philemon, Prisca, Syntyche, Timotheus, Titus, Urbanus (vgl. Kap. 2 Anm. 1). Bei den übrigen legen es Titular bzw. sprachlicher oder situationeller Kontext nahe: Achaikos, Ampliatos, Andronikos, Archippos, Barnabas, Epainetos, Epaphras, Fortunatus, Jason (vielleicht) aus Philippi, Junias, Nymphe, Onesimos, Phoebe, Silvanus, Sosthenes, Stachys, Stephanas, Syzygos, Tychikos; dazu kommen vielleicht noch Apphia, Chloe, Gajus aus Korinth, Lukios, Maria, die Mutter des Rufus, Persis, Rufus, Sosipater. Näheres s. Kap. 2.

3 Erastos, Gajus aus Derbe, Gajus aus Mazedonien, Lukios der Antiochener, Menaen, Secundus, Simon Niger, Trophimos; weiter vielleicht Jason aus Thessalonich, Lydia, Titius Justus und Sopatros (falls nicht identisch mit Sosipater).

4 Artemas, Claudia, Crescens, Eubulos, Hermogenes, Linos, Onesiphoros, Phygelos, Pudens, Zenas.

5 1Thess 5,26; Gal 1,2; 2,13; 1Kor 16,11; 16,12; 16,20; 2Kor 13,12; Phil 1,14.15–18; 2,20f; 4,3; 4,22.

6 2Kor 8,18.22.23; 9,3.5; 12,18.

7 Weitere Briefe des Paulus werden erwähnt in: 1Kor 5,9; 2Kor 2,4; Kol 4,16; Pol 2Phil 3,2. Man muß auch berücksichtigen, daß die zahlreichen Gesandtschaften von Paulus in die Gemeinden und umgekehrt nicht ohne ein Begleitschreiben auf den Weg geschickt wurden.

8 Vgl. 1Kor 3,9; Röm 16,3; 1Thess 3,2; 2Kor 1,24 u. a.

arbeitern des Paulus ist deshalb *mehr als nur die Frage nach einer Reihe von Einzelgestalten* des Urchristentums, mit denen Paulus zusammenarbeitete. Vielmehr stellt sie sich als die Frage nach dem *Phänomen als Ganzem*. Dann kann es nicht ausreichen, lediglich die einzelnen Personen, von denen die Texte berichten, zu charakterisieren, ihre Persönlichkeit zu würdigen und ihre Geschichte mit Paulus beschreiben zu wollen[9]. Es ist vielmehr danach zu fragen, welche Vorstellungen und Ziele Paulus damit verband, so viele Mitarbeiter um sich zu sammeln, und welche Bedeutung die Mitarbeiter insgesamt für seine Arbeit besaßen.

Solche Fragen stoßen in einen bislang nicht untersuchten Bereich der paulinischen Mission vor. Doch läßt schon die große Zahl der Mitarbeiter ahnen, daß ihre Bedeutung für das Missionswerk des Paulus von nicht geringer Tragweite war.

Das gilt zunächst für Verständnis, Methode und Effektivität der *paulinischen Mission*. Welche Rolle spielen die Mitarbeiter für sie? Besteht eine Beziehung zwischen Weite, Intensität und Erfolg der paulinischen Mission und der Tatsache, daß er mit Mitarbeitern zusammenarbeitete, bzw. der Art und Weise, wie er mit ihnen zusammenarbeitete? Läßt sich erkennen, ob und wie Paulus diese Zusammenarbeit organisierte? Welche theologischen Vorstellungen er mit ihr verband? Und wie er überhaupt zu so vielen Mitarbeitern kam?

Damit eröffnet sich ein zweiter Fragenbereich, die Frage nach dem *Verhältnis der Mitarbeiter zu Paulus*, des Apostels zu den Männern und Frauen der zweiten Generation. Leben und Theologie des Paulus sind bisweilen als einsames Ereignis in der Geschichte des Urchristentums dargestellt worden: Paulus, ein Einzelgänger, von seinen Zeitgenossen unverstanden, von späteren Generationen bald domestiziert und sterilisiert, seine Theologie ein erratischer Block in der dürren theologischen Landschaft seiner Zeit[10]. In welchem Maße muß er aber vielleicht mit seinem Leben und seiner Theologie eingebettet werden in den Kreis seiner Mitarbeiter, und inwieweit fand hier ein Nehmen und Geben statt? Inwiefern spiegelt sich davon etwas in seiner Theologie, in seinen Briefen wider?

Die Frage nach den Mitarbeitern muß darum schließlich nicht nur Missionswerk und Theologie des Paulus aus neuer Perspektive ins Auge fassen. Auch die *Mitarbeiter selber* müssen, aus dem Schatten des großen Apostels getreten, zum eigenen Thema des Forschens werden. Damit darf nicht versucht werden, sie als Persönlichkeiten charakterisieren zu wollen. Über diese Frage geben die zur Verfügung stehenden Quellen fast gar keine Auskunft. Sondern es ist zu fragen nach den Mitarbeitern als Theologen und ihrer Rolle im Spannungsfeld theologischen Denkens auf paulinischem Missionsgebiet.

9 Diesen Weg gehen (außer *Ellis*) alle in Anm. 13 genannten Arbeiten, besonders das 500 Seiten starke Werk von *Pölzl* (Mitarbeiter) und in gewisser Weise auch noch *Conzelmann* (Geschichte, 138–142).
10 *Käsemann*, Frühkatholizismus, 251.

Unser Thema soll also exakt verstanden werden: Paulus *und* seine Mitarbeiter. Beide Seiten sollen als eigene Größen zur Sprache kommen. Die aufgerissenen Fragestellungen zeigen an, daß diese Untersuchung sich zugleich dem historischen wie dem theologischen Problem des Themas zuwenden will. Es geht ihr einerseits darum, ein nicht genug beachtetes Kapitel der paulinischen Mission aufzublättern. Die Mission des Paulus bildet den historischen Kontext, in den die Beobachtungen über die Mitarbeiter eingezeichnet, in dem sie verständlich werden müssen. Andererseits muß der Versuch unternommen werden, diese historischen Ereignisse auf ihre theologischen Implikationen hin zu befragen, zu fragen nach den Motiven, den vorstellungsmäßigen Voraussetzungen und Zielen, die mit ihnen verknüpft wurden. Das bedeutet, daß die Beobachtungen über die Mitarbeiter zugleich im Kontext der theologischen Vorstellungen des Paulus und seiner Gemeinden verständlich zu machen sind. Die historische darf nicht von der theologischen Nachfrage abgelöst werden, und umgekehrt[11] – eine nicht überall ausreichend beachtete Forderung. So geht es im folgenden auch darum, die Interdependenz von Leben und Denken des Paulus, von materialem Vollzug und zugrunde liegenden Vorstellungen zum Thema zu machen, zu untersuchen, in welchem Maße sich das theologische Denken des Paulus in seinem missionarischen Verhalten konkretisierte und ihm entsprach.

1.2
Methodische Überlegungen

Es gibt eine stattliche Anzahl von Untersuchungen über die Gegner des Paulus. Seine Freunde und Mitarbeiter hingegen hat die Forschung bislang stiefmütterlich behandelt. Die wenigen dazu veröffentlichten Arbeiten, meist älteren Datums, sind schnell aufgezählt[12]. Sie verfolgen allerdings durchweg eher pastoraltheologische Interessen und kranken, aus heutiger Sicht geurteilt, daran, daß sie die Anwendung strenger historisch-kritischer Methoden vermissen lassen[13]. Zudem fehlt es ihnen weitgehend[14] an dem Versuch, die Frage nach den Mitarbeitern unter übergreifende Gesichtspunkte zu stellen und nach dem Phänomen als Ganzem zu forschen. Vom methodischen Ansatz her war keine von ihnen in der Lage, dem historischen und theologischen Beitrag der paulinischen Mitarbeiter innerhalb der urchristlichen Mission auf die Spur zu kommen. Diese Untersuchung befindet

11 Zu dieser Forderung vgl. *Bornkamm* (Paulus, 19f.25f); schon *Dibelius* hat in seinem zu wenig beachteten Paulus-Büchlein ein Modell dafür geboten.
12 *Pölzl*, Mitarbeiter, 1911; *Redlich*, Companions, 1913; *Hadorn*, Gefährten, 1922; *Haller*, Mitarbeiter, 1927; *Ellis*, Co-Workers, 1971.
13 Eine Ausnahme bildet der Aufsatz von *Ellis*.
14 Gewisse Ansätze finden sich bei *Hadorn*; doch hat er seine Beobachtungen exegetisch kaum begründet, so daß sie im ganzen eher zufällig geblieben sind. Vgl. dazu u. Kap. 4 Anm. 1 sowie Kap. 5 Anm. 51.

sich also auf Neuland[15]. Ein forschungsgeschichtlicher Überblick[16] über das Thema erübrigt sich. Deshalb gewinnt die folgende Arbeit ihre Leitfragen auch nicht aus vorgegebenen Problemstellungen der Literatur, sondern – im Zuge ihres eigenen Entdeckerganges – aus den untersuchten Texten und den sich aus einander ergebenden Fragestellungen selber; nicht selten haben sich auf diesem Wege Überraschungen eingestellt.

Bei erstem Hinsehen könnte es scheinen, als wäre die *Quellenbasis* für das Thema »Paulus und seine Mitarbeiter« zu schmal. Dieser Eindruck täuscht. Von den Mitarbeitern ist in den Paulusbriefen des öfteren die Rede, vornehmlich am Ende der Briefe, aber nicht selten auch im Briefkorpus[17]. Darüber hinaus stehen als Quellen auch die deuteropaulinischen Briefe[18], die Apostelgeschichte und die Pastoralbriefe zur Verfügung. Dabei verdient insbesondere der Kolosserbrief stärkere Beachtung[19]. Die Apostelgeschichte, von der älteren Forschung mit Selbstverständlichkeit als historisches Gerüst zugrunde gelegt, wird ausführlicher, allerdings mit gebotener Kritik, herangezogen[20]. Die Pastoralbriefe dagegen sind nur gelegentlich eingehender besprochen[21].

15 Das Thema besitzt Berührungspunkte mit der im katholischen Raum anhaltend heftig diskutierten Frage nach dem kirchlichen Amt. Das betrifft insbesondere die Frage nach dem Verhältnis zwischen Paulus und seinen Mitarbeitern, dem Apostel und den Männern der zweiten Generation und den darin eventuell implizierten Sukzessionsvorstellungen. Diese Debatte hat bis in jüngste Zeit eine immense Literatur erzeugt. Sie wurde hier nur implizit aufgenommen. Zur neueren Lit. vgl. bes.: »Schreiben der deutschen Bischöfe«; *Deißler* u. a., Ursprung; *Martin*, Genese; *Kertelge*, Gemeinde (mit weiterer Lit.). Auf evangelischer Seite vgl. *Brockhaus*, Charisma, 7–127.
16 Zu Beginn von Kap. 5 (u. S. 111–118) setze ich mich mit den bisherigen Antwortversuchen auseinander.
17 Vgl. 1Thess 3,1ff; Gal 1f; 1Kor 3f; 16; 2Kor 7; 8; Phil 2,19ff; 4,2f.10ff; Phlm passim; Röm 16; vgl. Kol 4,7ff u. a.
18 Vgl. Kol 1,1.7f; 4,7–17; Eph 6,21f; 2Thess 1,1.
19 S. Exkurs 1 und S. 219ff.
20 Die grundlegenden Arbeiten von *Dibelius* (Aufsätze) sowie die auf ihn sich stützenden Kommentare von *Haenchen* (Apostelgeschichte) und *Conzelmann* (Apostelgeschichte), in denen die ältere literarkritische Acta-Forschung durch die formgeschichtliche und kompositionelle abgelöst wurde, haben das Vertrauen in die historische Zuverlässigkeit des von Lk Berichteten erschüttert. In der Apostelgeschichte spricht, wie *Vielhauer* (Paulinismus) gezeigt hat, weder ein Paulusbegleiter noch überhaupt ein Paulus besonders nahestehender Theologe – gleichwohl ein Theologe, den *Haenchen* allerdings als bloßen Erbauungsschriftsteller zu charakterisieren versucht hat, welcher der Theologie seiner Zeit (gegen Ende des 1. Jahrhunderts) Ausdruck gebe, während andere (fußend auf *Conzelmann*, Mitte; weitere umfängliche Literatur bei *Burchard*, Zeuge, 16 Anm. 11) die theologische Eigenständigkeit des Lk höher einschätzen. Ist aber – zu Recht – der kompositionelle Beitrag des Lk erkannt, so bleibt die Frage, wie groß dieser war und ob damit die ehemalige Quellenfrage ein für allemal erledigt ist. Gerade die jüngsten Arbeiten von *Burchard* (Zeuge) und *Löning* (Saulustradition; vgl. auch *Bihler*, Stephanusgeschichte; *Storch*, Stephanusrede; *Stolle*, Zeuge) haben die im Zuge der kompositionsgeschichtlichen Arbeit vernachlässigte oder übersprungene Frage nach den Traditionen, von denen Lk abhing, seien sie mündlich oder schriftlich (damit also auch wieder die Frage nach den Quellen), neu ins Bewußtsein gerufen (vgl. dazu besonders *Burchard*, ebd., 17–20.169–173; *Hengel*, Jesus, 156f). Wenn auch von der kompositionsgeschichtlichen Frage

Das eigentliche Problem der Quellenlage ist deshalb nicht etwa die Dürftig-
keit der Belege, sondern – was die Paulusbriefe betrifft – ihre Zufälligkeit,
ihr *Gelegenheitscharakter*. Die Briefe des Paulus sind bekanntlich durchweg Gemeindebriefe. Der Apostel hinterließ keine speziellen ›Anweisungen
an meine Mitarbeiter‹, kein ›Mitarbeiter-Brevier‹. Diese Lücke suchen in
gewisser Weise erst die Pastoralbriefe zu füllen. Was sich über die Mitarbeiter in Erfahrung bringen läßt, muß man situationsbezogenen, verstreuten
Briefpartien entnehmen. Dieses Problem macht es erforderlich, in jedem
einzelnen Falle die vorauszusetzende Briefsituation möglichst genau zu
verdeutlichen und in Rechnung zu stellen. Damit begibt sich die folgende
Untersuchung notwendigerweise ins Gestrüpp der Echtheitsprobleme, Teilungshypothesen und chronologischen Fragen zum Corpus Paulinum.
Bei der gegenwärtigen Forschungslage kann es dabei nicht ausbleiben, daß
sie sich hier und da bestimmten, wenn vielleicht auch wahrscheinlichen, so
aber doch nicht durchgängig anerkannten Hypothesen anschließen muß[22],
die nicht erneut diskutiert werden können. In allen für diese Arbeit wichtigen Fällen habe ich mich dabei bemüht, auf dem Hintergrund der strittigen
Forschungslage die Quellentexte sorgfältig neu durchzusehen und zu eigenen Entscheidungen zu kommen.

1.3
Der Gang der Untersuchung

Die Arbeit versucht zunächst (Kap. 2–4), aus dem Mosaik der Quellennoti-
zen ein historisch ausgewiesenes Bild über die Mitarbeiter zu gewinnen, um
danach (Kap. 5) die Mitarbeiter-Mission des Paulus im Kontext seiner
Theologie und Missionspraxis verständlich zu machen und die Bedeutung
der Mitarbeiter für die Mission und Theologie des Paulus zu würdigen (Kap.
6 + 7).
Kap. 2 fragt, chronologisch gegliedert, nach den einzelnen Personen, die
uns als Mitarbeiter des Paulus überliefert wurden, nach ihrer Herkunft, ihrem Verbleiben, ihren Besonderheiten[23], sodann nach dem jeweiligen Umfang des paulinischen Mitarbeiterkreises. Dieser Teil ist der vielen Detail-

---

aus die Bindung des Lk an vorgegebenes Material leicht unterschätzt und die historische Frage
oftmals einfach übergangen wird, bedeutet das noch nicht, daß mit der Erhebung der Lk vorliegenden Traditionen bereits die historische Zuverlässigkeit des Berichteten erkennbar würde.
Daß die von Lk verwendeten Vorlagen historisch tragfähig sind, muß vielmehr jeweils erst erwiesen werden. Die Quellen des Lukas brauchen »nicht wesentlich älter gewesen zu sein als das
Lukasevangelium« (*Burchard*, ebd.).
21   Zu den persönlichen Notizen der Pastoralbriefe vgl. Exkurs 3 meiner Diss., Heidelberg
1974.
22   Dies betrifft vor allem die Teilungshypothesen zum Phil, 1Kor und 2Kor sowie das chronologische Grundgerüst der paulinischen Mission; zu letzterem vgl. Exkurs 2.
23   Dieser erste Schritt der Untersuchung war für die älteren Arbeiten (*Pölzl, Redlich, Hadorn, Haller*) bereits der letzte, mit dem sie meinten, am Ziel zu sein.

probleme wegen zwar vielleicht manchmal etwas mühsam zu lesen, gleichwohl unerläßlich bei der Aufgabe, der Untersuchung eine tragfähige historische Basis zu geben.

Das 3. Kapitel sucht dann zu klären, was ein Mitarbeiter war, welchen Aufgabengebieten und Tätigkeiten er nachging. Im 4. Kapitel ist danach zu untersuchen, wie Paulus zu seinen Mitarbeitern kam, ob es sich um eine einheitliche Gruppe handelte oder ob es zwischen ihnen Unterschiede gab und wieweit daraus erkennbar wird, wie sie zu Mitarbeitern wurden.

Ausgehend von der Zusammenstellung der Analysen, welche die vorangehenden Kapitel erbrachten, und im Kontrast zu bisherigen Antworten der Literatur versucht dann Kapitel 5, die Rolle und Bedeutung zu formulieren, welche die Mitarbeiter in der Mission des Paulus besaßen, und stellt das erzielte Ergebnis einerseits in den Kontext des theologischen Denkens des Apostels, andererseits in den der Missionsformen vor und neben Paulus. Das Kapitel versucht, das Fazit aus den vorangegangenen Untersuchungen zu ziehen und eine Antwort auf das Gesamtphänomen der Mitarbeiter-Mission zu geben. Kapitel 6 wendet sich dann sozusagen der Infrastruktur dieser Mission, der Zusammenarbeit zwischen Paulus und seinen Mitarbeitern und der theologischen Basis dieser Arbeit zu. Es fragt nach ihren Grundsätzen und Grenzen, nach dem Verhältnis von Abhängigkeit und Selbständigkeit der Mitarbeiter gegenüber Paulus sowie nach möglichen Konflikten zwischen ihnen. Kapitel 7 stellt dann die Mitarbeiter allein in den Mittelpunkt. Wie steht es mit ihrer theologischen Eigenständigkeit gegenüber Paulus? Was läßt sich über ihre theologischen Vorstellungen überhaupt sagen? Inwiefern waren sie seine ›Schüler‹? Damit kommt zugleich die Frage nach der sog. paulinischen Schultradition in den Blick.

Die historischen Angaben
über die Mitarbeiter

2
Die Geschichte der Mitarbeiter

Mit συνεργός betitelt Paulus zahlreiche, sich voneinander in vielfacher Hinsicht unterscheidende Christen[1]. Aber Paulus bezeichnet sie darüber hinaus auch mit anderen Titeln[2], nennt sie auch nicht überall so, wo er von ihnen redet[3], und scheint auch noch andere Personen zu seinen Mitarbeitern zu rechnen, die in den zur Verfügung stehenden Quellen nicht explizit so qualifiziert werden[4]. Man muß sich also hüten, die so Benannten und Nichtbenannten zu schnell gegeneinander auszuspielen. Sondern der Kreis der Mitarbeiter ist zunächst möglichst groß zu halten. In vorläufiger Bestimmung sollen alle die Personen betrachtet werden, mit denen Paulus zusammen in der Mission gearbeitet hat. Im Laufe der Untersuchung muß sich dann zeigen, wo die Grenzen zu ziehen sind.

2.1
Paulus als Mitarbeiter

Seine Berufung verstand Paulus als Missionsauftrag unter den Heiden, dem er nach seinen eigenen Worten »sofort« nachkam (Gal 1,16; vgl. auch Apg 9,15.20)[5]. Sein mehrjähriger[6] Aufenthalt in der Arabia erfolgte dann nicht, »um in der Wüsteneinsamkeit das Erlebte in Kontemplation und Gebet zu verarbeiten«[7], sondern er dürfte den Anfang seiner Missionstätigkeit mar-

---

1 Diesen Titel gibt er: Timotheus (1Thess 3,2; Röm 16,21); Apollos (1Kor 3,9); Philemon (Phlm 1); Aristarchos, Markus, Demas, Lukas, wahrscheinlich Jesus Justus (Phlm 23f; Kol 4,10–14); Epaphroditos (Phil 2,25); Euodia, Syntyche, Clemens und anderen (Phil 4,2f); Titus (2Kor 8,23); Prisca und Aquila (Röm 16,4); Urbanus (Röm 16,9); indirekt Stephanas, Fortunatus und Achaikos und anderen (1Kor 16,15–18).
2 Timotheus wird 1Thess 3,2 außerdem »unser Bruder«, 1Kor 4,17 »mein geliebtes und treues Kind im Herrn«, Phil 1,1 »Sklave Christi Jesu« genannt, während Paulus sich 1Kor 16,10 und Phil 2,19–22 verbal ausdrückt. Apollos nennt er 1Kor 4,1 »Untergebener Christi und Verwalter der Geheimnisse Gottes«, in 16,10 »Bruder«; Philemon wird außerdem als »Geliebter« angesprochen (vgl. außerdem die Bezeichnungen für Epaphroditos Phil 2,25; Titus 2Kor 2,13; 8,23 u.a.; Stephanas 1Kor 16,15ff usw.).
3 Vgl. die vorige Anm. und z. B. Prisca und Aquila 1Kor 16,19; Epaphroditos Phil 4,18; Titus 2Kor 8,6; 12,18; Gal 2,1 usw.
4 Hier ist z. B. an Barnabas (Gal 2,1.9.13; 1Kor 9,6), an Silvanus (1Thess 1,1; 2Kor 1,19) oder an Leute wie Epaphras (Phlm 23; Kol 1,7f; 4,12f) und Tychikos (Kol 4,7f) zu denken.
5 Apg 9,20 beginnt Paulus ebenfalls εὐθέως in den Synagogen zu predigen, im Widerspruch zu 9,15. *Löning* (Saulustradition, 45) schließt daraus auf vorlukanische Tradition. Eine Heidenmission war vor Lk vor Kap. 10 noch nicht möglich.
6 μετὰ τρία ἔτη (Gal 1,18) bedeutet, da angefangene Jahre mitgerechnet werden, wenigstens ein gutes, höchstens drei knappe Jahre.
7 *Weiß*, Einleitung, 116.

kieren[8]. Nennenswerte Erfolge können ihm dabei Gal 1,17 zufolge[9] kaum vergönnt gewesen sein. Er begab sich anschließend nach Damaskus, von wo er auf der Flucht vor dem Ethnarchen des Nabatäerkönigs Aretas auf abenteuerliche Weise entkam (2Kor 11,32f)[10]. Apg 9,25, wo auf das gleiche Ereignis Bezug genommen wird, heißt es, dabei hätten οἱ μαθηταὶ αὐτοῦ Paulus gerettet. Wenn AYTOY nicht ein alter Schreibfehler für AYTON ist[11], der später in einigen Handschriften wieder ausgeglichen wurde[12], dann ist es der Versuch des ›Lukas‹[13], die Missionstätigkeit des Paulus schon von allem Anfang an als erfolgreich darzustellen. So oder so ist die Vorstellung, Paulus habe schon in Damaskus μαθηταί gehabt, zweifelhaft. Sie überträgt das Paulusbild späterer Jahre und Generationen auf seine Frühzeit. Nirgends, auch nicht in der Apostelgeschichte, findet sich ein Widerhall davon.

Ehe Paulus Mitarbeiter hatte, war er selbst lange Jahre Mitarbeiter unter den Missionaren in Antiochia. Apg 13,1 erwähnt neben ihm in Antiochia Barnabas, Simeon Niger, den Kyrenäer Lukios sowie Menaen, einen Mitzögling des Herodes Antipas. Die Liste, der Lk diese Namen entnahm[14], bezeichnet die Männer als προφῆται καὶ διδάσκαλοι[15].

---

8   Schlier, Galater, 58; Haenchen, Apostelgeschichte, 281f; Bornkamm, Paulus, 48f.
9   Auch die Apostelgeschichte schweigt darüber; vgl. Haenchen, Apostelgeschichte, 281f.
10   Dieser sachlich zum Peristasenkatalog gehörende Abschnitt klappt nach und ist nach dem feierlichen Abschluß 11,31 schlecht plaziert. Er erklärt sich m. E. ausnahmsweise psychologisch: Paulus erzählte in Assoziation zu der Aufzählung seiner Leiden und Entbehrungen diese Anekdote, einen Augenblick sein Diktat unterbrechend, was dem Schreiber entging. Eine Anfügung aus stilistischen Gründen (Kümmel, Korinther, 211 unter Berufung auf Fridrichsen, Stil, 25–29; ders., Peristasenkatalog, 78–82) erklärt das Nachklappen nach dem eigentlichen Schluß keineswegs.
11   So Haenchen, Apostelgeschichte, 279; Conzelmann, Apostelgeschichte, 59. Das gleiche wäre in Apg 14,20 zu beobachten.
12   t.r. E 429 pm.
13   So wird der Vf. der Apostelgeschichte der Einfachheit halber im folgenden genannt.
14   Daß Lk sich hier auf eine Vorlage bezieht, wird mit Recht allgemein angenommen (Haenchen, Apostelgeschichte, 336; Conzelmann, Apostelgeschichte, 73; Dibelius, Stilkritisches, 17; Bauernfeind, Apostelgeschichte, 168); die Namen, abgesehen von Paulus und Barnabas, erscheinen nur hier; die Verbindung »Propheten und Lehrer« ist singulär für Lk, »Lehrer« erscheint nur hier in der Apostelgeschichte. Zur Sache vgl. Greeven (Propheten, 1–43), der jedoch auf Apg 13,1 nicht näher eingeht.
15   Vermutlich hat Lk hier seine Vorlage um die Worte ἀπόστολοι καὶ gekürzt (vgl. Bauernfeind, Apostelgeschichte, 168, mit Hinweis auf 1Kor 9,1–6; Apg 14,4.14). Für ihn sind nur die zwölf Jesusbegleiter und Auferstehungszeugen »Apostel« (Apg 1,13.15–26; 2,14.32 etc.), während Paulus und Barnabas, abgesehen von Apg 14,4.14, dieser Titel beharrlich verweigert wird (vgl. Kap. 3 Anm. 107 und Kodex D!). In 1Kor 12,28f zählt Paulus »Propheten und Lehrer« (in gleicher Reihenfolge wie in Apg 13,1) im Anschluß an die Apostel unter den Charismenträgern der Gemeinde auf (vgl. Eph 2,20; 3,5; 4,11; 1Kor 14,6.26.29; Röm 12,6ff; Did 11,3; 15,1f). Diese von ihm in der Vorstellung vom Leib Christi verankerte Ordnung setzt er für die gesamte Kirche voraus. Sie ist in ihrer Rangfolge im Gegenüber zu den weiteren Charismen der Gemeinde festgelegt. Apostel, Propheten und Lehrer beschreibt Paulus dabei als Gemeindecharismen. Das ist auch für die in Apg 13,1 erwähnten Dienste anzunehmen (mit Haenchen, Apostelgeschichte, 337, gegen Peterson, λειτουργία, 577–579). Beide Male sind

Vermutlich über ein Jahrzehnt[16], jedenfalls aber gegen Ende der Gal 1,18–2,1 beschriebenen Periode[17], gehörte Paulus zu den Aposteln, Propheten und Lehrern der Gemeinde in Antiochia[18], bis er nach dem Streit mit Petrus und Barnabas (Gal 2,11ff)[19] eine eigenständige Missionsarbeit begann.

Gal 1,17–21 ist zu entnehmen, daß Paulus »drei Jahre« nach seiner Apostelberufung, im Anschluß an seine Verkündigungstätigkeit in der Arabia, sich »in die Gegenden Syriens und Kilikiens begab« (1,21) – eine sehr weite Formulierung, die deutlich macht, daß er während dieses Zeitraums nicht nur an einem Ort blieb. Vermutlich sind die in Apg 13f berichteten Nachrichten insoweit historisch im Recht, als Paulus hier – wahrscheinlich von Antiochia aus (Apg 13,1–3; Gal 2,1) – (erfolgreiche: Gal 1,22f!) Missionsversuche in den umliegenden Gegenden unternahm. Daß sie ihn bis nach Lykaonien und Pisidien geführt hätten, unterliegt wegen Gal 1,21 Zweifeln[20].

die Dienstbezeichnungen an eine bestimmte Gemeinde gebunden, beide heben sich von dem Wanderapostelbild der Didache (11,3–6) ab (zur Frage vgl. *Saß*, Apostel, 233–239; *Klein*, Zwölf Apostel, 50–52; *Georgi*, Gegner, 44f). Wenn Apg 13,1 einem älteren Quellenstück entstammt, das seinen Ursprung in der antiochenischen Gemeinde hätte oder wenigstens von einem Angehörigen jener Gemeinde abgefaßt wäre, nähme es wunder, sollte Paulus und Barnabas der Aposteltitel vorenthalten worden sein (vgl. 1Kor 15,8–10; Gal 1,1.16; 1Kor 9,1 etc.).
16 Vgl. Gal 1,21; 2,1.11.
17 Die Vorstellung der Apostelgeschichte, Paulus sei nach seiner Bekehrung und Anerkennung in Jerusalem von dort in seine Heimatstadt Tarsus geschickt worden (Apg 9,30), um dort zu bleiben, bis Barnabas ihn nach Antiochia holte (11,25f), wo er dann »ein volles Jahr« mit ihm gewirkt hätte, ist fragwürdig. Sie deckt sich nicht mit Gal 1,21. Lk wußte nichts über die Jahre des Paulus vor dem Apostelkonvent, nur daß er zu dieser Zeit in Antiochia war. Den Tarsusaufenthalt konnte er aus dem Geburtsort des Paulus schließen (22,3). Barnabas fungierte für ihn als Vermittler (s. u. S. 14). Lk versuchte, den Weltmissionar Paulus, der so befremdlich wenig mit den Jerusalemern zu tun hatte, via Barnabas mit den Aposteln zu verbinden. Damit verfolgte er eine auch 9,26f.30; 11,22 erkennbare und ebenso für Johannes Markus (12,24f) und Silvanus (15,22.27.32f) zu belegende Tendenz. Vgl. auch die kritischen Bemerkungen von *Burchard* (Zeuge, 34 Anm. 42) zur Tarsustradition.
18 Zu Antiochia vgl. Strabo XVI p 750; Jos Bell III 29; *Downey*, History; *Bauer*, Rechtgläubigkeit, 67–71 (dort weitere Literatur).
19 Dieser Streit dürfte nicht lange nach dem Apostelkonvent stattgefunden haben (ὅτε δὲ = als dann, direkt anschließend), vgl. auch Anm. 20.
20 Von Gemeinden in Syrien und Kilikien berichtet die Apostelgeschichte dann aber unvermittelt in 15,23.41. Der Bericht über die sog. erste Missionsreise des Paulus (Apg 13f) stößt sich sowohl mit Gal 1,21 als auch mit Apg 15,23.41. Ob die Lösung, die Apg 13f *hinter* den Apostelkonvent versetzen will (*Jeremias*, Untersuchungen, 205ff; *Haenchen*, Apostelgeschichte, 380f; *Bornkamm*, Paulus, 63–65; *ders.*, Art. Paulus, 173; *Kasting*, Anfänge, 106; *Suhl*, Paulus, 45.299f u. a.) zureicht, ist mir zweifelhaft. Gal 2,1–10.11ff läßt dafür keinen Raum (vgl. *Georgi*, Kollekte, 32 Anm. 93). Der Reiseweg von Apg 13f ist sehr ungewöhnlich (vgl. *Georgi*, ebd.), um nicht zu sagen unwahrscheinlich. Nach Pisidien und Lykaonien konnte man viel leichter und gefahrloser auf der Römerstraße durch die Kilikische Pforte gelangen, statt das Risiko der zweimaligen (mit Rückfahrt dreimaligen) Schiffsfahrt auf sich zu nehmen, die in der Regel außerdem lange Wartezeiten erforderlich machte. Die vor der korinthischen Mission liegenden Ereignisse: Reise nach Europa, Mission in Philippi, Thessalonich, wahrscheinlich Beröa (s. u. S. 54f), vielleicht Athen (s. u. Anm. 126), jeweils mehrere Monate um-

Die Tatsache, daß Paulus (offenbar als Wortführer: Gal 2,2.5f.8) zusammen mit Barnabas als Delegierter der antiochenischen Gemeinde[21] zum Apostelkonvent reiste, zeigt aber, daß er nach und nach zum führenden Kopf der Gemeinde wurde. Allerdings: dies war ein allmählicher Prozeß. Lk läßt ihn in der Apostelgeschichte mit Einfühlungsgabe sich dadurch widerspiegeln, daß er zunächst Barnabas stets vor Paulus nennt (Apg 11,25.26.30; 13,1). Dann, nachdem er die Namensidentifizierung Saulus = Paulus vorgestellt hat – womit Paulus sozusagen ins Habit des berühmten Apostels, wie ihn spätere Generationen sahen, steigt –, kehrt er diese Folge um: Ab Apg 13,13 heißt es nun »Paulus und seine Begleiter . . .« (13,16.43.46 etc.)[22].

Trotzdem aber war Paulus nur einer unter anderen Aposteln in Antiochia, wenn auch allmählich der primus inter pares. Apg 13,1 zählt Lk neben Paulus vier weitere Namen auf. Die Notiz gibt keinen Anlaß, ihre Glaubwürdigkeit zu bezweifeln[23]. Eher muß man annehmen, daß die Zahl der antiochenischen Missionare größer war (vgl. Gal 2,13; Apg 15,2). Titus, später für Paulus als Mitarbeiter von großer Bedeutung, gehörte nach Gal 2,1 zur Gemeinde in Antiochia. Silvanus, der Silas der Apostelgeschichte (15,40), war vermutlich ebenfalls Glied dieser Gemeinde[24]. Er ist Begleiter des Paulus während des Missionsvorstoßes nach Europa (1Thess 1,1; 2Kor 1,19). Johannes Markus begleitete nach Apg 13,5.13 Paulus und Barnabas von Antiochia aus auf Missionsreisen (15,37); Lk zählte ihn also zur dortigen Gemeinde. Man kann außerdem an die beiden Paulus altbekannten Apostel

---

fassend (s. u. Anm. 138), dürften mindestens ein Jahr, wahrscheinlich aber länger in Anspruch genommen haben. Auch die Gal 2,11ff geschilderten Ereignisse (Ankunft erst des Petrus, dann der Jakobus-Leute in Antiochia) kann man sich nicht zu eilig vorstellen. Dann kommt man, bei Ansetzung des Apostelkonventes auf 47 und dem Beginn der Mission in Korinth Ende 49, selbst wenn man sich *Haenchens* Meinung anschließt, es ließen sich »die Ereignisse dieser Reise (sc. Apg 13f) in der Zeit von Frühjahr bis Herbst eines Jahres unterbringen« (Apostelgeschichte, 380; vgl. dagegen aber *Suhl*, Paulus, 44–46), chronologisch arg ins Gedränge. In Apg 13f hat Lk eher einzelne Nachrichten über die Mission auf Zypern sowie in Pisidien und Lykaonien zusammengestellt und zu einer Modell-Missionsreise komponiert (vgl. *Menoud*, Plan, 44–51; *Conzelmann*, Geschichte, Geschichtsbild, 246f; *ders.*, Apostelgeschichte, 722–81; dagegen *Hahn*, Verständnis, 50 Anm. 2). Dabei füllte er seine wenigen verläßlichen Nachrichten auf durch massive Wundergeschichten (13,6ff; 14,8ff), volkstümlich-lokalkolorierte Züge (14,11ff; vgl. dazu 17,16ff; 18,12ff; 19,23ff) sowie durch ausführliche Modellpredigten (13,16ff.46ff; 14,15ff). Das übliche Schema des Missionsverlaufes sowie Reisenotizen bilden die Überleitungen. Die einzige verläßliche Nachricht, die Lk übernahm, dürfte 13,1 gewesen sein (s. Anm. 14 u. 15). Vielleicht ist auch in 13,2 eine Reminiszenz an antiochenische Verhältnisse bewahrt. Doch ist der Satz stark von lk. Sprache und Gedankenwelt beherrscht (vgl. Kap. 5 Anm. 200). Apg 13,5.13 ist im Blick auf 15,35ff eingefügt (s. Anm. 240). 14,23 autorisiert Lk die Ordnung der Gemeinden seiner Zeit. Außer allenfalls einer Nachricht über die Mission in Zypern (die sich jedoch mit 15,39 stößt) sowie in Lykaonien findet sich nirgendwo ein Hinweis auf verläßliche Traditionen.

21 *Haenchen*, Apostelgeschichte, 396–414, spez. 407; *Schlier*, Galater, 64ff.112ff.
22 Zur Diskussion des Doppelnamens vgl. zuletzt *Burchard* (Zeuge, 36f).
23 Vgl. auch Anm. 15 u. 20.
24 S. u. S. 22.

Andronikos und Junias (Röm 16,7) denken, die, wie Paulus hervorhebt, »vor mir zum Glauben kamen«. Apg 13,1 erwähnt, ohne Namen zu nennen, außerdem weitere Missionare in Antiochia. Lk wußte wohl nur noch, daß die Zahl der dortigen Missionare nicht klein war. Aber schon die vier näher bekannten Männer: Paulus, Barnabas, Silvanus, Titus, geben einen Eindruck von der hervorragenden Bedeutung dieser Gemeinde zur Zeit der paulinischen Mission.

Von hier aus also unternahm Paulus wahrscheinlich über viele Jahre hinweg Missionsvorstöße in die angrenzenden Länder und Gebiete: als *Mitarbeiter*. Wenngleich die Apostelgeschichte stets Paulus die entscheidenden Reden halten läßt und Barnabas zu einem einfachen Begleiter degradiert (vgl. 13,13; 14,12!)[25], geht sie doch nicht so weit, Barnabas aus den Missionsreisen des Paulus einfach zu eliminieren. Daß man die Missionsreisen von Antiochia aus zu zweit unternahm, ist für Lk selbstverständlich – historisch wohl nicht zu Unrecht (vgl. auch 1Kor 9,6)[26]. Als sich Paulus und Barnabas schließlich trennten, suchten sie sich wiederum jeder einen Partner[27]. Diese Partnermission war nicht selbstverständlich, wie die Philippus-, die Petrus- und die Apollosmission zeigen[28].

Den gemeinsamen Missionseinsatz hat Paulus also schon in Antiochia erlebt und geübt. Seit Beginn seiner Missionstätigkeit, mindestens solange er zur antiochenischen Gemeinde gehörte, war Paulus Mitarbeiter. Und er blieb es bis an sein Lebensende.

Zu zeigen, daß dies nicht der zufällige Lauf der Dinge mit sich brachte, daß Paulus vielmehr sehr bewußt den Mitarbeitergedanken aufnahm und auf seine Weise prägte, ist ein Ziel dieser Untersuchung. Paulus hat nicht, sozusagen nach seinen Lehrjahren in Antiochia, in denen er noch im Schoße der Muttergemeinde auf die Hilfe der älteren, erfahrenen Missionare angewiesen war, die Herrenjahre seiner eigenen, unabhängigen Einzelmission angetreten. Auch später hat er sich vielmehr betont in den Kreis seiner Mitarbeiter gestellt (1Thess 3,2f; 1Kor 3,9 u.a.) und sich selbst als Mitarbeiter bezeichnet (1Kor 3,9; 2Kor 1,24).

25 Ebenso seine späteren Mitarbeiter; vgl. 17,15; 19,22; 20,4.
26 Vgl. noch Apg 13f; 15,2ff.36ff. S. u. S. 157f.
27 Vgl. Apg 15,39.40; 11,30; 15,2.22.27.32. Der Bericht über die Trennung von Paulus und Barnabas (Apg 15,36ff) kann nicht ohne jeden historischen Anhalt sein; vgl. *Haenchen* (Apostelgeschichte, 416–418); *Conzelmann* (Apostelgeschichte, 88); *Bornkamm* (Paulus, 65f) und s. u. Anm. 220.
28 Apg 8,4ff; 9,32ff; 18,24ff und vgl. Gal 2,11; 1Kor 3,5ff; 16,12. Vgl. dazu *Jeremias* (Paarweise Sendung); *Schille* (Kollegialmission, 89ff) und s. u. S. 152f.

2.2
Die Mitarbeiter von der Anfangszeit bis zur Mission in Ephesus

2.2.1
Barnabas

Der erste Mitarbeiter des Paulus, über den die Überlieferung genauere Angaben macht, war *Barnabas*, einer der führenden Köpfe der antiochenischen
Gemeinde. Die ungewöhnlich knappe Notiz über seine Schenkung (Apg
4,36), aus der Lk wohl auf die Gütergemeinschaft der Urgemeinde schloß,
verdient vermutlich Glaubwürdigkeit[29]. Barnabas war danach ein in Zypern
gebürtiger Diasporajude, ein begüterter Levit[30], der nach Jerusalem über-
siedelte. Seine spätere führende Rolle in Antiochia und in der gesetzesfreien
Heidenmission überhaupt (Gal 2,1–10) macht wahrscheinlich, daß er dem
Stephanuskreis nahegestanden hat (vgl. Apg 11,19–30), auch wenn er Apg
6,5 nicht erwähnt wird[31]. Die Nachricht der Apostelgeschichte, Barnabas
habe Paulus in die Urgemeinde eingeführt, stößt sich mit Gal 1,18f[32]. Barnabas wird von Lk nicht nur zum Vermittler zwischen Paulus und der Urgemeinde gemacht (Apg 9,26f)[33], sondern er hat für ihn geradezu den Charakter eines »syrischen Nuntius«[34] der Urapostel (Apg 11,22–24)[35]. Diese
Rolle konnte Lk ihm zuschreiben, da er aus 4,36f einerseits auf eine enge
Beziehung des Barnabas zu den Jerusalemer Uraposteln schließen konnte,
andererseits von der Zugehörigkeit des Barnabas zur antiochenischen Gemeinde und seiner dortigen führenden Rolle wußte (13;1; 15,2).
Apg 15,2ff zufolge reisten Paulus und Barnabas als Delegierte der Gemeinde

---

29 *Haenchen*, Apostelgeschichte, 189–192; *Conzelmann*, Apostelgeschichte, 39; vgl.
Braun, Jesus, 109f.
30 Die Leviten gehörten zum clerus minor; vgl. *Jeremias* (Jerusalem, 234–241). S. 120 führt
er (allerdings ohne es zu belegen) Jochanan ben Gudhgedha und Jehoschua ben Chananja als
Beispiele für begüterte Leviten an, die jedoch als Ausnahmen anzusehen sind.
31 *Haenchen* (Apostelgeschichte, 314f) vermutet, er sei zusammen mit den Stephanusan-
hängern aus Jerusalem vertrieben; ebenso *Kasting* (Anfänge, 116).
32 Eine ausführliche Kritik von Apg 9,19b–31 findet sich bei *Haenchen* (Apostelgeschichte,
280–283); *Schlier* (Galater, 114); vgl. *Burchard* (Zeuge, 136–161).
33 S. Anm. 16.
34 *Schlier*, Galater, 65.
35 *Conzelmann* (Apostelgeschichte, 67) hat gezeigt, daß der gesamte Abschnitt Apg
11,19–26 lukanische Komposition ist, bei der Lk vermutlich 4,36f; 11,20 und 13,1 als die ihm
zur Verfügung stehenden Nachrichten sinnreich ausdeutete und kombinierte. Nur in 11,19f
findet sich das Lk vorliegende Material. Denn die Nachricht über die Heidenmission stößt sich
mit 10,1–11.18, die Erwähnung der Zypernmission mit 13,4ff. Das übrige ist nach *Conzelmann* lk. Sprache und Gedankenwelt: das missionstheologische Schema »erst zu den Juden,
dann zu den Heiden« sowie die Missionsterminologie »λαλεῖν τὸν λόγον« (schon in v 19f);
πολύς ἀριθμός, ἀνὴρ ἀγαθός κτλ., προσετέθη ὄχλος ἱκανός (v 21–24), vgl. *Haenchen*,
Apostelgeschichte, 313, und *Bauernfeind*, Apostelgeschichte, 153. Weiter ist hinzuweisen auf
die LXX-getränkte Sprache und die Parallelen zu 6,3.5 und 2,47 in 11,24. Zum ganzen *Haenchen*, ebd., 312–316, der aber auch 11,19f als lukanisch ansieht; dagegen auch *Georgi*, Kollekte, 32 Anm. 93.

in Antiochia zum Apostelkonvent. Sie bleiben jedoch in der lukanischen Darstellung Statisten[36]. Ihre Bedeutung (Gal 2,1ff) wurde von Lk (im Sinne seiner kirchenpolitischen Konzeption) verkannt oder mißachtet. Gewisse unklare Nachrichten über Barnabas muß Lk auch an der letzten Stelle besessen haben, an der er ihn in der Apostelgeschichte erwähnt (15,36–41). Er wußte von einem Streit zwischen Paulus und Barnabas, der Anlaß zur Trennung zwischen beiden wurde, fand ihn jedoch nicht mehr im Sachlichen (worüber Gal 2,11ff Auskunft gibt), sondern suchte ihn im Persönlichen[37].

Überblickt man das Ganze, dann schrumpfen die Nachrichten der Apostelgeschichte über Barnabas also auf fünf historisch einigermaßen verläßliche Notizen zusammen[38]: Apg 4,36f; 11,19f; 13,1; 15,2 und eine Information, die Lk in 15,35–41 in seiner Weise zu deuten versuchte.

Mit 15,39 schwindet Barnabas (und mit ihm die antiochenische Gemeinde, abgesehen von einer beiläufigen Bemerkung; 18,22) aus dem Gesichtsfeld der Apostelgeschichte. Lk wollte ja keine Geschichte der urchristlichen Mission schreiben, sondern den unaufhaltsamen Lauf des Evangeliums durch die Welt, bis nach Rom, schildern. Ihn interessierte die Gemeinde in Antiochia nur, solange sie diese Entwicklung vorantrieb[39].

Paulus selbst erwähnt Barnabas einige Male (1Kor 9,6; Gal 2,1.9.13). Diese

---

36 Die Unvereinbarkeit der Berichte von Apg 15 und Gal 2,1ff (die sich jedoch beide auf das gleiche Ereignis beziehen), ist ausführlich genug nachgewiesen worden; vgl. dazu *Dibelius*, Apostelkonzil, 84–90; *Conzelmann*, Apostelgeschichte, 87; *Haenchen*, Apostelgeschichte, 381–414; *Schlier*, Galater, 64–117 (mit ausführlichen Literaturangaben); außerdem *Klein*, Galater 2,6–9, 99–128; *Georgi*, Kollekte, 13–30; *Eckert*, Verkündigung, 219ff; *Mußner*, Galaterbrief, 99ff.127ff. Erwiesen ist auch, daß das Kap. als Ganzes von Lk gestaltet wurde. Dennoch lassen einige Widersprüche und Besonderheiten erkennen, daß er hier Vorlagen benutzte. 15,1 streicht Lk Jerusalem und setzt dafür (wie 9,31; 11,1.29; 12,19; 21,10; 28,21) Judäa, im Widerspruch zu 15,24. Das Ergebnis der Verhandlungen, das Aposteldekret, behandelt überhaupt nicht die eigentliche Streitfrage (die Beschneidung: 15,1.5), sondern das Zusammenleben von Juden- und Heidenchristen überhaupt. Auffällig ist auch das plötzliche Auftreten des Jakobus. – Die von Lk benutzten Vorlagen haben vermutlich nur wenig gereicht (dazu dürfte in etwa das Material von 15,1f.5f; 15,20 und vielleicht 15,22 gehört haben; alles andere trägt die Handschrift des Lk). Jedoch haben sie immerhin davon gewußt, daß durch gesetzestreue, von Jerusalem kommende Judenchristen in der antiochenischen Gemeinde eine Auseinandersetzung hervorgerufen wurde, in deren Folge Paulus und Barnabas nach Jerusalem reisten, um sich im Auftrag der antiochenischen Gemeinde die beschneidungs- und gesetzesfreie Heidenmission bestätigen zu lassen. Bei allem Abstand zu Gal 2,1–10 ist hier doch ein Grundgerüst des historisch Zutreffenden zu erkennen. – Daß auch Gal 2,1–10 nicht einfach als historischer Bericht gelesen werden darf, sondern daß man »das eigentümliche Ineinander von exaktem Bericht und Berücksichtigung der neuen Lage« (*Hahn*, Verständnis, 68 Anm. 3) in Rechnung zu stellen hat, muß allerdings beachtet werden (vgl. *Georgi*, Kollekte, 13f; *Mußner*, Galaterbrief, 131).

37 *Conzelmann*, Apostelgeschichte, 88, und s. o. Anm. 27.

38 Nach *Haenchen* (Apostelgeschichte, 315f) waren es nur drei, da er 11,19f (vgl. Anm. 35) für lk. Komposition hält.

39 Wenn Lk einige Phasen der urchristlichen Geschichte besonders ausführlich, andere befremdlich summarisch und lückenhaft abhandelt, so spiegelt sich darin aber gewiß auch die Problematik seiner Quellen- und Informationsbeschaffung wider.

Stellen zeigen in der selbstverständlichen Bezugnahme auf den Antiochener, daß er sowohl den Galatern als auch den Korinthern bekannt war. Aus
1Kor 9,6 darf man schließen, daß auch Barnabas zu den Aposteln gehörte
(vgl. auch Apg 14,4.14)[40]. Wenn auch im Verlauf der antiochenischen Auseinandersetzung mit Petrus die vermutlich langjährige Gemeinschaft zwischen ihnen zerbrach (Gal 2,11ff)[41], so rissen doch nicht alle Fäden[42]. Auch
später wußte sich Paulus in bestimmten Missionsgrundsätzen, die er als
Ausdruck ihrer apostolischen Freiheit verstand und verteidigte, noch mit
Barnabas einig (1Kor 9,5f)[43]. Aber es muß ein schwerer Schlag für Paulus
gewesen sein, daß gerade Barnabas, mit dem zusammen er in Jerusalem das
Recht der gesetzesfreien Heidenmission durchgefochten hatte (Gal 2,1ff),
ihn in der nicht viel später liegenden Bewährungsprobe im Stich ließ (Gal
2,11ff). Hinter der scharfen theologischen Kontroverse spürt man noch die
Enttäuschung des Paulus heraus, wenn er sagt: »Sogar Barnabas haben sie
dahin gebracht, daß er mitheuchelte« (Gal 2,13).

Es ist kaum anzunehmen, daß Barnabas (und die antiochenische Gemeinde) nach jenem denk-
würdigen Ereignis der gesetzesfreien Heidenmission den Rücken kehrte[44] – wenn man natürlich auch vermuten muß, daß der Einfluß der gesetzesstrengen Jerusalemer seitdem in Antiochia wuchs. Denn daß der Streit für Paulus günstig ausgegangen sei, ist unwahrscheinlich.
Hätte es doch seine Argumentation gegen die Galater wesentlich unterstützt, wenn er hätte berichten können, daß er auch in Antiochia sich gegen die Jerusalemer durchzusetzen vermochte[45]. Nein, hier blieb offenbar eine Diskrepanz in der Frage der vollen Gemeinschaft zwischen
Juden- und Heidenchristen, die Paulus so groß erschien, daß er sich von der – von seiner! –
Gemeinde in Antiochia löste, sich auch vor allem von seinem Mitarbeiter und Mitapostel Barnabas trennte und seine Mission im folgenden nicht mehr als Mission von Antiochia aus betrieb[46]. Man wird nicht fehlgehen, wenn man gerade in den Ereignissen in Antiochia einen entscheidenden Grund und Anlaß für eine gewisse latente Skepsis gegen Paulus und seine wach-

40   Daß sich 1Kor 9,5f der Aposteltitel auch auf Barnabas bezieht, erscheint mir vor allem
deshalb wahrscheinlich, weil im Interesse des Beweisganges gerade die *apostolische* ἐξουσία
des Paulus nachgewiesen werden soll. Nur wenn sie auch für Barnabas gilt, ist der Nachweis
schlüssig. In Rechnung zu stellen ist auch, daß Barnabas nach Gal 2,1ff (bes. 2,9! vgl. auch Apg
15,2) neben Paulus als gleichberechtigter Partner und Vertreter der antiochenischen Gemeinde
auftrat. Vgl. auch die Überlegungen *Merkleins* (Amt, 255) in bezug auf Apg 13,1; 14,4.14.
41   Die Apostelgeschichte (11,26) verkürzt. »Ein ganzes Jahr« soll zwar einen langen Zeitraum anzeigen (vgl. *Haenchen*, Apostelgeschichte, 311). In Wirklichkeit war dieser aber viel
länger (Gal 1,21ff). Lk ist anscheinend selbst kaum bewußt geworden, daß er mit 11,19–30
über einen Zeitraum von über zehn Jahren hinwegführt.
42   Das wird m. E. von *Georgi* (Kollekte, 14) etwas überbetont.
43   Wie Paulus vertrat auch Barnabas den Grundsatz, sich nicht von den Gemeinden, in denen
er missionierte, bezahlen zu lassen. Man wird daraus schließen können, daß auch Barnabas einen Beruf ausübte.
44   Vgl. *Bornkamm*, Paulus, 67.
45   *Haenchen*, Apostelgeschichte, 417; *Mußner*, Galaterbrief, 187.
46   Wenn *Schmithals* (Jakobus, 58) formuliert, es könne »doch kein Zweifel daran sein, daß
sein Zerwürfnis mit *Barnabas* den eigentlichen Inhalt jenes Zwischenfalls in Antiochien bildete« (wie Apg 15,26ff), dann ist m. E. übersehen, daß auch »die übrigen Juden(christen)« gegen
Paulus standen (Gal 2,13). Wenn auch die Heidenchristen vielleicht auf die Seite des Paulus
traten, so standen doch die führenden Leute der Gemeinde im anderen Lager.

sende missionarische Aktivität seitens der Judenchristen sieht, deren Skala, je nach der Enge ihrer Beziehungen zu den sich auf Jakobus berufenden Jerusalemern (vgl. Gal 2,12), von Zurückhaltung bis zur offenen Agitation reichen konnte[47]. Eine Reihe von Bemerkungen des Paulus deuten an, daß er sich seit dem Vorfall von Antiochia in stärkerem Maße *allein* für die gesetzesfreie Heidenmission verantwortlich wußte (Röm 15,14ff!; Gal 1,16f; Röm 11,13)[48] – während doch die Jerusalemer Vereinbarung ausdrücklich im Plural redete: »Wir zu den Heiden, sie zu den Juden« (Gal 2,9). Um so eifriger war Paulus in wachsendem Maße darum besorgt, die Einheit seiner heidenchristlichen mit den judenchristlichen Gemeinden nicht verlorengehen zu lassen[49].

2.2.2
Silvanus

Aus den Erfahrungen im antiochenischen Streit zog Paulus die Konsequenz, seine Missionsarbeit und seine Gemeinden nicht mehr von Antiochia ab-

47 Vgl. Gal; Phil 3 und die im Röm verarbeiteten Erfahrungen; auch Röm 15,31.

48 Seine Berufung verstand Paulus von Anfang an als Apostolat für die Heiden (Gal 1,16f). Daß er dabei ebenfalls von Anfang an eine Sonderstellung einnahm, folgt aus 1Kor 15,7–10. Diese gibt jedoch keineswegs einem übersteigerten Selbstbewußtsein Ausdruck. Sie wurde vielmehr offiziell auf dem Apostelkonvent bestätigt und anerkannt (Gal 2,7–9!), wo er – wie Petrus für die Judenmission – als der eigentliche Heidenmissionar auftrat. Man darf vermuten, daß diese Sonderstellung einerseits des Petrus, andererseits des Paulus aus den speziellen Umständen ihrer Berufungen herrühren (vgl. *Kasting*, Anfänge, 75–80.86–89), wobei es nicht von ungefähr kommen kann, daß Petrus die erste, Paulus die letzte Erscheinung des Auferstandenen zuteil wurde (1Kor 15,5.8). Die Sonderstellung, deren sich Paulus bewußt war, hat ihn aber nicht als Missionar aus dem Kreis der Mitapostel herausgehoben – bis zum Streit in Antiochia und dem Beginn der selbständigen Mission des Paulus. Es ist deshalb das Phänomen zu erklären, daß Paulus, der nach Gal 1,16 seinem Missionsauftrag »sofort« nachkam, erst seit dem antiochenischen Konflikt die Europa-Mission begann und damit ein weltweites Missionsprogramm verfolgte. Die langen Jahre davor wußte er sich durchaus auch als berufener Heidenapostel; und er gliederte seine früher geleistete Missionsarbeit auch später diesem Konzept ein (Röm 15,19); dennoch hatte er bis dahin nicht solche Konsequenzen daraus gezogen. *Die Wende brachte der Konflikt in Antiochia.*

49 Dies konnte Paulus allerdings erst nach einigen Jahren in die Tat umsetzen, als seine eigenen Gemeinden entstanden waren. 1Kor 16,1 (also erst etwa 5 Jahre nach dem Konvent!) findet sich die erste Nachricht darüber. Aus Gal 2,10 folgt aber unmißverständlich, daß Paulus die Kollektenabsprache nicht nur nicht aus den Augen verlor, sondern sich auch die ganze Zeit um sie bemühte. Diese Aussage kann nur so verstanden werden, daß er sich im Rahmen und in Zusammenhang mit der antiochenischen Gemeinde dafür einsetzte, ehe er in seinen Gemeinden ein eigenes Kollektenwerk begann. Hier dürfte der Hintergrund für den Bericht von der antiochenischen Kollekte (Apg 11,27–30) zu finden sein. Daß dieser Bericht aus der Feder des Lk stammt, haben *Haenchen* (Apostelgeschichte, 319–323) und *Strecker* (Jerusalemreise, 67–77) gezeigt. *Georgi* (Kollekte, 31) nimmt deshalb m. E. zu Recht an, »daß sich in Apg 11 die Nachricht von der Kollekte der Antiochener für die Urgemeinde in Jerusalem verbirgt«. Nur so erklärt sich, daß Apg 11,30 Paulus und Barnabas als Überbringer genannt sind. *Georgi* zieht aber nicht klar genug die Folgerungen aus dieser Einschätzung: Man kam also in Antiochia bei eifriger Mithilfe des Paulus der auf dem Konvent getroffenen Vereinbarung (Gal 2,10) nach. Als aber Paulus sein eigenes Missionswerk begann, unterstellte er seine Gemeinden konsequent der Jerusalemer Abmachung und schickte sich an, eine *zweite* Kollekte einzusammeln. Dabei wurde er (in der Person des Titus; s. u. S. 35f) von der antiochenischen Gemeinde tatkräftig unterstützt.

hängig zu machen. Er zog aber nicht die Konsequenz, seine Mission in Zukunft ganz allein, auf eigene Faust und ohne jeden Mitarbeiter zu betreiben. Sowenig er aufhörte, an der Einheit mit den judenchristlichen Gemeinden zu arbeiten, sowenig neigte er trotz 1Kor 15,10 zur »Selbstüberschätzung«[50] dessen, der nur allein es richtig zu machen glaubt. Das Paulusbild der Apostelgeschichte[51] hat allerdings zu diesem Mißverständnis einiges beigetragen.

Wenn auch, wie Paulus Gal 2,13 sagt, in der antiochenischen Auseinandersetzung »die übrigen Juden(christen)« auf die Seite der Jakobusleute, des Petrus und Barnabas traten, so doch – wie die Formulierung zeigt – anscheinend nicht die gesamte Gemeinde, nicht die Heidenchristen. Und ein weiterer Mann, mit dem zusammen Paulus nun sein eigenes Missionsunternehmen beginnt, kann auch nicht zu ihnen gehört haben: *Silvanus*[52].

Daß Silvanus nicht, wie Gal 2,13 nahezulegen scheint, Heidenchrist, sondern Judenchrist war, folgt dann mit Notwendigkeit, wenn man ihn mit dem Silas der Apostelgeschichte identifiziert[53]. Daran kann aber kaum ein Zweifel sein, denn Silas wird von der Apostelgeschichte während der gesamten sog. zweiten Missionsreise bis zur Mission in Korinth (Apg 18,5) als Missionsgefährte des Paulus beschrieben, was hinsichtlich des Silvanus sowohl von 1Thess 1,1 als auch von 2Kor 1,19 ebenfalls sicher belegt ist. Es haben sich also in der antiochenischen Auseinandersetzung nicht alle Judenchristen auf die Seite des Petrus geschlagen[54]. Wenigstens Silvanus hielt sich zu Paulus und war einer der wenigen (oder der einzige) von ihnen, der sich ganz der gesetzesfreien Evangeliumsverkündigung des Paulus aufschloß.

Wie weit die Apostelgeschichte aber im Recht ist, wenn sie Silvanus als führenden Mann der Jerusalemer Gemeinde bezeichnet (15,22), ist fraglich. Da der Bericht über das sog. Aposteldekret (Apg 15,23–29) nicht bei den Verhandlungen auf dem Konvent beschlossen worden sein kann (Gal 2,6.9f;

---

50   *Loisy*, Actes, 614f.
51   Zum Paulusbild der Apostelgeschichte vgl. *Vielhauer*, Paulinismus, 9–27; *Dibelius*, Paulus in der Apostelgeschichte, 175–180; *ders.*, Areopag, 54–70; *Haenchen*, Apostelgeschichte, 100f; *Schulze*, Paulus-Bild; *Eltester*, Lukas, 1–17; *Burchard*, Zeuge, bes. 169–185 und passim; *Löning*, Saulustradition, passim.
52   Der Name ist häufig, s. *Preisigke*, Namenbuch, 384.
53   Darauf verweist der Name Silas = שאילא, vermutlich die aramäische Sprachform von שאול; *Bauer*, Wörterbuch, 1487; vgl. *Blass-Debrunner* 29f.36f.82f; *Windisch*, Katholische Briefe, 80f.
54   Man wird also den Ausdruck »die übrigen Juden(christen)« von Gal 2,13 nicht pressen dürfen. Oder man kann annehmen, Silvanus habe sich z. Z. des Konfliktes gerade nicht in der antiochenischen Gemeinde befunden.

1Kor 10–12), sondern einer späteren Zeit entstammen muß[55], ist auch die Sendung des Silas von Jerusalem nach Antiochia lukanische Konstruktion. Einmal mehr versuchte Lk, die führenden Männer der urchristlichen Mission von Jerusalem her zu autorisieren[56]; er wußte aber nur, daß Silas der Begleiter des Paulus während der folgenden Missionsreise war. Der Widerspruch zwischen Apg 15,40 (Beginn der Missionsreise in Antiochia) und 15,33 (Rückreise des Silas nach Jerusalem) ist Lk deshalb nicht bewußt geworden[57]. Er wollte diese wichtige Persönlichkeit lediglich gebührend einführen und als »führenden Mann unter den Brüdern« (15,22) kennzeichnen[58]. Im Weiteren bleibt Silas im Aufriß des Lk Statist, mehr noch als vor ihm Barnabas[59]. Beiläufig verschwindet er mit Apg 18,5 aus der Erzählung. Silvanus war vielleicht ebenfalls Apostel[60]. Dann hätte sich Paulus in ihm wiederum einen Apostel als Mitarbeiter gesucht. Mit Silvanus zusammen begann er ein Missionsunternehmen von einer bis dahin nicht gewagten Weite: die Mission in Europa.

2Kor 1,19 erwähnt Paulus in seinen uns erhaltenen Briefen Silvanus das letzte Mal. Er erinnert die Korinther an die unbestechliche, wahrhaftige Christusverkündigung des Anfangs, »durch mich und Silvanus und Timotheus«[61] (vgl. auch Apg 18,5!). Die Zusammenarbeit zwischen beiden verlief demnach in besonderer Einmütigkeit. Hernach haben sich Paulus und Silvanus aus Gründen, die wir nicht kennen, wieder getrennt. In keinem der

---

55 Ob man von einer zweiten Verhandlung zwischen Antiochenern und Jerusalemern auszugehen hat, auf der das Dekret beschlossen wurde (*Bultmann*, Quellen, 71ff; *Hahn*, Mission, 72–74; vgl. *Mußner*, Galaterbrief, 130.135) oder ob man annimmt, hier formuliere nur Lk und legitimiere die Praxis seiner Zeit (*Haenchen*, Apostelgeschichte, 410–414; *Bornkamm*, Paulus, 62f; u. a.) mag offenbleiben (unentschieden bleibt *Mánek*, Aposteldekret, 153f). Weitere Lit. bei *Kümmel*, Einleitung, 147f.

56 Vgl. Anm. 17.

57 Der sog. westliche Text sucht ihn (durch Einschub von v 34) auszugleichen, wodurch nun ein Widerspruch zu 15,33 entsteht.

58 War Silas kein Jerusalemer, dann trifft auch die sonst (vgl. Gal 1f, geschrieben nur etwa ein Jahr nach Abschluß der Mission mit Silvanus) wenig wahrscheinliche Annahme *v. Harnacks* nicht zu, es habe »wohl eine Art von Rückversicherung Jerusalem gegenüber (bedeutet), daß Paulus ihn mitgenommen hat« (Mission, 85).

59 Paulus »wählt ihn aus« (15,40), erteilt ihm Aufträge (17,15). Silas handelt nie selbständig.

60 Paulus zählt ihn im Briefpräskript des 1Thess vor Timotheus auf (1,1). Ebenso nennt er ihn 2Kor 1,19 zuerst. Wenn die Apostelgeschichte mit ihrem engen Apostelbegriff (vgl. dazu *v. Campenhausen*, Apostelbegriff, 96–130; *Klein*, Zwölf Apostel; dazu kritisch *Schmithals*, Apostelamt, 266–273) Silvanus nie so apostrophiert, besagt das nichts. Ob sich 1Thess 2,7 auch auf Silvanus bezieht (*Schmithals*, Apostelamt, 55f; *Schnackenburg*, Apostel, 347f; *Merklein*, Amt, 257f), ist unsicher (jedenfalls nicht auf Timotheus, vgl. Anm. 78). Eine sichere Entscheidung ist nicht möglich.

61 Vgl. dazu *van Unnik*, Reisepläne, 215–234; *Hahn*, Ja, 229–239.

späteren Schreiben des Paulus findet er noch Erwähnung[62]. Vielleicht kehrte Silvanus (anders als Paulus) am Ende der Korinth-Mission nach Antiochia zurück. Nach ihm holte sich Paulus nur noch einmal einen Mitarbeiter aus seiner ehemaligen Gemeinde.

2.2.3
Timotheus

War Silvanus Apostel, dann war er offenbar der letzte Apostel, der sich dem paulinischen Missionswerk anschloß. Mehr und mehr sucht sich Paulus seine Mitarbeiter unter den Heidenchristen. Auf dem Weg nach Europa (Apg 16,1–3; 1Thess 1,1) fand Paulus den Mitarbeiter, den er von allen am meisten schätzte, auf den er sich wie auf keinen anderen verließ, dem er persönlich besonders nahestand und der von nun an ohne Unterbrechung bei ihm blieb, Timotheus.

Nach Apg 16,1 war *Timotheus*[63] schon Christ[64], als Paulus ihn mit auf seine Missionsreise nach Europa nahm[65]. Nach 1Kor 4,17 ist er von Paulus bekehrt worden[66]. Diese beiden Nachrichten können nur dann auf einen Nenner gebracht werden, wenn Paulus (gemäß Apg 14,6–20) schon vor seiner Missionsreise nach Europa in Lystra, im Süden der Provinz Galatien, missioniert hätte. Das ist jedoch nicht sehr wahrscheinlich[67]. Folglich muß man annehmen, daß Timotheus erst auf der Reise des Paulus nach Europa von

---

62 Die Tradition bringt Silvanus später (zusammen mit Markus) mit Petrus in Verbindung. In 1Petr 5,12f werden die beiden zu dessen Mitarbeitern und Sendboten. Die verbreitete Annahme, der 1Petr sei ein Sekretärswerk des Silvanus im Auftrage des Petrus (*Selwyn*, St. Peter, 9–17; *Schelkle*, Petrusbriefe, 14f; *Schweizer*, Der erste Petrusbrief, 12; weitere Literatur bei *Kümmel*, Einleitung, 371–374), ist kaum haltbar. »Durch Silvanus« bedeutet, daß Silvanus den Brief diktiert bekommen oder überbracht, nicht, daß er ihn im Auftrag (des Petrus) geschrieben hat (*Schrage*, Der erste Petrusbrief, 63; *Kümmel*, Einleitung, 373f). Die Verfolgungssituation des 1Petr weist zudem in die Zeit Domitians oder Trajans. Die Presbyterialverfassung (5,1) führt ebenfalls in spätere Zeit. Weiter wird man den Briefrahmen des 1Petr jedenfalls für fiktiv halten müssen (mit *Schrage*, Der erste Petrusbrief, 117; *Kümmel*, Einleitung, 374). Mit dem Hinweis auf Silvanus und Markus (1Petr 5,12f) soll aber wohl kaum der Versuch gemacht werden, »die gewisse Nähe zur paulinischen Theologie begreiflich zu machen« (*Lohse*, Entstehung, 134) – das denkt zu sehr von heute aus. Eher besitzt der Vf. des Briefes eine Tradition von der Beziehung zwischen Silvanus und Markus zu Petrus (vgl. die altkirchliche Tradition von Markus als Hermeneut des Petrus; Eus hist III 39,15), die er sich (auf ursprünglichem paulinischem Missionsgebiet: 1,1) dienstbar macht. Wie es zu dieser Tradition kam, läßt sich nicht ausmachen.
63 Der Name ist nicht selten belegt: *Preisigke*, Namenbuch, 436.
64 Mit μαθητής bezeichnet Lk den Christen: Apg 6,1f.7; 9,1.10.19.25f.38; 11,26 usw.
65 Apg 16,1 drückt sich bezüglich des Heimatortes des Timotheus unklar aus: ἐκεῖ kann sich auf Derbe und Lystra beziehen.
66 Vgl. Phil 2,22 sowie 1Tim 1,2.18; 2Tim 1,2. Mit τέκνον bezeichnet Paulus von ihm bekehrte Christen: 1Thess 2,7.11; Gal 4,19; Phlm 10; 2Kor 12,14; 1Kor 4,15; vgl. *Delling*, Lexikalisches, 270–280.
67 S. o. Anm. 20.

ihm bekehrt wurde[68], was allerdings der lukanischen Konzeption von der –
nicht nach links, nicht nach rechts abweichenden – Reise quer durch Kleinasien (wobei sie »vom Heiligen Geist gehindert wurden, in Asien das Wort zu
verkünden«; 16,6) zuwiderläuft und eine längere Missionstätigkeit voraussetzt[69]. Die Apostelgeschichte weiß zu berichten, der Vater des Timotheus
sei Grieche, seine Mutter Judenchristin[70] gewesen (16,1)[71]; die Paulusbriefe geben darüber keine Auskunft. Daß Paulus den Timotheus »aus
Rücksicht auf die Juden der dortigen Gegend« (16,3) noch als Christen be-
schnitten habe, muß bezweifelt werden. Dann hätte Paulus, der nicht lange
zurück auf dem Apostelkonvent so leidenschaftlich um die vollwertige Anerkennung des unbeschnittenen Heidenchristen Titus gekämpft und seine
Beschneidung verhindert hatte (Gal 2,3; vgl. auch 5,11!), jetzt völlig anders
gehandelt[72].
Seit Beginn der Missionsreise nach Europa begleitete Timotheus Paulus als
Mitarbeiter[73] (1Thess 3,2[74]; Röm 16,21) und blieb danach ohne Unterbrechung bei ihm, ohne etwa zu seiner Heimatgemeinde zurückzukehren.
Aus der Reihe der Mitarbeiter des Paulus ragt Timotheus deutlich hervor.
Abgesehen von Sosthenes (1 Kor 1,1)[75] und Silvanus (1 Thess 1,1) ist er der
einzige Mitarbeiter des Paulus, der als Mitabsender seiner Briefe genannt

---

68 Daraus ist übrigens nicht zu schließen, Timotheus sei (wie es 1Tim 4,12; 2Tim 2,22 sich
vorstellen) noch ein junger Mann gewesen (z. B. *Lietzmann*, Korinther, 89 zu 1Kor 16,10; *Hadorn*, Gefährten, 75; u. v. a.).
69 Hierbei entstanden vermutlich die galatischen Gemeinden; s. u. Anm. 256.
70 Die Apostelgeschichte verwendet das Adjektiv πιστός nur noch zweimal (10,45; 16,15),
jedesmal von Christen, ebenso wohl auch an dieser Stelle (16,1). Die Heirat einer Jüdin mit einem Heiden war nach Jebamoth 45b (*Billerbeck*, Kommentar, 2,741) für jüdisches Recht unge-
setzlich. Die Kinder solcher Ehen galten jedoch als Juden. Die Mischehe der Mutter des Timotheus und dessen Unbeschnittenheit verraten kein frommes, sondern laxes Judentum (vgl.
Haenchen, Apostelgeschichte, 419).
71 Noch genauer wird 2Tim 1,5.
72 Man wird gewiß bedenken müssen, daß Titus Heidenchrist, Timotheus nach jüdischem
Recht (s. Anm. 70) Jude war. *Pölzl* (Mitarbeiter, 107f.139–142) weist ferner darauf hin, daß
die Beschneidungsfrage sich für Paulus hinsichtlich des Timotheus grundverschieden von der
des Titus gestellt habe. Hier ging es um eine Forderung der gesetzesstrengen Judaisten, dort
um eine Konzession an die noch nicht bekehrten Juden gemäß 1Kor 9,20. Aber die Beschneidungsfrage war für Paulus kein Adiaphoron, auf das 1Kor 9,20 Anwendung finden könnte (Gal
5,2f; Röm 2,25–29). Sie war für ihn eine Heilsfrage. Die Beschneidung nützt, sagt Paulus, gar
nichts vor Gott (1Kor 7,18f; Gal 5,6; 6,15), vielmehr allein der Glaube (Röm 3,20). Wer dagegen sich beschneiden läßt, unterwirft sich dem Gesetz (Gal 5,2). Wenn *Fascher* (Timotheus,
1346) diesen Überlegungen »Konsequenzenmacherei« vorhält, übersieht er, daß sein Vorwurf
Paulus trifft. In Apg 16,3 redet Lk, der Paulus als frommen, gesetzeseifrigen Juden zeichnet
(vgl. Anm. 51).
73 *Hadorn* (Gefährten, 70) will aus Apg 16,3 und aus der Reihenfolge der Namen in 2Kor
1,19 entnehmen, Paulus habe Timotheus zunächst als »Gehilfen« (wie vordem Markus; Apg
13,5) mitgenommen, er sei erst »nach und nach in die Stellung des Missionars eingerückt«
(71). Doch widerspricht dem, daß Timotheus 1Thess 1,1 als Mitabsender genannt wird, und
sowohl 2Kor 1,19 als auch 1Thess 3 zeigen ihn als vollwertigen Missionar.
74 Zu dieser Lesart s. u. Kap. 3 Anm. 31.
75 Vgl. Anm. 77.

wird; so in 1 Thess, Phil, Phlm und 2 Kor, in den letzten drei Schreiben allein neben Paulus[76]. In dieser Mitabsenderschaft des Timotheus in den Briefen des Paulus an die Gemeinden seines Missionsgebietes, deren Gründung Timotheus maßgeblich mitgetragen hatte, drückt sich nicht einfach nur eine besondere Wertschätzung durch Paulus aus, sondern die *Mitverantwortung für das paulinische Missionswerk*[77]. Keinem anderen Mitarbeiter hat Paulus (nach Abschluß der Mission in Korinth mit Silvanus; 2 Kor 1,19) neben Timotheus und nach ihm noch einen gleichen Platz frei gemacht. Timotheus trat an die Stelle, die einst Barnabas und später zugleich mit ihm Silvanus eingenommen hatte. Pointiert möchte man sogar sagen: In Timotheus fand Paulus den Mit-Missionar, den er letztlich in Barnabas und Silvanus vergeblich suchte. Timotheus, ein Christ erst der zweiten Generation, kein Apostel[78], kein Volljude, wurde zum alleinigen Missionspartner des Paulus.

Paulus hat sich einige Male über Timotheus geäußert, und diese Stellen belegen einerseits, welche hohe Qualitäten Paulus an ihm schätzte, andererseits, in welch ungewöhnlicher Einmütigkeit sie zusammenarbeiteten. Der Apostel entsandte ihn nach Korinth, um die Gemeinde an seine »Wege« während der Anfangsverkündigung zurückzuerinnern (1 Kor 4,17)[79], nach Thessalonich, um der angefochtenen Gemeinde ihren Glauben zu stärken (1 Thess 3,2f), nach Philippi, weil er wie kein anderer für die Belange der Gemeinde eintrat (Phil 2,20–22). Die Mission des Timotheus nach Korinth in die zerstrittene Gemeinde war nicht einfach. Ausdrücklich ermahnt Paulus die Korinther, Timotheus nicht »geringzuschätzen« (1 Kor 16,10f). Aber diese Befürchtung hegt er nicht etwa wegen eines persönlichen Makels des Timotheus oder wegen dessen Jugend, sondern angesichts der in der Ge-

---

76   Im Gal und Röm fehlt die Mitnennung des Timotheus (wie auch jedes anderen Mitarbeiters!), dem jeweiligen Charakter der Briefe entsprechend; im 1 Kor offenbar deshalb, weil er schon auf der Reise ist (16,10); vgl. *Conzelmann*, Korinther, 356; *Lietzmann*, Korinther, 89.
77   Gleiches galt zuvor für Silvanus. – Eine Ausnahme dürfte nur die Nennung des Sosthenes 1 Kor 1,1 bilden. Sosthenes, der »Bruder«, steht als Glied der korinthischen Gemeinde ganz hinter dem, was Paulus schreibt (1,4ff.10ff; die 1. Person Singular zeigt aber, daß hier nur Paulus redet), und unterstützt den Apostel in seinem Vorgehen gegen die Gruppenrivalitäten in Korinth. Seine Nennung als Mitabsender des 1 Kor ist *situationsbedingt*; die Mitabsenderschaft des Timotheus ist *funktionsbedingt*. Vgl. dazu weiter u. S. 183–187. Die Rolle des Timotheus wird selten richtig eingeschätzt; eine Ausnahme ist *Suhl* (Paulus, 141.258f u. ö.).
78   Anders unter Berufung auf 1 Thess 2,7; Phil 1,1 und Hinweis auf *Gnilka* (Philipperbrief, 30) entscheidet *Kertelge*, Gemeinde, 95f; vgl. *Merklein*, Amt, 258. Doch hätte Paulus dann 2 Kor 1,1; Phlm 1 Timotheus nicht »Bruder« nennen können, während er sich als Apostel bezeichnete. Will er hingegen ihre enge Verbundenheit ausdrücken, verzichtet er auf die Hervorhebung des Aposteltitels (1 Thess 1,1; Phil 1,1).
79   Daß dieser Mission kein Erfolg beschieden wäre (*Fascher*, Timotheus, 1347: Timotheus »hat versagt«; *Conzelmann*, Geschichte, 140f u. a.), ist jedoch dann unwahrscheinlich, wenn man annimmt, daß zwischen 1 Kor und 2 Kor *neue* Gegner des Paulus in Korinth aufgetreten sind (vgl. auch *Georgi*, Kollekte, 42f; *Bornkamm*, Vorgeschichte, 164). Außerdem konnte Titus inzwischen ungestört in Korinth das Kollektenwerk beginnen (2 Kor 8,6ff; 12,17f). Auch die »schlichte Nennung« des Timotheus in 1,1.23 spricht dagegen (*Windisch*, Korinther, 33).

meinde aufgetretenen Rivalitäten[80]. »Wie ich«, sagt Paulus, betreibt er das Werk des Herrn (16,10). Hinsichtlich der Aufrichtigkeit und der Interessen ihres missionarischen Einsatzes waren beide »ἰσόψυχοι« (Phil 2,20)[81]. Timotheus, der zuverlässige Sachwalter des Paulus (1Kor 4,17; 16,10f), wurde, indem er für Paulus, nach dessen Besuch man rief, in die Gemeinden reiste, sozusagen zur rechten Hand des Apostels. Zwar war er nicht der einzige[82], aber doch derjenige Mitarbeiter, den Paulus bevorzugt entsendete. Ob Paulus in ihm während seiner auf Leben und Tod zugespitzten Gefangenschaft in Ephesus auch seinen Testamentsvollstrecker, seinen »Nachfolger« und »Erben des paulinischen Vermächtnisses« gesehen hat[83], läßt sich nicht sicher sagen.

In der Apostelgeschichte bleibt Timotheus ohne Farbe. Lk stellt ihm – durch den Mund der Gemeinden in Lystra und Ikonium – »ein gutes Zeugnis« aus (Apg 16,2). Die Bedeutung, die er für Paulus besaß, kommt dabei nicht einmal von Ferne in den Blick. Den Pastoralbriefen andererseits galt Timotheus später als der Paulus-Schüler schlechthin, der testamentarisch beglaubigte Sachwalter des Apostels[84].

Mit Apg 20,4 verlieren sich die schwachen Spuren, die Timotheus in der Apostelgeschichte hinterließ. Aber mangels weiterer Quellen fällt auch die letzte Erwähnung des Timotheus in einem Paulusbrief in etwa in die gleiche Zeit: In Röm 16,21 grüßt er vor Beginn der Jerusalem- und der geplanten Rom- und Spanienreise als Begleiter des Paulus aus Korinth[85]. Vermutlich wollte er auch mit Paulus nach Rom und Spanien reisen, denn anders als die übrigen Mitarbeiter gehörte er nicht zu den Kollektendelegierten[86]. Wenn die Bemerkung in Hebr 13,23 sich auf ihn bezieht und keine Fiktion ist, dann hat er noch viele Jahre in der Missionsarbeit gewirkt[87].

---

80 So richtig *Weiß* (Korinther, 384); gegen *Lietzmann* (Korinther, 89): »Die Autorität des jugendlichen Gehilfen (1Tim 4,12) ist schwach«; *Pölzl* (Mitarbeiter, 168): »Dieser Jünger scheint von Natur aus etwas zaghaft und schüchtern gewesen zu sein.« Daß Paulus den Timotheus speziell um der Gruppenbildungen in der Gemeinde willen nach Korinth entsendete, sagt er 1Kor 4,17. Auch dort betont er dessen Vollmacht und läßt die Befürchtung anklingen, der Ungehorsam der Gemeinde könnte ihn zwingen, »mit dem Stock« zu kommen (4,20f).

81 Mit *Gnilka*, Philipperbrief, 158. *Christou* (ΙΣΟΨΥΧΟΣ, 293–296) hebt dagegen stärker auf das Persönliche ab. Jedenfalls darf man aus dem Wort (wie *Fascher*, Timotheus, 1347f) nicht schließen, Timotheus sei »schüchtern im Auftreten wie sein Auftraggeber« gewesen.

82 Vgl. Titus (2Kor 2,13; 7,5f); Tychikos (Kol 4,7f).

83 Das schließt *Lohmeyer* (Philipper, 117f) aus Phil 2,22f.

84 Vgl. 1Tim 3f.18f; 3,14f; 4,5–7.11–16(!); 5,22; 6,11ff.20f; 2Tim 1,3–6.13f; 2,1–8; 3,10f.14; 4,5.

85 Allgemein wird angenommen, daß der Röm samt Kap. 16 vor der Abreise des Paulus nach Jerusalem zur Überbringung der Kollekte in Korinth abgefaßt wurde; vgl. Exkurs 4 meiner Diss., Heidelberg 1974.

86 Dazu s. u. S. 53–58.

87 Am Ende des Hebr (13,23) heißt es: »Wißt, daß unser Bruder Timotheus freigelassen wurde; sobald er kommt, werde ich mich mit ihm bei euch sehen lassen.« (Daß γινώσκετε imperativisch zu übersetzen ist und damit das Schicksal des Timotheus den Lesern als bekannt vorausgesetzt wird, wird von daher nahegelegt, daß die Notiz keine weiteren Erläuterungen gibt; aus gleichem Grund wird auch ἀπολελυμένος als Freilassung aus einer Gefangenschaft

2.2.4
Prisca und Aquila

Seit Beginn seiner selbständigen Mission in Europa weitete sich der Kreis der Mitarbeiter des Paulus allmählich aus. Mehr und mehr rekrutierte er sich aus Gliedern seiner Gemeinden, Personen, die durch ihn zum christlichen Glauben bekehrt wurden. Das heißt aber nicht, daß Paulus seine Arbeit oder seine Gemeinden gegen andere christliche Missionare zu verschließen suchte. Mehrfach fand er auch noch unter Christen anderer Herkunft Mitarbeiter. Ein besonderer Glücksfall führte ihn in Korinth mit zwei bedeutenden urchristlichen Gestalten zusammen, die in den folgenden Jahren in großer Treue und Opferbereitschaft zu ihm hielten.

Das Ehepaar *Prisca und Aquila* war, so ist es der Apostelgeschichte zu entnehmen[88], »unlängst« wegen des sog. Claudius-Ediktes[89] aus Italien nach

zu verstehen sein; vgl. auch *Michel*, Hebräer, 543f.) Die Stelle bleibt im Dunkel, und es empfiehlt sich nicht, zu weitreichende Schlüsse aus ihr zu ziehen. Immerhin wird man folgendes feststellen können: 1. Dafür, daß der Paulus-Mitarbeiter gemeint ist, spricht, a) die Bekanntheit und Bedeutung des Timotheus von der Zeit der Paulus-Mission bis weit ins 2. Jahrhundert (Apostelgeschichte, Pastoralbriefe!); ein anderer mit gleichem Namen hätte wohl näher charakterisiert werden müssen. b) Eine gewisse theologische Nähe des Hebr zu Paulus wird zu Recht allgemein hervorgehoben, wenngleich der Versuch, den Brief als paulinisch zu bezeichnen, gescheitert ist (vgl. *Michel*, ebd., 40f.42ff; *Kümmel*, Einleitung, 347ff). 2. Mit Hebr 13,23–25 soll dem vorstehenden Schriftstück nicht (wie z. B. in 2Thess, Eph, 1Petr, Past) ein fiktiver brieflicher Rahmen (oder gar der Anstrich eines Paulus-Briefes) gegeben werden. Vielmehr hat sich mit Recht die Ansicht stärker durchgesetzt, die den Hebr für eine in eine bestimmte Situation gesprochene *Rede* bzw. Predigt hält, die dann unter Anhängung persönlicher Mitteilungen an eine bestimmte Gemeinde gesandt und damit sozusagen im Nachhinein auch noch zum Brief wurde. 3. Man wird also Hebr 13,23f nicht für literarische Fiktion halten dürfen (zumal sich sonst im Hebr dafür keinerlei Hinweise finden; die Annahme eines weggebrochenen Präskriptes ist Spekulation und inhaltlich vor 1,1 unwahrscheinlich). Daraus darf man mit Vorsicht in bezug auf Timotheus drei Folgerungen ableiten: 1. Hebr 13,23 zeigt, daß Timotheus noch zur Zeit der Abfassung des Hebr lebte und in der Mission arbeitete (also vor 96 – 1Kl –, wahrscheinlich zwischen 80 und 90; mit *Kümmel*, ebd., 355; *Lohse*, Entstehung, 127; zum Verhältnis des Hebr zum 1Kl vgl. jedoch *Theißen*, Untersuchungen, 37–41.51f). 2. »Die Nachricht von der Freilassung des Timotheus 13,23 zeigt an, daß die Situation im römischen Reich den Amtsträgern der Gemeinde gegenüber sehr gespannt bleibt« (*Michel*, Hebräer, 52, der allerdings die Vorstellung vom »Amtsträger« Timotheus einträgt). 3. Nach 13,24 besaß der Vf. und damit auch Timotheus, deren gemeinsamer Besuch angekündigt wird, Beziehungen zu italischen Gemeinden.

88 Die Notiz zeigt sprachlich, stilistisch und gedanklich keine Lukanismen. Sie wird historisch durch die Notiz des Sueton (s. Anm. 89) sowie durch den Hinweis des Paulus auf seine eigene Arbeit (1Thess 2,5.9; 1Kor 9,16–18; 2Kor 11,7–10 u. a.) bestätigt. Sie läßt schließlich auch keine Tendenz im Aufriß des Lk erkennen. Alles das spricht für ihre historische Zuverlässigkeit (ebenso *Haenchen*, Apostelgeschichte, 473–475, und *Conzelmann*, Apostelgeschichte, 105).

89 Es wird von Sueton, Vita Claudii 25, erwähnt und von Orosius, Historia contra paganos VII 6,15f (CSEL 5,451; um 400) auf das 9. Jahr (= 49 n.Chr.) des Claudius datiert. Allerdings bleibt dabei die Unsicherheit, daß er sich auf Josephus beruft, unter dessen erhaltenen Schriften sich diese Angabe nicht findet. Sie verdient jedoch, da sie von der auf der Gallio-Notiz (Apg 18,12ff) gründenden Chronologie des Paulus bestens bestätigt wird, historische Glaubwürdigkeit.

Korinth übergewechselt (18,1f). Dies geschah vermutlich im Jahre 49 oder Anfang 50, höchstwahrscheinlich etwa zur gleichen Zeit, als Paulus nach Korinth kam[90]. Die Notiz des Sueton (»Judaeos impulsore Chresto assidue timultantes Romae expulit«) spricht für die Vermutung, daß Aquila und Prisca bereits Christen gewesen sein könnten, als sie in Korinth eintrafen[91]. Das konnte Lk natürlich nicht berichten, denn bei ihm wird ja das Christentum durch Paulus nach Rom getragen. Ungewollt und unbeachtet bezeugt er jedoch später selber das Vorhandensein einer christlichen Gemeinde in Rom bzw. Italien (Apg 28,14f). Auch Paulus setzte einige Jahre später eine bereits große und lebendige Gemeinde in Rom voraus (Röm).

Nach Apg 18,2 waren Aquila und Priscilla[92] (die Apostelgeschichte gebraucht stets den Deminutiv[93] des Namens) Juden. Auch diese Angabe wird von dem Vermerk des Sueton indirekt bestätigt. Abgesehen von drei späteren Interpolationen zu Apg 18,2.7.21, wird das Ehepaar immer zusammen genannt. Auffallender noch als diese Tatsache ist, daß an den meisten Stellen, in denen das Paar in der Apostelgeschichte und ebenso bei Paulus Erwähnung findet[94], Prisca *vor* ihrem Mann aufgeführt ist. Diese Hervorhebung der Frau scheint ein Ausdruck der Bedeutung Priscas für die christlichen Gemeinden zu sein[95].

Die Rolle der *Frauen* in der paulinischen Mission wird oft unterschätzt. Die lapidare Formulierung: »Paulus hatte nur männliche Gefährten«[96] ist unrichtig. Ausdrücklich wird auch Prisca als »Mitarbeiterin« bezeichnet (Röm 16,3). Der Wortlaut in Phil 4,3 legt nahe, daß auch Euodia und Syntyche in Philippi zu den Mitarbeiterinnen des Paulus zählten[97]. Wie von Prisca – und ihrem Ehemann – (1Kor 16,19; Röm 16,5) wird auch von Chloe (1Kor 1,11)[98], von Apphia – und Archippos – (Phlm 2)[99] sowie von Nymphe (Kol 4,15)[100] berichtet, in ihrem Hause ver-

90 Das war vermutlich Ende des Jahres 49 (s. Exkurs 2). Nach Apg 18,1f fiel ihr Eintreffen in Korinth bereits vor die Ankunft des Paulus. Jedenfalls hat aber Paulus die korinthische Gemeinde gegründet (1Kor 4,14–16; 3,6–10; 16,15; 1,16; 1,14).
91 Weitere Gründe trägt *Haenchen* (Apostelgeschichte, 469f Anm. 4) gegen *Zahn* (Einleitung, 634–636) zusammen; vgl. auch *Pölzl*, Mitarbeiter, 372.
92 Weil die Bemerkung über Priscilla (»und Priscilla seine Frau«; Apg 18,2) nachklappe, meint *Haenchen* (Apostelgeschichte, 470), sie stehe »denkbar unglücklich« und sehe »wie ein Einschub« aus (so *Preuschen*, Apostelgeschichte, 111). Da sich 18,3 wie 18,2a nur auf Aquila bezieht, ist nicht ausgeschlossen, daß ein früher Abschreiber, ebensogut aber auch schon Lk selber, Priscilla hier in Analogie zu 18,18.26 einfügte und die Fortführung des Satzes (zweimaliges αὐτοῖς) entsprechend abwandelte. Dafür spricht auch, daß in 18,2 die Reihenfolge der beiden Namen (sonst immer: »Priscilla und Aquila«) umgekehrt ist.
93 Aufmerksame Abschreiber haben auch in 1Kor 16,19 (so A C t.r. D G vg^cl sy) und Röm 16,3 (2 5 81 al Chr Ambst) die Namensform an die Apostelgeschichte angeglichen.
94 Apg 18,18.26; Röm 16,3; vgl. 2Tim 4,19; zu Apg 18,2 vgl. Anm. 92. Ausnahme ist nur 1Kor 16,19.
95 *v. Harnack* (Mission, 85) spricht deshalb von der »Missionarin Prisca und ihr(em) Gatte(n) Aquila«.
96 *Hadorn*, Gefährten, 73.
97 S. u. S. 28.
98 Vgl. S. 42.
99 S. u. S. 42.
100 S. u. S. 50.

sammle sich eine Hausgemeinde. Phoebe (Röm 16,1f)[101] hat Paulus Beistand gezollt; die Mutter des Rufus, sagt Paulus, sei auch ihm eine Mutter gewesen (Röm 16,13). Weitere Frauen, die sich in der Missionsarbeit (κοπιᾶν!)[102] hervorgetan haben, erwähnt Paulus Röm 16,6.12.15.

Diese Belege lassen deutlich erkennen, daß – trotz 1Kor 11,2–16; 14,33b–36[103] – die Frauen in der Missionsarbeit durchaus nicht lediglich untergeordnete Rollen gespielt haben. Es scheint so, als hätten sie in der tätigen Mitarbeit in Hausgemeinden ein vornehmliches Arbeitsfeld gehabt[104].

Aquila war Handwerker und damit Geschäftsmann[105]. Der Zufall brachte es mit sich, daß er das gleiche Handwerk ausübte wie Paulus: Zeltmacher[106]. Paulus blieb bei ihm und arbeitete in seinem Betrieb (Apg 18,3). Diese unscheinbare Notiz des Lk verdient besondere Beachtung. Sie gewährt nicht nur einen kleinen Einblick in den Alltag des Paulus und illustriert damit Bemerkungen wie 1Thess 2,9; 1Kor 9,6ff; Phil 4,10ff; 2Kor 11,7ff; 12,13, sondern sie läßt die besondere Bedeutung ahnen, die das Ehepaar neben seinem missionarischen Engagement für Paulus besaß. Wenn auch die Eigenverdienste des Paulus für seinen Unterhalt kaum ausgereicht haben dürften[107], gaben sie seiner Missionstätigkeit doch eine gewisse materielle Grundlage.

Aquila stammte aus der römischen Provinz Pontos am Schwarzen Meer, war später nach Rom übergesiedelt[108] und hatte kürzlich, der Not gehorchend, die Stadt verlassen, um sich mit seiner Frau in Korinth ansässig zu machen. Eineinhalb Jahre[109] später verlegten sie ihren Wohnsitz nach Ephesus (1Kor 16,19) und zogen[110] abermals zwei bis drei Jahre hernach zurück nach Rom (Röm 16,3–5); ein, wenn man so sagen darf, mobiles Ehe-

---

101 S. u. S. 31.

102 S. u. S. 75.

103 Sofern es sich in 1Kor 14,33b–36 nicht eher um einen sekundären Zusatz handelt; vgl. *Conzelmann*, Korinther, 289f; *Stuhlmacher*, Apostolat, 42 Anm. 32.

104 Zur Literatur vgl. *Kähler*, Frau; *Fitzer*, Weib; *Blum*, Amt.

105 Das heißt, er besaß einen gehobenen Sozialstatus. Seine Finanzlage war immerhin so profund, daß er infolge des Claudius-Ediktes Rom verlassen und nach Korinth übersiedeln, dort ein Haus erwerben, seine Arbeit aufnehmen und sogar Paulus bei sich beschäftigen konnte. Nicht nur dies; das gleiche wiederholte sich für Ephesus. Außerdem ist anzunehmen, daß er mit Familie und Sklaven reiste (s. Anm. 164). Währenddessen lief sein Betrieb in Rom offenbar (wohl unter Leitung eines Sklaven) weiter: Röm 16,3–5 (s. u.) sieht ihn bereits wieder in einem Hause in Rom.

106 *Jeremias* (Zöllner, 299) versteht darunter, daß er Lederarbeiter war, nicht Weber, weil die Weberei dem strengen Juden als anrüchiges Gewerbe galt. Vgl. *Michaelis*, ThWNT Bd. 7, 394–396. Die richtige Übersetzung bleibt jedoch ungewiß (*Burchard*, Zeuge, 39 Anm. 57).

107 S. u. Kap. 5 Anm. 41.

108 »Italien« setzt Lk in 18,2 für Rom, um nicht zweimal »Rom« im gleichen Satz gebrauchen zu müssen; vgl. ebenso 27,1.

109 Apg 18,11.

110 Unter der Voraussetzung, daß Röm 16 das Schlußkapitel des Röm ist (den Nachweis dafür versuche ich in Exkurs 1 meiner Diss. masch., Heidelberg 1974, zu führen).

paar! Vielleicht fühlten sie sich, was besonders Röm 16,3–5 erkennen läßt, der Mission des Paulus in solchem Maße verbunden, daß sie seinetwegen von Korinth nach Ephesus und später nach Rom zogen[111]. Dafür spräche, daß sie jeweils vor Paulus nach Ephesus bzw. nach Rom kamen[112]. Dafür spräche auch der umfassende Dank, den Paulus ihnen sagt (Röm 16,4). Vielleicht wollte Aquila auf diese Weise Paulus an seiner neuen Wirkungsstätte eine Arbeitsgrundlage verschaffen und damit die Existenz der Mission des Paulus (und seiner Mitarbeiter) sichern helfen. Seiner eigenen Geschäftsentwicklung können die raschen Wohnortwechsel jedenfalls nicht sehr förderlich gewesen sein. Welche besondere Wertschätzung Paulus den beiden beimaß, zeigt sich auch daran, daß sie allein namentlich und hervorgehoben von Ephesus aus Grüße nach Korinth entrichteten (1Kor 16,19).

Prisca und Aquila haben sowohl in Ephesus (1Kor 16,19) als auch alsbald in Rom wieder (Röm 16,5) eine Hausgemeinde um sich gesammelt[113]. Ihre Aktivitäten beschränkten sich nicht auf Hilfeleistungen für Paulus. Wenn sie auch sehr eng mit ihm zusammenarbeiteten, so wird zugleich ihre Selbständigkeit deutlich.

Um so helleres Licht fällt auf ihren selbstlosen, risikoreichen Einsatz für Paulus: »Sie haben für mein Leben ihren eigenen Hals hingehalten . . .« (Röm 16,4). Irgendwann in Korinth oder Ephesus retteten sie Paulus das Leben. Gut möglich, daß ihre Tat im Zusammenhang mit der Gefangenschaft des Paulus in Ephesus stand (2Kor 1,8ff)[114]. Jedenfalls ging ihre Unterstützung für das paulinische Missionswerk soweit, daß Paulus Anlaß sieht, zu betonen, »alle (!) heidenchristlichen Gemeinden« seien ihnen zu Dank verpflichtet (Röm 16,4).

2.2.5
Die übrigen Mitarbeiter während der Europamission

Die Mission in Mazedonien und vor allem in Korinth führte Paulus eine Reihe neuer Mitarbeiter zu, die später gelegentlich und zufällig erwähnt

111   So legen sich auch D* G* it vg^cl in 1Kor 16,19 die Sache zurecht, dabei aber offensichtlich abhängig von Apg 18,3. – Auch *Pölzl* (Mitarbeiter, 378–380) sieht einen Zusammenhang zwischen dem Ortswechsel der beiden und dem des Paulus.
112   Zur Zeit der Abfassung des 1Kor sind sie noch in Ephesus (1Kor 16,19), zur Abfassungszeit des Röm bereits in Rom (Röm 16,3–5). – Apg 18,18f berichtet, daß Priscilla und Aquila zusammen mit Paulus von Korinth nach Ephesus fuhren, wo Paulus einige Zeit predigte (und somit im Sinne des Lk der eigentliche Gemeindegründer ist), ehe er nach Syrien abreiste. Der gesamte Abschnitt 18,18–23 unterliegt zwar mancherlei historischen Bedenken, ist aber andererseits nicht gänzlich lukanisches Produkt (dazu s. u. Anm. 142 und 143). 1Kor 16,19 bestätigt den Ortswechsel von Prisca und Aquila ebenso wie die Tatsache, daß sie in Korinth bekannt waren. Wahrscheinlich gelangte Paulus aber erst nach ihnen nach Ephesus (vgl. auch Apg 19,1 und Anm. 164).
113   S. Anm. 164.
114   Zum Nachweis der ephesinischen Gefangenschaft des Paulus s. *Deißmann*, Gefangenschaft, 121–127; *Michaelis*, Gefangenschaft; *ders.*, Einleitung, 207–210). Vgl. Exkurs 2.

werden, ohne daß man annehmen könnte, es wären uns damit alle von ihnen bekannt. Nur selten hat Paulus die Mitarbeiter, die sich bei ihm befanden, in Briefen aufgezählt, nur zufällig fallen Streiflichter auf die Personen in seinen Gemeinden. Einen solcherart unverhofften Einblick in die philippische Gemeinde gestattet Phil 4,2. Hier bittet Paulus einen *Syzygos*, sich um die in Streit geratenen Frauen *Euodia* und *Sytyche* zu kümmern, »die meine Kampfgenossen waren zusammen mit *Clemens* und meinen übrigen Mitarbeitern«[115]. Paulus hatte also in Philippi seinerzeit eine Reihe von Mitarbeitern, die sich zur Abfassungszeit von Phil 4,2f[116] in der Gemeinde befanden. Den beiden Frauen wird ausdrücklich ihre tatkräftige Mitarbeit am Evangelium zur Zeit der Mission des Paulus in Philippi bescheinigt[117]. Die Formulierung bezieht sie samt Clemens vermutlich unter die »Mitarbeiter« ein[118]. Obgleich als Eigenname sonst nicht belegt, wird man »Syzygos« besser als solchen verstehen[119].

---

115 So nach den meisten und besseren Handschriften. P16vid א* wollen die Gruppe der Mitarbeiter eingrenzen.

116 Hinsichtlich der umstrittenen Frage nach der Aufteilung des Phil in einzelne Schreiben scheint mir am plausibelsten eine Aufteilung des Phil in drei Briefe: A: Phil 4,10–20; B: Phil 1,1–3,1a; 4,2–7.21–23; C: Phil 3,1b–4,1.8f. – Vgl. ähnlich *Schmithals*, Irrlehrer des Philipperbriefes, 47–87; *Koester*, Perpose, 317–332; *Bornkamm*, Philipperbrief, 195–205; anders *Müller-Bardorff*, Frage, 591–604; *Benoit*, Epîtres; *Rathjens*, Letters, 167–173; *Dockx*, Lieu, 230–246; *Gnilka*, Philipperbrief, 5–25; *Suhl*, Paulus, 149–161. Die Abfassungszeit von Phil 4,2f wird hier als identisch mit der von 1,1ff angesehen (Brief B), nämlich während der Gefangenschaft des Paulus in Ephesus.

117 συναθλεῖν erscheint nur noch 1,27 und ist auch dort nicht auf Personen, sondern auf die Sache: den aus dem Evangelium erwachsenden Glauben bezogen. Vgl. *Pfitzner* (Agon Motiv, 161): »They . . . are those who have taken a leading part in assisting the Apostle in his missionary labours . . .« Zu Recht weist *Pölzl* (Mitarbeiter, 210) hinsichtlich des historischen Hintergrunds auf 1Thess 2,2 hin.

118 Vgl. das λοιπῶν in 4,3.

119 Dafür spricht: 1. Die Anrede σύζυγε bleibt sonst unverständlich. – Ältere Ausleger sehen hier (gestützt auf Clem Alex, Strom III 53,1) Paulus seine Frau ansprechen (dagegen *Pölzl*, Weltapostel, 280–283). *Lohmeyer* denkt an einen Gefährten unter dem »Joch« des Martyriums (Philipper, 166), wobei die Anrede unverständlich bleibt. Weiter hat man vermutet, mit ihr sei ein Mitarbeiter des Paulus angesprochen, entweder Silvanus oder Timotheus oder Epaphroditos (dazu kritisch *Gnilka*, Philipperbrief, 167). Diese Identifizierung bekäme nur dann Stringenz, wenn Paulus mit einem von ihnen eine »Jochgenossenschaft« (*Jeremias*, Paarweise Sendung, 136–143) verbunden hätte, wofür es jedoch unter den bekannten Nachrichten über seine Mitarbeiter keinen Anhalt gibt. Auch die Titulatur des Epaphroditos (Phil 2,25ff) läßt nichts dergleichen erkennen, bezeichnet ihn im Gegenteil als Gemeindegesandten. Ernsthaft käme überhaupt nur Timotheus in Frage (s. o. S. 22), der sich jedoch zur Zeit der Abfassung von Phil-Brief B (s. Anm. 116) bei Paulus befindet (1,1; 2,19ff) Dies Argument entfällt nur, wenn man Phil 4,2f zu 3,1ff rechnet (so zuletzt *Suhl*, Paulus, 149–161.191f). Es bleiben jedoch weitere Schwierigkeiten. War Paulus kein »Jochgenosse«, dann hätten die Philipper als Briefempfänger nicht gewußt, wer eigentlich gemeint wäre. Diese Unklarheit neben den Namensnennungen in v2 und v3 wäre um so verwunderlicher. – 2. Die Namensnennungen v2f sprechen auch eindeutig dagegen, daß hier etwa ein Name gestrichen oder verändert worden wäre, wofür sich außerdem kein textlicher Anhalt bietet (gegen *Schmithals*, Irrlehrer des Philipperbriefes, 55 Anm. 47; mit *Gnilka*, Philipperbrief, 167). – 3. Daß der Name Syzygos

Dieser Syzygos scheint eine führende Funktion innerhalb der Gemeinde innegehabt zu haben, so daß Paulus ihm die Schlichtung des – vielleicht, was man aus der ehemaligen Bedeutung der beiden Frauen und anderen Andeutungen des Briefes vermuten könnte, nicht nur einfach persönlichen[120] – Zwistes zwischen den beiden Frauen ans Herz legte[121]. – Erwähnt Paulus seine »übrigen Mitarbeiter« (Phil 4,3), so ist an seine Begleiter Silvanus und Timotheus zu denken. Ob noch andere mitgemeint sind, läßt sich nicht entscheiden[122].

Im Bericht über die Mission des Paulus in Thessalonich (Apg 17,1–10a) erwähnt die Apostelgeschichte einen Mann mit dem verbreiteten Namen Ja-

bislang noch nicht belegt werden konnte, fällt weniger stark ins Gewicht. Es gab (vgl. *Gnilka*, Philipperbrief, 167) auch andere ähnliche Namen, die selten vorkamen, z. B. Syndromos, Symmachos, Symphonos (*Delling*, ThWNT Bd. 7, 749).

120 Man muß, wenn man Phil 1,1–3,1a; 4,2f in den gleichen Brief ordnen darf, an 1,27–30; 2,1–4 denken: die Aufforderung an die gesamte Gemeinde, σύμψυχοι zu sein (so zu Recht auch *Gnilka*, Philipperbrief, 105; vgl. *Suhl*, Paulus, 200).

121 συλλαμβάνεσθαι mit Dativ = »jmdm. beistehen, helfen«, »sich jmds. annehmen« (*Bauer*, Wörterbuch, 1538); gemeint ist eine seelsorgerliche Zuwendung (ähnlich Phil 2,3f), nicht eine autoritative Entscheidung.

122 Die Geschichte von der Mission in Philippi, die Lk Apg 16,11–40 vorträgt, besteht aus einer Sammlung frommer Legenden (anders *Schmithals*, Römerbrief, 79, der den Bericht für »durchaus zuverlässig« hält, und *Suhl*, Paulus, 189, der meint, die Nachrichten von der Philippi-Mission stammten »wahrscheinlich [direkt oder indirekt] von einem Augenzeugen«). *Haenchen* (Apostelgeschichte, 441–443) gliedert den Abschnitt in fünf »Absätze« (16,11–15.16–18.19–24.25–34.35–40) und möchte wenigstens für den ersten annehmen, daß Lk sich auf verläßliches Quellenmaterial (einen »Reisebericht«; ebd. 441) stützte. Darüber hinaus glaubt er (442), Lk habe verschiedene Traditionen aus der paulinischen Philippi-Mission von einem Augenzeugen aus Philippi erhalten (das mache Lk durch den Wir-Stil deutlich). Die Nachricht über *Lydia* (»die Lydierin«) hält er historisch für glaubhaft. – Ob eine so günstige Beurteilung von Apg 16,11–15 angebracht ist, muß bezweifelt werden. Für einen »Augenzeugen« ist der Bericht 16,11 recht ungenau. Philippi liegt nicht am Meer, wie 16,12 erwarten läßt. Die Bezeichnung πρώτη τῆς μερίδος Μακεδονίας πόλις, κολωνία ist unklar. Philippi war weder Provinz- noch Bezirkshauptstadt. Man müßte sich mit einer Konjektur (πρώτης μερίδος) behelfen. Näher liegt jedoch, daß Lk sich die erste Stadt auf europäischem Boden, in der Paulus missioniert, in Analogie zu Thessalonich, Athen, Korinth, Ephesus, nur als Hauptstadt vorstellen konnte. Die gesamte zitierte Bezeichnung der Stadt liest sich »wie eine Zusammenraffung ihrer Geschichte, die von der Makedonia Prima (seit 167 v.Chr.) bis zur Colonia Julia (seit ca. 30 v.Chr.) reicht« (*Gnilka*, Philipperbrief, 1f). Apg 16,12b ist lukanische Sprache (διατρίβειν: 12,19b; 14,3.28; 15,35; 20,6; 25,6.14; oft mit unbestimmter Zeitangabe: ἱκανὸν χρόνον, 14,3; χρόνον οὐκ ὀλιγόν, 14,28; πλείους ἡμέρας, 25,14 u. a.), 16,13a verrät das lukanische Schema. Auch 16,14a ist lukanische, von der LXX beeinflußte Sprache (vgl. Lk 24,31f.45; Apg 17,3; ἀνοίγειν und καρδία sind lukanische Lieblingswörter). Der Bekehrung der Lydia folgt sofort die Taufe (16,15; vgl. 8,36.38; 16,33; 18,8; 18,24–19,7). – Die Szene Apg 16,11–15 ist also wahrscheinlich ganz von Lk gestaltet. Hier liegt kein Augenzeugenbericht vor, den Lk dadurch gekennzeichnet hätte, daß er ihn in der Wir-Form beließe (zum Wir-Stil vgl. Anm. 214 und 260). – Lk konnte sich dennoch vermutlich auf eine Tradition über die Philippi-Mission stützen: die knappe Charakterisierung der Lydia (16,14a) erinnert an Notizen wie 4,36 (Barnabas), 18,2f (Priscilla und Aquila) oder 18,24 (Apollos). Sie könnte auf verläßlicher Nachricht beruhen. Aus dieser Überlieferung (deren Form nicht mehr ermittelt werden kann) formte Lk die Bekehrungsszene 16,12ff. Es ist deshalb nicht auszuschließen, daß Lydia zu den ersten Christen in Philippi gehört hat. – Die Bekehrung des Gefängniswärters ist Legende, der historisch nichts zu entnehmen ist.

son[123], der Paulus und Silvanus in sein Haus aufgenommen habe[124]. Diese
Nachricht und das Wissen um Verfolgungen während der Mission in Thessalonich (1Thess 1,6; 2,14; 3,3f) dürfte der historisch wahrscheinliche Kern
der Erzählung sein, die Lk in seiner Weise gestaltete[125]. Jason mit der Röm
16,21 genannten Person gleichen Namens zu identifizieren, liegt kein
Grund vor. Der 1Thess selber macht keine Angaben über einzelne Gemein-
demitglieder[126].

Aus gegebenem Anlaß[127] erinnert Paulus die Korinther im 1Kor daran, daß
er seinerzeit in Korinth (nur) *Krispos, Gajus* und das Haus des *Stephanas*[128], d. h. ihn samt Familie und Sklaven[129], getauft habe (1Kor 1,14–16).
Der Bericht der Apostelgeschichte über die Korinthmission des Paulus
nennt ebenfalls einen Krispos, einen Synagogenvorsteher, der gläubig
wurde (18,8). In diesem Falle besteht kein Grund, die beiden für verschiedene Personen zu halten. Daß ein Synagogenvorsteher zu den Erstbekehrten gehörte, ist durchaus naheliegend[130]. Über die Mission des Paulus in
Korinth besaß Lk eine Reihe verläßlicher Nachrichten[131].

Apg 18,7a hängt Lk an seine Erzählung von dem erfolglosen Versuch der
Juden, Paulus vor dem Prokonsul Gallio zu verklagen (der sich »um alles das
gar nicht kümmerte«), ziemlich unverbunden die Bemerkung: ». . . sie
packten alle den Synagogenvorsteher *Sosthenes* und verprügelten ihn (auf

---

123 Vgl. *Preisigke*, Namenbuch, 146. Nach *Hengel* (Jesus, 175) handelt es sich um einen ty-
pischen Judennamen.

124 Das setzt einen gewissen Wohlstand voraus.

125 Lk gestaltet die Szene wieder einmal zu einem heimtückischen Anschlag der »eifersüch-
tigen« Juden, die mit üblen Machenschaften versuchen, die römischen Behörden gegen Paulus
aufzuhetzen, was ihnen jedoch durch das mutige Auftreten des begüterten Jason vereitelt wird.
Jason gibt damit ein Beispiel ab für das beherzte Verhalten eines Christen. Vgl. auch *Haenchen*, Apostelgeschichte, 448.451.

126 In Athen habe Paulus *Dionysios*, einen Beisitzer des auf dem Areopag abgehaltenen Gerichts, d. h. einen angesehenen Mann, sowie *Damaris* zum Glauben geführt, berichtet die
Apostelgeschichte (17,34). Diese Angaben könnten auch einer späteren Zeit entstammen, als
es in Athen eine christliche Gemeinde gab (vgl. *Haenchen*, Apostelgeschichte, 464). 1Thess 3,1
läßt zwar Raum für einen Missionsversuch des Paulus in Athen, doch findet sich sonst kein Beleg darüber. Da der Erstbekehrte Achaias ein Korinther war (1Kor 16,15), ist dies ein indirekter
Hinweis darauf, daß Paulus erst in Korinth Missionserfolge hatte. Lk andererseits hat sich eine
Mission des Paulus, erst recht in Athen, nicht erfolglos vorstellen können (vgl. überhaupt Apg
17,16–34).

127 Zur Situation vgl. S. 163ff.

128 Zu Stephanas s. S. 42.96–98.

129 Für die Einbeziehung von Verwandten und Gesinde (Sklaven) in den Begriff οἶκος bringt
Delling (Taufe, 285–311) alttestamentliche und griechische Belege, die *Strobel* (Begriff,
91–100) nicht entkräftet. Vgl. auch *Michel*, ThWNT Bd. 5, 132f; *Aland*, Säuglingstaufe, 63;
Weigandt, Oikosformel, 49–74; *Jeremias*, Kindertaufe, und jüngst *Theißen*, Schichtung,
246–250.

130 Zur Predigt des Paulus auch in Synagogen vgl. 2Kor 11,24f. Als Archisynagoge dürfte
Krispos angesehen und nicht der Ärmste gewesen sein (*Theißen*, Schichtung, 236f). Gleiches
gilt für Sosthenes (s. u.).

131 Vgl. auch die Bemerkung über Aquila und Priscilla in 18,2f sowie die Gallio-Notiz in
18,12–17 (vgl. *Haenchen*, Apostelgeschichte, 473).

dem Platz) vor dem Richterstuhl« – was Lk als Racheakt der Juden an dem gläubigen Sosthenes versteht. Er hat hier eine Einzelnotiz kunstvoll an seine Burleske von den genaseweisten Juden angehängt und ihr damit die Pointe gegeben[132]. 1Kor 1,1 nennt auch Paulus an hervorgehobener Stelle als Mitabsender seines Briefes einen Sosthenes. Dieser war demnach in der korinthischen Gemeinde nicht nur eine bekannte, sondern auch eine bedeutende Persönlichkeit und ein enger Vertrauter und Mitarbeiter des Paulus[133]. Der Name Sosthenes ist zwar nicht selten[134]. Dennoch wird es sich um die gleiche Person handeln, da sich die Angaben über sie sinnvoll ergänzen und Lk wie gesagt einige zuverlässige Nachrichten über die Mission des Paulus in Korinth besaß[135].

In der Zeit seiner Korinthmission erfuhr Paulus Beistand und Unterstützung von einer Frau namens *Phoebe*. Warm empfiehlt er sie später der römischen Gemeinde (Röm 16,1f) als »unsere Schwester«, und er sagt weiter von ihr: οὖσαν διάκονον τῆς ἐκκλησίας τῆς ἐν Κεγχρέαις. Als διάκονος hat sie in Kenchreä offenbar eine feste Funktion innegehabt[136].

Der Einblick, den uns die Quellen in die paulinischen Gemeinden gönnen, ist, was Personen und Namen betrifft, wie schon gesagt, fragmentarisch und zufällig. Gewiß liegt darin ein Grund für das schattenhafte Dasein, das

---

132 Das gleiche Motiv verwendet er auch Apg 17,5f und 19,29.

133 Daß Paulus ihn nicht ausdrücklich als »Mitarbeiter«, sondern als »Bruder« bezeichnet, besagt nichts: vgl. z. B. 1Kor 16,12 mit 3,9 (zu Apollos), Phlm 16 mit Phlm 1 (zu Philemon) oder 2Kor 1,1 mit Röm 16,21 (zu Timotheus).

134 Vgl. *Bauer*, Wörterbuch, 1584.

135 Andernfalls müßte man zwei Personen gleichen Namens und besonderer Bedeutung in Korinth annehmen. – Lk berichtet, Paulus sei, nachdem er zunächst bei Aquila und Prisca gewohnt habe, in das Haus eines *Titius Justus* umgezogen (Apg 18,7). Ob dieser Korinther Mitglied der Gemeinde war, wird nicht ganz deutlich (*Theißen*, Schichtung, 252f.257, setzt es voraus). Paulus scheint jedoch in Korinth nicht die ganze Zeit bei Aquila und Prisca gewohnt zu haben (vgl. die Phoebe-Notiz, Röm 16,2).

136 Die Formulierung »διάκονος« in Verbindung mit einem eine Gemeinde bezeichnenden Genitiv ist bei Paulus singulär. Hier scheint, anders als in der Wendung »διάκονος τοῦ Χριστοῦ« o. ä. (vgl. 1Kor 11,23; Kol 1,7; 1Thess 3,2; 2Kor 6,4 u. a.), bereits eine Verfestigung des Begriffs stattgefunden zu haben (so auch *Beyer*, ThWNT Bd. 2, 93; *Lietzmann*, Römer, 124; *Michel*, Römer, 377; *Brockhaus*, Charisma, 100). Zu vergleichen ist wahrscheinlich (s. u. Kap. 3 Anm. 115) Phil 1,1 und vielleicht Kol 4,17; darüber hinaus Röm 12,7; 1Kor 12,5. – Auch das Partizip οὖσαν belegt die Institutionalisierung der »Diakonen«-Aufgabe. Unklar ist allerdings der Inhalt der damit beschriebenen Aufgabe. Weiter hilft vielleicht die Kennzeichnung der Phoebe als προστάτις, hier am besten mit »Beschützerin« oder »Beistand« zu übersetzen (vgl. *Lietzmann*, Römer, 124; *Merklein*, Amt, 325 mit Anm. 244; gemeint ist vielleicht finanzielle Hilfeleistung, Zunutzemachen ihrer Beziehungen oder Aufnahme in ihr Haus). In dieser Funktion muß sie angesehen und begütert gewesen sein. Auch Paulus fand bei ihr solchen Beistand. Assoziationen zur evangelischen Diakonissentradition (*Michel*, Römer, 377: »Es ist möglich, daß Phoebe an Frauen, Kranken und Freunden ihren ›Dienst‹ versah, vielleicht sogar bei der Taufe von Frauen Beistand leistete«), den Gedanken der privilegierten Männerwelt entsprungen, gehen deshalb fehl. Die Tätigkeit, die Phoebe in Kenchreä ausübte, war offensichtlich an ihre persönlichen Verhältnisse gebunden. Sie darf nicht für alle διάκονοι verallgemeinert werden. Das bedeutet zugleich, daß es zwar die Funktion des διάκονος in Kenchreä gab, aber die damit wahrgenommenen Aufgaben vom Einzelfall abhingen.

die Mitarbeiter in der Literatur führen. Nur aus indirekten Angaben kann
man schließen, daß es neben den uns namentlich bekanntgewordenen Personen andere, nicht minder führende Köpfe in den Gemeinden gegeben hat
(1Thess 5,12–14; 1Kor 1,12; 2Kor 8,18.22 u. a.). Aber wie sich gezeigt hat,
lassen die Quellen doch immerhin soviel erkennen, daß Paulus bereits zur
Zeit der Korinthmission von einer Reihe von Personen umgeben war, die in
der Mission mitarbeiteten. Außer Barnabas lassen sich vierzehn Namen fassen. Einige verschwinden sogleich wieder aus unserem Blickfeld. Andere
bleiben weiterhin bei Paulus.

2.3
Die Mitarbeiter der ephesinischen und nachephesinischen Zeit

2.3.1
Die Zeit zwischen Korinth- und Ephesusmission

Der Abschluß der Mission in Korinth brachte in mehrfacher Hinsicht einen
Einschnitt der missionarischen Arbeit des Paulus mit sich. Seine Mission
hatte sich räumlich und zeitlich auszuweiten begonnen. Hinter ihm lagen
junge Gemeinden in Galatien, Philippi, Thessalonich und Korinth[137], die je
länger desto lauter nach seinem Besuch riefen (vgl. 1Kor 4,18f; Phil 2,23f;
Phlm 22) und um deren Standfestigkeit und Wachstum er in Sorge war (vgl.
1Thess 3,1ff). Nur kurz hatte er im allgemeinen in jedem Ort verweilt oder
verweilen können – wenngleich der Eindruck der Durchreisemission, den
die Apostelgeschichte vermittelt (schon Apg 13f; dann 16,12; 17,2), von
den Paulusbriefen korrigiert wird. Man muß davon ausgehen, daß der Aufenthalt an den einzelnen Orten jeweils mindestens mehrere Monate umfaßte[138]. In Korinth schließlich hatte er sich auf anderthalb Jahre ausgeweitet[139].
Es ist eine offene Frage, weshalb Paulus am Ende der Korinthmission nicht
seinen Plan in die Tat umgesetzt hat, nach Rom und Spanien zu reisen. Er
erwähnt ihn zwar erst später, betont aber ausdrücklich, das Vorhaben schon
lange mit sich herumgetragen zu haben (Röm 1,13; 15,23). Vielleicht waren es zunächst die z. T. noch ungefestigten Gemeinden, die ihn festhielten
und die er vorher noch besuchen wollte (was er in bezug auf die galatischen

137 Wahrscheinlich auch in Beröa (s. u. S. 54f).
138 Das folgt auch daraus, daß Paulus in Thessalonich mehrfach (vgl. Anm. 272) aus Philippi
Geldspenden empfangen hat (Phil 4,16). Diese Aktion läßt, inklusive Einsammeln und Überbringen (von Philippi nach Thessalonich sind es ca. 150 km, bei einem Reiseverlauf ohne Zwi-
schenfälle also eine Woche Reisezeit), jedenfalls auf einen Aufenthalt von einigen Monaten in
Thessalonich rückschließen. Vgl. *Bornkamm*, Paulus, 80. Auch der Aufenthalt in Philippi
muß längerfristig gewesen sein; vgl. *Suhl*, Paulus, 113–116.
139 Apg 18,11. Die genaue Zeitangabe läßt sich zwar nicht überprüfen, ist aber im Hinblick
auf die große korinthische Gemeinde nicht unwahrscheinlich und steht mit den sonst von Lk
suggerierten kurzen Missionsaufenthalten in Spannung.

auch in die Tat umsetzte: Gal 1,6; 4,13; 5,7). Vielleicht war es die politische Lage, die ihn zurückhielt (Claudius-Edikt). Vielleicht war es aber vor allem das Bewußtsein, der Provinz Asia noch die Evangeliumsverkündigung schuldig zu sein, ehe er sich nach Westen wandte (Röm 15,19.23)[140], zusammen mit der Möglichkeit, unter Mithilfe von Prisca und Aquila in Ephesus besonders erfolgversprechend arbeiten zu können (was die Zukunft dann bestätigte)[141].

Tatsache ist, daß Paulus seinen nach Westen gerichteten Vorstoß unterbrach, aus Korinth abreiste und sich erneut nach Osten wandte. Auch die Apostelgeschichte berichtet über diese Rückwendung (18,18–23). Dieser Abschnitt geht größtenteils auf lukanische Redaktionsarbeit zurück[142], doch verarbeitet er auch eine wohl verläßliche Nachricht: die Reise des Paulus nach Syrien, d. h. Antiochia, und den Besuch der galatischen Gemeinden[143].

2.3.2
Titus

Der vermutliche Umstand, daß Paulus am Ende seiner ersten Europa-Mission nach Antiochia reiste, verdient besondere Beachtung. Er läßt erkennen, daß Paulus keineswegs alle Brücken zu seiner ehemaligen Gemeinde

140 Vgl. *v. Harnack*, Mission, 81.

141 Vgl. 1Kor 16,9; Apg 19,8ff; 20,4.17ff; 1Tim 1,3; 1Tim 4,12 u. a.; s. o. S. 26.

142 Der Anschluß 18,18 mit seiner ungenauen Zeitangabe ist typisch lukanisch (vgl. 6,1; 9,19.23.43; 11,26; 12,1; 14,28; 16,12; 17,2.17; 18,23; 19,22; 24,24; 25,13). Er soll hier zeigen, daß Paulus sich seine Termine nicht von den Juden setzen läßt. Ist die Nachricht von der Kopfschur des Paulus (18,18) von 21,23ff her eingetragen? Die Notiz ist so kaum verständlich (vgl. *Haenchen*, Apostelgeschichte, 479.482). 18,19–22 ist nach dem üblichen Missionsschema gebaut und ganz redaktionell. Lk bemüht sich hier um den Nachweis, daß die ephesinische Gemeinde von Paulus gegründet wurde. Das Begrüßen der Gemeinde (18,23) ist beliebter lukanischer Ausdruck und Topos (21,7.19). Die von Lk verwendeten Nachrichten schrumpfen damit auf in 18,18.22f benutztes Material zusammen.

143 Zwischen der Korinth-Mission und der Mission in Ephesus lag eine Zeit, in der Paulus die galatischen Gemeinden besuchte (Apg 18,23; s. Anm. 256). Das wird durch Gal 1,6; 4,13; 5,7 bestätigt. Diese Reise unternahm Paulus laut Apg 18,22, nachdem er zuvor die Gemeinde in Antiochia besucht hatte. Die Pls-Briefe bieten für sie keinen eindeutigen Beleg. Wahrscheinlich findet sich aber ein indirekter im Anschluß des Antiocheners Titus an Paulus (s. u.). Von hier aus erklärt sich leichter die von Lk vorgenommene Ausweitung der Reise nach Jerusalem. Er ergriff wieder einmal die Gelegenheit und betonte und festigte die guten Beziehungen des Paulus zu den Jerusalemern (vgl. 9,26ff; 11,22–26.30; 12,25; 15,2.12; 16,4; 21,18ff; 22,17; 26,20). Wäre die *Jerusalem*reise wirklich historisch, dann bliebe unverständlich, wieso Paulus sie in dem nur kurz danach geschriebenen Gal nicht erwähnt hätte. Der antiochenische Streitfall hätte dort besprochen werden müssen. Von einer *Reise* des Paulus berichtete aber die Lk vorliegende Nachricht. Sonst wäre er nicht zu dem komplizierten Einschub 18,19–21 genötigt gewesen. Es spricht also viel dafür, den Besuch des Paulus in Antiochia und in den galatischen Gemeinden für historisch zuverlässig, den angedeuteten Jerusalembesuch hingegen für lukanische Fiktion zu halten (ebenso *Suhl*, Paulus, 130ff.217ff, mit weiteren Argumenten). Ob die Reise »widriger Windverhältnisse wegen« über Caesarea ging (*Haenchen*, Apostelgeschichte, 484) – wer weiß es?

abgebrochen hatte, daß man im Einvernehmen blieb – und das ist auch auf
dem Hintergrund der Debatten auf dem Apostelkonvent, trotz der späteren
Auseinandersetzung um die Tischgemeinschaft von Juden- und Heidenchristen (Gal 2,11ff; vgl. auch 1Kor 9,6), kaum anders vorstellbar. Aber
Paulus reiste nicht nach Antiochia, um seine Gemeinden an die antiochenische zu binden[144] oder sich von dort legitimieren bzw. aussenden zu lassen.
Seine Mission blieb eigenständig, seine Gemeinden selbständig. Der eigentliche Grund für diese Reise dürfte auf anderem Gebiet gelegen haben. Darauf führt die Beobachtung, daß seit der Ephesusmission ein neuer Mann neben Paulus auftaucht, der zwar den alten Missionsgefährten Silvanus, von
dem wir seit der Korinthmission nichts mehr hören, nicht ersetzt, aber doch
im folgenden eine wichtige Rolle in der Mission des Paulus spielte und eng
und einmütig mit ihm zusammengearbeitet hat; gemeint ist *Titus*. Titus
war Antiochener[145].

Paulus berichtet, er habe ihn seinerzeit zum Apostelkonvent »mitgenommen« (Gal 2,1). Das deutet ein Abhängigkeitsverhältnis zwischen ihnen an
und läßt sich am besten so verstehen, daß Titus von Paulus zum christlichen
Glauben geführt wurde[146]. Schon zur Zeit des Apostelkonventes muß Titus
ein überzeugter und eifriger Mitarbeiter gewesen sein, denn er soll für die
widerstrebenden Jerusalemer sozusagen einen heidenchristlichen Muster-
christen darstellen (Gal 2,3). Erfolgreich widersetzte sich Paulus der Forderung, ihn zu beschneiden. »Titus war als Unbeschnittener . . . ein lebendi-
ges Argument für das gesetzesfreie Evangelium an die Heiden, wie es Paulus verkündigte«[147]. Der Heidenchrist Titus stand ganz hinter der gesetzesfreien Heidenmission des Paulus, wie auch ihre spätere gemeinsame Arbeit
zeigt. Im antiochenischen Streitfall dürfte er – wie auch die übrigen Heidenchristen (Gal 2,13) – sich nicht gegen Paulus gestellt haben.

Diesen Titus holte sich Paulus[148] in sein Missionswerk[149]. Ihre Beziehung
zueinander hatte sich unterdessen verändert[150]. Aus der Abhängigkeit (Gal

---

144 Gegen *v. Harnack*, Mission, 81.
145 Vgl. *Pölzl*, Mitarbeiter, 104.
146 In Tit 1,4 wird Titus dann ausdrücklich γνήσιον τέκνον des Paulus genannt.
147 *Brox*, Pastoralbriefe, 20; vgl. zur Frage der Beschneidung des Titus auch *Barrett*, Titus,
4f (Paulus, selbst ein Jude, sei darum bemüht gewesen, für die Kollekte einen heidenchristlichen Mitarbeiter zu engagieren); *Pölzl*, Mitarbeiter, 106–108.
148 Es liegt kein Grund für die Annahme von *Barrett* (Titus, 3f.7) vor, daß Titus seit dem
Apostelkonvent (den *Barrett* sogar früh datiert) ohne Unterbrechung zu den Leuten um Paulus
gehört habe oder ihn auch nur auf der sog. ersten Missionsreise oder wenigstens während der
Korinth-Mission (wie *Barrett* S. 4 einschränkt) begleitete. Paulus hätte ihn sonst 1Thess 1,1
oder 2Kor 1,19 als älteren und bewährteren Mitarbeiter denn Timotheus kaum unerwähnt lassen können. Im übrigen wäre damit die Funktion des Titus in der Missionsarbeit des Paulus
verkannt (dazu s. u.).
149 Die selbstverständliche Erwähnung des Titus im Gal läßt vermuten, daß er Paulus auf der
anschließenden Besuchsreise durch die galatischen Gemeinden bereits begleitete. Erwähnung
findet er allerdings erst im 2Kor, also ein bis zwei Jahre hernach. Denkbar ist auch, daß Paulus
sich in Antiochia lediglich seines Kommens versicherte, Titus aber erst später nachfolgte.
150 Gegen *Suhl*, Paulus, 248 u. ö.

2,1) war eine Partnerschaft geworden, die durch ein ganz besonders herzliches Verhältnis bestimmt wurde (2Kor 2,13; 7,6f.13–16; 8,23; 12,18).
Paulus, so könnte man denken, holte sich Titus gewissermaßen als Ersatz für Silvanus aus Antiochia: einen inzwischen bewährten, gestandenen Mann. Aber so intensiv ihre Zusammenarbeit war, scheint sie doch – wie oben schon angedeutet – auf anderer Ebene gelegen zu haben. Das läßt sich daran erkennen, daß Titus nie wie Timotheus – und ehedem Silvanus – in den Präskripten der paulinischen Briefe als Mitabsender genannt wird. Worin lag dann die Funktion des Titus, weshalb holte ihn Paulus aus Antiochia?
Nicht lange nach Abfassung des 1Kor entsandte ihn Paulus zusammen mit einem Bruder nach Korinth, um für die inzwischen angeordnete Kollekte[151] (1Kor 16,1–4) zu werben und ihre Einsammlung zu organisieren (2Kor 8,10; 12,17f). Diese für die paulinische Missionsarbeit so wichtige Sammlung machte Titus dann zu seiner eigenen Sache. Paulus sagt von ihm: »Er hat meine Bitte aufgenommen, ja in noch größerem Eifer hat er sich aus eigenem Antrieb auf den Weg gemacht« (2Kor 8,17). Für diese Sache war er unermüdlich unterwegs (2Kor 8; 9,1–4). So wurde er zum Promotor des seit der Ephesusmission in immer größerem Umfang in Angriff genommenen Kollektenwerkes der paulinischen Gemeinden. Titus war in dieser Funktion nicht bloß ein Beauftragter oder Erfüllungsgehilfe des Apostels, sondern, was Paulus besonders betont, mit selbständigem Antrieb an ihr beteiligt.
Daraus und weil Titus jedenfalls die *theologische* Bedeutung, die Paulus dem Kollektenwerk zumaß (vgl. 2Kor 8f; Röm 15,25–35), gleicherweise kannte und mitvertrat, wird man schließen müssen, daß ihm gerade die mit ihr dokumentierte Einheit zwischen Juden- und Heidenkirche ganz besonders am Herzen lag. Ja, es scheint so, als habe Paulus ihn ebendeshalb um seine Mitarbeit gebeten. Denn sämtliche[152] Erwähnungen des Titus im 2Kor stehen im Zusammenhang mit der Kollekte[153]. Für diese Aufgabe war

---

151 Dazu s. *Georgi*, Kollekte, insbesondere S. 37ff.
152 Der engen Verbindung des Titus mit der Kollekte wird kaum irgendwo besondere Beachtung geschenkt. Die Organisation der Kollekte durch Titus setzte nicht erst nach 2Kor 7,5ff ein, wie *Conzelmann* (Geschichte, 140) zu meinen scheint; so auch *Fascher* (Titus, 1580), der in seinem langen Artikel die Kollekte nur sehr beiläufig erwähnt. 2Kor 12,17f versteht er so, daß Titus wie Paulus den Grundsatz der Selbstversorgung verfolgt habe (1580f); vgl. dagegen *Schmithals*, Gnosis, 29; *Georgi*, Kollekte, 44.55.
153 Das gilt auch für 2Kor 2,13; 7,5ff, wo nirgendwo ein Hinweis darauf zu finden ist, daß die Reise des Titus zum Zwecke der Aussöhnung mit der korinthischen Gemeinde erfolgte noch daß er diese erwirkte. Dem Abschnitt 7,5ff ist weder zu entnehmen, Paulus habe Titus mit dem »Auftrag« zur Befriedung der Gemeinde nach Korinth entsandt (*Georgi*, Kollekte, 42.51), noch daß Titus »ein besonderes Geschick im Umgang mit Menschen gehabt« habe (*Conzelmann*, Geschichte, 140). Den Umschwung schreibt Paulus vielmehr allein seinem Brief zu (2Kor 7,8–13; vgl. schon 2,1–11; ebenso *Suhl*, Paulus, 258)! Daß Titus ihn überbracht habe (*Brox*, Pastoralbriefe, 20 u. a.), ist zwar möglich, aber unbelegbar. Titus ist nur der erste, von dem Paulus Nachricht erwartet. Zwar ist mit Nachdruck zu betonen, daß die Funktion des Titus nicht etwa die eines Geldeinsammlers war. Und es wäre abwegig, anzunehmen, er hätte nicht

Titus genau der richtige Mann. Er war den Jerusalemern vom Apostelkonvent her bekannt, und mehr: Er war von ihnen als Heidenchrist voll akzeptiert worden (Gal 2,3). Er stellte sozusagen das sichtbare und lebendige Zeichen der Einheit dar. Wie kein anderer war er prädestiniert, die Vermittlerrolle zwischen paulinischer Mission und Jerusalemer Urkirche unter Fühlungnahme mit der Gemeinde in Antiochia zu übernehmen. Damit verbanden sich in Titus zugleich das antiochenische Anliegen nach Ausgleich und enger Verbindung mit den Jerusalemern (Gal 2,11ff) und das paulinische, das die Einheit wollte, für sie kämpfte – aber nicht auf Kosten der gesetzesfreien Heidenchristenheit und der Selbständigkeit seiner Gemeinden.

So lag es nahe, daß Paulus gerade Titus mit der Durchführung des Kollektenwerkes zu betrauen suchte[154]. Von hier aus fällt auch noch einmal Licht auf die Funktion des Titus während des Apostelkonventes. Man wird sich die Sache kaum so vorstellen dürfen, daß Titus lediglich als Heidenchrist ›vorgeführt‹ wurde. Sondern er hat doch wohl sehr genau gewußt, um was es ging, und dürfte wie die anderen Antiochener aktiv mit um die Einheit der Kirche gekämpft haben. Er hielt jedenfalls – wie Paulus – die auf dem Konvent getroffene Kollektenvereinbarung (Gal 2,10) mit der (vermutlichen) Antiochener Kollekte (Apg 11,29f)[155] nicht für erledigt, sondern suchte die damalige, die Einheit beweisende Absprache gerade auch für die erst danach entstandenen jungen paulinischen Gemeinden praktisch zu bewähren[156].

Von hier aus erklärt sich nun, daß Titus nirgends neben Paulus als Briefabsender genannt wird. Er war nicht in derselben Weise Mitarbeiter an der paulinischen Mission wie Timotheus, sondern verstand sich vor allem – in

---

auch missionarische, d.h. verkündigende und seelsorgerliche, Funktionen wahrgenommen. Diese aber *in* seiner Funktion als Promotor der Kollekte. Der eigentliche Zweck der genannten (zweiten) Reise des Titus nach Korinth – der Abschluß des Kollektenwerkes – ist 2Kor 8,16ff angegeben. Das läßt sich auch daran erkennen, daß Paulus Titus gegenüber die Korinther sehr gerühmt hatte (7,14), wovon im Zusammenhang der Kollekte (9,2) abermals die Rede ist.

154   Zu gleichen Ergebnissen kommt *Suhl*, Paulus, 134–136.
155   S. Anm. 49.
156   Dieser Aspekt wird m. E. von *Georgi* (Kollekte) nicht richtig eingeschätzt. Zwar betont er zu Recht, daß Paulus und Barnabas *als Vertreter der antiochenischen Gemeinde* mit den Jerusalemern auf dem Konvent verhandelten (*Georgi*, Kollekte, 17ff.21 u. ö.), das Abkommen also nicht *mit dem Missionar Paulus* geschlossen wurde, und er hält auch Apg 11,27ff für eine Reminiszenz an die auf dem Konvent getroffene und von den Antiochenern – samt Paulus! – verwirklichte Kollektenvereinbarung (ebd. 30f). *Georgi* stellt aber im weiteren nicht genügend in Rechnung, daß diese Abmachung so selbstverständlich auf die zur Zeit des Konvents noch nicht existierenden paulinischen Gemeinden gar nicht übertragen werden mußte oder konnte: Das war erst das Werk des Paulus. M. E. muß deshalb die von Paulus Röm 15,31 ausgesprochene Befürchtung als die Sorge verstanden werden, daß die Jerusalemer die Ausweitung und Fortschreibung des damaligen Abkommens nicht akzeptierten. *Georgis* Vermutungen (84f) über den provokatorischen Charakter der Kollekte bzw. die Reise der Kollektenvertreter (als Völkerwallfahrt im Sinne einer eschatologischen Zeichenhandlung), derentwegen die Jerusalemer Gemeinde sich hätte brüskiert fühlen müssen, scheint mir dagegen zu weit hergeholt und nicht triftig nachgewiesen (vgl. auch die in diesem Punkt berechtigte Kritik von *Schmithals*, Rez. zu *Georgi*, Kollekte, 670f; außerdem *Luz*, Geschichte, 391f).

kirchenpolitisch weitsichtiger und folgenreicher Funktion – als verbindendes Element zwischen Paulus und der Urgemeinde. Das bedeutet natürlich nicht, daß er nicht auch missionarische Funktionen ausgeübt hätte; und zwar um so weniger, als das Kollektenwerk von der Missionsarbeit des Paulus nicht abgetrennt werden kann. Es war selber Ausdruck und Beweis des Christenstandes der Gemeinden[157]. Aber seine Tätigkeit war doch spezieller als die des Timotheus.

Von hier aus begreift sich ebenso das merkwürdige Schweigen der Apostelgeschichte über Titus[158]. Lk kannte entweder die Bedeutung der Kollekte der paulinischen Gemeinden für Jerusalem nicht mehr, oder (und das scheint wahrscheinlicher) er hat sie, weil ihr Ausgang die von ihm mit soviel Sorgfalt erstellte Harmonie zwischen Juden- und Heidenkirche fragwürdig werden ließ, bewußt übergangen[159]. So oder so konnte Titus in seiner Darstellung keinen Platz finden.

Die Pastoralbriefe andererseits tun Titus die Ehre an und machen ihn neben Timotheus sozusagen zum zweitwichtigsten Sachwalter des Apostels. In den von ihnen repräsentierten Gemeinden blieb die Erinnerung an Titus und seine enge Gemeinschaft mit Paulus also noch lange wach.

Daß Titus Paulus auf der Kollektenreise nach Jerusalem begleitet hat, ist nach alledem sehr naheliegend, auch wenn ein textlicher Beleg darüber fehlt[160]. – Was danach aus ihm geworden ist, wissen wir nicht[161].

2.3.3
Apollos

Wohl etwa ein Jahr nach dem Ende der Mission in Korinth[162] beginnt für Paulus und seine Mitarbeiter die Zeit der Mission in Ephesus. Es sollte, soweit wir wissen und soweit es jedenfalls seine eigenständige Mission betrifft, der längste missionarische Aufenthalt in einer Stadt werden. Der ausgeweiteten Zeit entspricht eine deutliche Vergrößerung des paulinischen Mitarbeiterkreises. Niemals zuvor hatte Paulus so viele Mitarbeiter um sich.

Der Anfang in Ephesus war schwierig; Paulus spricht von »vielen Gegnern«. Aber er spricht zugleich davon – etwa ein halbes Jahr nach Beginn der

---

157 Vgl. *Georgi*, Kollekte, passim.

158 Diesem Mangel suchen ℵ E al sy^p in Apg 18,7 abzuhelfen.

159 Denn er weiß von ihr: Apg 24,17.

160 Der Röm, der ihn 16,21ff nicht unter den Mitarbeitern und Begleitern des Paulus aufführt, ist anscheinend geschrieben, ehe Titus mit den übrigen Kollektenabgeordneten aus Mazedonien angekommen war (vgl. 2Kor 8,16ff; 9,1–5).

161 Hat er in Kreta Mission getrieben, woraus die im Tit wiedergegebene Tradition erwuchs (Tit 1,5ff)?

162 Man wird für die Reise von Korinth nach Antiochia, den dortigen Aufenthalt, die Reise nach Ephesus und den dazwischen liegenden Besuch der galatischen Gemeinden mit einem Jahr keinesfalls zuviel Zeit veranschlagt haben (s. Exkurs 2).

Arbeit in Ephesus[163] –, es hätten sich ihm große und wirksame missionarische Möglichkeiten eröffnet (1Kor 16,8f). Dabei konnten ihn seine Mitarbeiter tatkräftig unterstützen. Prisca und Aquila waren ihm schon vorausgereist. Bereits der 1Kor berichtet davon, daß sich bei ihnen eine Hausgemeinde versammelte (16,19)[164]. Timotheus war in seiner Begleitung (1Kor 4,17; 16,10).

Ein weiterer bedeutender urchristlicher Missionar hatte sich inzwischen zu ihnen gesellt. Aus Korinth kommend, wo er auf die Spuren des Paulus gestoßen war, war _Apollos_[165] nach Ephesus weitergezogen, hatte dort Paulus getroffen und einige Zeit mit ihm zusammen gewirkt (1Kor 16,12)[166].

Auch die Apostelgeschichte erwähnt Apollos, ordnet ihn auch in die gleiche Zeit wie der 1Kor, läßt ihn ebenso in Korinth und Ephesus auftreten und zeigt damit erstaunlich gute Kenntnisse über diesen Abschnitt der paulinischen Mission. Im einzelnen finden sich allerdings Widersprüche und Unwahrscheinlichkeiten, und der gesamte Abschnitt Apg 18,24–28 sowie auch 19,1–7 weist auf die konstruierende Hand des Lk[167].

163 Der 1Kor wurde vermutlich Frühjahr 53 von Ephesus nach Korinth geschickt (s. Exkurs 2).

164 Eine christliche Gemeinde in Ephesus, deren Existenz Lk durch die Konstruktion einer kurzzeitigen, erst vorläufigen Mission des Paulus in Ephesus (Apg 18,19.21) mühsam und nicht ohne Widersprüche (vgl. die Anwesenheit der ἀδελφοί in Ephesus; 18,27) zu erklären sucht, ist, historisch gesehen, durch das Überwechseln Priscas und Aquilas nach Ephesus bereits vor Paulus durchaus begreiflich (s. o. Anm. 112). Das wird vielleicht durch die zufällige Bemerkung Röm 16,5f untermauert. Die Struktur der Grußliste in 16,3–16a (zunächst Grüße an die engsten Mitarbeiter, dann an die Paulus persönlich Bekannten, an hervorragende Gemeindeglieder, schließlich summarische Grüße) läßt möglich erscheinen, daß die an so hervorgehobener Stelle gegrüßten _Epainetos_ und _Maria_ zum Gesinde Priscas und Aquilas gehörten. Das wäre auch die einfachste Erklärung dafür, daß sich ein weiterer Ephesiner in Rom befindet. Als »Erstbekehrter« Asias muß Epainetos nicht von Paulus für den christlichen Glauben gewonnen worden sein. Vgl. noch Anm. 105. – _Schille_ versucht mit unzureichenden Argumenten, die fortdauernde Existenz einer christlichen Gemeinde in Ephesus gänzlich zu bestreiten. Er meint, die dortige (zweieinhalbjährige!) Mission des Paulus sei ein Fehlschlag gewesen (Kollegialmission, 51). Dagegen spricht aber: die Größe der ephesinischen Gemeinde (vgl. S. 32ff bes. 58–61); die Beteiligung der ephesinischen Gemeinde an der Kollekte (Apg 20,4; s. S. 55); die weitere Überlieferungen über die Gemeinde: Offb 2,1–7; Apg 19,1ff; 20,17ff; 1Tim 1,3; 2Tim 1,18; 4,12.

165 Zum theophoren Namen _Frisk_, Wörterbuch, Bd. 1, 124f; _Blass-Debrunner_, Grammatik, § 29, 20f; _Conzelmann_, Korinther, 47 Anm. 21. Die Form »Apollon« ist überaus häufig belegt, »Apollos« hingegen außerhalb des Neuen Testaments nicht; vgl. _Preisigke_, Namenbuch, 41f. »Apelles« (Apg 18,24; 19,1 nach ℵ u. a.) ist dialektische Nebenform für Apollon. _Kilpatrick_ (Apollos, 77) hält sie für echt, da Apollos Angleichung an den 1Kor sei. Doch dürfte »Apelles« eher Übernahme des gebräuchlichen Namens sein.

166 Er hält sich schon länger in Ephesus auf: Paulus hat ihn bereits »oftmals« gebeten, nach Korinth zu reisen.

167 Nach Lk trifft Apollos mit Paulus überhaupt nicht zusammen (anders 1Kor 16,12). Seine Eingliederung in die Kirche nehmen Prisca und Aquila vor. Nach 1Kor 1–4 benötigte Apollos aber durchaus keine Eingliederung. Er wurde sowohl von der Gemeinde als auch von Paulus (3,4–9) als Missionar anerkannt. Der Reiseweg des Apollos führt bei Lk von Ephesus nach Korinth, umgekehrt wie aus 1Kor 3f; 16,12 zu erschließen ist. – Die geschichtliche Kenntnis des Lk über Apollos und sein Verhältnis zu Paulus und den paulinischen Gemeinden war also be-

Apollos[168] war nach Apg 18,24 Jude[169], aus Alexandria gebürtig. Er wird (18,24f) weiter umfangreich charakterisiert: »(v24c) ἀνὴρ λόγιος, (v24d) κατήντησεν εἰς Ἔφεσον, (v24e) δυνατὸς ὢν ἐν ταῖς γραφαῖς. (v25a) οὗτος ἦν κατηχημένος τὴν ὁδὸν τοῦ κυρίου, (v25b) καὶ ζέων τῷ πνεύματι (v25c) ἐλάλει καὶ ἐδίδασκεν ἀκριβῶς τὰ περὶ τοῦ Ἰησοῦ«[170].

Die straffe appositionelle Charakterisierung des Apollos lag Lk als Notiz vermutlich bereits vor, denn er hatte Mühe, sie einzuarbeiten[171]: Sie wird von Lk an zwei Stellen unterbrochen; zunächst durch die Bemerkung κατήντησεν εἰς Ἔφεσον (v24d), die das δυνατὸς ὤν . . . nachklappen läßt. Mit diesem Einschub versucht Lk wohl, die Beziehung der Notiz zu seinem Kontext herzustellen. καταντᾶν ist ein Lieblingswort von ihm[172]. Auffällig ist weiter der Neueinsatz von v25 mit οὗτος ἦν. Er wurde erforderlich, nachdem v24 (durch die Einfügung in v24d) zum selbständigen Hauptsatz wurde. V25 bringt dann zunächst zwei durch καί verbundene Hauptsätze, die noch ganz den Charakter der Appositionen von v24 tragen: »unterrichtet über den Weg des Herrn«, »brennend im Geiste«. Den Abschluß (v25c) bildet der ursprüngliche Hauptsatz der Notiz.

Sprachlich gesehen, ist v25, abgesehen, von der Formulierung »brennend im Geiste«, nicht unlukanisch, verrät aber zugleich den Charakter urchristlicher Erbauungssprache[173].

Schließlich muß, und damit nimmt Lk auch eine entscheidende inhaltliche Korrektur an seiner Notiz vor, die Schlußwendung der Charakteristik des Apollos: »Er kannte nur die Johannes-Taufe« (v25d) als lukanische Fiktion betrachtet werden[174]. Mit dieser Bemerkung versucht Lk,

grenzt und dürfte sich auf das Apg 18,24f (vielleicht noch Apg 18,27) verwendete Material beschränken.

168 Vgl. dazu *Preisker*, Apollos, 301–304; *Käsemann*, Johannesjünger, 158–168; *Schweizer*, Bekehrung, 71–79; *Conzelmann*, Apostelgeschichte, 109–111; *Haenchen*, Apostelgeschichte, 485–492.

169 Wenn Apollos als Ἰουδαῖος bezeichnet wird, darf man nicht (wie *Schweizer*, Bekehrung, 75f) folgern, Lk wolle ihn als Juden (d. h. nicht als Judenchristen) kennzeichnen, da er Apg 10,28; 18,2; 21,39; 22,3 damit auch Judenchristen benennt. Entnahm Lk dieses Wort aber einer Quelle (wie *Schweizer*, ebd., 76 Anm. 15, selber vermutet), so läßt sich über seine Bedeutung aus dem lk Sprachgebrauch überhaupt nichts ableiten.

170 Zur Analyse und Diskussion der Stelle vgl. bes. *Haenchen*, Apostelgeschichte, 485–491; und die in Anm. 168 genannte Literatur. Die diskutierten Alternativen sind: Apollos war (als er nach Ephesus kam) entweder jüdischer Missionar (so zuletzt vor allem *Schweizer*, Bekehrung, 78; ihm folgend *Goppelt*, Apostelgeschichte, 270, der allerdings zwischen Quelle und lukanischer Bearbeitung unterscheidet; *Knopf*, Apostelgeschichte, 616) oder Christ (so die Mehrzahl der Ausleger, wobei das Urteil darüber schwankt, welche Mängel dem Christentum des Apollos noch anhafteten). *Haenchen* (Apostelgeschichte, 490f) und *Käsemann* (Johannesjünger, 164.167) halten Apollos für einen urchristlichen Missionar. *Käsemann* wurde durch *Schweizer* schwerlich widerlegt.

171 Sie erinnert an Apg 4,36f (Barnabas); 16,1 (Timotheus); 16,14 (Lydia); 18,2f (Aquila und Priscilla).

172 Vgl. Apg 16,1; 18,19; 20,15; 21,7; 25,13; 27,12; 28,13, immer im Sinne des Erreichens eines Reisezieles (nur 26,7 anders, wie 1Kor 10,11; 14,36; Phil 3,11; Eph 4,16).

173 Zu κατηχέω vgl. (im gleichen Sinne) außerdem Lk 1,4; Apg 21,21.25; sonst noch dreimal bei Paulus, jeweils in paränetischem Sinne: Röm 2,18; 1Kor 14,19; Gal 6,6; ὁδὸς τοῦ κυρίου ist atl. Sprache (vgl. Apg 13,10; Spr 10,9; 11,20; Jes 26,8; Hos 14,10; vgl. auch 1QS 8,13f; Mk 12,14; 1Kl 53,2); zur Wendung τὰ περὶ τοῦ Ἰησοῦ vgl. bes. Lk 22,37; 24,19.44; Apg 24,22; 28,31; wie auch Mk 5,27.

174 *Käsemann*, Johannesjünger, 164, unter Bezug auf *Wendt*, Apostelgeschichte, 270 Anm. 3; *Bultmann*, Tradition, 262 Anm. 2; vgl. *Conzelmann*, Apostelgeschichte, 109.

die Verkündigungstätigkeit des Einzelgängers Apollos als unvollkommen darzustellen. Den Mangel beseitigt dann – Paulus ist ja abwesend – der Nachhilfeunterricht durch Prisca und Aquila, die Apollos auf diese Weise in den Bereich der offiziellen kirchlichen Verkündigung einholen. Diesen Gedanken entlehnte Lk vielleicht der Notiz, Apollos sei »über den Weg des Herrn unterrichtet worden« (v 25a). Die Bemerkung, Apollos habe nur die Johannestaufe gekannt, mit der ihn Lk zum Rumpfchristen degradiert, steht jedoch im Widerspruch zu den Angaben über die christliche Unterweisung des Apollos (v 25a) und über seine ausdrücklich als ἀκριβῶς gekennzeichnete »Lehre über Jesus« (v 25c)[175]. Es heißt sogar von ihm, er sei ein ἀνὴρ λόγιος, nämlich[176] δυνατός . . . ἐν ταῖς γραφαῖς. λόγιος meint also nicht eine abstrakte Bildung, sondern, aus der Perspektive der christlichen Gemeinde, die Gabe der Erschließung des Alten Testaments als der von Jesus zeugenden Schrift[177], d. h. seiner pneumatischen Auslegung[178]. Das bestätigt sich schließlich dadurch, daß es von Apollos heißt, er sei ζέων τῷ πνεύματι. Mit πνεῦμα kann nicht, wie der parallele Ausdruck in Röm 12,11 lehrt[179], einfach das Temperament des Apollos angesprochen sein. Vielmehr ist die Gabe des göttlichen Geistes gemeint, der den Christen geschenkt ist. Die Wendung beschreibt Apollos also als überragenden Pneumatiker[180].

Soweit man der von Lk herangezogenen Überlieferung trauen darf[181], war Apollos Pneumatiker und einer von jenen urchristlichen Missionaren, die allein von Ort zu Ort zogen und in geisterfüllter Auslegung des Alten Testamentes über Jesus predigten. Er bereiste die bereits bestehenden christlichen Gemeinden, wo er – wohl gestützt auf Empfehlungsbriefe: Apg 18,27[182] – seine Geistbegabung besonders gut zur Geltung bringen konnte. Dieses Genre von Missionaren wird Paulus in theologisch anderem Gewand auch später in Korinth begegnet sein[183].

175 Vgl. dazu auch *Käsemann*, Johannesjünger, 164.
176 Nach Ausklammerung von κατήντησεν εἰς Ἔφεσον gewinnt das Folgende die Bedeutung einer Explikation des λόγιος.
177 So auch *Haenchen*, Apostelgeschichte, 485.
178 In dieser Weise interpretiert Lk selber in 18,28 seine Aussage von 18,24f, nur daß er (wie immer) als Zuhörerschaft die Juden vorstellt (vgl. dagegen 1Kor 3,5ff).
179 Die Phrase steht im Anschluß an einen Charismenkatalog (12,6–8), der dann unmerklich übergeht in einen Katalog von Handlungsanweisungen zu bewährten christlichen Verhaltensweisen (12,9ff). Ist es Zufall, wenn Paulus an die Aufforderung, den Geist voll zur Wirkung kommen zu lassen, zum Knechtsdienst unter dem κύριος aufruft (12,11b.c)?
180 Mit *Käsemann*, Johannesjünger, 164: »Die Wendung ›im Geiste brennend‹ (wird) durch Röm 12,11 eindeutig, und zwar als Phrase der urchristlichen Erbauungssprache, bestimmt«; gegen *Schweizer* (Bekehrung, 77), der wieder die traditionelle Interpretation (»glühende Beredsamkeit«) übernimmt.
181 Was dem 1Kor über ihn zu entnehmen ist, spricht nicht dagegen, reicht aber auch nicht für eine Bestätigung hin.
182 Dazu vgl. *Georgi*, Gegner, 241–246.
183 Vgl. *Georgi* (Gegner, 218): »Die Gegner des Paulus im zweiten Korintherbrief waren also keine singulären Gestalten, sondern Repräsentanten einer großen Gruppe von Missionaren der Urchristenheit, vielleicht sogar einer Mehrheit.« – Aus den wenigen Angaben in Apg 18,24f kann man nicht entnehmen, wie weit sich Apollos und die Gegner des Paulus im 2Kor missionstheologisch entsprachen. Die Analyse von 1Kor 1–4 hilft hier aber weiter und zeigt, daß im 2Kor *neue* Gegner in Korinth bekämpft wurden. *Georgi* (ebd.) trägt dafür die Gründe zusammen (7–16.220). In welcher Beziehung beide Gruppen zueinander standen, wird allerdings von *Georgi* (303–305) noch nicht völlig einsichtig gemacht, der diese Frage bei seiner

Ob Apollos den Aposteltitel beansprucht hat, ist unsicher. Paulus bezeichnet ihn nirgends so[184], nennt ihn vielmehr »Bruder« und »Mitarbeiter« (1Kor 3,9; 16,12)[185]. Sein Einfluß auf Apollos scheint begrenzt gewesen zu sein. Trotz mehrfachen Bittens und obgleich auch die korinthische Gemeinde anscheinend seinetwegen angefragt hatte (περὶ δὲ: 16,12), konnte er ihn nicht dazu bewegen, jetzt nach Korinth zu reisen[186].

Die Zusammenarbeit zwischen beiden währte vermutlich nicht allzu lange. Jenseits des 1Kor verlieren sich die Spuren des Apollos, und auch die Apostelgeschichte erwähnt ihn mit 19,1 (der Wiederholung der 18,27f beschriebenen Reise nach Korinth[187]) zum letzten Mal. Relativ kurze Aufenthalte in den einzelnen Gemeinden entsprächen durchaus dem Bild des Wandermissionars, das wir in Apollos zu entdecken meinten[188].

2.3.4
Die Mitarbeiter in Ephesus (I)

Blieb die Zusammenarbeit mit Apollos eine Episode, so sammelten sich eine Reihe anderer Mitarbeiter in Ephesus um Paulus, die schon zur Zeit des 1Kor bei ihm sind. Sosthenes, »der Bruder«, der, wie oben dargelegt[189], aus Korinth kam, gehörte zu ihnen. Wie lange er sich bei Paulus aufhielt, ist ungewiß; der 2Kor nennt ihn nicht mehr[190].

Untersuchung zu stark außer acht läßt. Auf sie besonders hingewiesen zu haben ist das Verdienst von *Schmithals* (Gnosis), wenngleich seine Gesamtthese von der Gleichheit der (gnostischen) Gegner kaum überzeugt (vgl. aber auch *Güttgemanns'* Anfragen an Georgi in seiner Rezension zu *Georgi*, Gegner, 126.130f).

184 Aus der Kombination von 1Kor 4,6 und 4,9 kann man es nicht schließen (das versuchen *Ellis*, Co-workers, 438f.445 Anm. 1, und *Furnish*, Fellow Workers, 368 Anm. 1). Mit dem »wir« in 4,9 stellt sich Paulus nicht neben Apollos, sondern allgemein in den Kreis der Apostel, deren Kennzeichen die Leiden sind.

185 Vgl. dazu u. S. 152f. *Kertelge*, Gemeinde, 95 Anm. 27, vermutet in Apollos einen Apostel.

186 Man kann dabei (mit *Conzelmann*, Korinther, 352) schwanken, ob man 1Kor 16,12 übersetzen soll »Es war durchaus nicht sein (= des Apollos) Wille« oder »Es war durchaus nicht Sein (= nämlich Gottes) Wille«. Für letztere Möglichkeit entscheidet sich *Wilckens* (Das Neue Testament, 615; vgl. ebenso *Kümmel*, Korinther, 196). Doch spricht m. E. der Gedankengang für die erste: Paulus hat Apollos immer wieder gebeten; er wollte nicht.

187 Apg 19,1 ist redaktionell. Es verknüpft 18,23 einerseits, 18,24–28 andererseits mit der folgenden Ephesus-Mission. Zur Formulierung von 19,1b vgl. 20,2.

188 Tit 3,13 konserviert die Zusammenarbeit des Apollos mit Paulus und macht ihn zum treuen Paulusschüler, der zusammen mit dem gesetzeskundigen Zenas von Titus zur Weiterreise ausgerüstet werden soll.

189 S. o. S. 30f.

190 Man wird allerdings bedenken müssen, daß von der umfänglichen Korrespondenz des Paulus nach Korinth, die der 2Kor vereint (es handelt sich vermutlich um vier oder fünf Schreiben; vgl. dazu *Bornkamm*, Vorgeschichte; *Windisch*, Korintherbrief, 5–23; *Schmithals*, Gnosis, 9–22; *ders.*, Korintherbriefe, 263–288; *Georgi*, Gegner, 16–29; *ders.*, Korintherbrief, 56–58; *Schenk*, Korintherbrief, 219–243; *Lohse*, Entstehung, 44f u. a.; dagegen *Kümmel*, Einleitung, 249–255 (Lit.!); *Hyldahl*, Frage, 289–306], lediglich ein Prä- und ein Postskript erhalten blieb. Man kann annnehmen, daß hier etliche Nachrichten im Stile von 2Kor 13,11f

Die Leute der Chloe (1Kor 1,11), d. h. Christen, die zu ihrer Familie bzw. ihrem Gesinde gehörten, besuchten Paulus in Ephesus und berichteten über die neuesten Entwicklungen in der korinthischen Gemeinde.

Stephanas, Fortunatus und _Achaikos_ sind aus Korinth zu Paulus nach Ephesus angereist (1Kor 16,17). Sie gehören zu denen, die Paulus als Mitarbeiter bezeichnet (16,16). Stephanas ist der Erstbekehrte in Korinth und Achaia gewesen (16,15). Paulus hat ihn seinerzeit mit Familie und Gesinde getauft (1Kor 1,16). Aus 1Kor 16,15 ist zu entnehmen, daß er zu den führenden Persönlichkeiten der Gemeinde gehörte[191].

Eine Reihe nicht genannter »Brüder«, die nach Korinth grüßen (16,20; vgl. die 16,12 erwähnten Brüder), erweitern den Kreis derer, die in Ephesus mit Paulus in gemeinsamer Arbeit standen. Außerdem erwartet Paulus bereits eine neue Gruppe von Brüdern aus Korinth (16,11).

Vielleicht ein halbes oder ein knappes Jahr später machte Paulus Schweres in Ephesus durch, vermutlich eine bedrückende Gefangenschaft, die ihn in Todesnähe brachte (2Kor 1,8ff). In dieser Zeit entstanden einige Briefe, die Aufschluß geben über einen wiederum gewachsenen Kreis von Mitarbeitern. Es sind dies die Briefe an die Philipper[192], der Brief an Philemon und der Brief nach Kolossä[193].

Aus Philippi hat Paulus wieder einmal eine Geldspende nach Ephesus übersendet bekommen, und zwar durch _Epaphroditos_ (Phil 4,18; vgl. 4,10.15f; 2Kor 11,9). Dieser Philipper blieb anschließend bei Paulus und arbeitete in der Mission mit (Phil 2,25–30), in der er sich als »συνεργός« und »συστρατιώτης« (2,25) bewährte, ja mehr: »um des Werkes Christi willen ist er in Todesgefahr gekommen« (2,30). Nach überstandener Krankheit schickte ihn Paulus zu seiner Gemeinde zurück, die seinen Aufenthalt bei Paulus mit lebhaftem Interesse verfolgt hatte (2,27f), und verzichtete damit auf einen tatkräftigen Mitarbeiter[194].

Der Philemonbrief ist aus der Gefangenschaft geschrieben an _Philemon_, »unsern geliebten Mitarbeiter«, an »Schwester« _Apphia_ und an _Archippos_, »unsern Mitstreiter«, sowie an »die Gemeinde in deinem Hause« (Phlm 1f).

oder 1Kor 16 oder Phil 4,2f.21f verlorengingen. (Der Redaktor, auf dessen Konto die Zusammenstellung der Briefe geht, ist möglicherweise derselbe, der die Namen in 8,18.22; 12,18 aus dem Brief strich. Dann wäre es jedenfalls nicht verwunderlich, daß auch das Postskript des 2Kor keinerlei Namen aufweist.) Namen waren für eine Generation, der die Briefe des Paulus in zunehmendem Maße als zu der ganzen Kirche gesprochen galten, ohne Belang. Lediglich die Namen der großen, alten Mitarbeiter des Paulus (Timotheus: 1,1.19; Silvanus: 1,19; Titus: 2,12 u. ö.) ließ man stehen. In diesem Sinne wurde die Adresse des Briefes auf »alle Heiligen in Achaia« ausgeweitet (1,2).

191   Aus seinem Ansehen, aus seinem Haus- und (vermutlich; vgl. 1Kor 1,16 und Anm. 129) Sklavenbesitz, aus seinen freiwilligen Dienstleistungen für die Gemeinde sowie schließlich seiner eigenständigen Reise zu Paulus wird man zugleich darauf schließen können, daß er zur wohlhabenden und tonangebenden Klasse in Korinth gehörte (vgl. _Theißen_, Schichtung, 250.254.257).

192   Nämlich Brief A und B (s. o. Anm. 116).

193   Vgl. Exkurs 1.

194   Vgl. zu Epaphroditos noch u. S. 98f.

Entweder Philemon oder Archippos[195] besaß einen Sklaven, *Onesimos*, der im Zusammenhang mit einer Straftat (»wenn er dir Schaden zugefügt oder bei dir Schulden gemacht hat«; Phlm 18) seinem Herrn entlaufen war. Vielleicht der Zufall, eher aber eine Bemerkung, die er im Hause seines Dienstherrn aufgriff[196], führte ihn in Ephesus[197] mit Paulus zusammen, der ihn für den christlichen Glauben gewinnen konnte (Phlm 12; Kol 4,9). Paulus definiert dabei zwar ihre Beziehung zueinander neu (Phlm 16), tastet jedoch de facto die bestehenden Herrschaftsverhältnisse nicht an.

Wann, wo und unter welchen Bedingungen Paulus Philemon, Apphia und Archippos[198] kennenlernte, ist ungewiß. Archippos war vermutlich in Kolossä zu Hause (Kol 4,17). Der Kol betont aber ausdrücklich, daß Paulus die Gemeinden in Laodizea und Kolossä nicht persönlich kannte (Kol 2,1.5). Die Bekanntschaft dürfte also auf eine Begegnung in Ephesus zurückgehen.

Paulus bittet im Phlm darum, ihm den Onesimos als Mitarbeiter für die Missionsarbeit zurückzuschicken (Phlm 13). Sowenig wir über die soziale Zusammensetzung des paulinischen Mitarbeiterkreises und seiner Gemeinden wissen[199], wird hier doch deutlich, daß ein Sklave ebenso dazugehören konnte wie sein sklavenhaltender Herr oder der begüterte Geschäftsmann Aquila. Die tendenziöse, an der römischen Öffentlichkeit orientierte Darstellung der Apostelgeschichte, nach der Paulus jeweils unter

195 Es ist strittig, wer hier zuletzt angeredet wird und an wen sich damit der ganze Brief wendet, ob folglich Philemon oder ob Archippos als Herr des Onesimos anzusehen ist. *Knox* (Philemon, 27ff) hat die These aufgestellt, Archippos sei der Herr des Onesimos gewesen, und dabei teilweise Zustimmung erhalten (*Schmauch*, Beiheft, 87–92; *Dibelius*, Kolosser, 101f; *Greeven*, Prüfung, 373–378). Die Mehrzahl der Forscher lehnt – aus sehr unterschiedlichen Gründen – die *Knox*sche These ab, selbstverständlich dann, wenn sie den Kol für nachpaulinisch hält (vgl. *Lohse*, Kolosser, 261; *Marxsen*, Einleitung, 66f; ebenso *Kümmel*, Einleitung, 306f; *Michaelis*, Einleitung, 262 u. a.).

196 Die Einzelheiten werden von *Jang* (Philemonbrief, 6–8.13–20) erörtert, der die übliche Exegese (Unterschlagung und anschließende Flucht seitens des Sklaven Onesimos) ablehnt und annimmt, »daß Onesimos bei einem Konflikt mit seinem in Kolossä wohnhaften Herrn jemanden suchte, der ihm beistehen konnte, und dabei auf den Gedanken kam, den bei seinem Herrn in hohem Ansehen stehenden Apostel zu bitten, für ihn Fürsprache einzulegen« (8).

197 Zur Abfassung des Phlm in Ephesus vgl. zuletzt *Lohse*, Kolosser, 261–265.

198 Irgendwelche Verwandtschafts- oder Ehebeziehungen zwischen Apphia und Philemon oder Archippos sind allerdings nicht angedeutet (gegen *Lohse*, Kolosser, 267). *Knox* (Philemon, 27ff) vertritt die Meinung, Paulus habe Archippos persönlich nicht gekannt, wogegen jedoch das »unseren Mitstreiter« (v 2) spricht (das sich nicht mit »Geschäftsfreund« wiedergeben läßt: *Greeven*, Prüfung, 376, der insgesamt jedoch *Knox* folgt). Auch Phlm 19 legt eine persönliche Bekanntschaft nahe. – Daß Paulus auch Philemon persönlich nicht gekannt haben müsse (*Greeven*, ebd.), wird von der Titulierung »dem Geliebten, unserm Mitarbeiter« doppelt widerlegt.

199 Zu dieser Frage vgl. jüngst *Theißen*, Schichtung, 232–272; *ders.*, Die Starken, 155–172. Er zeigt, daß die korinthische Gemeinde durch eine soziale »Schichtung« gekennzeichnet und dabei der zahlenmäßig kleinere Teil (1Kor 1,26ff), die »gehobene Schicht«, tonangebend war. Für die paulinische Mission war *dieser* Gemeindeteil (namentlich: Aquila und Prisca, Krispus, Sosthenes, Phoebe, Stephanas, Tertius, Chloe, Jason, Erastos, Titius Justus) von z. T. tragender Bedeutung.

den vornehmen Damen und Herren der Gesellschaft größere Missionserfolge erzielte (13,12.50; 16,14; 17,4.12.34), erhält hier einen deutlichen
Kontrast. An der Notiz aus dem Phlm wird deutlich, wie Paulus darum bemüht war, immer neue Mitarbeiter zu gewinnen[200].

Die Grußliste des Phlm gibt Aufschluß darüber, daß Paulus inzwischen eine
Reihe weiterer Mitarbeiter gefunden hatte: Epaphras, Jesus[201], Markus,
Aristarchos, Demas, Lukas. Wir haben hier beinahe nichts als die nackten
Namen von ihnen. Epaphras teilte mit Paulus die Gefangenschaft (Phlm
23). Sie alle werden ausdrücklich als »meine Mitarbeiter« vorgestellt (Phlm
24). Näheres über sie berichtet der Kol.

Epaphras, ein Heidenchrist (Kol 4,11), stammte aus der Gemeinde in Kolossä (4,12), besaß aber auch enge Beziehungen zu den Gemeinden in Laodizea und Hierapolis. Durch ihn wurde der Gemeinde in Kolossä (nach 4,12 zu
urteilen auch der in Laodizea und Hierapolis) das Evangelium verkündigt.
Er ist also ihr Gründer. Seine enge Verbindung (wie die seiner Gemeinde;
2,1–5!) zu Paulus, die durch die Bezeichnung »unser geliebter Mitknecht«
(1,7) besonders hervorgehoben wird, macht wahrscheinlich, daß er von
Paulus bekehrt wurde und dann als Missionar zurück in seinen Heimatort
geschickt worden ist[202]. Inzwischen zurückgekehrt, hielt er sich bereits seit
längerem wieder bei Paulus auf[203], so daß ihm bezeugt werden konnte, er
kämpfe im Gebet »allezeit« für die Heimatgemeinden und habe viel Mühe
um sie (4,12f).

Über *Lukas* und *Demas* äußert sich auch der Kol nur kurz (4,14). Die Apostelgeschichte nennt sie nicht. Nach Kol 4,11 waren sie Heidenchristen.
Demas bleibt als einziger innerhalb der Grußliste des Kol ohne nähere Charakterisierung. In den Pastoralbriefen hat sich eine herbe Kritik an ihn ge-
heftet: »Demas hat mich nämlich im Stich gelassen und diese Welt liebge-
wonnen«[204] (2Tim 4,10). Lukas[205] hingegen lobt der Kol als den »geliebten

200 Vgl. S. 101–103.
201 Zur Konjektur dieses Namens s. u. Anm. 229.
202 Vgl. *Conzelmann*, Kolosser, 134f; *Käsemann*, Kolosserbrief, 1728; *Lohmeyer*, Philipper, 29.
203 Seine Rückkehr zu Paulus scheint nicht im Zusammenhang mit der inzwischen in seiner
Gemeinde aufgetretenen Irrlehre zu stehen. Denn nicht er, sondern Tychikos wird in die gefährdete Gemeinde entsandt, um sie zu »ermahnen« (4,8; was sich nur auf die im Kol geführte
Auseinandersetzung mit der Irrlehre beziehen kann).
204 Ob mit der anschließenden Bemerkung »und er ging nach Thessalonich« (d. h. wahrscheinlich: er schloß sich der dortigen Gemeinde an) eine Polemik der Pastoralbriefe gegen die
dortige Gemeinde ausgesprochen wird, bleibt eine offene Frage.
205 Man hat Lukas mit dem Verfasser der Apostelgeschichte oder wenigstens dem Schreiber
der Wir-Stücke (vgl. dazu Anm. 265) identifizieren wollen. Beides ist abwegig; vgl. dazu die
umfänglichen Erwägungen von *Kümmel* (Einleitung, 141–153). Damit erledigen sich auch die
aus dem westlichen Text von Apg 11,28 geschlossenen Vermutungen, Lukas sei Antiochener
gewesen (so *Strobel*, Lukas, 131–134; und *Glover*, Luke, 97–106). Die Annahme *Strobels*, der
westliche Text fuße auf einer »antiochenische(n) Lokalüberlieferung«, erkläre sich also »auf
Grund der Tradition von Lukas dem Antiochener« (133; gesperrt vom Vf.), fällt mit der Erkenntnis, daß Lukas nicht der Verfasser der Wir-Passagen in der Apostelgeschichte ist. *Glover*

Arzt« (4,14). Er ist nicht »Leibarzt« des Paulus[206], sondern sein Mitarbeiter (Phlm 24)[207].

Des Weiteren bestellen im Kol *Aristarchos, Markus* und *Jesus Justus* Grüße (4,10f). »Allein diese« drei[208] sind (nach Kol 4,11) als judenchristliche Mitarbeiter bei Paulus. Dieses bittere Wort läßt eine Tendenz anklingen, für die sich bereits früher hin und wieder Anzeichen erkennen ließen: Je länger desto mehr fand Paulus seine Mitarbeiter nur noch unter den Heidenchristen. An dieser Stelle wird aber deutlich, daß Paulus diese Entwicklung beklagte, daß die Umstände ihn lediglich dazu zwangen.

Die Bemerkung erinnert zurück an die Auseinandersetzung in Antiochia (Gal 2,11ff) und läßt noch einmal ihre Auswirkungen erkennen. Nicht alle, aber doch fast alle jurdenchristlichen Missionare distanzierten sich von Paulus. Seit damals stand er in wachsender Gefahr, isoliert zu werden. Paulus war sich ihrer durchaus bewußt. Der enorme Einsatz, den er mit Unterstützung des Titus für das Kollektenwerk an den Tag legte, gibt davon eindruckvoll Zeugnis und zeigt, wie er der drohenden Isolierung entgegenarbeitete. Aber er konnte es nicht verhindern, daß die Auseinandersetzung mit judenchristlich orientierten Missionaren in seinen eigenen Gemeinden sich mehrten (Gal; Phil 3). Sie nötigten ihn einerseits, sich, treu seinem Verhalten auf dem Apostelkonvent und in Antiochia, eindeutig abzugrenzen gegen alle Versuche, die die

erklärt sich die Unausgeglichenheit in der Berichterstattung des Antiocheners Lukas dadurch, daß Lukas nur das berichtet habe, was er selbst erlebt und in Erfahrung gebracht habe, und verkennt damit das Format des Schriftstellers und Theologen »Lukas«. – Auch die Identifizierung des Lukas mit dem Röm 16,21 genannten Lukios hat keinen Anhalt (obgleich sie sprachlich möglich wäre: Lukas als Koseform für Lukios; *Bauer*, Wörterbuch, 949). Aber Lukios war Volksgenosse des Paulus (Röm 16,21), Lukas hingegen (Kol 4,11.14) Heidenchrist (mit *Pölzl*, Mitarbeiter, 171f). – Im Zuge solcher Namensidentifikationen und historischen Konstruktionen wurde die Gestalt des Lukas bis in jüngste Zeit in ihrer Bedeutung überschätzt. So hat auch kürzlich *Siotis* (Luke) die Ansicht geäußert: »In the person of this fellow-worker of Paul must be recognized one of the greatest personalities of the Apostolic Church without which Paul's work could not have presented many of its important sides« (105 und ähnlich öfter). Er charakterisiert Lukas als »an outstanding intellectual and spiritual personality. He is not only distinguished for his medical profession, his widely acquired knowledge . . ., but also for his dedication to the evangelization of the world . . .« (108). Daß Paulus alle diese Fähigkeiten nicht erwähnt, liegt nach *Siotis* einfach daran, daß er sie vor den gefährlichen Anschlägen der Judaisten verbergen mußte (so 2Kor 8,18ff, was *Siotis* auf Lukas deutet)!

206 So (mit dem Versuch aus der Sprache des lukanischen Doppelwerkes auf eine besondere Nähe zur medizinischen Fachsprache zu schließen) wurde in der älteren Literatur oft gemutmaßt (vgl. *Hobart*, Medical Language; *v. Harnack*, Lukas, bes. 9–13.122–137; *Lindebloom*, Doktor Lukas; dagegen *Kümmel*, Einleitung, 117f).

207 In 2Tim 4,11 ist er der einzige Helfer, der dem Apostel in seiner Einsamkeit beisteht, geradezu Antipode des Demas. Lukas als Verfasser der Apostelgeschichte voraussetzend hat *Strobel* (Schreiben) mit Hilfe eines umfänglichen Sprachvergleichs (194–205) und bestimmter theologischer Parallelen (205–209) unter Hinweis auf die Notiz 2Tim 4,11 Lukas auch als Verfasser der Pastoralbriefe ansehen wollen (191.193.209f). Aber Voraussetzung und Durchführung dieser Hypothese sind gleichermaßen fraglich (*Kümmel*, Einleitung, 330; *Brox*, Pastoralbriefe, 73.271, und *ders.*, Lukas, 62–77).

208 Die etwas undurchsichtige Satzkonstruktion ist wahrscheinlich dadurch entstanden, daß der Verfasser, sich unterbrechend, sub voce περιτομή resignativ einfügte: οὗτοι μόνοι . . . Er schwächt dann aber die herbe Klage sogleich ab, indem er anfügt: »diese sind mir ein Trost geworden«.

gesetzesfreie Heidenmission in Frage stellten, andererseits sein Verhältnis zu Jerusalem in aller Tiefe zu reflektieren[209]. Um so wichtiger wurden Paulus nun die wenigen judenchristlichen Mitarbeiter, die noch bei ihm geblieben waren.

Aristarchos, Phlm 24 unter den Mitarbeitern des Paulus aufgezählt, gehört auch Kol 4,10 zu den Grüßenden. Er war Judenchrist (4,11). Zusammen mit Paulus befindet er sich in Gefangenschaft[210]. Sein Name ist weit verbreitet[211]. Der hier Erwähnte wird üblicherweise[212] mit der in der Apostelgeschichte genannten Person gleichen Namens identifiziert.

Die Apostelgeschichte erwähnt dreimal einen Aristarchos (19,29; 20,4; 27,2). Für Lk handelt es sich um die gleiche Person[213]. Wie steht es mit der von ihm aufgenommenen Tradition? Apg 27,2 ist eine redaktionelle Notiz[214], 20,4 jedenfalls eine selbständige Nachricht, die Lk übernahm[215]. Ob in 20,4 die gleiche Person wie in Phlm 24; Kol 4,10 gemeint ist, läßt sich nicht sicher entscheiden; es ist möglich. Apg 20,4 nennt einen Kollektengesandten, Phlm und Kol einen Mitarbeiter. Apg 19,29, in der Erzählung über den Demetriusaufstand, wird in einer vermutlich selbständigen Notiz[216] abermals ein Aristarchos erwähnt. Die Demetriuserzählung

209 Dazu vgl. *Georgi*, Kollekte, 81–90; *Bornkamm*, Testament, 136–139.

210 Ob zwischen Epaphras (Phlm 23) und Aristarchos (Kol 4,10) ein Gefangenentausch stattgefunden hat oder warum die Lage sich sonst geändert haben mag, läßt sich nicht ermitteln. Der Hinweis auf die Gefangenschaft ist jedenfalls im echten, nicht im übertragenen Sinn zu verstehen; s. u. S. 76.

211 Die RE³ (II, 860–876) zählt 26 verschiedene Personen dieses Namens auf; *Bauer*, Wörterbuch, 211.

212 So zuletzt auch *Lohse*, Kolosser, 241.

213 19,29 wird Aristarchos als Mazedonier, 20,4 als Thessalonicher bezeichnet. 27,2 verbindet beide Bestimmungen.

214 Mit *Dibelius* (Rahmen, 173f) und *Conzelmann* (Apostelgeschichte, 140–147), nach denen Apg 27 ein literarisches Produkt ist und die Abschnitte, in denen Paulus als Handelnder auftritt, Einfügungen sind; trotz *Haenchen* (Apostelgeschichte, 622–635; *ders.*, Acta 27, passim), der die Erzählung als »Erlebnisbericht« eines Paulusbegleiters, durch Lk leicht aufgefüllt, versteht. Die Erwähnung des Aristarchos, aus 20,4 übernommen, konkretisiert das (literarische) »Wir« der Erzählung. (Paralleles gilt vermutlich für die Erwähnung des Trophimos von Apg 20,4 in 21,27ff.)

215 Zur Analyse von Apg 20,4 s. u. S. 52–58.

216 Die Erzählung vom Demetriustumult (Apg 19,23–40) trägt intensives Lokalkolorit (vgl. *Conzelmann*, Apostelgeschichte, 113; *Haenchen*, Apostelgeschichte, 505–514). Nur bei erstem Hinsehen erscheint sie glatt und geschlossen. Im Detail ist sie widerspruchsvoll: Von Demetrius, der als Hauptperson eingeführt wird, ist nur zu Anfang die Rede; später steht plötzlich der Jude Alexander im Mittelpunkt. Unklar bleibt dabei, wer Alexander ist und was er für eine »Verteidigungsrede« halten will. Unklar ist auch die Rolle, die Paulus während des Tumultes spielt. Er tritt überhaupt nicht in Erscheinung. Dennoch gilt die Sorge der Asiarchen der Sicherheit des Apostels. – Die einheitliche, komponierende Hand des Lk kann diese Unklarheiten gerade nicht erklären (gegen *Haenchen*, ebd., 512f). Daß Lk sich hier auf Vorlagen bezog, wird man schlecht bestreiten können, ohne daß es im ganzen gelingt, Vorlage und lk Zutaten wieder zu trennen. – Die Bemerkung über das geplante Eingreifen des Paulus für seine in Not geratenen Gefährten im Zusammenhang mit der Betonung seiner guten Beziehungen zu den römischen Behörden (19,30f) verrät allerdings deutlich lk. Tendenz. Damit wird andererseits wahrscheinlich, daß die Erwähnung der beiden Mazedonier Gajus und Aristarchos zur Vorlage des Lk gehörte, Lk fand es befremdlich, daß Paulus hier nicht eingriff. Die Nachricht über Gajus und Aristarchos dürfte also der Vorlage des Lk entstammen und könnte verläßlich

führt in die ephesinische Zeit des Paulus; sollte sie mit der Gefangenschaft des Paulus zusammenhängen[217], sogar in die im Phlm und Kol angesprochene Zeit. Dann liegt die Identifizierung der namensgleichen Personen nah.

Hält man sich an den lukanischen Bericht über den zwischen Paulus und Barnabas zu Beginn der sog. zweiten Missionsreise aufgekommenen Streit um *Markus* (Apg 15,36–40), muß es befremden, diesen nun wieder in der Umgebung des Paulus anzutreffen (Phlm 24; Kol 4,10)[218]. Denn die dort beschriebene, relativ harmlose Streitigkeit zwischen den Aposteln ist seit langem als Reminiszenz an die tiefgreifende Auseinandersetzung in Antiochia (Gal 2,11ff) erkannt worden[219], wenn auch nicht Lk, sondern vermutlich schon eine ihm vorgegebene Tradition für die Uminterpretation verantwortlich ist[220]. Johannes Markus dürfte aber mit der Trennung des Paulus von Barnabas unmittelbar nichts zu tun haben[221]. Denn daß, wie Apg 15,35ff behauptet, die Beziehungen zwischen Paulus und Markus seit seiner Trennung von Barnabas ungünstig standen, ist sehr unwahrscheinlich. Phlm 24 und Kol 4,10 deuten gerade auf das Gegenteil. Markus gehörte laut Kol 4,11 sogar zu den wenigen judenchristlichen Mitarbeitern, die sich noch

sein: Daß der Tumult die Verkündigungstätigkeit des Paulus und seiner Mitarbeiter zum Anlaß hatte (19,26), ist nicht unwahrscheinlich. – Die Notiz in 19,29 über Gajus andererseits erweist die Selbständigkeit der Vorlage des Lk. Hätte Lk die beiden Namen in 19,29 aus 20,4 in die Erzählung eingetragen, dann hätte ihm nicht entgehen können, daß dort von einem Gajus *aus Derbe* die Rede war. Der späte Versuch, durch die Schreibweise Μακεδόνα (307 pc) nur Aristarchos einen Mazedonier sein zu lassen und damit den vermeintlichen Widerspruch zu 20,4 zu beseitigen, ist irreführend. Es handelt sich um zwei Personen.

217 So *Haenchen*, Apostelgeschichte, 512; *Georgi*, Kollekte, 94. Lk stellt die Demetrius-Erzählung ans Ende der paulinischen Ephesus-Mission (20,1), wohin in der Regel auch die Gefangenschaft des Paulus eingeordnet wird. Diese Datierung ist allerdings unsicher. Apg 20,1 ist redaktionell. Ein Aufstand am Ende der Missionstätigkeit des Paulus in einer Stadt gehört zum lukanischen Schema (vgl. 13,45ff; 14,5.19; 17,5ff.13; 18,12ff). Die genauen Angaben über die Dauer des Aufenthaltes des Paulus in Ephesus (19,8.10) stehen mit der Demetriusgeschichte in keinem Zusammenhang. Nur durch zwei vage Zeitangaben (19,22.23) wird dieser mit dem Kontext verbunden. Wann die Geschichte spielte, läßt sich ihr selbst nicht entnehmen. Ob sie eine Erinnerung an die Gefangenschaft des Paulus bewahrt, bleibt demnach unsicher.

218 Daß der Johannes Markus der Apostelgeschichte (12,12.25; 13,5.13; 15,37–39) mit dem Phlm 24; Kol 4,10 genannten gleichzusetzen ist, darf als wahrscheinlich gelten. Kol 4,10 kennzeichnet ihn für die Leser des Briefes als »Vetter des Barnabas«, die Apostelgeschichte bringt ihn stets in die Nähe des Barnabas (vgl. dazu auch *Pölzl*, Mitarbeiter, 85–91). – Markus trug (wie viele andere; vgl. *Blass-Debrunner*, Grammatik, § 53, 36–38) einen – in diesem Fall hebräisch-lateinischen – Doppelnamen. Paulus gebraucht – wie bei Silvanus – nur den lateinischen:

219 Vgl. *Haenchen*, Apostelgeschichte, 414–418; *Bornkamm*, Paulus, 65–68.

220 S. o. Anm. 27.

221 Deshalb muß man aus dem von Lk Apg 13,13 geschilderten Vorfall (Markus läßt die Apostel in Perge im Stich) keine »Charakterschwäche« des Markus ableiten (*Zahn*, Apostelgeschichte, Bd. 2, 408) noch ihm Ängstlichkeit angesichts drohender Beschwernisse und Gefahren unterschieben (*Pölzl*, Mitarbeiter, 62f).

zu Paulus hielten und die ihm, wie sich der Kol ausdrückt, »ein Trost geworden« sind[222].

Nichts berechtigt auch zu der Annahme, Markus sei im Sinne der Apostelgeschichte, die ihn als ὑπηρέτης bezeichnet (13,5), so etwas wie ein ›Kam-
merdiener‹ des Paulus oder ein Aufwärter bei Tisch gewesen[223]. Paulus
kennzeichnet ihn kurz und eindeutig als seinen Mitarbeiter (Phlm 24). Es
wird sich noch zeigen, was darunter genauer zu verstehen ist[224]. Fraglich ist
auch, ob der lukanische Bericht darin recht hat, daß er nach dem antiochenischen Konflikt Barnabas zusammen mit Markus zu einer Zypern-Inspek-
tionsreise aufbrechen läßt. Dann müßte man annehmen, daß Markus sich
seinerzeit in Antiochia befand und in der Auseinandersetzung auf seiten des
Petrus und Barnabas stand, daß er danach aber einen Gesinnungswandel
durchgemacht und sich zu Paulus begeben hätte.

Die Herkunft des Markus verlegt die Apostelgeschichte nach Jerusalem.
Dort habe seine Mutter Maria, eine christliche Frau, in ihrem Hause der
Versammlung der Urgemeinde Platz geboten (12,12). Mit dieser Bemerkung, die Lk wahrscheinlich vorfand[225], werden die folgenden Nachrichten
über Johannes Markus vorbereitet. Auf diese Weise wurde wiederum ein
Mitglied der antiochenischen Gemeinde in der Jerusalemer Urgemeinde
verankert. Ob dieser Werdegang des Markus einen historischen Anhalt hat,
läßt sich aber nicht entscheiden; wir wissen nur, daß er Judenchrist war.

In der Tradition paulustreuer Gemeinden, die die Pastoralbriefe repräsentieren, gilt Markus als Mitarbeiter des Paulus. Ja, hier scheint sogar die
Sicht der Apostelgeschichte, derzufolge das Urteil des Paulus über Markus
nicht sehr günstig ausfiel, ausdrücklich korrigiert werden zu sollen, wenn es

---

222 Die häufige Vermutung, Markus habe nach der Auseinandersetzung zwischen Paulus
und Barnabas eine Wende gemacht und sei »zu Paulus zurückgekehrt« (zuletzt *Conzelmann*,
Geschichte, 142), versucht, die Paulusbriefe und die Apostelgeschichte anzugleichen, ohne zu
berücksichtigen, daß Apg 15,36ff historisch wenig glaubhaft ist.

223 So z. B. *Hadorn* (Gefährten, 68f): »Wir sind über dies Dienstverhältnis zu wenig unterrichtet, als daß wir genau bestimmen könnten, ob Markus wirklich nur als persönlicher Diener
der Apostel Dienstleistungen eines Kammerdieners, Einkäufe, Zubereitung der Speisen usw.
zu besorgen hatte.« *Dibelius* (Kirche, 191) nennt ihn »Adjudant«; *Pölzl* charakterisiert seine
Arbeit als »untergeordnete Dienste im Missionswerke« (Mitarbeiter, 62). Er denkt dabei an die
»Spendung der Taufe« (dagegen vgl. jedoch S. 89ff).

224 Vgl. u. S. 63–72.

225 Die Wundergeschichte Apg 12,3–19 wurde (nach allgemeiner Übereinstimmung) von
Lk übernommen und nur an einzelnen Stellen aufgefüllt. Der »realistische Legendenstil« (*Dibelius*, Stilkritisches, 25f; *Auerbach*, Mimesis, 28.38) ist ganz unlukanisch. *Haenchen* (Apostelgeschichte, 334) nimmt an, Lk habe v 11f selbst formuliert: »Nun erst, wo alles geschehen
ist, kommt Petrus zu sich und nun kommt auch Lukas zu Wort. Denn v 11 ist in dem typisch
lukanischen Stil mit biblischen Wendungen gehalten. Lukas läßt den Leser genau wissen, was
er soeben miterlebt hat.« V 12 bereite 12,25 vor (335). Während *Haenchen* für v 11 zuzustimmen ist, dürfte v 12 anders zu erklären sein. Die Vorlage muß ja irgend ein Haus, in dem man
sich versammelte, genannt haben. Wahrscheinlich zu Recht spricht *Conzelmann* (Apostelgeschichte, 71) von einer Lokaltradition. Von hier aus konnte Lk dann die Angaben über Markus
nach 12,25 und 13,5 übertragen.

von ihm pointiert heißt[226]: »Denn er ist mir nützlich für die Missionsarbeit« (2Tim 4,11)[227].

Schließlich erwähnt der Kol während der ephesinischen Gefangenschaft im Kreise des Paulus einen Judenchristen namens *Jesus*, der sich den lateinischen Beinamen Justus zugelegt hatte (4,11)[228]. Der Phlm erwähnt ihn höchstwahrscheinlich auch[229]. Wir wissen weiter nichts über ihn.

Der Kol ergänzt die Zahl der Mitarbeiter um einen, dessen Laudatio darauf schließen läßt, daß er zu den bedeutenderen gehörte. Es ist *Tychikos*. Er sollte den Kol überbringen. Das erklärt, warum er Phlm 23f nicht unter den Grüßenden aufgeführt wird. Tychikos dürfte, wie sein Name vermuten läßt, Heidenchrist gewesen sein (vgl. Kol 4,11). Er wird als »der geliebte Bruder und zuverlässige Mitarbeiter und Mitknecht im Herrn« bezeichnet (Kol 4,7). Ihm wurde die gewiß nicht ganz einfache Mission übertragen, mit Überbringung des Kolosserbriefes die Gemeinde für den Kampf gegen die in ihr aufgetretene Häresie zu mobilisieren. Aus dieser Sendung und der umfänglichen Titulierung für ihn ist zu schließen, daß er sich in der Missionsarbeit neben Paulus besonders bewährt hatte.

Die Apostelgeschichte erwähnt Tychikos unter den Begleitern des Paulus auf der Reise nach Jerusalem (20,4)[230]. Ausdrücklich wird sein Herkunftsort genannt: »aus (der Provinz) Asia«. Er stammte also wahrscheinlich aus Ephesus[231], was auch durch die Trophimos-Notiz bestätigt wird (20,4 in Verbindung mit 21,9).

---

226 Die Wendung erinnert an Phlm 11,13.

227 In der Tradition des 1Petr (5,13) hingegen bringt man ihn – zusammen mit dem Paulus-Mitarbeiter Silvanus – in die Nähe des Petrus (vgl. Anm. 62). Er wird sogar als »Sohn« des Petrus bezeichnet, was wohl besagen soll, daß Petrus Markus zum Glauben geführt habe (vgl. 1Kor 4,15; Phlm 10 u. a.). Die Historizität von Apg 12,12 vorausgesetzt, ist das nicht unmöglich, gleichwohl nicht zu entscheiden. Die spätere Tradition macht Markus schließlich zum Dolmetscher und Verfasser des Markus-Evangeliums (Eus hist III 39,15 unter Berufung auf Papias; zur Problematik dieser Notiz vgl. *Kümmel*, Einleitung, 27–29.68f, jeweils mit zahlreichen Literaturhinweisen). Eine Verfasserschaft des Mk-Ev durch Johannes Markus ist allerdings sehr unwahrscheinlich. Einfluß durch paulinische Gedanken zeigt sich nirgends. *Niederwimmer* (Johannes Markus, 172–188) kommt zwar zum selben Schluß, gründet jedoch seine Erwägungen auf die nicht sichere Ansicht, Markus sei Jerusalemer gewesen.

228 Vgl. Joseph Barsabbas (Apg 1,23) und Titius (18,7).

229 *Zahn* (Einleitung, 321; vgl. *Amling*, Konjektur, 261f) hat die sehr wahrscheinliche These vorgetragen, es sei in Phlm 23 aus Versehen der letzte Buchstabe des Namens Ἰησοῦς ausgefallen und das Wort nun zum vorhergehenden Χριστῷ gezogen worden. Diese einfache Konjektur löst die Differenz zur Grußliste des Kol und darf angesichts der hohen Übereinstimmung zwischen Phlm und Kol als gesichert gelten (vgl. ebenso *Lohse*, Kolosser, 242 Anm. 8; 288).

230 Es handelt sich sicher um die gleiche Person; auch Apg 20,4 bringt ihn mit Ephesus in Verbindung (s. u.). Die Lesart Εὔτυχος (D) sucht ihn, da er sonst in der Apostelgeschichte nicht erwähnt wird, mit dem Eutychos der folgenden Geschichte (20,7–12) zu identifizieren.

231 Ἀσία steht des öfteren für »Ephesus«, die Hauptstadt der Provinz Asia: 1Kor 16,19; 2Kor 1,8; Röm 16,5; 2Tim 1,15; Apg 19,10.22; 20,16.18 (anders aber 19,26, wo Asia – allerdings mit dem Zusatz »ganz« – als Gebietsbezeichnung von Ephesus unterschieden wird).

Auch die Pastoralbriefe erwähnen Tychikos und setzen ihn mit Ephesus in
Beziehung (2Tim 4,12; vgl. Tit 3,12), doch bleibt unsicher, ob aus historischer Kenntnis oder Inspiration durch die Apostelgeschichte.

2.3.5
Die Mitarbeiter in Ephesus (II)

Der Kreis der Mitarbeiter des Paulus in Ephesus, soweit er mit einiger Sicherheit noch rekonstruierbar erscheint, ist damit ungefähr nachgezeich-
net[232]; zufällige Bemerkungen lassen jedoch erkennen, daß er – wenigstens
zeitweise – noch weitere Personen umfaßt haben dürfte.
Im Kol wird eine *Nymphe*[233] »samt der Gemeinde in ihrem Hause« besonders gegrüßt (4,15). Sie war also ein aktives Gemeindemitglied und muß
Paulus – vielleicht in Ephesus – irgendwann kennengelernt haben.
Von Ephesus aus, gegen Ende seines dortigen Aufenthaltes, habe Paulus
den Timotheus und einen gewissen *Erastos* nach Mazedonien entsandt, berichtet Lk in Apg 19,21f. Herkunft und Verläßlichkeit dieser Nachricht ist
unsicher[234]. Daß der hier genannte Mitarbeiter Erastos mit einem Korinther gleichen Namens identisch wäre, legen die Quellen nicht nahe: Röm
16,21 richtet Erastos aus Korinth, »der Stadtrendant«, d. h. ein leitender

---

232   Der 2Tim und der Tit fügen zur Menge der erwähnten Mitarbeiter noch weitere Namen
hinzu (2Tim 1,15f; 4,10–21; Tit 3,12f), die sämtlich in die ephesinische Zeit versetzt werden,
nämlich: *Phygelos, Hermogenes* (daß die beiden nicht als Apostaten gekennzeichnet werden
sollen, ergibt sich aus dem Verhältnis von 1,15–18 zu 4,9–12 und vor allem zu 4,16: diese Bemerkungen illustrieren das Bild vom einsamen Apostel, das sich durch den Widerspruch zu
4,21 eindeutig als literarisches Motiv zu erkennen gibt. Erst in Acta Pauli III 1,2ff: *Hennecke,*
Apokryphen, Bd. 2, 243–251, werden die beiden geradezu zu Paradeapostaten), *Onesiphoros,*
Crescens, Eubulos, Pudens, Linus, Claudia, Artemas und *Zenas.* – Es ist nicht auszuschließen,
daß hier im einzelnen wertvolles Material aufgenommen wurde. Doch gebietet sowohl die Abhängigkeit der Pastoralbriefe von der Apostelgeschichte als auch die legendenhafte Tendenz
zur geographischen und personellen Ausweitung der paulinischen Mission Vorsicht. Zum einzelnen vgl. Exkurs 3 meiner Diss. masch., Heidelberg 1974.
233   Daß es sich um eine Frau handelt, legen die besten Lesarten nahe; so auch *Lohse,* Kolosser, 245.
234   An eine »Kollektenvorbereitungsreise« (so *Conzelmann,* Apostelgeschichte, 112; *Haen-*
chen, Apostelgeschichte, 503) hat dabei weder Lk noch eine möglicherweise hier von ihm auf-
genommene Tradition oder Notiz gedacht. An der Kollekte (Apg 24,17) liegt Lk nichts (s. o. S.
37). Titus, nicht Timotheus, war ihr Organisator. Sollte Lk hier überhaupt verläßliches Material verarbeiten und damit eine *bestimmte* historische Situation anvisieren, dann wäre entweder an die 1Kor 4,17; 16,10f genannte Reise des Timotheus und weiterer »Brüder« nach Korinth oder eher (denn Lk gibt »Mazedonien als Reiseziel an) an die Reise des Timotheus nach
Philippi zu denken, die der gefangene Paulus der dortigen Gemeinde in Aussicht stellt (Phil
2,19.23). Lk wußte also immerhin von einer Reisetätigkeit des Timotheus und anderer Mitarbeiter im Auftrage des Paulus. Wohin die Reise genau führte, welchem Zweck sie diente, ob
und wann die beiden zu Paulus zurückkehrten – das alles läßt Lk unbeantwortet, vielleicht aus
mangelnder Kenntnis, sicher aber auch, weil es ihn nicht weiter interessierte. Apg 20,4 wird
Timotheus dann wieder unter den Paulusbegleitern vorausgesetzt.

städtischer Finanzbeamter[235], Grüße aus. Sein Beruf macht nicht gerade wahrscheinlich, daß er als Mitarbeiter des Paulus in Ephesus gewirkt und in seinem Auftrag Reisen unternommen hätte. Unter seinen Mitarbeitern zählt Paulus ihn Röm 16,21 nicht auf. Die in 2Tim 4,20 überlieferte Bemerkung: »Erastos blieb in Korinth« liest sich wie der Versuch, zwischen Röm 16,21 und Apg 19,22 auszugleichen. Ein eigener historischer Wert kommt der Notiz kaum zu.

Beiläufig werden von der Apostelgeschichte einmal zwei »Begleiter« des Paulus erwähnt (19,29), die zur Zeit des Demetrius-Tumultes bei Paulus gewesen und statt seiner von der empörten Menge gefaßt und ins Theater geschleppt worden seien[236], zwei Mazedonier, einer von ihnen Gajus. Wegen des Widerspruches dieser Notiz zu Apg 20,4 mit der Bemerkung über einen *Gajus aus Derbe* müssen diese beiden gleichnamigen Männer verschiedene Personen sein. Der *Mazedonier Gajus* kann zu den Mitarbeitern des Paulus in Ephesus gehört haben[237]. Wir wissen nichts Näheres über ihn. Auf Gajus aus Derbe wird noch zurückzukommen sein[238].

In der Grußliste, die Paulus dem Römerbrief anfügt, richtet er einer Reihe von Personen Grüße aus, mit denen er früher zusammengearbeitet hat. Dabei nennt er *Urbanus* »unsern Mitarbeiter in Christus«. Er hat irgendwann vorher mit ihm zusammengearbeitet.

Stachys bezeichnet er als seinen »Geliebten« (16,9), und in gleicher Weise apostrophiert er *Ampliatos* als seinen »im Herrn Geliebten« (16,8). *Rufus* und *seine Mutter* (die zu Paulus selbst »wie eine Mutter« war), gehörten außerdem zu diesem Kreis (16,13). Wann und wo diese Zusammenarbeit – oder die enge Beziehung – zwischen ihnen und Paulus ihren Ausdruck gefunden haben mag, wissen wir nicht.

Auch für die schon vorher gegrüßten Männer, zwei Judenchristen, *Andronikos* und *Junias*, die sogar eine Gefangenschaft mit Paulus geteilt haben (16,7), wird nicht näher angegeben, woher Paulus sie kannte. Aber es spricht doch einiges dafür, daß ihre Zusammenarbeit bis auf die Antiochener Jahre zurückgeht. Die beiden sind »Apostel«, ja Paulus weist darauf hin, daß sie sich im Kreise der Apostel sehr hervorgetan haben[239]. Vor ihm, wie Paulus besonders betont, kamen sie bereits zum Glauben, wobei nach 1Kor 15,8 auch ihre Berufung zu Aposteln vor der des Paulus gelegen hat, was dafür spricht, daß wie für Paulus auch für sie Bekehrung und Berufung zusammenfielen[240]. Aus der Tatsache, daß sie in Rom missionierten, und

---

235   Vgl. *Landvogt*, Untersuchungen; *Cadbury*, Erastus, 42–58; *Michel*, Römer, 386 Anm. 4; *Theißen*, Schichtung, 237–246; s. u. S. 76.

236   Hier wird das Motiv von Apg 17,5f und 18,17 variiert.

237   S. o. Anm. 216.

238   S. u. S. 54–56.

239   So zu übersetzen mit *v. Harnack*, Mission, Bd. 2, 269 Anm. 4; *Michel*, Römer, 342 Anm. 8; *Schmithals*, Apostelamt, 51; *Kasting*, Anfänge, 65; *Käsemann*, Römer, 394; *Hahn*, Apostolat, 58.

240   Mit *Schmithals*, Apostelamt, 52.

auch aus der Struktur der römischen Gemeinde, die jedenfalls zum Teil aus
Heidenchristen bestand (Röm 1,5f.13; 9,3ff; 10,1f; 11.13.23.28.31;
14,1ff; 15,15ff)[241], wird man schließen dürfen, daß Andronikos und Junias
wie Paulus und wie die Antiochener Heidenmission betrieben. Dies gilt um
so mehr, als Paulus der römischen Gemeinde gegenüber sein Heidenmissionsprogramm entfaltet (Röm 15,14ff) und dabei selbstverständlich Mithilfe (15,24) und Einverständnis (vgl. 15,30ff!) voraussetzt. Hier zeigt sich,
daß auch noch andere Missionare außer Paulus ihren Auftrag als Heidenmissionare in durchaus weltweitem Sinn verstanden.
Paulus erwähnt hier zwei Apostel, mit denen er in früheren Jahren so eng
zusammengearbeitet hat, daß man gemeinsam in Gefangenschaft geriet.
Angesichts der knappen Kontakte, die Paulus zu den Jerusalemern hatte,
wird man daraus schließen, daß ihre Zusammenarbeit am ehesten auf die
Mission im antiochenischen Umkreis zurückging[242]. Damit wird der Kreis
der frühen Mitarbeiter, derer, unter denen Paulus selber Mitarbeiter war,
noch einmal etwas erweitert. Es weist nichts darauf hin, daß die Art des
Apostolats von Andronikos und Junias sich von der des Paulus unterschied[243].

2.3.6
Die Kollektenmitarbeiter (Apg 20,4)

Eine Reihe von Personen, die die Texte aus der Zeit der Ephesusmission anführen, sind noch nicht besprochen worden, bei denen es sich vermutlich
um die Delegierten der paulinischen Gemeinden für die Überbringung der
Kollekte nach Jerusalem handelt (vgl. 1Kor 16,3)[244]. Es empfiehlt sich jedoch nicht, diese Gruppe hier auszuklammern, muß doch geprüft werden,
inwieweit sie sich mit dem Mitarbeiterkreis des Paulus deckte. Dies war wenigstens hinsichtlich des Titus der Fall (2Kor 8,23).
Das Kollektenschreiben 2Kor 8 erwähnt *zwei* »*Brüder*« (v18.22), die als
Kollektendelegierte Titus auf seiner letzten Kollektenreise durch Mazedonien nach Korinth begleiteten. Die Namen der beiden scheinen gestrichen
worden zu sein[245]. Vom ersten heißt es: ». . . dessen Lob hinsichtlich des

---

241   Zum Problem vgl. *Schmithals*, Römerbrief, 29ff.
242   So auch *Schnackenburg*, Apostel, 346f; *Schlatter*, Gerechtigkeit, 399; *Käsemann*, Römer, 394. *Roloff* (Apostolat, 60f) schließt aus der Tatsache, daß sie im Apostelkreis angesehen
seien, sie seien Jerusalemer.
243   Im Interesse einer Eingrenzung des Apostelkreises (der jedoch die Aussage des Paulus in
1Kor 15,5ff, wo er Zwölferkreis und Apostelkreis unterscheidet, entgegensteht) hat man gelegentlich versucht, Andronikus und Junias entgegen der klaren Textangabe nicht als Apostel im
eigentlichen Sinne anzusehen (vgl. *Zahn*, Römer, 609) oder Paulus einen »weiten« Apostelbegriff zuzuschreiben (*Lohse*, Ursprung, 267). Vgl. dazu auch u. S. 81–83.
244   Vgl. dazu *Georgi*, Kollekte, passim.
245   Ebenso in 2Kor 12,18 und vielleicht 2Kor 9,3, falls Kap. 9 als selbständiges Schreiben anzusehen ist. Andernfalls wären die in Kap. 8 genannten Brüder gemeint. Die Streichung dürfte
sehr früh, wohl schon während der Erstredaktion erfolgt sein. Wirken schon die Stellen 8,18

Evangeliums durch alle Gemeinden geht, und nicht nur das, sondern er wurde auch von den Gemeinden als unser Begleiter ausgewählt . . .« (8,18f). Er hatte sich also besonders in der Evangeliumsverkündigung hervorgetan (nicht etwa im Geldsammeln!). Nur dies entsprach Funktion und Bedeutung der Kollekte[246]. Wie der zweite »Bruder« war er von mehreren Gemeinden als Vertreter bestimmt worden. Über den zweiten schreibt Paulus: ». . . dessen oftmaligen Eifer wir bei vielen Gelegenheiten erproben konnten und der jetzt in großem Vertrauen zu euch noch eifriger geworden ist« (8,22). Er hat sich demnach in der Zusammenarbeit mit Paulus als zuverlässig bewährt (vgl. ähnlich 8,16f; 7,13ff von Titus), ist also ein alter Mitarbeiter des Paulus. Ein weiterer »*Bruder*«, dessen Name ebenfalls nicht überliefert wurde, hat Titus schon vorher auf seiner ersten Reise zur Organisation der Kollekte begleitet (2Kor 12,17f). Paulus berief sich später vor den Korinthern auf ihre Lauterkeit.

Die von Paulus selber oder von den Gemeinden mit der Kollekte Betrauten waren also, soweit man sehen kann, gestandene Mitarbeiter des Apostels, Männer, die das theologische Anliegen der Kollekte selber zu vertreten wußten, auf deren Zuverlässigkeit Paulus sich berufen konnte. Wenn die Gemeinden ihre bewährtesten Glieder als Kollektenvertreter aussuchten, wird eine enge Relation zwischen den Gemeinden des Paulus und seinen Mitarbeitern erkennbar, auf die später noch ausführlich einzugehen sein wird. Man kann jedenfalls davon ausgehen, daß der Kollektenvertreterkreis mit dem Mitarbeiterkreis wenigstens teilweise identisch war und daß es oft gerade die bedeutenderen unter den Mitarbeitern waren, die zu den Delegierten gehörten. Demzufolge ist zu fragen, wer sonst noch zu ihnen gezählt haben mag.

Lk hat in Apg 20,4 eine umfängliche Namensliste aufgenommen, hinter der man allgemein ohne besondere Begründung die Kollektenabgeordneten vermutet, die mit Paulus die Kollekte der heidenchristlichen paulinischen Gemeinden nach Jerusalem überbrachten[247].

---

und 8,22 verstümmelt, so erst recht 12,18. Die Redaktion wollte vermutlich die Katholizität der Briefsammlung gewährleisten (vgl. dazu o. Anm. 190). Spekulationen über die gestrichenen Namen sind müßig (als Beispiel vgl. *Windisch*, Korintherbrief, 264.266; und *Pölzl*, Mitarbeiter, 114.183–186), da wir nicht alle Mitarbeiter des Paulus kennen.

246 *Georgi* (Kollekte, 54f): »Man hatte . . . weniger nach einem guten Organisator als nach einem guten Prediger und Theologen für diese Aufgabe gesucht.« Die Funktion und Bedeutung der Kollekte wurde früher oft verkannt. So konnte *Hadorn* (Gefährten, 75) mit Bezug auf die Apg 19,22 geschilderte Reise des Timotheus und Erastus noch sagen: »Bei Erastus, dessen Amt zur Finanzverwaltung der Stadt gehörte, war es wahrscheinlich die Kollektenangelegenheit . . ., die ihn zu Paulus geführt hatte, in welcher Angelegenheit er dann wohl wieder neue Aufträge erhielt . . .«

247 *Haenchen*, Apostelgeschichte, 515; *Stählin*, Apostelgeschichte, 263f; *Georgi*, Kollekte, 87; *Munck*, Heilsgeschichte, 288–292; anders nur *Schille* (Kollegialmission, 44–46), der hier die Namen eines mazedonischen Mitarbeiterkollegiums meint ausmachen zu können (ohne dabei ein Verständnis von der Bedeutung der Kollekte für die paulinischen Gemeinden zu besitzen).

Diese Liste bedarf einer genaueren Betrachtung. Sie lautet:

>*Sopater*, Sohn des Pyrrhos,
    aus Beröa,
    aus Thessalonich
Aristarchos und *Secundus*
und *Gajus*
        aus Derbe   und Timotheus,
        aus Asien
Tychikos und *Trophimos*.«

Die Liste[248] ist in zwei, jeweils in sich chiastisch gebauten, einander parallelen Gliedern einprägsam strukturiert. Lediglich das Glied »und Timotheus« schießt über und muß als späterer Zusatz (wohl durch Lk) gelten[249]. Ursprünglich zählte die Liste demnach sechs Namen auf, die allesamt ein Merkmal verbindet: Bei allen ist ihr Herkunftsort genannt. In dieser Angabe dürfte deshalb das konstitutive Element der Liste liegen. Jeweils zwei Personen stammten aus Thessalonich und Ephesus[250], jeweils eine aus Beröa und Derbe. In allen angeführten Orten gab es der Apostelgeschichte zufolge paulinische Gemeinden. Da wir aus 2Kor 8f; Röm 15,15ff wissen, daß Paulus mit einer größeren Kollektendelegation zur in Apg 20,1ff beschriebenen Zeit nach Jerusalem reisen wollte, liegt nichts näher, als in den Apg 20,4 aufgezählten Namen die Vertreter der einzelnen paulinischen Gemeinden wiederzufinden. Wenn Lk sie lediglich als »Begleiter« des Paulus deklariert, zeigt sich darin nur die schon erwähnte Tatsache, daß er das Kollektenwerk des Paulus stillschweigend übergeht.

Diese Identifizierung ist allerdings nicht unproblematisch. Erstens berichten die Paulusbriefe von keiner der in Apg 20,4 genannten Gemeinden, daß sie an der Kollekte beteiligt gewesen wären. Zweitens erwähnt Apg 20,4 seinerseits gerade die Gemeinden nicht, welche den Paulusbriefen zufolge an der Sammlung teilgenommen haben: die galatischen, die achaischen (1Kor 16,1–4; 2Kor 8,1; 9,2.4) und – vermutlich – die in Philippi. Bezieht sich die Liste also überhaupt auf die Kollektendelegierten, und wenn doch, welchen Aussagewert besitzt sie? Diese Fragen fächern sich auf:

1.   Gab es eine Gemeinde in Beröa, die an der Kollekte beteiligt war? – Paulus spricht in seinen Briefen nirgends von Beröa, erwähnt auch keine dortige Gemeindegründung. Das besagt aber in Anbetracht des zufälligen Quellenmaterials nicht viel. Wo Paulus von der Kollekte handelt, redet er nie von einer bestimmten, sondern immer von »den« mazedonischen Gemeinden

---

248   An ihr ist noch lange geändert und gebessert worden, doch erweisen sich alle Sonderlesarten gegenüber dem von *Nestle* bevorzugten und von P[74] repräsentierten Text als schlechter. Die Lesart »Sosipatros« sucht mit Röm 16,21; »Dub(e)rios« (D gig) bzw. »Doberius« (it) mit Apg 19,29; »᾿Εφέσιοι« mit 21,29; »Eutychos« mit 20,9 zu harmonisieren oder zu kombinieren.
249   Dieser Tatbestand ist *Georgi* (Kollekte, 87) entgangen, wenn er die Erwähnung des Timotheus für einen Bestandteil der Lk vorliegenden Liste hält. Folglich sind auch seine Vermutungen hinsichtlich einer von Lk geänderten, ursprünglich aber galatischen Herkunft des Gajus fraglich. – Für Lk sind hier die »Begleiter« des Paulus auf der Jerusalemfahrt aufgezählt. Offenbar fehlte aber – für Lk verwunderlicherweise – in der Liste der Name des Timotheus. Er mußte also zugefügt werden, und zwar hinter Gajus, der laut Liste aus Derbe stammte. Die kleine Unstimmigkeit, daß nach Apg 16,3 Timotheus aus Lystra kam, konnte dabei von Lk in Kauf genommen werden (vielleicht ist die undeutliche Formulierung von 16,1, die mit 16,3 in Spannung steht, sogar von 20,4 her zu erklären). – Sollte es sich schließlich in 20,4 um die Namen der Kollektendelegierten handeln, dann fiele die Erwähnung des Timotheus hier auch inhaltlich heraus. Timotheus wird von Paulus nie mit der Kollekte in Zusammenhang gebracht (s. o.).
250   Vgl. Anm. 231.

(2Kor 8,1; 9,2.4) bzw. von »Mazedonien« insgesamt (Röm 15,26). Es gab jedenfalls mehrere paulinische Gemeinden in Mazedonien (vgl. 1Thess 1,7f; 4,10; 1Kor 16,5; 2Kor 1,16; 2,13; 7,5; 11,9; Phil 4,15). Mission und Gemeindegründung des Paulus in Beröa schildert Apg 17,10–15 nach üblichem Schema (Gründung der Gemeinde – Verfolgung durch die Juden – Abreise). Die Notiz in Apg 20,4 hat gegenüber 17,10ff eigenes Gewicht.

Ein gravierender Grund gegen die Annahme, in Beröa habe es eine paulinische Gemeinde gegeben, zeigt sich nicht. Wenn es sie gab, ist es auch wahrscheinlich, daß sie an der Kollekte beteiligt war. Wenn Apg 20,4 nur einen Vertreter aus Beröa nennt, läßt sich daraus vielleicht schließen, daß die Gemeinde nicht sonderlich groß war.

2.   Daß die Gemeinde von Thessalonich am Kollektenwerk beteiligt war, wird zwar explizit von den erhaltenen Paulusbriefen nicht erwähnt, ist aber nach 2Kor 8,1; 9,2.4; Röm 15,26 anzunehmen.

3.   Von Ephesus aus organisierte Paulus mit Titus zusammen die Kollekte (vgl. 1Kor 16,1–4). Die Gemeinde nahm von allen am unmittelbarsten an den sich über Jahre hinziehenden Bemühungen um die Sammlung teil. Daß sie sich selber nicht an ihr beteiligt hätte, ist kaum denkbar. Wenn aus Ephesus zwei Vertreter stammten, entspricht das der vermutlichen Größe der Gemeinde.

4.   Derbe liegt in Lykaonien, im Süden der Provinz Galatien[251]. Gajus aus Derbe (Apg 20,4) kann als Kollektenvertreter der galatischen Gemeinden betrachtet werden, wenn man sich im Blick auf die Adressaten des Gal für die sog. Provinzhypothese entscheidet[252]. Dagegen und für die sog. nordgalatische oder Landschaftshypothese entscheidet sich heute die Mehrzahl der Forscher, vor allem unter Hinweis auf den allgemeinen Sprachgebrauch von »Galatien« sowie die Anrede des Paulus »O ihr Galater« in Gal 3,1[253].

Für die Provinzhypothese sprechen jedoch gewichtige Gründe: 1. Paulus verwendet in der Regel die Provinznamen[254]. 2. Die einzelnen paulinischen Gemeinden, in der Regel die Provinzhauptstädte, stehen repräsentativ für die Herrschaftsaufrichtung Christi in der ganzen Provinz[255]. 3. Der Reiseverlauf der Europamission des Paulus wäre sonst schwer verständlich[256].

---

251   Das wird von *Ogg* (Derbe, 367–370) zu Unrecht in Zweifel gezogen; vgl. *Ballance,* Site, 147–151.

252   So *Michaelis,* Einleitung, 283–287; anders *Schlier,* Galater, 15–17; *Kümmel,* Einleitung, 258–260; *Mußner,* Galaterbrief, 3–8, jeweils mit ausführlicher Literaturdiskussion.

253   *Schlier,* Galater, 15f; *Kümmel,* Einleitung, 259; doch beachte den Einwand von *Mußner,* Galaterbrief, 8 Anm. 38a. Beide Argumente bleiben letztlich mangels Beweisen unsicher (vgl. *Borse,* Standort, 2 Anm. 6). Daß aus Apg 16,6 und 18,23 folge, »daß Paulus bei den keltischen Galatern missioniert hat« (*Mußner,* Galater, 8), kann ich nicht erkennen (s. auch u.).

254   Seine späteren Missionsgebiete (Mazedonien, Achaia, Asia) umfaßten mehrere Landschaften (das versucht *Schlier,* Galater, 16, wegzudeuten). Die Verwendung der Landschaftsnamen in Gal 1,21, auf die gern verwiesen wird, betrifft Gebiete, in denen Paulus vor Beginn seiner eigenständigen Mission arbeitete. Zur Sache vgl. *Hengel,* Ursprünge, 17.

255   Korinth steht repräsentativ für Achaia (1Kor 16,15), Ephesus für Asia (Röm 16,5), Thessalonich, Philippi für Mazedonien (Röm 15,26 etc.). Paulus sucht nicht die einzelnen Landschaften auf, sondern die Provinzen. Vgl. die Überlegungen zur Zentrumsmission des Paulus, u. S. 125ff und Kap. 5 Anm. 49. Repräsentativ für die ganze Provinz verkündigt Paulus in der Regel nur in einer ihrer Städte, später stets in der Provinzhauptstadt; so auch *Michaelis* (Einleitung¹, 154): »Paulus dachte in Provinzen«; vgl. *Dibelius,* Thessalonicher, 5; *Saß,* Apostelamt, 103f; *Dahl,* Volk, 241; *Munck,* Heilsgeschichte, 44–46; *Hengel,* Ursprünge, 17.

256   Das zeigt ein Blick auf die Landkarte. Schon sehr früh, vermutlich bereits zu Beginn seiner selbständigen Mission, hatte Paulus den Plan (entgegen der Schilderung der Apostelgeschichte: 16,6–10; 19,21), nach Europa zu reisen und sogar Rom zu erreichen (Röm 1,13; 15,22–24). Zielstrebig verfolgt er von Anfang an die Richtung nach Westen. Ohne sich aufzu-

4. Die Notiz in Apg 18,23 spricht dafür[257]. 5. Die von Lk in der Liste Apg 20,4 übernommene Notiz hat eigenes Gewicht, insbesondere da sie nicht von Lk selber stammt; ihre Bedeutung ist bislang in der Diskussion noch nicht gewürdigt[258].

Ohne daß Lk seine Notiz in diesem Sinne verstand, spricht viel dafür, in Gajus aus Derbe den Kollektenvertreter der galatischen Gemeinden und in Apg 20,4 eine Liste von Kollektendelegierten zu erkennen.

Warum sind aber die korinthischen (und philippischen) Kollektendelegierten in Apg 20,4 nicht erwähnt? Wieweit ist die Liste vollständig und genau?

Folgendes ist zu erwägen: Apg 20,4 ist keine Einzelnotiz, sondern steht innerhalb eines ›Wir-Berichtes‹[259]. Im Gegensatz zu den anderen Wir-Passagen der Apostelgeschichte[260] spricht viel

halten, missioniert er nur in wenigen Städten. Der Aufenthalt in den galatischen Gemeinden lag auf diesem Weg und ist Teil eines großräumigen Konzeptes. Er war deshalb keineswegs nur die unbeabsichtigte Folge einer Krankheit, die Paulus dort festhielt, sondern geplante Mission der Provinz Galatien. Das δι' ἀσθένειαν in Gal 4,13 gibt nicht den Grund und Anlaß der Missionstätigkeit des Paulus in Galatien an (*Schlier*, Galater, 210; *Suhl*, Paulus, 114.301; u. a.), sondern den *Umstand*, unter dem sie erfolgte (*Blass-Debrunner*, Grammatik, § 223,3, S. 143). Schließlich: Warum sollte Paulus, der seinen Auftrag darin sah, dem gesamten Weltkreis das Evangelium zu verkünden (Röm 15,19), andererseits einen so riesigen Umweg in das Innere von Kleinasien unternommen haben, ohne dabei im Sinne von Röm 15,19.23 Neuland zu gewinnen, während ihn doch andererseits alles drängte, nach Europa zu gelangen? Wahrscheinlicher nahm er von Antiochia aus durch die kilikische Pforte den direkten Weg nach Troas und Philippi, in dessen Richtung ebenfalls die galatischen Gemeinden lagen.

257 Im Unterschied zu Apg 16,6 – eine kompositionelle Notiz, die im Dienste der theologischen Aussage (v 6b) lediglich die strikte Richtung nach Europa angeben will – beschreibt 18,23 den präzisen Reiseverlauf: ». . . durchzog er der Reihe nach das galatische Land und Phrygien«. Diese Reihenfolge spricht für die Provinzhypothese. Lk erwähnt Jünger in Galatien und Phrygien, ohne von dortigen Gemeindegründungen zu berichten. 18,23 ist darum wohl als eigenständige Notiz anzusehen.

258 An der Kollekte waren nur paulinische Gemeinden beteiligt. Die Apg 20,4 erwähnten müssen, wenn es sich um eine Kollektenvertreterliste handelt, von Paulus, also nach seiner Trennung von Antiochia, gegründet worden sein. Mit der Landschaftshypothese ist aber die Erwähnung Derbes in Apg 20,4 nicht zu erklären. Andererseits läßt sich die Ortsbezeichnung aus der Liste aber auch nicht – etwa als lk Zusatz – eliminieren. Die Herkunftsangabe ist konstitutiv für die Liste; sie führte zur Einfügung des Timotheus.

259 Üblicherweise findet man den Beginn des Wir-Berichts in Apg 20,5 (*Kümmel*, Einleitung, 143, u. a.). Aber 20,5 bezieht sich durch »diese reisten schon voraus« (so mit *Conzelmann*, Apostelgeschichte, 115 u. a.) auf 20,4 zurück. Wenn 20,5ff ein Reisebericht ist, dann kann er nicht erst in v 5 begonnen haben. Der Reisebericht kennzeichnet vor allem zweierlei: ein peinlich genaues Stationenverzeichnis sowie exakte Zeitangaben: 20,6.15.16; 21,4.7.8.18. Beides wird in 20,7–13.17–38; 21,4b–6.10–14 unterbrochen. Diese Stücke erweisen sich vom Sprachlichen und Gedanklichen her als lukanisch. Dabei verwischt Lk bewußt die Übergänge, vgl. etwa das »Wir« in 20,7; 21,1. Ab 21,15ff liegen die Verhältnisse weniger klar. – Nun finden sich bereits in 20,2–3 sehr genaue Angaben zu Ort und Zeit: Die Bezeichnung »Hellas« für Achaia ist bei Lk (wie im ganzen Neuen Testament) singulär. 20,3 beschreibt die Dauer des Aufenthaltes präzise mit »drei Monate«. 20,1 stellt hingegen die Anknüpfung zum Kontext dar, und v 2a ist lukanische Sprache und Gedankenwelt (vgl. 14,22; 15,41; 18,23; 19,1). Ab v 2b (ἦλθεν . . .) werden die Angaben präzis: Von hier ab kommt also vermutlich (vorwiegend) die von Lk benutzte Quelle zur Sprache. Ihr ursprünglicher Anfang sowie ihr Ende läßt sich aber nicht mehr ausmachen. Die Liste in 20,4 dürfte dann Teil dieses Reiseberichtes gewesen sein, durch die – neben Ort und Zeit – auch die Personen genau vorgestellt wurden.

260 »Wir«-Stücke in der Apostelgeschichte (vgl. dazu *Haenchen*, »Wir«, 329–366; *Schille*, Fragwürdigkeit, 165–174; *Kümmel*, Einleitung, 141–153) finden sich außerdem 16,10–17;

dafür, diesen Wir-Bericht als historisch zuverlässige Quelle anzusehen, die vermutlich von einem Kollektenvertreter selber abgefaßt wurde. Dann ist in Rechnung zu stellen, daß sich im (echten) »Wir« der Erzählung ein Teil der Kollektenvertreter verbirgt[261].

Die Liste Apg 20,4 entstammt demnach vermutlich einem Kollektenvertreterbericht, der als Quelle ersten Ranges zu betrachten ist. Lk hat ihn seinem Konzept eingearbeitet, ohne ihn noch im ursprünglichen Sinne zu verstehen oder verstehen zu wollen (vgl. 24,17). Die Kollektendelegierten werden bei ihm zu einfachen Reisebegleitern des Paulus.

Nach alledem waren wohl sämtliche paulinischen Gemeinden an der Kollekte beteiligt[262]. Das entspricht auch vollkommen dem Charakter und der Bedeutung der Kollekte. Es ist nicht gut denkbar, daß Paulus die Beteiligung an dem Unternehmen lediglich ins Belieben der Gemeinden gestellt hätte (vgl. 1Kor 16,1 neben 2Kor 8,3f). Das Ziel der Kollekte, die Demonstration der Einheit, erforderte die Teilnahme aller seiner Gemeinden. Dementsprechend war die Kollektendelegation, die sich schließlich zusammenfand, eine vielköpfige Gesellschaft geworden. Stellt man in Rechnung, daß der Bedeutung ihrer Gemeinden entsprechend aus Korinth und Philippi jeweils noch zwei Vertreter hinzukamen und zählt man außerdem noch Titus, den Promotor der Kollekte, sowie Paulus und Timotheus hinzu, dann umfaßte die Gesandtschaft vermutlich nicht weniger als dreizehn Personen – eine machtvolle Demonstration des Einheitswillens der heidenchristlichen Ge-

21,1–18; 27,1–28,16. Das Wir in 27,1ff ist wahrscheinlich literarisch geprägt (s. o. Anm. 214). 21,1–18 setzt die Schilderung von 20,5ff fort und ist im Zusammenhang mit diesem Stück zu beurteilen. Der Wir-Bericht in 16,10–17 hat mit 20,2ff keine Verbindung (s. vorige Anm.). Er ist vermutlich kein »Augenzeugenbericht«, sondern literarisches Werk des Lk (s. o. Anm. 122). Daß die im »Wir« steckende(n) Person(en) beide Male in Philippi auftauchte(n), die »Wir-Erzähler« also identisch seien (*Michaelis*, Einleitung, 133; u. a.), ist ein Mißverständnis. Es würde nur zutreffen, wenn der Wir-Abschnitt wirklich in 20,5 begänne. 16,11ff als »Reisebericht« zu deklarieren und darin eine Parallele zu 20,5ff zu sehen, geht zu weit. Den sehr genauen Zeitangaben von 20,5ff stehen sehr verschwommene in 16,11ff gegenüber; vgl. 16,12. Die einzelnen Wir-Passagen in der Apostelgeschichte sind deshalb gesondert zu beurteilen. Sie entspringen jedenfalls nicht einer durchlaufenden Quelle, sondern sind weitgehend, jedoch nicht durchgängig, lukanische Schöpfung (vgl. ähnlich *Schulz*, Stunde, 241).

261 Damit erklärten sich das »Wir«, die exakten Personen-, Zeit- und Ortsangaben sowie die historisch zutreffende Einordnung des Berichts. Der Bericht beschrieb die Reise der Kollektenvertreter der paulinischen Gemeinden. Wenn er wegen der Hellas-Notiz schon in Korinth einsetzte, wenn weiter ausdrücklich erwähnt wird, die eine Gruppe sei schon nach Troas vorausgereist, während die andere (die Wir-Gruppe) bis Ostern in Philippi Station machte (20,5f), dann ist es nicht zuviel gewagt, in der Wir-Gruppe die Vertreter der korinthischen und philippischen Gemeinde zu vermuten. Von Philippi an wurde die Delegation wohl zu groß, man trennte sich bis Troas, ehe man aufs gemeinsame Schiff stieg (20,13). – Für die Abfassung des Reiseberichts mag die große Bedeutung der Kollekte für die heidenchristlichen Gemeinden des Paulus eine Rolle gespielt haben. So wie er von Lk bearbeitet wurde, läßt sich ihm kein genauer Abfassungszweck mehr entnehmen.

262 Die einzige Ausnahme könnten die Gemeinden im Lykostal gebildet haben. Doch ist gut möglich, daß sie von Tychikos, der die Gemeinden gut kannte und in ihnen Autorität besaß (Kol 4,7f), mitvertreten wurden. Spricht 20,4 deshalb – im Gegensatz zu den übrigen Stadtbezeichnungen – von Asia statt von Ephesus?

meinden des Paulus mit den Jerusalemer Judenchristen und zugleich ein beeindruckender Nachweis der Kraft des Evangeliums unter den Heiden! Der Römerbrief ist vermutlich während des Apg 20,3 erwähnten dreimonatigen Aufenthaltes des Paulus in Griechenland entstanden, nach 16,23 (vgl. 1Kor 1,14) zu urteilen in Korinth. Am Schluß des Schreibens grüßen auch einige Begleiter des Paulus; zunächst Timotheus, »mein Mitarbeiter«, dann die drei Judenchristen *Lukios, Jason* und *Sosipatros* (16,21). Da diese drei einerseits von Timotheus, dem Mitarbeiter des Paulus, andererseits von den nachfolgend grüßenden Mitgliedern der korinthischen Gemeinde (Tertius, Gajus, Erastos und Quartus; 16,22) abgesetzt werden, begleiteten sie Paulus und Timotheus vielleicht in besonderer Funktion, und es liegt nahe, in ihnen ebenfalls Kollektenvertreter zu erkennen[263]. Der Apg 20,4 erwähnte Name Sopatros ist eine Kurzform für Sosipatros[264] (Röm 16,21); es dürfte sich wohl um die gleiche Person handeln[265]. Falls man die drei in Röm 16,21 genannten Männer als Kollektenabgeordnete ansehen kann, würde deutlich, daß die Gesandtschaft auch aus Judenchristen bestand, womit, da sie ja die heidenchristlichen Gemeinden repräsentierten, eine weitere Demonstration der Einheit gegeben wäre (vgl. Kol 4,11).

Damit ist nun der Kreis der Personen, in denen man mit einiger Sicherheit Mitarbeiter des Paulus wird erkennen können, abgeschritten. Nicht in allen Fällen kamen unsere Überlegungen zu gleich gesicherten Ergebnissen, und nur gelegentlich gestatten die Quellen ein einigermaßen abgerundetes Bild eines Mitarbeiters. Aber mögen auch in den Einzelheiten viele Fragen nicht beantwortet werden können, so läßt der hier gebotene Überblick die allgemeine Tendenz doch deutlich genug erkennen: Aus kleinen Anfängen hat sich der Kreis der Mitarbeiter um Paulus in erstaunlich kurzer Zeit derart ausgeweitet, daß man wohl kaum umhin kann, hier einen planenden Willen und eine gezielte Arbeitsweise des Paulus zu vermuten.

2.4
Paulus im Kreis seiner Mitarbeiter

Es hat sich gezeigt, welch beträchtlichen Umfang der Kreis der Mitarbeiter um Paulus gewann. Indem wir aber den Einzelnotizen über jeden von ihnen nachgingen und die verschiedenen Gestalten nacheinander besprachen, konnte nicht genügend sichtbar werden, daß sie in Wirklichkeit nicht als Einzelgestalten, sondern je nachdem zusammen und gleichzeitig im Arbeitsbereich um Paulus mitwirkten und das Gesicht der jeweiligen Arbeit mitprägten. Anhand der kurzen Episode der ephesinischen Gefangenschaft

---

263 Ursprünglich wollte Paulus ja von Korinth aus nach Jerusalem reisen, wurde dann aber verhindert (Apg 20,3). Daß die Kollektenvertreter erst nach und nach eintrafen, belegt auch 2Kor 9,1–5.
264 Vgl. *Bauer*, Wörterbuch, 1584.
265 In Lukios und Jason kann man dann die Vertreter aus Philippi (weniger wahrscheinlich aus Korinth) vermuten, die unter den Apg 20,4 genannten fehlen.

sei deshalb versucht, in einigen Strichen ein Bild von der Arbeit des Apostels im Kreis seiner Mitarbeiter zu zeichnen. Diese Zeit bietet sich dazu besonders an. Denn etwa fünf bis neun der uns bekannten ca. dreizehn oder mehr Briefe und Brieffragmente des Paulus sind aus Ephesus geschrieben[266] – kein Wunder, daß deshalb die Arbeit des Paulus in Ephesus für uns die vergleichsweise deutlichsten Züge trägt. Das entstehende Bild vermittelt einen eindrucksvollen Einblick in Arbeitsweise und Verkehr des Paulus mit seinen Mitarbeitern, von dem aus man in gewissen Grenzen auch auf andere Zeiten wird rückschließen dürfen. Allerdings hat man dabei zugleich zu bedenken, daß der Ephesus-Aufenthalt einen Höhepunkt der paulinischen Arbeit darstellte: Er bescherte dem Apostel nicht nur eine kampffreie Zeit; von hier aus organisierte er auch das umfangreiche Kollektenunternehmen. Schließlich war er bestrebt, seine Arbeit im Osten des Römischen Reiches zum Abschluß zu bringen.

Der Ephesus-Aufenthalt läßt sich relativ genau in die Zeit zwischen Sommer 52 und Herbst 54 datieren[267]. Irgendwann während dieser Zeit, vermutlich etwa in der zweiten Hälfte seiner ephesinischen Wirksamkeit, gerät Paulus samt einem oder mehreren Mitarbeitern[268] in Gefangenschaft, die sich für ihn schließlich auf Leben oder Tod zuspitzt[269]. Nur diese relativ kurze[270] Episode der Gefangenschaft soll hier betrachtet werden.

In dieser Zeit entfaltet Paulus eine ungewöhnliche Aktivität, in die seine Mitarbeiter auf vielerlei Weise eingespannt sind.

Soweit man sehen kann, umfaßt der Mitarbeiterkreis des Paulus folgende Personen: Timotheus ist nach Phlm 1; Phil 1,1; 2,19ff aus Korinth zurück (1Kor 4,17; 16,10). Ob Apollos sich noch in Ephesus befindet (1Kor 16,12), läßt sich nicht sagen. Ungewiß ist auch, ob Prisca und Aquila sich noch in Korinth aufhalten; wenn aber Röm 16,4 in den Zusammenhang der Gefangenschaft des Paulus in Ephesus gehört, haben sie ihn erst danach verlassen. Zwischen seiner ersten Kollektenreise (2Kor 8,6.10; 12,17f) und der zweiten Reise nach Korinth (2Kor 2,12f; 7,5ff) dürfte Titus sich in Ephesus befunden haben. Unsicher muß dagegen bleiben, wieweit die Korinther So-

---

266 Aus der Zeit vor der Gefangenschaft: Gal; 1Kor; während der Gefangenschaft: Phlm; Phil A; Phil B; wahrscheinlich (s. o. Anm. 116) Phil C; außerdem entstand der Kol in dieser Zeit (s. Exkurs 1); nach der Gefangenschaft: aus dem 2Kor die sog. »große Apologie« (2Kor 1,1–24; 2,14–6,13; 7,2–4; vgl. dazu Exkurs 2 mit Anm. 40) und der »Tränenbrief« (2Kor 10–13; dazu s. o. Anm. 190). Ob der 1Kor als einheitliches Schreiben oder als Kompilation von zwei (*Schmithals*, Gnosis, 12–17; *Dinkler*, Art. Korintherbriefe, 18) oder drei (*Weiß*, Korintherbrief, XI–XIII; *Goguel*, Introduction, Bd. 4, 2.86) oder sogar vier (*Schenk*, Korintherbrief, 219–243) Briefen anzusehen ist, mag hier auf sich beruhen. Vgl. zur Frage noch *Kümmel*, Einleitung, 239–241; *Conzelmann*, Korinther, 13–15. – Eine Aufteilung auf zwei Schreiben ist jüngst wieder von *Suhl* behauptet und mit neuen, bedenkenswerten Argumenten begründet worden (Paulus, 203–213). Dennoch sind mir Zweifel geblieben.

267 Vgl. dazu und zum Folgenden Exkurs 2.

268 Phlm 23; Kol 4,10.

269 2Kor 1,8ff; Phil 1,20; Röm 16,4.

270 Man wird aber mindestens an einen Zeitraum von einigen Monaten denken müssen; s. u. Kap. 9 Anm. 37.

sthenes (1Kor 1,1), die Leute der Chloe (1,11) sowie Stephanas, Fortunatus und Achaikos (16,17) noch bei Paulus weilen oder bereits zurückgereist sind. Jedenfalls aber zählen zum Kreis der Mitarbeiter des Paulus: Epaphras, Jesus Justus, Markos, Aristarchos, Demas, Lukas, Tychikos und Onesimos (Phlm 23f; Kol 4,7ff). Aus Philippi befindet sich Epaphroditos bei Paulus (Phil 2,25ff). Die Apostelgeschichte fügt den Mazedonier Gajus hinzu (19,29), dazu vielleicht mit Recht Erastos (19,22)[271]. Das sind allein etwa ein Dutzend oder mehr Mitarbeiter, von denen wir namentlich wissen.

Während dieser Zeit kommen mehrfach aus Philippi Gesandtschaften (Phil 2,25ff; 4,10.15f; 2Kor 11,9), und zwar muß man, die Reisen des Epaphroditos eingerechnet, mit mindestens vier Reisen von Philippi nach Ephesus bzw. umgekehrt rechnen[272]. Intensive Beziehungen unterhalten Paulus und seine Mitarbeiter auch ins Lykostal. Wenigstens vier (vielleicht sechs oder mehr) Reisen fallen in diese Zeit[273]. Die Organisation der Kollekte ist angelaufen. Es kündigen sich die tiefgreifenden Auseinandersetzungen mit den Korinthern an. Unlängst erhielt Paulus entsprechende Nachrichten aus Korinth, auf die hin er seine sog. große Apologie schreibt (2 Kor 1,1-11; 2,14-6,13; 7,2-4).

Paulus, der gefangen liegt, sendet Tychikos in die häresiebedrohte Gemeinde in Kolossä (Kol 4,7f). Er schickt Onesimos seinem Herrn zurück und bittet um seine Rücksendung (Phlm 10ff). Der Kolosserbrief wird geschrie-

---

271 S. o. S. 50.

272 Mehrfach (καὶ ἅπαξ καὶ δίς; Phil 4,16 ist in diesem Sinn zu übersetzen; vgl. *Bauer*, Wörterbuch, 160.396; *Morris*, ΑΠΑΞ, 208; *Suhl*, Paulus, 104–107) hatte die philippische Gemeinde bereits früher Paulus mit Geldmitteln unterstützt (2Kor 11,9). Auch nach Ephesus schickt sie durch Epaphroditos eine Gabe (Phil 2,25; 4,18). Paulus bedankt sich mit dem Schreiben Phil 4,10–20, das nach Philippi überbracht wird. Inzwischen wird Epaphroditos in Ephesus krank. Die Nachricht davon gelangt – vielleicht schon mit dem Dankesschreiben – nach Philippi. Zugleich scheint man von der Gefangenschaft des Paulus zu berichten (Phil 1,7; 2,27). Daraufhin kommt erneut Nachricht aus Philippi: Man sorgt sich um Epaphroditos. Paulus entschließt sich, den inzwischen Genesenen sogleich nach Philippi zurückzuschicken.

273 Insgesamt lassen die Quellen folgende Reisen zwischen Paulus und dem Lykostal erkennen:
1. Reise des Epaphras von Kolossä zu Paulus. Bekehrung.
2. Reise des Epaphras zurück nach Kolossä. Gemeindegründung.
3. Rückreise des Epaphras zu Paulus.
4. Nachricht aus Kolossä über die dortige Häresie (wohl nicht zugleich mit Reise Nr. 3).
5. Reise des Onesimos zu Paulus. Bekehrung.
6. Rückreise des Onesimos mit Tychikos nach Kolossä.
7. Rückkehr des Tychikos nach Ephesus (Apg 20,4).
8. Überbringung der »Briefe über Markus« nach Kolossä.
9. Reise des Markus nach Kolossä.
Die Reisen 3–9 gehören wahrscheinlich in die Zeit der Gefangenschaft des Paulus in Ephesus. Man vergleiche auch die ähnliche Aufstellung von *Deißmann* (Gefangenschaft, 124f) für den Phil sowie seine Berechnung für Reisewege und -zeiten (ebd., 125f), aus denen er auf die Abfassung des Phil in Ephesus und die dortige Gefangenschaft des Paulus schließt.

ben und den beiden mitgegeben. Schließlich wird auch Markus, über den die Gemeinde bereits (Empfehlungs-?)Briefe erhielt, nach Kolossä entsandt (Kol 4,10). Epaphroditos bekommt seine Entlassung nach Philippi (Phil 2,28f). Er fungiert vermutlich zugleich als Briefüberbringer.

Der Besuch des Timotheus wird in Philippi angekündigt (Phil 2,19ff) und ein eigener des Apostels selbst sobald als möglich in Aussicht gestellt (2,24). Paulus kündigt weiter einen Besuch im Lykostal an (Phlm 21f), den er jedoch, soweit wir wissen, nicht ausführen wird. Schließlich plant er eine erneute Reise in die aufsässige Gemeinde von Korinth (2Kor 1,15ff; 12,14; 13,1), zu der er bald nach seiner Freilassung aufbrechen wird (2Kor 2,12f; 7,5ff).

Die Phase der ephesinischen Gefangenschaft des Paulus war zweifellos eine turbulente Zeit. Es ist schon erstaunlich, welch eine Aktivität hier von Paulus und seinen Mitarbeitern zur Entfaltung kommt, was für ein Kommen und Gehen herrschte, welche Entfernungen überbrückt wurden.

Sehr viel anders wird es aber auch sonst um Paulus nicht zugegangen sein. Seine uns erhaltenen Briefe geben ein beredtes Zeugnis von mannigfachen Gesandtschaften, schon vor der Korinthmission (Phil 4,15; 2Kor 11,9), dann von Korinth aus (1Thess 1,7f; 3,1ff), zu Beginn der Mission in Ephesus (Gal 4,13; 1Kor 1,11; 4,17; 5,9; 7,1; 16,11; 16,12 – an den letzten beiden Stellen mit dem Zusatz »zusammen mit den Brüdern« – 2Kor 8,6.10; 12,17f) sowie schließlich am Ende der Ephesusmission (2Kor 2,12f; 7,5ff; 8,16f.18ff.22ff; 9,2.3–5; 12,14; 13,1; Röm 16,1f).

Der üblichen Gepflogenheit entsprechend nahmen alle diese Gesandtschaften Begleitschreiben mit (vgl. 1Kor 16,3; Röm 16,1f; Kol 4,11; Apg 19,27). Umgekehrt bedurfte auch jeder Brief, den Paulus schrieb, eines Boten.

Alle Aktivität hat dabei einen jeweils notwendigen, konkreten Anlaß. Kein Mitarbeiter wird »nur mal so« geschickt, im Gegenteil. Paulus konnte längst nicht alle Besuchswünsche der Gemeinden befriedigen oder eigene Vorhaben ausführen (vgl. 1Thess 2,17ff; 3,5f.10; 1Kor 16,5ff; 2Kor 1,15ff; Phlm 21f; Kol 2,1–5; vgl. Röm 1,10–13). Oft sprangen dabei die Mitarbeiter in die Lücke, allen voran Timotheus (1Thess 3,1ff; 1Kor 4,17; 16,10; Phil 2,19ff), ebenso auch Tychikos (Kol 4,7ff) und Titus (2Kor 2,12f; 7,5ff).

2.5
Ergebnisse

Ich fasse die Ergebnisse des Kapitels zusammen. Schon vor seiner selbständigen Missionstätigkeit arbeitete Paulus in der antiochenischen Gemeinde als Mitarbeiter. Auch weiterhin hat er sich als Mitarbeiter verstanden. Mit Eifer hat er später Mitarbeiter um sich geschart. Ihr Kreis hat sich stetig vergrößert.

Einzelne Gestalten ragen unter ihnen in verschiedener Weise heraus (etwa Barnabas, Silvanus, Timotheus, Titus, Prisca und Aquila, Apollos, Tychi-

62

kos). Von anderen ist weniger bekannt, ohne daß sie jenen deshalb an Bedeutung nachgestanden haben müssen.

So überraschend groß die Zahl derer bereits ist, die mit Paulus in der Mission zusammenarbeiteten – angesichts dessen, daß ihre Namen in Paulusbriefen, Deuteropaulinen, Apostelgeschichte und Pastoralbriefen vielfach nur zufällig überliefert wurden, ist anzunehmen, daß ihr Kreis noch umfangreicher war und weitere, vielleicht nicht minder hervorragende Persönlichkeiten umfaßte.

Die Herkunft der Mitarbeiter ist unterschiedlich. In der Anfangszeit seiner selbständigen Mission war Paulus noch stärker auf seine ehemaligen Missionsgenossen aus der antiochenischen Gemeinde angewiesen. Später konnte er sich immer mehr auf die von ihm selbst gegründeten Gemeinden stützen. Zu Anfang tat er sich mit anderen Aposteln zusammen, später legte er darauf offenbar nicht mehr solchen Wert. Es entspricht diesem Tatbestand, wenn im Kreis der Mitarbeiter mehr und mehr Heidenchristen auftauchten, unter denen Paulus schließlich seine treuesten Mitarbeiter fand. Man wird darin jedenfalls eine Folge des antiochenischen Streitfalls erblikken können, in dem nahezu alle Judenchristen (aus der Perspektive des Paulus geurteilt) die konsequent gesetzesfreie Heidenmission preisgaben. Die Auseinandersetzung in Antiochia hat für die paulinische Mission eine nachhaltige Auswirkung gehabt. Sie veranlaßte Paulus zum Aufbau einer selbständigen Missionsarbeit und zur Gründung von Gemeinden, die, auf sich selbst gestellt, lebensfähig waren. Welche Rolle dabei die Mitarbeiter spielten, wird später noch genauer zu fragen sein.

Der Kontakt zur antiochenischen Gemeinde riß jedoch nicht ab. Vielmehr scheint man dort, auch nach dem Konflikt, den Versuch des Paulus, auf der Basis der auf dem Apostelkonvent getroffenen Vereinbarung (Gal 2,9f) für die Einheit von Juden- und Heidenchristenheit zu kämpfen – vor allem in der Person des Titus – durchaus unterstützt, und sich weiterhin für sie verantwortlich gefühlt zu haben.

Nur wenige seiner Mitarbeiter blieben stetig bei Paulus und arbeiteten ohne Unterbrechung mit ihm zusammen. Von diesen abgesehen, besaß Paulus, soweit sich erkennen läßt, keinen fest umrissenen, konstanten ›Mitarbeiterstab‹. Ein solches eher episodenhaftes Zusammenarbeiten mit den Mitarbeitern wird kaum auf Zufall beruhen, ist es doch kontinuierlicher Arbeit nicht förderlich. Dieses Phänomen muß im folgenden noch näher untersucht werden.

Dennoch sind die Mitarbeiter keineswegs nur Statisten und Komparsen im Aktionsfeld der Mission des Apostels. Zahlreiche und weitreichende Beziehungen des Paulus zu seinen verschiedenen Gemeinden wurden erst durch sie ermöglicht. Die kurze Szene der ephesinischen Gefangenschaft zeigt, wie solche Beziehungen durch die Mitarbeiter realisiert wurden.

3
Die Tätigkeiten und Funktionen der Mitarbeiter

Ich hatte im vorigen Kapitel als ›Mitarbeiter‹ des Paulus vorläufig die Personen angesehen, die mit Paulus zusammen in der Missionsarbeit tätig waren. Diese Bestimmung gilt es nun zu überprüfen und zu präzisieren. Zu diesem Zweck ist danach zu fragen, welchen Tätigkeiten die Mitarbeiter nachgingen, welche Aufgaben sie erfüllten, welche Funktionen sie besaßen und auf welchen Arbeitsfeldern sie sich betätigten.

So fragend stößt man auf das Phänomen, daß Paulus seine Mitarbeiter an nicht wenigen Stellen durch eine Reihe von Titulierungen und Prädikationen näher gekennzeichnet hat. Was sagen diese Ausdrücke aus? Welche Funktionen, Aufgaben oder Eigenschaften wollen sie bezeichnen? In welchem Verhältnis stehen sie zueinander? Und insbesondere: Wie verhalten sie sich zu dem Hauptbegriff, der Kennzeichnung der Mitarbeiter als συνεργοί? Was ist ein συνεργός?

Diesen Problemen nachgehend will ich versuchen, die Frage, wer und was ein Mitarbeiter des Paulus war, auf sicheren Grund zu stellen. Darüber hinaus ist zugleich der sonstige Kontext der Mitarbeiter-Erwähnungen in den paulinischen Briefen durchzusehen und zu untersuchen, was er über Tätigkeiten und Funktionen der Mitarbeiter zu erkennen gibt.

Ließen sich diese Fragen beantworten, so wäre man der eigentlichen Kernfrage nach dem Mitarbeiterphänomen in seiner Gesamtheit vielleicht schon ein Stück näher: der Frage nach der Rolle der Mitarbeiter in der Mission des Paulus.

3.1
Die Bezeichnung συνεργός

Paulus hat in seinen Briefen den Personen, mit denen er zusammenarbeitete, eine ganze Anzahl von Bezeichnungen gegeben, die oft titularen Charakter besitzen[1]. Dabei ragt der Titel συνεργός sowohl hinsichtlich seines häufigen Vorkommens als auch seiner Bedeutung hervor. In welchem Verhältnis er zu den anderen Epitheta steht, wird noch zu untersuchen sein. Die Bezeichnung συνεργός dient Paulus als übergreifender Ausdruck, der nicht, wie wir noch sehen werden, auf eine bestimmte Mitarbeitergruppe eingegrenzt ist[2]. Mit diesem Wort beschreibt er einen alle Mitarbeiter miteinander verbindenden Sachverhalt.

---

1 Vgl. Abschn. 3.2. Zur Definition der Ausdrücke »titular« und »Titel« s. u. Anm. 54.
2 Näheres in Kap. 4; vgl. Timotheus (Röm 16,21) Apollos (1Kor 3,9) und Epaphroditos (Phil 2,25) als Vertreter verschiedener Mitarbeitergruppen.

Dieser Tatbestand läßt erneut erkennen, daß das Mitarbeiterphänomen als Einheit zu betrachten ist. Man hat nach einer einheitlichen Erklärung für es zu suchen. Für die Frage nach den Funktionen der Mitarbeiter legt es sich darum nahe, von der Analyse der Bezeichnung συνεργός auszugehen. Welche Vorstellungen verband Paulus mit diesem Wort? Was ließ es ihm so geeignet erscheinen, das all jenen Personen, die sich um ihn scharten, Gemeinsame zu beschreiben?

Das Wort συνεργός[3] ist seit Pindar (5. Jahrhundert)[4] nicht selten belegt; es erscheint in adjektivischer und substantivischer Verwendung und wird wie das Verb συνεργεῖν gebraucht für die Zuwendung und Hilfeleistung, die jemand – ein Gott[5] oder ein Mensch[6] – einem anderen gewährt; sehr häufig auch allgemein für das Mit- und Zusammenwirken verschiedener Umstände – menschlicher Verhaltensweisen und Einstellungen[7], auch in bezug

---

3 Öfters auch in der Form ξυνεργός (z. B. Eur Hipp 626; Aristoph Equ 588). Auch die Akzentsetzung ist nicht einheitlich (z. T. auf der ersten Silbe), ohne jedoch (entgegen späteren Deutungen: σύνεργος μὲν ὁ συγκάμνων τεχνίτης, συνεργὸς δὲ ὁ βοηθός; Eust Od 1967, 32, 12. Jahrhundert n.Chr.; vgl. schon Ammon 131) einen Bedeutungsunterschied zu markieren.
4 Pind Olymp 8,32; Thuc 3,63; 8,92; Eur Hel 1427; Eur Orest 1146; Eur Medea 395; Xen Anab 1,9,20 und öfter (Belege bei *Stephan*, Thesauros; *Passow*, Handwörterbuch; *Pape*, Handwörterbuch; *Liddell-Scott*, Lexicon; jeweils s. v.).
5 Von Göttern, die dem Menschen beistehen: ἐν στρατιαῖς τε καὶ μάχαις ἡμετέραν ξυνεργὸν Νίκη (Aristoph Equ 588) vgl. Jos Ant 1,268; oder: θεὸς συνεργὸς ἦν τῷ παιδὶ μὴ 'κπεσεῖν δόμων (Eur Ion 48).
6 Von einem, der für einen anderen den Garten beackert: τὸν κῆπον αὐτοῦ συνεργῷ τινι ἀπέδωκε γεωργεῖν (Luc Asin 45); von Frauen, die zu einem Dienste herangezogen werden: γυναιξὶ . . . οὕτω χρωμένους, ὥστε συνεργοὺς ἔχειν αὐτὰς εἰς τὸ συναύξειν τοὺς οἴκους (Xen Oec 3,10); von der Hilfsgemeinschaft, die Mann und Frau bilden: συνεργὰ ἀλλήλοις τὸ θῆλυ καὶ τὸ ἄρρεν (Arist Oec 3,1343 b 19; vgl. Xen mem 3,5,16); von Tiberius Alexander, den Vespasian als Helfer gewinnen möchte: δηλῶν . . . καὶ ὡς αὐτὸς . . . συνεργὸν αὐτὸν καὶ βοηθὸν προσλαμβάνοι (Jos Bell 4,616); von Diophantos, dem Feldherrn des Mithridates, der diesen zum geneigten Beistand hat: συνεργὸν πρόθυμον ἔχων, *Dittenberger*, Sylloge, Bd. 2, 344f (709,35); von menschlichen Helfern auf dem Lebensweg: Epict Diss 4,1,104.
7 Von der Weisheit, die nicht zuläßt, daß die Unwissenheit unser ξυνεργός ist (Plat Charm 173 D); vom Glück, das der Bundesgenosse der Glückseligkeit ist: ἡ εὐτυχία συνεργὸς τῇ εὐδαιμονίᾳ (Arist magn mor 8,1207 b 18; vgl. 4,1185 a 35). Häufig bei Philo: Von der Anstrengung als Mitwirkender bei der Annahme der Tugend (Philo de sacr Ab 36); vom Körper, der dem Verstand nicht zur Tugend hilft, sondern ihn hindert: τὸ δὲ σῶμα . . . οὐ συνεργεῖ πρὸς τοῦτο (Leg allegor. 1,103); vgl. weiter quod det pot 28; de juga 21: ἐγὼ . . . τῆς ἐπ' ἀρετὴν ἀγούσης ὁδοῦ συνεργὸν ἄνθρωπον οὐκ ἔλαβον; s. auch Arist magn mor 3,1200 a 10; von der ratio als Mithelferin (de praem 43); von der Erinnerung (διὰ συνεργοῦ μνήμης), die das Vergessen verhindert (de mut 84); von der Liebe, die zu einem Verhalten beitrug: ἔρως συνήργει (Jos Bell 1,436); ähnlich Plat Conv 180 E: ἔρως als Mithelfer; vom Zusammenwirken des Hasses mit dem Neid (Test XII G 4,5). Bei Epict erscheint die Wortgruppe stets in positivem Sinne (Helfer, Beistand; förderlich, dienlich, zuträglich, behilflich; helfen, beistehen): so in der Reihe εὖ ποιεῖν, συνεργεῖν, ἐπεύχεσθαι (Diss 4,1,122); vgl. 1,8,20; 1,9,26; 2,10,5–7; 15,6; zur Beschreibung des für das Leben Zuträglichen, wofür Gott zu danken ist: ὑπὲρ αὐτοῦ τοῦ ζῆν καὶ τῶν συνεργῶν πρὸς αὐτό (Diss 2,23,5).

auf allgemeine Verhältnisbestimmungen, so hinsichtlich der Zeit und günstigen Gelegenheit für ein Vorhaben[8], so von der Sonne, die beim Sehen mithilft[9], vom Feuer als Hilfsmittel des Handwerks[10] etc. –; gelegentlich[11] (in den Papyri häufig[12]) erscheint es auch sensu malo im Sinne von »Helfershelfer, Spießgeselle«. Ein formelhafter Gebrauch (»mit Gottes Hilfe«) findet sich hier und da bei Josephus[13]. In der Septuaginta fehlt das Wort nahezu[14]; seine Verwendung entspricht dem klassischen Gebrauch. Synergistische Vorstellungen[15] werden mit dem Wort nicht verbunden; Philo wehrt sie, wo er es benutzt, ausdrücklich ab[16].

Der Bedeutungsbereich des Wortes ist vielseitig und in keiner Richtung terminologisch festgelegt. Das gilt nicht nur im Blick auf die Gesamtheit der Belege, sondern auch für die einzelnen Schriften bzw. Schriftsteller[17]. Wo sich das Wort συνεργός auf Menschen bezieht, beschreibt es fast durchweg

8   So (Pseud-)Plat defin p 414A: χρόνος ἀγαθοῦ τινὸς συνεργός; Theophr de caus Plant 11,3: μέγα ἡ ὥρα συνεργεῖ; 2Makk 12,1: ὁ καιρὸς αὐτῷ συνεργεῖ; 2Makk 14,5: καιρὸν δὲ λαβὼν τῆς ἰδίας ἀνοίας συνεργόν; vgl. auch 2Makk 8,7: die Nacht als Helfer, Bundesgenossen, günstige Gelegenheit wählen.

9   So des öfteren bei Philo: αὐγὴ . . . συνεργὸν ὀφθαλμοῖς (de aet mundi 86); die Augen συνεργῷ φωτὶ χρώμενοι καταλαμβάνουσιν (de mut nom 4); vgl. de sacr Abr 36; de spec leg 4,60; de cherub 96.

10   Bei Xen mem 4,3,7: τὸ πῦρ . . . συνεργὸν πρὸς πᾶσαν τέχνην.

11   So bei Eur Hipp 626: ξυνεργὸς ἀδίκων ἔργων; Teles p 46H: σ. πλοῦτος . . . κακία; vgl. Thuc 3,63,4; 8,92; Philo de confus 110; de spec leg 1,29.

12   Belege bei *Preisigke*, Wörterbuch, Bd. 2, 525f; vgl. *Mayser*, Grammatik, 176.

13   Vgl. Jos Bell 2,201; 6,38f; Ant 8,130; 7,91; vgl. Mk 16,20.

14   Nur 3Esr 7,2 (συνεργοῦντες = Hilfe bietend); 2Makk 8,7; 12,1; 14,5 (vgl. Anm. 8). Ein hebräisches Äquivalent für συνεργός (sowie συνεργεῖν) findet sich nicht; so auch *Bertram*, ThWNT Bd. 7, 871. *Ellis* (Co-Workers, 440 Anm. 3) vermutet es hinsichtlich 1QM 13,10 (die Engel als Helfer Gottes) mit Hinweis auf Philo, de opif mun 75 und de confus 172 (s. u. Anm. 16) in עזר (Hilfe, Gehilfe), vgl. Gen 2,18.20 (von der Frau); Ps 33,20; 70,6 u. a. (von Gott), bzw. in חבר (Gefährte, Genosse, Kamerad, Spießgeselle; vgl. *Strack-Billerbeck*, Kommentar, Bd. 3, 318), vgl. Hld 1,7; 8,13; Jes 1,23; Ps 119,63 u. a.; doch fehlen für solche Beziehungen sprachliche Belege (vgl. *Bertram*, ebd., Anm. 11).

15   D. h. also Vorstellungen, in denen der Mensch an seinem *Heils*werk mitwirkt.

16   Vgl. Philo de opif mundi 72.75; de sacr Ab 65; quod deus sit immut 87; de confus 169; de somn 1,158; an all diesen Stellen wiederholt Philo unermüdlich, daß Gott bei der Weltschöpfung keines Helfers bedurfte. Allerdings habe (worauf etwa Gen 1,26: Lasset *uns* Menschen machen oder 11,7: *wir* wollen herabsteigen, hinweise) Gott Kräfte (δυνάμεις) als ausführende Organe verwendet, welche die äußeren Gestalten (nicht die unsichtbaren Ideen) schufen. Die Mitwirkung des Menschen wird aber strikt verneint. – Auch Jos Ant 8,394 liegt (gegen *Bertram*, ThWNT Bd. 7, 871) kein synergistisches Verständnis zugrunde, wenn es heißt, Gott habe sich dem Josaphat gegenüber »freundlich und hilfreich gezeigt« (εἶχεν εὐμενές τε καὶ συνεργόν), weil er gerecht und fromm war. Eine Ausnahme bildet nur Test XII G 4,7, wo gesagt wird, daß der Geist des Hasses mit dem Satan in allen Dingen zum Tode des Menschen zusammenwirkt; der Geist der Liebe aber mit dem Gesetz Gottes zur Rettung des Menschen.

17   Dieser Tatbestand findet auch in der Vielzahl der mit dem Wort verknüpften grammatischen Konstruktionsmöglichkeiten seinen Ausdruck; vgl. *Stephan*, Thesaurus; *Liddell-Scott*, Lexicon, s. v.

Vorgänge, Verhaltensweisen oder Einstellungen und dient nicht als Gattungsname[18].
Deutlich anders ist der Befund im Neuen Testament. Das Verb συνεργεῖν erscheint dreimal bei Paulus (1Kor 16,16; 2Kor 6,1; Röm 8,28), zweimal sonst (Mk 16,20; Jak 2,22). Das Substantiv συνεργός ist elfmal bei Paulus belegt[19], dazu in Kol 4,11 und 3Joh 8. Die adjektivische Form fehlt im Neuen Testament. Die Verwendung der Wortgruppe in Mk 16,20; Jak 2,22; 3Joh 8 sowie Röm 8,28 (als einzige Stelle bei Paulus) entspricht dem oben erhobenen sonstigen Gebrauch des Wortes[20]. Alle übrigen Belege, die sich, abgesehen von Kol 4,11, nur bei Paulus finden, zeigen sowohl hinsichtlich der verbalen wie der substantivischen Wortform einen anderen, eigentümlichen und sonst nicht bezeugten Sprachgebrauch[21].
Das signifikante Unterscheidungsmerkmal besteht darin, daß Verb und Substantiv als Gattungsbezeichnungen grundsätzlich auf Personen – und zwar auf solche, mit denen Paulus in der Missionsarbeit wirkte – bezogen, also titular gebraucht werden. Welche speziellen Vorstellungen Paulus mit dieser Titulierung verband, kann nicht einfach aus dem allgemeinen Sprachgebrauch hergeleitet werden[22], sondern ist durch eine Analyse aller Belegstellen (einschließlich Kol 4,11) für sich zu erarbeiten.
Im nachpaulinischen neutestamentlichen Schrifttum, insbesondere in den Deuteropaulinen[23], in der Apostelgeschichte und in den Pastoralbriefen so-

---

18   Nur selten wird mit dem Wort eine Person oder Personengruppe gekennzeichnet; so Plat Epist 7,351B, wo συνεργοί τε καὶ ἕταιροι nebeneinanderstehen. Plutarch (Pericl 31,2) gebraucht das Wort einmal für einen »Gehilfen« oder »Gesellen« des Bildhauers Phidias (Μενωνά τινα τῶν Φειδόυ συνεργῶν); vgl. noch Xen men 2,6,26: κοινωνοῖς καὶ συνεργοῖς τῶν πράξεων und Jos Bell 2,102.
19   1Thess 3,2 (v. l.); 1Kor 3,9; Phil 2,25; 4,3; Phlm 1,24; 2Kor 1,24; 8,23; Röm 16,3.9.21.
20   In Mk 16,20 (innerhalb des späten Markus-Schlusses; ausführliche Literatur dazu zählt *Kümmel*, Einleitung, 70f, auf) findet sich der formelhafte, bei Josephus belegte Gebrauch, hier allerdings auf den (auferstandenen) κύριος bezogen: »mit des Herrn *Hilfe*«. Nach Jak 2,22 hat der Glaube Abrahams bei seinen Werken (»nur«, wie *Schrage*, Jakobusbrief, 32, richtig interpretiert) *mitgewirkt*, wobei also den Werken (wie 2,14.17f.24–26) die Dominanz zukommt. Nach 3Joh 8 sollen die Briefempfänger »*Helfer* (wohl = Diener) der Wahrheit« werden. Paulus spricht schließlich Röm 8,28 davon, daß denen, die Gott lieben (wohl formelhaft: Ps Sal 4,25; 6,6; 10,3; 14,1), πάντα συνεργεῖ εἰς ἀγαθόν: alles zum Guten *verhilft*, dienlich, förderlich ist, gerät (zum Sprachgebrauch s. o. Anm. 7 und 8).
21   Die Besonderheit des paulinischen Sprachgebrauchs hat *Bertram* in seinem Artikel συνεργός κτλ. (ThWNT Bd. 7, 869–875) nicht erkannt. Er stellt außerneutestamentliche und neutestamentliche Sprachuntersuchungen flächig nebeneinander, ohne ihr gegenseitiges Verhältnis zu bestimmen. Die, wie wir sehen werden, beste Übersetzung für das von Paulus verwendete Wort – nämlich »Mitarbeiter« – erwähnt er überhaupt nicht.
22   Das tut *Ellis* (Co-Workers, 440), wenn er aus dem philonischen Sprachgebrauch in de vit Mos 1,110 (wo die Insekten, die als eine der Plagen beim Auszug Israels aus Ägypten über die Ägypter verhängt wurden, als συνεργοί θεοῦ bezeichnet werden), in de opif mun 75 und de confus 172ff (wo die Engelmächte als Gottes συνεργοί beim Schöpfungswerk beschrieben werden) schließen möchte, 1Kor 3,9 müsse übersetzt werden »co-workers ›with God‹«.
23   Abgesehen, wie gesagt, von Kol 4,11. Die Stelle ist ein Beleg dafür, wie nah (auch in zeitlichem Sinn) der Kol den Paulusbriefen hinsichtlich Sprachgebrauch und Gedankenwelt steht.

wie in den Apostolischen Vätern fehlt das Wort[24]. Hernach erscheint es selten in christlicher Literatur, ohne dabei einen Einfluß seitens des paulinischen Sprachgebrauchs erkennen zu lassen[25].

Wenn Paulus den Leuten, die mit ihm zusammen in der Missionsarbeit standen, die Bezeichnung συνεργός gab, dann wählte er damit also ein Wort, das, von wenigen Beispielen abgesehen, vor ihm (und nach ihm!) – soweit literarisch faßbar – in diesem Sinne nicht verwendet wurde. In ihm findet etwas Neues, Eigenständiges, der paulinischen Mission Eigentümliches seinen Ausdruck. Ein solcher Vorgang kann nicht von ungefähr kommen. Er signalisiert nicht einfach nur einen semantischen Schöpfungsakt, sondern läßt vermuten, daß ihm neuartige historische Bedingungen zugrunde lagen. Daß er bewußt geschah, wird daran deutlich, daß Paulus seinen Sprachgebrauch selber reflektiert und zu seinem Missionswerk in Beziehung setzt, wie wir sehen werden. Die Tatsache, daß dieser Sprachgebrauch innerhalb der urchristlichen Literatur nur bei Paulus erscheint, läßt darüber hinaus besonders aufmerken. Er zeigt an, was schon die große Zahl der Mitarbeiter andeutete: daß wir hier einem Phänomen auf der Spur sind, welches nicht nur der paulinischen Mission eigentümlich war, sondern sie in besonderer Weise charakterisierte. Dem soll terminologisch dadurch Rechnung getragen werden, daß ich die paulinische Mission als ›Mitarbeitermission‹ bezeichne.

Welche Bedeutung gab Paulus nun diesem Wort συνεργός? Wer ist συνεργός?

Die Antwort sei zunächst thesenartig vorangestellt: συνεργός *ist, wer mit Paulus zusammen als Beauftragter Gottes am gemeinsamen ›Werk‹ der Missionsverkündigung arbeitet*[26].

Das Wort definiert sich von der gemeinsamen Arbeit her, vom ἔργον[27]; nicht vom Teamgedanken, vom Zusammensein in der Arbeit, dem συν-Sein. Der Begriff beschreibt in erster Linie nicht die Form der Zusammenarbeit, sondern ihren gemeinsamen *Inhalt*. Wo Paulus hingegen seine Gemeinschaft mit einem Mitarbeiter ausdrücken will, kennzeichnet er es besonders durch Zusätze wie μου, ἡμῶν etc.[28].

---

24 Herm sim 5,6,6 erscheint das Verb entsprechend dem allgemeingriechischen Sprachgebrauch im Sinne von »mitwirken, verhelfen«.

25 Just Apol 9,4; Dial 142,2; Act Thom 24 (p 139). Vgl. *Bertram*, ThWNT Bd. 7, 875.

26 *Lohmeyers* Definition eines Mitarbeiters: »Mitarbeiter ist, wer an dem apostolischen Wirken und Wandern beteiligt ist« (Philipper, 119) trifft hinsichtlich der Beteiligung am Wandern überhaupt nicht, hinsichtlich des apostolischen Wirkens insofern nicht, als sie es von der Person des Apostels aus beschreibt.

27 Die Beziehung zwischen dem ἔργον und dem συνεργός kommt *Bertram* im ThWNT (Bd. 7, 872–874) nicht in den Blick. Damit rächt sich die getrennte Behandlung der Vokabeln im ThWNT (obwohl auch der Artikel über ἔργον von *Bertram* verfaßt wurde).

28 Röm 16,3.9.21; Phil 2,25; 4,3; Phlm 1,24.

1. Der συνεργός *ist der Beauftragte Gottes.*

»θεοῦ γάρ ἐσμεν συνεργοί« – so faßt Paulus an der für alle begriffsbestimmenden Überlegungen zentralen Stelle 1Kor 3,9 seine vorangehenden Erörterungen über sein von den Korinthern als Rivalität mißverstandenes Verhältnis zu Apollos zusammen: »Im Auftrage Gottes arbeiten wir am gleichen Werk«. Der Genitiv θεοῦ darf nicht synergistisch interpretiert werden[29]. Dem steht schon die Satzstellung entgegen, und es widerspräche dem ganzen Gedankengang von 3,5–8. Es ist ja nach 3,8 ihre »eigene Arbeit«, derentwegen Paulus und Apollos sich vor Gott verantworten müssen und ihre Belohnung in Empfang zu nehmen haben. Der hier hereinspielende Gerichtsgedanke, der in 3,12–15; 4,3–5 noch breiter ausgeführt wird, steht jeder Vermischung von Gottes und des Menschen Werk entgegen. Es liegt Paulus gerade daran, zu betonen, daß die Arbeiter »nichts sind« (3,7) und Gott alles. Deshalb bezeichnet er sich und Apollos als διάκονοι, d. h. in Dienst Gestellte, genauer: mit der Evangeliumsverkündigung *Beauftragte*[30], nämlich Gottes: ὡς ὁ κύριος ἔδωκεν (3,5); wie 3,6ff zeigen, ist κύριος Gottesprädikat. Ihr Auftrag wird 1Kor 3,5f in Ausführung (»Ich habe gepflanzt, Apollos hat begossen«) und Resultat (»durch die ihr zum Glauben gekommen seid«) beschrieben. Sein Inhalt ist die Missionsarbeit schlechthin.

Zweimal, zu Anfang und am Schluß dieses Abschnitts, gibt Paulus eine Art *Definition* dafür, *wer sie für die Gemeinde sind:* διάκονοι, δι' ὧν ἐπιστεύσατε (3,5); θεοῦ γάρ ἐσμεν συνεργοί (3,9). Beide Angaben interpretieren sich gegenseitig. Im ersten Fall ist stärker die Indienstnahme und Beauftragungsfunktion betont, im letzteren die Richtung der Arbeit (die Gemeinde als Ackerfeld). Doch erhält auch 3,9 deutlich durch das vorangestellte θεοῦ den Beauftragungsgedanken, und auch 3,5 gibt die Arbeitsrichtung mit an (»durch die ihr zum Glauben gekommen seid«). Man darf darum sagen, daß der διάκονος und der συνεργός hinsichtlich ihrer Beauftragung und des Inhaltes ihrer Arbeit identische Bezeichnungen sind.

Der συνεργός ist also der In-Dienst-Genommene, der über seine Arbeit Gott Rechenschaft geben muß. Deshalb ist er nicht Herr über den Glauben der Gemeinde: »nicht daß wir Herren wären über euren Glauben, sondern Mitarbeiter sind wir um eurer Freude willen« (2Kor 1,24). Sein Wesen ist es gerade, daß er um der Gemeinde willen, τῆς χαρᾶς ὑμῶν, in Dienst gestellt ist. Mitarbeiter sind darum »nur« »mit der Verkündigung Beauftragte, durch die ihr zum Glauben gekommen seid« (1Kor 3,5).

Auch 1Thess 3,2 muß συνεργός[31] als Beauftragter Gottes zum Missionswerk verstanden werden: ». . . haben wir Timotheus geschickt, unsern Bruder ›καὶ συνεργὸν τοῦ θεοῦ ἐν τῷ εὐαγγελίῳ τοῦ Χριστοῦ‹«. Während ἐν die Richtung, den Auftragsinhalt bezeichnet[32], wird durch den Genitiv τοῦ θεοῦ (auctoris, wie 1Kor 3,9) der Auftraggeber genannt. Gott, nicht

---

29   Das scheint *Ellis* (Co-Workers, 440) zu tun, wenn er übersetzt »co-workers *with* God« (gesperrt von mir) und dabei das συν- auf θεοῦ bezieht. Weitere Vertreter dieser Übersetzung nennt *Furnish* (Fellow Workers, 364), der durch Analyse des Kontexts zum gleichen Ergebnis kommt, wie es hier vorgetragen wird (368f).

30   Dazu s. u. S. 73f.

31   Die Lesart »*Mitarbeiter* Gottes am Evangelium von Christus« dürfte 1Thess 3,2 den Vorzug genießen. Sie hat in 1Kor 3,9 eine genaue Parallele, dort wie hier ist gemeint »Mitarbeiter *im Auftrage Gottes*« (vgl. Anm. 39). Diese Lesart scheint jedoch ihrer synergistischen Interpretationsmöglichkeit wegen später als anstößig empfunden und »durch das unproblematische διάκονον« ersetzt worden zu sein (*Lohse,* Entstehung, 153; vgl. *Henneken,* Verkündigung, 20; *Best,* Thessalonians, 132f; *Furnish,* Fellow Workers, 366f).

32   Vgl. auch die Formulierung Kol 4,11: συνεργοὶ εἰς τὴν βασιλείαν τοῦ θεοῦ, die bei Paulus zwar keine Entsprechung hat, der Sache nach aber seine Intention trifft.

Paulus, macht Timotheus zum Mitarbeiter, indem er ihn in das mit Paulus gemeinsame Werk der Evangeliumsverkündigung stellt[33]. Auch 2Kor 6,1–4 sind Mitarbeiter-Sein und διάκονος-Sein eng verknüpft: »Als Mitarbeiter ermahnen wir euch aber . . .« (nämlich das heute angebotene Heil nicht auszuschlagen; 6,1f unter Anlehnung an Jes 49,8). Darin sieht Paulus seine διακονία, darin erweist er sich ὡς θεοῦ διάκονος (6,4; vgl. 3,3.6–9; 4,1.5) und wehrt die gegen ihn erhobenen Vorwürfe ab (2,17; 4,2; 6,3). Seine διακονία, die in dem Auftrag besteht, der Welt die Versöhnung mit Gott zu verkünden (5,18–20), findet Gestalt nicht als Selbstempfehlung (3,1; 5,12), nämlich als Rühmen der eigenen Machttaten (4,5; 5,12; vgl. 11,16–12,13), sondern als Knechtsdienst (4,5), der die Schwachheit Christi am eigenen Leibe lebt (4,10–12), »in viel Geduld, Leiden, Nöten, Zwangslagen . . .« usw. (6,4–10). *Darin* offenbart sich die δύναμις θεοῦ (6,6; 4,7ff). In diesem Kontext erhält das συνεργοῦντες von 6,1 seinen Ort. Paulus hebt hervor, daß er nur Beauftragter (πρεσβεύομεν; 5,20; διάκονος; 6,4) und nicht Herr über die Gemeinde ist (1,24). Sein παρακαλεῖν (6,1) ist nicht Ausdruck eigener Machtvollkommenheit, sondern Realisierung des ihm übertragenen Auftrags. Vollends deutlich wird das durch die Wiederaufnahme[34] des παρακαλεῖν aus 5,20. Pointiert darf man also in 6,1 paraphrasieren: »Weil wir von Gott[35] in Dienst Gestellte, Beauftragte, sind, ermahnen wir euch . . .«

Der συνεργός ist demnach nicht etwa ein von Paulus ›Engagierter‹ und mit einer speziellen Aufgabe Betrauter[36], sondern ein von Gott in Dienst Gestellter, einer, der im Auftrage Gottes eine Arbeit verrichtet. Damit sind alle συνεργοί – einschließlich Paulus – prinzipiell gleichgestellt, weil von der gleichen Indienstnahme abhängig[37].

33 Auch hier würde ein synergistisches Verständnis dem Text nicht gerecht. Die Rechtfertigungstheologie des Paulus ist im Ansatz *anti*synergistisch (nicht umsonst beriefen sich *Augustin* und *Luther* gegen Pelagianer bzw. Semipelagianer etc. auf Paulus). Wenn *Henneken* (Verkündigung, 24f) mit dem Hinweis darauf, »der Prediger . . . (habe) nicht nur die unselbständige Funktion purer Werkzeuglichkeit, sondern . . . (stehe) selbst handelnd mitten im Ereignis der Verkündigung«, meint, Timotheus sei eben »nicht nur der Mitarbeiter des Apostels, sondern in Wahrheit ›Mitarbeiter Gottes‹«, dann sitzt er dem Kardinalfehler aller synergistischen Theologen auf, die sich nicht vorstellen wollen, daß der Mensch sich hinsichtlich des Erlösungswerkes nur wie ein »truncus et lapis« (dagegen schon *Melanchthon*: CR 21, 658f u. a.; vgl. Luth. Bek.-Schr., KF, 879,20–25; 882,16f u. a. mit Bezug auf *Flacius*) verhalte und die deshalb theologische mit psychologischen Kategorien vermischen. Demgegenüber darf wohl noch immer auf *Luthers* zentrale Schrift »De servo arbitrio« verwiesen werden, in der er ausdrücklich betont, es gehe ihm nicht »de esse naturae, sed de esse gratiae« (WA 18,752,6f).

34 Vgl. *Lietzmann*, Korinther, 127.

35 Sinngemäß ist θεῷ zu ergänzen, nicht ὑμῖν (mit *Windisch*, Korintherbrief, 199 u. a., dessen Begründung jedoch einen unrichtigen Gegensatz zwischen 5,20 und 6,1 konstruiert).

36 Zu dieser Anschauung vgl. etwa *Hadorn*, Gefährten, 66: Paulus besaß ein »Anrecht auf Gefährten, die ihm . . . Diener und persönliche Gehilfen waren«.

37 Der Begriff συνεργός impliziert für Paulus folglich den Gedanken partnerschaftlicher Zusammenarbeit (in welchem Sinne, wird in Kap. 6 genauer zu untersuchen sein). Damit befindet sich Paulus zwar innerhalb des durch die Profangräzität beschriebenen Bedeutungsbereichs des Wortes (vgl. Arist Oec 3,1343 b 19: von der Hilfsgemeinschaft zwischen Mann und Frau; vgl. Xen mem 3,5,16). Häufiger impliziert der Begriff dort jedoch die hilfreiche Zuwendung eines Höhergestellten zu einem Niedergestellten bzw. umgekehrt die Inanspruchnahme dieses durch jenen (vgl. o. Anm. 5 und 6).

2. Der συνεργός arbeitet mit am gemeinsamen Werk.

Worauf bezieht sich die Präposition συν- in συνεργός? Die Stellen, an denen Paulus das Wort nicht nur als Epitheton für bestimmte Personen verwendet, sondern inhaltlich weiter ausführt, weisen sämtlich in die gleiche Richtung: συν-εργός ist der, der *am gleichen Werk* (dem ἔργον Χριστοῦ[38], vgl. 1Kor 15,48; 16,10; Phil 2,30 u. a.; der διακονία, vgl. 1Kor 16,15; 2Kor 3ff; Kol 4,17 u. a.) arbeitet[39] – wobei die Aufgaben der Mitarbeiter unterschiedlich sein können (1Kor 3,4–8). Erst in zweiter Hinsicht bezieht sich das συν- auf die Personen. Vor allem 1Kor 3,9 beweist, daß der Begriff συνεργός *inhaltlich*, nicht von der formalen Zusammenarbeit her, verstanden werden muß. Paulus hat ja nie mit Apollos gleichzeitig in Korinth gearbeitet. Zu Mitarbeitern wurden sie durch ihre Beauftragung zum gleichen Werk und ihre gemeinsame, aber zeitlich versetzte Arbeit, den Bau der Gemeinde (3,9b) bzw. das Wecken des Glaubens in Korinth (3,5).

Am deutlichsten wird dieser Tatbestand, wo Paulus sich selbst als Mitarbeiter bezeichnet (2Kor 1,24; 6,1). An beiden Stellen geht es ihm nicht darum, seine menschlich guten Beziehungen oder gemeinsame Erlebnisse mit der Gemeinde in Erinnerung zu rufen, sondern auf die für alle, für ihn wie für jedes Gemeindeglied, gleiche Indienstnahme durch Gott hinzuweisen.

In diesem Sinne wird Titus von Paulus κοινωνὸς ἐμός (»mein Freund«, »mein Genosse«; 2Kor 8,23) genannt, der »freiwillig« die Organisation der Kollekte für Jerusalem übernommen und zu seiner eigenen Sache gemacht hat, wodurch er *der Gemeinde gegenüber* zum συνεργός wurde (8,17.23). Diese zunächst überraschende Formulierung καὶ εἰς ὑμᾶς συνεργός, abgesetzt von der ersten κοινωνὸς ἐμός, beweist erneut, daß für Paulus der Mitarbeiter nicht dadurch definiert ist, daß er *mit ihm* zusammenarbeitet (vgl. auch über Timotheus 1Thess 3,2: »unser Bruder und Mitarbeiter im Dienste Gottes . . .«). Hier ist er der, der mit der Gemeinde zusammen am gleichen Werk arbeitet (nämlich dem die Einheit zwischen Juden- und Heidenchristenheit demonstrierenden Kollektenwerk).

Erst in zweiter Linie verbindet das συν- nun *auch* die Mitarbeiter *mit Paulus*, insofern diese Arbeit am gemeinsamen Werk (in aller Regel) die gemeinsame, nämlich gleichzeitige und einmütige Arbeit ist. Weil es »sein« Evangelium (vgl. Röm 2,16), das von *ihm* gelegte Fundament

---

38   Zur Bedeutung des Wortes ἔργον vgl. u. S. 171.

39   *Henneken* (Verkündigung, 23f) erörtert hinsichtlich der Interpretation von 1Thess 3,2 (συνεργὸν τοῦ θεοῦ) die Frage, worauf sich das σύν beziehe, und stellt pointiert fest: »Das σύν in συνεργός bezieht sich auf Gott und nicht auf den Apostel« (23). Paulus gebrauche im Zusammenhang mit συνεργός nur noch 2Kor 1,24 den Gen. obj., umschreibe ihn sonst mit εἰς (vgl. 2Kor 8,23). Außerdem gehe in 1Thess 3,2 mit τὸν ἀδελφὸν ἡμῶν ein klarer Gen. subj. bereits voraus. In 1Kor 3,9 und 1Thess 3,2 sei τοῦ θεοῦ als Gen. subj. zu fassen: »Mitarbeiter Gottes« (ebd., 24f). – Die Kontextanalysen, insbesondere von 1Kor 3,9 (s. o. S. 68), führen jedoch zu einem entgegengesetzten Ergebnis. 1Kor 3,9 ist Gott der Richter und durch seine Boten Handelnde: »ich habe angepflanzt, Apollos hat bewässert; aber Gott schenkt das Wachstum« (3,6). Pflanzer und Gießer sind »nichts«; alles ist Gott (3,7). Man müßte den Sinn des Abschnitts schon völlig verkehren, wollte man den Gen. θεοῦ in 3,9 im Sinne einer Partnerschaft mit Gott deuten (dagegen vgl. *Best*, Thessalonians, 133). Dementsprechend muß auch 1Thess 3,2 verstanden werden. Folglich kann sich das σύν in συνεργός auch nicht auf Gott beziehen. Was sollte inhaltlich auch eigentlich damit gesagt sein? – Aber auch die von *Henneken* alternativ genannte Möglichkeit, daß sich das σύν auf Paulus beziehen könnte, ist nur halbrichtig, wie gleich noch zu zeigen sein wird. – Vgl. auch Anm. 31 und 33.

(1Kor 3,10f) ist, das den Maßstab für das gemeinsame Werk abgibt, eint es auch die, die daran arbeiten, »mit Paulus«, wird die sachliche Gemeinschaft zur persönlichen[40]. Endet aber die persönliche, so endet noch nicht notwendig die sachliche[41].

συνεργός ist also derjenige, der das gleiche Werk ausführt wie Paulus. Diese ihnen vorgegebene Gemeinsamkeit eint sie als Mitarbeiter, ist die Grundlage für ihre persönliche Zusammenarbeit. Den Gedanken, durch eine gemeinsame *Arbeit* verbunden zu sein, bringt am besten die Übersetzung »*Mitarbeiter*« oder »*Arbeitskollege*« zum Ausdruck[42]. Und es muß dabei im Auge behalten werden, daß Paulus sich selber als solchen bezeichnet. Er ist nicht Dienstherr, um den sich seine »Gehilfen«, »Begleiter« und »Gefährten« scharen[43].

3. Der συνεργός arbeitet mit am Werk der *Missionsverkündigung*.

Daß der συνεργός in der Missionsverkündigung mitarbeitet, geht, abgesehen vom historischen Kontext des Wortes[44], eindeutig aus seiner engen Beziehung einerseits zum διάκονος, andererseits zur Wortgruppe κοπιᾶν hervor[45].

1Kor 16,16 stellt Paulus pleonastisch συνεργεῖν und κοπιᾶν nebeneinander. Beide interpretieren ihrerseits die διακονία des Stephanas und seines Hauses[46]. κοπιᾶν ist terminus technicus für die Missionsarbeit[47]. 1Kor 3,9 bezeichnet Paulus sich und Apollos als συνεργοί, nachdem er zuvor ihre Tätigkeit als κόπος gekennzeichnet hat (3,8).

Den mit der Indienstnahme des Timotheus als συνεργός gegebenen Auftragsinhalt beschreibt Paulus 1Thess 3,2 mit ἐν τῷ εὐαγγελίῳ τοῦ Χριστοῦ, näherhin mit εἰς τὸ στηρίξαι καὶ παρακαλέσαι . . . (vgl. 1,12; 3,13; Röm 1,11f); gemeint ist die Missionsverkündigung insgesamt. Das Ziel der Arbeit, das ›Arbeitsfeld‹, ist die Gemeinde: 1Kor 3,9; ebenso 2Kor 8,23 (εἰς ὑμᾶς) und 2Kor 1,24 (τῆς χαρᾶς ὑμῶν). Formelhaft[48] bestimmt Kol 4,11 das Objekt des Dienstes der Mitarbeiter: συνεργοὶ εἰς τὴν βασιλείαν τοῦ θεοῦ, was in der Sache 1Thess 3,2 sehr nahekommt. εἰς ist am besten mit »im Dienste« (der Gottesherrschaft) wiederzugeben. Die Mitarbeiter werden auch hier als Missionare apostrophiert.

---

40   Die nicht wenigen Beispiele, in denen Paulus den συνεργός-Titel mit dem Possessiv-Pronomen verbindet (vgl. Anm. 28) – ebenso aber auch bei anderen Prädikationen, vgl. zu ἀγαπητός, ἀδελφός, κοινωνός, συστρατιώτης u. a.; s. u. S. 76–78 – sind dafür Belege.
41   Dazu vgl. u. S. 193–200.
42   Richtig übersetzt *Ellis* (Co-Workers, 437 u. ö.) mit »colleagues, co-workers in the christian mission«.
43   Damit ist nicht gesagt, daß einzelne Mitarbeiter nicht zeitweise auch seine Begleiter und Gefährten waren. Nennt man sie jedoch grundsätzlich so (vgl. *Redlich*, Companions; *Hadorn*, Gefährten; u. a.), verfehlt man die *Sache*, die sie verband.
44   συνεργός zur Bezeichnung der Männer und Frauen, mit denen zusammen Paulus in der Missionsarbeit stand: 1Thess 3,2; Phil 2,25; Phlm 1,24; 2Kor 8,23; Röm 16,3.9.21; vgl. Kol 4,11.
45   S. u. S. 75.
46   S. u. S. 99f.
47   *v. Harnack*, κόπος, 1–10.
48   Mit *Lohse*, Kolosser, 242.

Die Mitarbeiter des Paulus waren also nicht »*Gehilfen*«[49] des Apostels, die er für »persönliche Dienstleistungen«[50] herangezogen hätte. Diese fast durchweg in Lexika, Kommentaren, Bibelübersetzungen und sonstiger Literatur zu Paulus verwendete, aus dem allgemein-griechischen Sprachgebrauch hergeleitete Bezeichnung[51] trifft an keiner Stelle das von Paulus Gemeinte. Wo immer das Wort συνεργός in den paulinischen Briefen näher umschrieben wird, kennzeichnet es Personen, mit denen zusammen Paulus in der Missionsarbeit stand. Der συνεργός ist *Missionar*, der dadurch zum Arbeitskollegen und Mitarbeiter des Paulus wurde, daß er in gleichem Auftrag und zu gleichem Dienst in der Verkündigung berufen wurde: auf dem »Acker« der Gemeinde Glauben zu wecken (1Kor 3,5–9). Gleicher Dienst und gleicher Auftrag – was das heißt, wird später noch genauer zu untersuchen sein[52]. Eins ist hier jedenfalls schon deutlich: daß damit nicht eine formale, sondern eine *inhaltliche Übereinstimmung* gemeint ist.

Der Begriff συνεργός ist damit ein höchst *sachlicher Titel*, und es dürfte vermutlich in seinem Hinweis auf die gemeinsame Arbeit, das gemeinsame ›Werk‹, begründet liegen, daß er für Paulus zum Zentralbegriff und terminus technicus für die mit ihm in der Missionsarbeit stehenden Personen wurde. Paulus hielt – anders als manche seiner Interpreten – nicht sich selbst für den die Einheit gewährleistenden Mittelpunkt, machte seine Person nicht zum umschließenden Band in der Vielzahl seiner Mitarbeiterschar, sondern das Konstitutivum war für ihn allein das Werk. Dem gab er dadurch Ausdruck, daß er sie – genau wie sich selbst – συνεργός nannte.

3.2
Die übrigen Prädikationen

So eindeutig die Funktion des συνεργός eine missionarische war, sowenig läßt sich diesem Titel andererseits schon entnehmen, welche einzelnen Tätigkeiten und Aufgaben innerhalb der Missionsarbeit die Mitarbeiter wahrnahmen. Es ist aber durchaus denkbar, daß die verschiedenen Prädikationen, die Paulus sonst noch seinen Mitarbeitern übertrug, darüber Auskunft geben. Vielleicht lassen sich einzelne von ihnen einer bestimmten Mitarbeitergruppe zuordnen, für die sie technische Bedeutung besaßen[53].

49   Das Wort »Gehilfe« besitzt im Deutschen negative oder subalterne semantische Konnotationen wie »untergeordnete Dienste leistend«, einer, der einem anderen »zur Hand geht«, »Handlanger«, »Hilfsarbeiter«, »Dienstbote«.
50   *Michaelis*, Gefangenschaft, 44; stark betont bei *Hadorn*, Gefährten, 65f.69f.74.
51   So auch z. B. *Bauer*, Wörterbuch, 1559f. Die revidierte *Luther*-Bibel spricht – abgesehen von 1Kor 3,9 – weiterhin von »Gehilfen«. Rühmliche Ausnahmen sind z. B. die Zürcher Bibel und die Übersetzung von *Wilckens*.
52   S. u. Kap. 6.
53   So versucht *Ellis* (Co-Workers) die Mitarbeiterprädikationen durchweg als Funktionstitel zu interpretieren, denen er einerseits spezielle Aufgaben, Rechte und Pflichten, andererseits bestimmte Mitarbeitergruppen zuordnen möchte.

Es wird überhaupt zu fragen sein, wie genau der Inhalt dieser Bezeichnungen bestimmt werden kann, ob er sich vielleicht teilweise schon zu ›Ämtern‹[54] verfestigt hatte und in welchem Maße diese Begriffe andererseits der Umschreibung *aller möglichen* missionarischen Funktionen offenstanden, darin dem συνεργός-Titel gleich.

Paulus hat, wie schon gesagt, seine Mitarbeiter mit einer ganzen Anzahl von Prädikationen und Titulierungen benannt, die zum Teil neben den συνεργός-Titel oder auch neben andere Epitheta treten, zum Teil alleinstehen. Er nennt seine Arbeitsgenossen: ἀδελφός (ἀγαπητός), ἀπόστολος (ἐκκλησιῶν), διάκονος, (συν-)δοῦλος, κοινωνός, κοπιῶν, λειτουργός, οἰκονόμος, συγγενής, συναιχμάλωτος, συστρατιώτης, τέκνον, ὑπηρέτης. Diese Prädikationen dienen Paulus zur Bezeichnung unterschiedlicher Aussagen über die Mitarbeiter. Die Mehrzahl von ihnen findet sich nur ein- oder zweimal bei ihm belegt. Lediglich der Ausdruck ἀδελφός erscheint häufiger als der συνεργός-Titel.

1. Prädikationen, die die Tätigkeit der Mitarbeiter als Missionsarbeit kennzeichnen: διάκονος, κοπιῶν, συστρατιώτης (s. u.).

(1) Die von Paulus häufig gebrauchte Wortgruppe διάκονος, διακονία, διακονεῖν wird oft ungenau oder unrichtig übersetzt. Die aus Lk 17,8; Apg 6,2; Joh 12,2; IgnTrall 2,3 u. ö. entlehnte Bedeutung – die Beschreibung der Funktionen eines Dieners bei Tisch – erscheint bei Paulus nicht. Eine caritative Hilfeleistung bzw. der allgemeine christliche Liebesdienst (wie in Mt 25,44; Mk 10,45 parr.) ist möglicherweise in Röm 12,7 und 1Kor 12,5 gemeint, wenn nicht auch dort die sonst bei Paulus vorherrschende Bedeutung (s. u.) anzunehmen ist.

Paulus verwendet die Wortgruppe zwar in unterschiedlichem Sinn: von der Sendung Christi (Röm 15,8; Gal 2,17) vom ›Amt‹ der Obrigkeit (Röm 13,4) und einige Male zur Kennzeichnung der Kollekte (2Kor 8,19f; Röm 15,25.31). In der überwiegenden Zahl der Fälle trägt die Wortgruppe bei ihm jedoch eine spezielle Bedeutung, der die übliche Wiedergabe mit Dienst, dienen, Diener[55] nicht gerecht wird.

An den meisten Stellen bei Paulus ist vielmehr an die missionarische Verkündigungstätigkeit im weitesten Sinn gedacht, wobei speziell der Gedanke der Beauftragung und Repräsentation

---

54 »*Amt*« soll hier (in Anlehnung an *Brockhaus*, Charisma, 24 Anm. 106) definiert sein durch: 1. einen fest umrissenen Kompetenzbereich; 2. eine auf Dauer festgesetzte Tätigkeit; 3. eine damit gegebene autoritative Sonderstellung in der Gemeinde, die Anerkennung fordert und findet; 4. die offizielle Übertragung dieser Funktionen (Beauftragung); 5. ihre Kontrolle sowie die Sicherung der Kontinuität durch die ganze Gemeinde.

Von »*Titeln*« ist geredet, wenn mit einem Ausdruck eine Person über eine bestimmte Situation hinaus, also dauerhaft gekennzeichnet wird (z. B. durch eine Berufsbezeichnung oder durch die Charakterisierung als Freund).

Wenn von »*Prädikationen*«, »*Titulierungen*« oder »*Epitheta*« gesprochen wird, dann sollen diese Begriffe zunächst alle Möglichkeiten inhaltlicher und formaler Näherbestimmung offenlassen. Sie besagen nicht mehr, als daß Paulus eine Person mit einem bestimmten Ausdruck gekennzeichnet hat, der sich ebenso auf dauernde oder gelegentliche Eigenschaften, auf bestimmte Erlebnisse wie auf irgendwelche Aufgaben, Tätigkeiten, Funktionen oder »Ämter« beziehen kann.

55 *Beyer*, ThWNT Bd. 2, 86.89; u. v. a.

mitschwingt. Zu dieser Bedeutung hat man vor allem auf stoische Parallelen verwiesen[56]. Wie die Kontextanalyse zeigt, hat Paulus die Wortgruppe an nicht wenigen und nicht unbedeutenden Stellen zur Beschreibung seiner missionarischen Tätigkeit bzw. der Missionsarbeit überhaupt verwendet. So charakterisiert er Röm 11,13 seinen Missionsauftrag unter den Heiden als διακονία; ähnlich auch 2Kor 5,18f; 6,3f; 11,8.23; vgl. Kol 1,23.25; 2Tim 1,12 u. a. Besonderes Gewicht besitzt die Wortgruppe in 2Kor 3–6; 10–13, wo Paulus seinen apostolischen Auftrag und seine apostolische Existenz auslegt. An all diesen Stellen beschreibt die Wortgruppe einerseits (formal) die Indienststellung, Beauftragung durch Gott, andererseits (inhaltlich) die Tätigkeit in der Missionsverkündigung im weitesten, nicht eingegrenzten Sinn. Das ist oben schon gezeigt worden[57] und wird in neueren Untersuchungen zunehmend betont[58].

Wie Paulus seine eigene missionarische Tätigkeit mit der Wortgruppe charakterisieren kann, so auch die seiner Mitarbeiter. So kennzeichnet er sich und Apollos im Blick auf ihre Tätigkeit in Korinth pointiert als διάκονοι (1Kor 3,5)[59], und vgl. weiter 1Kor 16,15f (Stephanus und seine Leute)[60], 1Thess 3,2 (v. l.) von Timotheus[61], Phlm 13 (Onesimos)[62] sowie Kol 1,7f (Epaphras). Genauere Kontextanalysen lassen dabei stets erkennen, daß an die Arbeit in der Missionsverkündigung gedacht ist[63]. Die Wortgruppe διάκονος usw. führt also in die gleiche Richtung wie der Ausdruck συνεργός. Die Unterschiede zwischen beiden liegen nur in Nuancen. Der Ausdruck συνεργός betont stärker die Inhaltsseite, die Gebundenheit ans ›Werk‹, und die Gemeinsamkeit in der Missionsarbeit. Der Ausdruck διάκονος hebt mehr auf den Beauftragungsgedanken ab[64].

56 *Georgi*, Gegner, 31–38; danach auch *Gnilka*, Philipperbrief, 39; *Rissi*, Studien, 17; *Conzelmann*, Korinther, 91; *Merklein*, Amt, 337. Gegen eine stoische Herleitung hat *Collins* (Envoys, 88–96) z. T. berechtigte Einwände erhoben. Aber auch er konzediert, »That Georgi is right in attempting to make something of the words ›messenger‹ sense« (96).
57 S. o. S. 68.
58 *Kertelge*, Gemeinde, 119; *Gnilka*, Geistliches Amt, 95ff; *Merklein*, Amt, 223.337.
59 S. o. S. 68 und u. S. 166.
60 S. u. S. 86f.96–100.
61 S. o. S. 58f und Anm. 31.
62 S. u. S. 101–103.
63 Die Tätigkeit als διάκονος scheint in einigen paulinischen Gemeinden bereits ansatzweise institutionalisiert worden und der Ausdruck zum Titel geworden zu sein; so, wie gezeigt, hinsichtlich Phoebe in Röm 16,1 (s. o. Kap. 2 Anm. 136), sowie philippischer Gemeindeglieder (Phil 1,1) und vielleicht Archippos (Kol 4,17). Die damit bezeichnete Tätigkeit scheint inhaltlich jedoch noch nicht festgelegt gewesen zu sein. Vgl. noch Anm. 119 und die folgende Anmerkung.
64 *Ellis* (Co-Workers, 441–445) meint, der διάκονος habe zwei Funktionen ausgefüllt: »praeching and teaching« (442). Hinsichtlich der ersten beruft er sich zu Recht auf *Georgi* (Gegner, 32–36); bezüglich der zweiten zu Unrecht auf *Rengstorf* (Art. ὑπηρέτης κτλ., 533.543), indem er διάκονος und ὑπηρέτης zu Äquivalenten macht, während *Rengstorf* nur davon sprach, daß sie in 1Kor 3,5 und 4,1 nicht in Spannung stünden. *Ellis* übersieht bei seiner Gleichsetzung von ὑπηρέτης und διάκονος die Bildlichkeit der Aussage in 1Kor 4,1f (s. u. S. 76). Deshalb ist es auch nicht richtig, aus dem bildlichen Begriff ὑπηρέτης eine Funktion als »Lehrer« über die Geheimnisse Gottes herzuleiten. – Weiter möchte *Ellis* die διάκονοι »as a special class of co-workers« (Co-Workers, 444 Anm. 446) verstehen, die »appear in Paul's circle not only as itinerant workers (*Georgi*) but also as workers in local congregations« (ebd.), wofür er auf Phil 1,1 und Röm 16,1 verweist. – Jene ortsgebundenen διάκονοι möchte *Ellis* endlich mit dem κατηχῶν von Gal 6,6 gleichsetzen und daraus schließen, Paulus anerkenne, »that diakonoi, or some of them at least, should be supported by the congregation« (443). Diese Gleichsetzung läßt sich jedoch vom Text her nicht belegen.

(2) Daß die Wortgruppe κόπος usw. ebenfalls in den Bereich der Missionsarbeit führt, ist seit langem nachgewiesen[65]. 1Kor 3,8ff korrespondiert κόπος mit ἔργον[66]. 15,58 beschreibt der Ausdruck das Gesamte der Missionsarbeit des Paulus in Korinth; vgl. weiter 2Kor 10,15; 1Thess 1,3; 2,9; 3,5 u. a.; ebenso 2Thess 3,8; Offb 2,2; 14,13; wohl auch 2Kor 6,5; 11,23.27, wobei noch die Grundbedeutung »Mühe«, »Beschwernis« stärker mitschwingt. Gleiches gilt für κοπιᾶν, vgl. Röm 16,6.12; 1Kor 4,12; 15,10; 16,16; Gal 4,11; Phil 2,16; 1Thess 5,12 u. a.; ebenso Kol 1,29; 1Tim 4,10; 5,17. Wenn Paulus den Ausdruck κόπος zur Bezeichnung der Missionsarbeit wählt[67], wird darin deutlich, daß er sie als Schwerarbeit betrachtete. Bezeichnenderweise erscheint das Wort mehrfach in den Peristasenkatalogen (2Kor 6,5; 11,23.27; vgl. 1Kor 4,12). Ähnlich beschreibt Paulus die Missionsarbeit auch als Kampf (1Thess 2,1ff; Phil 1,17ff)[68].

Mit diesem Wort bezeichnet Paulus des öfteren auch die Tätigkeit seiner Mitarbeiter. Daß sie sich viel in der Missionsarbeit abgemüht hätten, attestiert er Maria, Tryphaina, Tryphosa und Persis in Röm 16,6.12, und er betont, daß ihr κοπιᾶν »für euch« oder »im Herrn« geschah. Ebenso nennt er die Arbeit des Apollos in Korinth κόπος (1Kor 3,8). 1Kor 16,16 stehen συνεργεῖν und κοπιᾶν pleonastisch nebeneinander und beschreiben die Arbeit des Stephanas und seiner Leute; vgl. 1Thess 5,12.

Eine weitere inhaltliche Spezifikation läßt das Wort nicht erkennen und tritt neben die Ausdrücke συνεργός und διάκονος (s. o.). Sein Proprium ist, daß es die Missionsarbeit als schwere, die ganze Existenz beanspruchende Arbeit beschreibt (Peristasenkataloge!).

2. Prädikationen, die die Indienstnahme der Mitarbeiter und ihre Verantwortlichkeit vor Gott bezeichnen: δοῦλος, σύνδουλος, λειτουργός, οἰκονόμος, ὑπηρέτης, διάκονος (s. o.).

(1) Den Ausdruck δοῦλος verwendet Paulus für sich und Timotheus in Phil 1,1, auf seinen Aposteltitel verzichtend. Gemäß altorientalischem Brauch wurden die Beamten des Königs so genannt (2Sam 29,3; 2Chr 5,6 u. a.). Im AT wird der Titel vornehmlich den großen Gestalten übertragen[69] und bezeichnet damit eine besonders enge, bevorzugte Untergeordneten-Position, also eine Ehrenstellung[70]. Paulus wendet ihn auf die Christus-Beziehung an (vgl. auch Apg 4,29; 16,17; 1Petr 2,16 u. a.), zur Bezeichnung eines »absoluten Dienstverhältnisses«[71], wie vor allem die Antithese Gal 1,10–12 (nicht von Menschen abhängig – oder nicht ein δοῦλος Χριστοῦ; vgl. 2Kor 4,5) zeigt. Im Kol (1,7; 4,7) werden auch Epaphras und Tychikos als δοῦλος bzw. σύνδουλος bezeichnet[72].

(συν-)δοῦλος ist, wer (wie Paulus) von Christus und niemandem sonst in Dienst genommen

65 *v. Harnack*, κόπος, 1–10; *Hauck*, ThWNT Bd. 3, 828f.
66 S. o. S. 71, u. S. 171.
67 Nach *v. Harnack*, κόπος, 5, hat Paulus den Ausdruck in die urchristliche Gemeindesprache eingebracht.
68 S. u. zu συστρατιώτης.
69 Abraham (Ps 105,42), Jakob (Jes 48,20; Jer 26,27), Mose (2Kön 18,12; Ps 105,26; Mal 3,24; Dtn 9,11), Josua (Jos 24,29; Ri 2,8), David (2Sam 7,5; Ps 89,4.21) und den Propheten (Am 3,7; Jer 25,4; 1QS I,3; 1QpHab II,9; VII,5 u. ö. (nach *Lohse*, Kolosser, 53; vgl. *Jeremias*, Lehrer, 304f; *Gnilka*, Philipperbrief, 30f; *Rengstorf*, ThWNT Bd. 2, 268–271).
70 *Saß*, Bedeutung, 24–32; dagegen zu Unrecht *Best*, Bishops, 375f.
71 *Roloff*, Apostolat, 121.
72 Daß Paulus den δοῦλος-Titel »nie auf alle Gläubigen überträgt« (*Gnilka*, Philipperbrief, 30), ist angesichts Röm 6,16ff; 1Kor 7,23 einerseits, Kol 1,7; 4,7 andererseits fraglich.

ist. Sachlich entspricht das Wort dem διάκονος, den nach 1Kor 3,5–9 die unbedingte Indienstnahme durch Gott und Verantwortlichkeit vor ihm kennzeichnet[73].

(2) Nur einmal nennt Paulus einen Mitarbeiter, den Philipper Epaphroditos, λειτουργός (Phil 2,25). Damit ist kein spezielles gottesdienstliches (kultisches) Amt gemeint[74], sondern eine situationsbezogene gottesdienstliche Aufgabe: die Überbringung der Spende der Philipper an Paulus. Als λειτουργός war Epaphroditos »Spendenüberbringer« und verrichtete in den Augen des Paulus einen Dienst für Gott[75].

(3) Mit den Ausdrücken οἰκονόμος und ὑπηρέτης beschreibt Paulus 1Kor 4,1f, wofür er und Apollos im Blick auf ihre Arbeit in Korinth gehalten werden wollen. Die beiden Worte entstammen der Verwaltungssprache[76] und bezeichnen das Verhältnis, in dem einer (als freier Untergebener: ὑπηρέτης; bzw. als Hausverwalter: οἰκονόμος) gegenüber seinem Vorgesetzten steht. Paulus griff sie auf, weil es ihm im Zuge seines Gedankenganges auf den Aspekt der Verantwortlichkeit und Rechenschaftsablegung für seine und des Apollos Arbeit ankam. Dieses Aussageziel verdeutlichte er, wie auch der Kontext zeigt, bildhaft, indem er die Vorstellung von der Inspektion einer Geschäftsführung zugrunde legte[77].

3. Prädikationen, die die gemeinsame Arbeit der Mitarbeiter mit Paulus, ihr enges Verhältnis zu ihm oder ihre Bewährung in der Arbeit hervorheben: συναιχμάλωτος, συστρατιώτης, σύνδουλος (s. o.), συγγενής, κοινωνός, τέκνον bzw. ἀδελφός (ἀγαπητός).

(1) Die Bezeichnung συναιχμάλωτος, Mitgefangener, bezieht sich auf eine konkrete Haft-Situation: Phlm 23; Kol 4,10[78]. Gefangen ist Paulus, darauf weist er unermüdlich hin, wie seine Mitarbeiter, »um Christi willen« (Phlm 1.9.13; Kol 1,24; 4,3.10.18; Phil 1,7.12–18)[79]. Gefangen sein ist Ausdruck seiner apostolischen Existenz und der Echtheit der Botschaft vom Kreuz.

73 Die Ansicht von *Ellis* (Co-Workers, 444 Anm. 1), der δοῦλος unterscheide sich vom διάκονος dadurch, daß er »had no right to a wage«, ist durch nichts begründet. δοῦλος ist ein von Paulus gelegentlich gebrauchter Ehrentitel, kein Amts- oder Funktionstitel.
74 Mit *Strathmann*, ThWNT Bd. 4, 235; *Schweizer*, Gemeinde, 156.
75 Paulus versteht die Übermittlung der Kollekte an ihn als gottesdienstliches Werk. Daß er Phil 2,25.30 an eine kultische Dienstleistung denkt, beweist 4,18. Denn Paulus will in der Spende für ihn keinen *ihm* geleisteten Dienst erblicken. Deshalb dieser befremdlich unpersönliche Dank in Phil 4,10ff. Epaphroditos überbringt den Beweis der Glaubensfrucht der Gemeinde. Die Überbringung der Kollekte war nicht die einzige Funktion seiner Sendung zu Paulus. Die Geldsammlung hatte ja noch einen Mangel offengelassen (!), den Epaphroditos dann ausfüllte (Phil 2,30). Man kann vermuten, daß diese zweite Funktion des Epaphroditos darin eine Entsprechung besitzt, daß er eingangs neben der Bezeichnung als λειτουργός auch noch als ἀπόστολος ὑμῶν apostrophiert wird. Dazu s. u. S. 80 und 98f.
76 Vgl. *Landvogt*, Untersuchungen; *Cadbury*, Erastus, 42–58; *Reumann*, Stewards, 339–349; *Rengstorf*, ThWNT Bd. 8, 530–544; *Michel*, ThWNT Bd. 5, 151–155; *Conzelmann*, Korinther, 102; *Theißen*, Soziale Schichtung, 237–246.
77 Daß er die Geschäftssphäre im Blick hat, bestätigen auch die Vokabeln des sprachlichen Umfelds: λογίζομαι im Sinne von »einschätzen«; ζητέω im Sinne von »Anforderungen stellen, Forderungen richten an (ἐν)«; εὑρέομαι im Sinne von »sich erweisen als, ermittelt werden, sich durch Untersuchung herausstellen«; πιστός als »zuverlässig«. – Die Begriffe ὑπηρέτης und οἰκονόμος sind also im Zuge eines bildhaften Vergleichs herangezogen und dürfen nicht kultisch oder mysterienhaft interpretiert werden (mit *Conzelmann*, Korinther, 102). Er und Apollos, will Paulus sagen, sind »Angestellte«, »Untergebene« Christi.
78 Gegen *Kittel* (ThWNT Bd. 1, 196f), der das Wort für einen allgemeinen Würdetitel hält.
79 Vgl. Kap. 4 Anm. 39 sowie u. S. 198–200 mit Anm. 181.

(2) συστρατιώτης (Kampfgenosse, Kriegskamerad)[80] nennt Paulus Epaphroditos (Phil 2,25) und Archippos (Phlm 2). Paulus übertrug den militärischen Ausdruck auf die Missionsarbeit, für die er des öfteren Bilder vom Kampf verwendete (1Thess 2,2; 5,8; Phil 1,30; 2Kor 7,5; 10,3–5; Röm 6,13; 13,12; 1Kor 9,24–27; vgl. Eph 6,10ff)[81]. Er brauchte das Bild vom Kampf zur Beschreibung konkreter Leiden, Gefahren, Bedrängnisse in der Missionsarbeit[82], vgl. 1Thess 2,1ff; Phil 2,27–30; 4,3 und die Peristasenkataloge. συστρατιώτης ist der Mitarbeiter, der in der Missionsarbeit zum Kampf- und Leidensgefährten des Paulus wurde.

(3) Auf seine enge Verbundenheit mit den Judenchristen weist Paulus mit dem Wort συγγενής (Volksgenosse) hin. So bezeichnet er Andronikos und Junias (Röm 16,7), Herodion (16,11) sowie drei seiner Begleiter[83]. Die besondere Hervorhebung dieser Verbundenheit im Römerbrief muß auf dem Hintergrund der bevorstehenden Kollektenreise nach Jerusalem und der dort erwarteten Auseinandersetzungen verstanden werden[84].

(4) Das enge Verhältnis zwischen ihm und einem Mitarbeiter hebt auch das Wort κοινωνός hervor, mit dem er Phlm 17 den Herrn des Onesimos und 2Kor 8,23 Titus bezeichnet. Das Wort[85] beschreibt zwar die persönliche Beziehung (»Freund«), vgl. Phlm 17, aber man hat wohl auch die »sachliche« Verbindung derer, die in die »Gemeinschaft mit seinem Sohn berufen« wurden (1Kor 1,9), mitzuhören. Am besten ist das Wort deshalb wohl mit »Arbeitsfreund« oder »Genosse« wiederzugeben[86].

(5) Ein besonders nahes Verhältnis, mit dem Paulus seine ›geistliche‹ Vaterschaft zum Ausdruck bringt[87], beschreibt das Wort τέκνον (Kind, Nachkomme)[88], oft mit dem Zusatz ἀγαπητόν (Phil 2,22; 1Kor 4,14.17 von Timotheus; vgl. 1Tim 1,2; 5,4; Tit 1,6). Das wird dort besonders deutlich, wo Paulus sich mit einer kreißenden Mutter vergleicht: Gal 4,19; vgl. 1Thess 2,7. Das Wort ἀγαπητός (Geliebter) findet sich bei Paulus 10mal als allgemeine Anrede an die Gemeinde, 8mal auf bestimmte Personen bezogen. Es kann den Brudernamen ersetzen (1Thess 2,8f; Phlm 16; 1Kor 10,1.14)[89], besitzt dabei aber eine persönlichere Nuance. Das zeigt sich daran, daß es immer mit dem Personalpronomen verbunden ist[90]. Daß in der persönlichen auch die theologische Wertung mitschwingt, zeigen Phil 4,1 und 1Thess 2,8. Der ἀγαπητός ist der »im Herrn« Geliebte (Röm 16,8).

(6) Obgleich der Ausdruck ἀδελφός, ἀδελφή – vor allem in der Anrede an seine Briefempfänger – bei Paulus ca. 120mal vorkommt, handelt es sich für Paulus nicht um ein Allerwelts-

---

80 *Bauernfeind*, ThWNT Bd. 7, 703f.711.

81 Vgl. *v. Harnack*, Militia; *Pfitzner*, Agon Motif.

82 Gegen *Lohmeyer*, Philipper, 175; *Bauernfeind*, ThWNT Bd. 7, 711, die einen übertragenen, technischen Wortgebrauch annehmen.

83 S. o. S. 58.

84 Vgl. *Bornkamm*, Testament, 136–139.

85 Vgl. *Campbell*, κοινωνία, 352–380.

86 Eine spezielle technische Bedeutung – wie vielleicht in Lk 5,10: »Geschäftsteilhaber« (*Hauck*, ThWNT Bd. 3, 804) – trägt das Wort bei Paulus nicht (gegen *Campbell*, κοινωνία, 362, zu Phlm 17).

87 Vgl. u. S. 179f.

88 *Delling*, Lexikalisches, 270–280.

89 *Stauffer*, ThWNT Bd. 1, 51.

90 Ausnahmen sind nur Phlm 16, dort aber in Verbindung mit ἀδελφός; weiter Phil 4,1, wo es, nachdem die Philipper zuvor als ἀδελφοί μου ἀγαπητοὶ καὶ ἐπιπόθητοι und als χαρὰ καὶ στέφανός μου überschwenglich tituliert wurden, noch einmal isoliert und bekräftigend am Schluß steht; sowie Röm 16,12, vielleicht, weil es sich um eine Frau handelt, der Paulus Grüße bestellt.

wort, kann er es doch einige Male theologisch entscheidend qualifizieren[91]. Die gegenseitige verantwortliche Bruderschaft bildet einen zentralen Topos der paulinischen Paränese[92]. Wen Paulus als Bruder bezeichnet, dem weiß er sich in Christus verbunden und den kann er darum auf seine Verantwortung vor Gott verpflichten.

In diesem Sinn nennt er seine Mitarbeiter betont »Bruder«: Sosthenes (1Kor 1,1), Apollos (16,12), Timotheus (2Kor 1,1; Phlm 1), Titus (2Kor 2,13), Epaphroditos (Phil 2,25) etc. So stellt er sich Gal 1,2 in den Kreis der Brüder, vgl. 1Thess 5,26; 1Kor 16,20f; 2Kor 13,12; Röm 16,15f; Phil 4,21)[93].

Nur die zuerst besprochene Gruppe von Prädikationen läßt inhaltliche Aussagen über die Tätigkeiten der Mitarbeiter zu. Diese Epitheta bestätigen die Analyse des συνεργός-Titels. Die Mitarbeiter waren in der Missionsarbeit

91   Er nennt Röm 8,29 in Übernahme der Vorstellung vom eschatologischen Adam als dem Urbild der Gottessöhne Christus den »Erstgeborenen unter allen Brüdern« (vgl. Hebr 2,11ff). Als Bruder geht er allen Brüdern voran. Bruder sein heißt nicht nur von Gott erwählt sein, sondern Christus zum Bruder haben.

92   Vgl. das Verbot, den Bruder zu richten, vielmehr auf den Schwachen Rücksicht zu nehmen (Röm 14,10ff); den Verzicht auf das Recht gegen den Bruder (1Kor 6,1ff); umgekehrt das Gebot, die Gemeinde von nur sogenannten Brüdern rein zu halten (1Kor 5,11); die Verantwortung für den schwachen Bruder, »um dessentwillen Christus gestorben ist« (1Kor 8,11).

93   *Ellis* (Co-Workers, 445–448) hat zu zeigen versucht, daß die Bezeichnung οἱ ἀδελφοί »in Pauline literature fairly consistently refers to a relatively limited group of workers, some of whom have the Christian mission and/or ministry as their primary occupation« (447). Sie stehe in enger Beziehung mit dem Begriff »Mitarbeiter«, falls nicht geradezu als ein Äquivalent für sie. Möglicherweise umschließe sie Bedeutungen wie »συνέκδημοι, amanuenses, and other helpers not engaged in ›religious‹ functions, e.g. evangelizing and teaching« (451 Anm. 4). Auch die Apostelgeschichte bezeuge diesen Sprachgebrauch und verstehe unter »die Brüder« Reisegefährten. – Nun ist die Beobachtung, daß 1Kor 16,19f die Grüße »der Gemeinden Asiens« von denen (Aquilas und Priscas samt ihrer Hausgemeinde und denen) »aller Brüder« unterschieden werden, nicht bestreitbar; ganz ähnlich auch Phil 4,21f. Und es ist sicher richtig, daß mit οἱ ἀδελφοί hier jeweils die Mitarbeiter des Paulus anvisiert werden (*Weiß*, Korintherbrief, 387, fragend; *Gnilka*, Philipperbrief, 181f). In ähnlicher Weise werden auch Phil 1,14; 2Kor 8,23; 9,3.5; 11,9; Gal 1,2 Mitarbeitergruppen bzw. ihre Gesamtheit als οἱ ἀδελφοί bezeichnet. Es ist jedoch abwegig, daraus zu schließen, dieser Ausdruck meine bei Paulus grundsätzlich eine bestimmte »more restricted group than ›the Christians‹« (*Ellis*, ebd., 446). Abgesehen davon, daß er die Gemeinden durchweg mit ἀδελφοί anredet (wie ja seine Briefe insgesamt *Anreden* sind, nicht *über* »die Brüder« reden), ist 1Thess 4,10; 5,26.27 auch unzweifelhaft die Gemeinde als Ganz᾽ mit οἱ ἀδελφοί gemeint. »Die Brüder« sind zwar, wie nämlich der Artikel anzeigt, bestimmte Christen, Gemeindeglieder oder Mitarbeiter, aber keine Sondergruppe unter letzteren. – Die von *Ellis* aus der Apostelgeschichte beigebrachten Belege halten einer Überprüfung ebensowenig stand (die Apostelgeschichte redet permanent von »den Brüdern«, oft wechselweise mit οἱ μαθηταί, vgl. z. B. 11,29; 16,1f; 18,27; 21,16f, und meint damit keine Sondergruppe von Missionaren oder Reisegefährten). – Die Versuche von *Ellis*, einzelne Briefe und Briefteile des Corpus Paulinum (wozu er Kol und 2Thess rechnet) als an Mitarbeiter des Paulus adressiert zu verstehen (448–452), überzeugen nicht. Weder die Anschrift des Kol (ἅγιοι in 1,2 wie Phil 1,1; Röm 1,7; Eph 1,1 ist mit *Lohse*, Kolosser, 35, substantivisch, also als Wechselbegriff zu πιστοῖς ἀδελφοῖς zu verstehen) noch die Einzelmahnung am Schluß des Briefes (4,16) können diese These stützen. Ebensowenig scheint mir die paulinische Verfasserschaft des 2Thess durch die Annahme gestützt werden zu können, dieser richte sich an eine (in 3,6–15 angesprochene) innergemeindliche Mitarbeitergruppe (so bereits *v. Harnack*, Problem, 562f; ihm folgend *Dibelius*, Thessalonicher, 57f; dagegen richtig *Kümmel*, Einleitung, 231; *Dautzenberg*, Theologie, 104; *Trilling*, Untersuchungen).

tätig, ohne daß mit den Prädikationen speziellere Tätigkeiten unterschieden wären.

Die übrigen Titulierungen sprechen weniger die Inhalts- und mehr die Beziehungsebene an, indem sie die Indienstnahme und Verantwortlichkeit der Mitarbeiter gegenüber Gott oder das Verhältnis zu Paulus bezeichnen. Auch dieser Gesichtspunkt wird vom συνεργός-Titel mit umgriffen. Nur zum Teil sind Rückschlüsse auf bestimmte Tätigkeiten der Mitarbeiter möglich, allerdings nur jeweils konkret-situative: die Überbringung einer Spende, eine gemeinsame Gefangenschaft.

Hinweise darauf, daß einzelne Titulierungen sich zu ›Ämtern‹ verfestigt hätten[94], ergeben sich nicht[95]. Die bisherigen Überlegungen führen also zu dem einheitlichen Ergebnis, daß die Mitarbeiter des Paulus in der Mission mitarbeiteten. Ihre Arbeit versteht Paulus als Missionsarbeit. Was sie dabei im einzelnen taten, bleibt offen. Daraus legt sich die Vermutung nahe, daß die Mitarbeiter in ihrer Arbeit keine bestimmten, festgelegten Aufgaben wahrnahmen, die zu bestimmten ›Ämtern‹ hätten gerinnen können, sondern daß sie jeweils unterschiedliche und wechselnde, durch die verschiedenen Missionssituationen und -erfordernisse bedingte Funktionen ausübten.

3.3
Die Bezeichnung ἀπόστολος ἐκκλησιῶν

Es bleibt schließlich noch der Ausdruck ἀπόστολος ἐκκλησιῶν zu untersuchen. Obgleich nur zweimal belegt (2Kor 8,23; Phil 2,25), besitzt er doch sowohl durch die Aufnahme des Aposteltitels als auch durch die aus dem sprachlichen Umfeld abzuleitenden Näherbestimmungen des Ausdrucks eine Sonderstellung unter den Mitarbeiterprädikationen.

---

94 Doch vgl. oben zu διάκονος!

95 Das gilt auch für das Epitheton ἀπαρχή (Röm 16,5; 1Kor 16,15). Das paulinische Verständnis des Worts dürfte vom AT her bestimmt sein; man vergleiche Röm 11,16 mit Bezug auf Num 15,20f (zum Spenden der Erstlinge vgl. *Strack-Billerbeck*, Kommentar, Bd. 4, 640–646). ἀπαρχή ist die Erstlingsgabe der Ernte an Gott. Nimmt Paulus diesen Begriff auf, so bezeichnet er damit aber nicht »einen besonderen Dienst der ›Erstlinge‹ am Evangelium«, die Christus besonders geweiht würden (gegen *Delling*, ThWNT Bd. 1, 484; *Michel*, Römer, 379; vgl. *Ellis*, Co-Workers, 450: »set apart for the work of God«). 1Kor 16,15 zeigt vielmehr, daß die Selbstverpflichtung (!) des Stephanas erst zu seiner Ehrenstellung hinzutrat. Nicht die Erstlingsschaft begründet seine Leitungsfunktion in Korinth (s. u. S. 86; gegen *Käsemann*, Amt, 114; mit *Greeven*, Propheten, 34 Anm. 81). – »Erstling« sein bezeichnet in den paulinischen Gemeinden aber zweifellos eine Ehrenstellung, die der innehat, der der Erstbekehrte einer Provinz ist (Achaia: 1Kor 16,15; Asien: Röm 16,5), nämlich als die Gabe »an Christus« (Röm 16,5), das Pfand für den Rest (vgl. *Weiß*, Korintherbrief, 356). Der erste steht für das Ganze (vgl. Röm 15,19.23; zu dieser Repräsentationsvorstellung des Paulus vgl. noch u. Kap. 5 Anm. 49). Die Bezeichnung stellt also einen »Titel« dar, der seinen Träger vor den jungen Gemeinden zum Symbol für den Siegeslauf des Evangeliums machte. Eine spezielle Aufgabe oder Tätigkeit beschrieb er jedoch nicht. – Erst 1Kl 42,4 ist davon die Rede, daß die »Erstlinge« von den Aposteln als Bischöfe und Diakone eingesetzt, also beamtet wurden (vgl. noch Orig Num hom 11,4).

Daß es sich in ihm um einen ›Titel‹, das heißt eine festere, ihren Träger kennzeichnende, nicht nur situativ zu verstehende Bezeichnung handelt, ist gelegentlich bestritten worden[96]. Aber dagegen spricht, daß er nach 2Kor 8,23 eine offizielle Funktion beschreibt, die aufgrund eines Wahlaktes übertragen wurde (8,19).

Der Ausdruck »Apostel« wird an beiden Stellen durch einen Genitiv näher bestimmt (ἐκκλησιῶν; ὑμῶν). Diese Kennzeichnung, durch die die so Apostrophierten als durch ihre Gemeinde(n) autorisiert vorgestellt werden, muß man als konstitutiv für den Titel ansehen. Das bestätigt der Kontext. Beauftragung und Autorisierung der Gemeindebevollmächtigten erfolgte aufgrund einer Gemeindewahl (2Kor 8,19; 1Kor 16,3). Aus dem Wort χειροτονεῖν darf dabei wohl nicht auf die spezielle Art des Wahlmodus geschlossen werden[97]. Doch ist deutlich, daß Paulus seinerseits auf dies Verfahren in keiner Weise Einfluß genommen hat. Er betont vielmehr die Eigenständigkeit und Selbstverantwortung der Gemeinden und schreibt es den beauftragten Brüdern als hohe Ehre an, daß sie ausgewählt wurden (2Kor 8,18f.22). Wie hoch er sie schätzt, zeigt sich auch daran, wie er sie, die Prädikation des Titus übersteigernd, in beinahe gewagter Formulierung als δόξα Χριστοῦ, »Repräsentanten des himmlischen Glanzes Christi«[98], bezeichnet (2Kor 8,23)[99].

Der den Gemeindegesandten übertragene Auftrag konnte zeitlich befristet sein; er betraf nach 2Kor 8,18ff ein begrenztes Projekt: die Überbringung der Kollekte der paulinischen Gemeinden nach Jerusalem.

Die Inhalte der Beauftragung konnten offensichtlich verschieden sein. Während der Philipper Epaphroditos als Gemeindegesandter delegiert wurde, um in der Mission bei Paulus mitzuarbeiten (Phil 2,25–30)[100], vertraten die 2Kor 8,18ff erwähnten Männer ihre Gemeinden als Kollektendelegierte.

An der Tatsache, daß zwei so unterschiedliche Funktionen mit dem gleichen Titel gekennzeichnet wurden, läßt sich ablesen, daß der Ausdruck als Funktionstitel verstanden werden muß. Auf eine spezielle, definierte Amtsausübung war er nicht eingegrenzt. Sein Proprium war, eine Person als von ihrer Gemeinde Beauftragten und Autorisierten zu apostrophieren. Die Kollektengesandten konnten deshalb mit dem gleichen Titel wie die in die Mission Entsandten bezeichnet werden, weil sie stellvertretend für ihre Gemeinde einen in gleicher Weise bedeutsamen Auftrag ausführten – eine χά-

---

96 *Kertelge*, Apostelamt, 163 Anm. 10; *Kasting*, Anfänge, 61.

97 Das versucht *Windisch* (Korintherbrief, 263). Apg 14,23 wird das Wort jedoch in anderem, allgemeinerem Sinn verwendet (vgl. noch Ign Phld 10,1; Sm 11,2; Pol 7,2; Did 15,1, jeweils auf eine Gemeindewahl bezogen). So auch *Lohse*, ThWNT Bd. 9, 427, der sich jedoch fälschlich auf *Windisch* beruft.

98 *Georgi*, Kollekte, 55.

99 Zu den Belobigungen und Empfehlungen der Mitarbeiter s. auch u. S. 190–193.

100 S. u. S. 98f.

ρις zur Ehre Gottes (2Kor 8,19), ein ebensowenig ›untergeordneter‹ Dienst wie das ἔργον Χριστοῦ des Epaphroditos (Phil 2,30)[101].

Die Ableitung des Titels »Gemeindeapostel« und speziell sein Verhältnis zum Christus-Apostolat, wie ihn Paulus für sich reklamiert (1Kor 15,7; 1Thess 2,7 etc.), ist umstritten[102].

Was den Christus-Apostolat betrifft, kann eine Beziehung zur jüdischen Schaliach-Vorstellung zwar nicht bestritten werden[103]. Doch beschränkt sie sich neben der begrifflichen Übernahme auf den Gedanken der Bevollmächtigung und sprengt auch darin noch die mit dem Schaliach-Begriff verbundenen Vorstellungen[104].

Anders verhält es sich hinsichtlich des Gemeindeapostolats. Hier sind die Parallelen zur Schaliach-Vorstellung frappierend und unübersehbar. Sie betreffen die mit dem Begriff verknüpften Vorstellungen selber. Es entspricht sich nahezu alles: 1. die Beauftragung durch die Gemeinde und der damit verbundene Bevollmächtigungs- und Stellvertretungsgedanke (Delegiertenstatus); 2. die Befristung des Auftrags; 3. die wechselnden Inhalte der Beauftragung.

Man wird sich infolgedessen kaum dem Schluß entziehen können, daß der Schaliach-Gedanke für den Gemeindeapostolat Pate gestanden hat[105].

Hinweise auf einen Zusammenhang zwischen Gemeindeapostolat und Christusapostolat finden sich weder bei Paulus[106] noch anderswo[107]. Wenn auch der Kreis der Apostel nicht bloß die

---

101 S. bei Anm. 113.

102 Die verschiedenen Probleme werden hier nur insoweit erörtert, als sie die Frage des Gemeindeapostolats betreffen. Zur Literatur sei verwiesen auf: *Rengstorf*, Art. ἀποστέλλω κτλ., 406–448; *Linton*, Problem; *Saß*, Apostelbegriff; *Kümmel*, Kirchenbegriff; *Mosbech*, Apostolos, 166–200; *v. Campenhausen*, Apostelbegriff, 96–130; *Lohse*, Ursprung, 259–275; *Margot*, L'apostolat, 213–225; *Klein*, Apostel; *Schmithals*, Apostelamt; *Gerhardsson*, Boten, 89–131; *Georgi*, Gegner, 39–49; *Roloff*, Apostolat; *Schille*, Kollegialmission, 7–18; *Kasting*, Anfänge, 61–81; *Kertelge*, Apostelamt, 161–181; *Schnackenburg*, Apostel, 338–358; *Brockhaus*, Charisma, 112–123; *Merklein*, Amt, 252–278.288–306; *Hahn*, Apostolat, 54–77. Zum Stand der Diskussion vgl. *Kredel*, Apostelbegriff, 169–193.257–305; *Klein*, Apostel, 22–65, und zuletzt *Roloff*, Apostolat, 9–37.

103 Das haben insbesondere *Schmithals* (Apostelamt, 87–99) und *Klein* (Zwölf Apostel, 26f und Anm. 99 mit älterer Lit.) versucht, ohne sich durchsetzen zu können; vgl. dagegen *Roloff*, Apostolat, 10–15.272–275; *Kasting*, Anfänge, 71–75.

104 Mit *Schmithals*, Apostelamt, 92–99, bes. 95.

105 Die engen Beziehungen der Gemeindeapostel zur Schaliach-Vorstellung sind natürlich schon öfter gesehen worden (vgl. nur *Rengstorf*, ThWNT Bd. 1, 422; *v. Campenhausen*, Apostelbegriff, 102; *Mosbech*, Apostolos, 169f; *Roloff*, Apostolat, 373; *Schnackenburg*, Apostel, 347; *Hahn*, Apostolat, 66; dagegen *Klein*, Apostel, 55f). Sie dienen aber oft dem Nachweis, Paulus habe »das Wort (ἀπόστολος) doch auch noch im bisherigen, allgemeineren Sinn verwenden können« (*v. Campenhausen*, ebd.) und helfen also die Brücke zwischen Schaliach-Vorstellung und Christus-Apostolat schlagen. Auch *Georgi* (Gegner, 43) will damit seine – im übrigen wohl richtige – These stützen, Paulus habe keinen einheitlichen Apostelbegriff vorgefunden. In allen diesen Fällen wird das Gemeinde-Apostolat als eine Art Vorstufe für das Christus-Apostolat verstanden.

106 Vgl. dazu vor allem *Schmithals*, Apostelamt, 50.91f (der allerdings das Gemeindeapostolat im gemeingriechischen Gebrauch von ἀπόστολος verwurzeln möchte und Beziehungen zur Schaliach-Vorstellung bestreitet); *Roloff*, Apostolat, 39; *Schnackenburg*, Apostel, 347. Im Vergleich von 1Kor 15,3–11 und 2Kor 8,18ff wird jedoch der fundamentale Unterschied zwischen Gemeinde- und Christus-Apostolat evident. Er betrifft – abgesehen davon, daß die Gemeindegesandten in der Mission mitarbeiten konnten – die gleiche Diskrepanz, wie sie zwi-

›Zwölf‹ umfaßte, ursprünglich also ›weiter‹ (trotzdem begrenzt: 1Kor 15,8) war[108], so gibt es doch keinen Anhalt, im Gemeindeapostolat den allgemeinen Ursprung des christlichen Apostolats finden zu wollen, welcher sich dann erst unter verschiedenen Einflüssen im Christusapostolat spezifiziert hätte. Die Entwicklung verlief (bei später gegenläufiger Bewegung durch Lk[109]) eher umgekehrt, vom speziellen zum allgemeinen Apostelbegriff (vgl. Did

schen dem Schaliach und dem Christus-Apostolat besteht. – *Schille* (Kollegialmission, 13–18) verneint demgegenüber sogar jeden Unterschied und meint, die Apostel seien durchweg »Gemeindeapostel« gewesen, von Gemeinden autorisiert und ausgesandt worden, und er nimmt für Paulus eine »Bestellung zum Apostolat durch syrische Gemeinden« an (ebd., 14). Andererseits wehrt er sich gegen die Annahme, »die Erscheinung sei eine Voraussetzung des Apostelamts gewesen« (ebd.). Dies angesichts 1Kor 15,3–11; Gal 1f; 1Kor 9,1f zu behaupten, erscheint mir abenteuerlich.

107 Ohne stichhaltige Begründung wird in Apg 13,1–3 oder 14,4.14 oft ein Zeugnis für das Gemeindeapostolat gefunden (so *Rengstorf*, ThWNT Bd. 1, 422; *v. Campenhausen*, Apostelbegriff, 115; *Kasting*, Anfänge, 61; *Roloff*, Apostolat, 39; *Brockhaus*, Charisma, 120). Noch mehr weitet *Mosbech* (Apostolos, 171f) den Kreis aus, indem er auch in Apg 11,22; Gal 2,12 dafür Belege findet. Die plötzliche Titulierung des Paulus und Barnabas in Apg 14,4.14 als Apostel ist auffällig. Am ehesten bezieht sich Lk hier auf eine Vorlage. Diese bietet ihrerseits aber keinen Anhalt, das Apostolat des Paulus und Barnabas als Gemeindeapostolat zu interpretieren. Es muß außerdem als sehr unwahrscheinlich und seinem Selbstverständnis (Gal 1,1.15f; 1Kor 15,8ff etc.) widersprechend gelten, daß Paulus neben seinem Christus-Apostolat noch den Status eines Gemeindeapostels besessen haben sollte (ähnlich *Klein*, Apostel, 56). Vgl. noch o. Kap. 2 Anm. 15. – *Brockhaus* (Charisma, 120–123) hat die These aufgestellt, das Apostolat des Paulus sei ihm bestritten worden (vgl. Gal 1,1.11ff; 2Kor 11f) mit dem Hinweis darauf, er sei lediglich ein Apostel der Gemeinde von Antiochia gewesen, was *Brockhaus* Apg 13,1–3 entnehmen möchte. Das ist jedoch wenig wahrscheinlich. Die Parallelisierung der Bedeutung des Apostelamtes des Paulus mit der des Petrus auf dem Konvent (Gal 2,7–9), die offiziell anerkannt wurde, wie auch die klare Zugehörigkeit des Paulus zum Kreis der Apostel, die keinerlei Unterschied oder Manko erkennen lassen (1Kor 15,7f; die Selbstherabwürdigung in 15,9 bezieht sich nicht etwa auf sein Apostolat, sondern auf seine Verfolgertätigkeit!), verbieten die Folgerungen, die *Brockhaus* zieht. Die Trennung des Paulus von Antiochia nach dem Streitfall Gal 2,11ff und der Beginn seiner eigenständigen Mission machen außerdem deutlich, daß sein Sendungsauftrag nie von der antiochenischen Gemeinde abhängig war. Unrichtig scheint mir auch *Brockhaus'* Interpretation der Gemeindegesandten zu sein (s. Anm. 111).

108 Die Alternative offener – geschlossener Apostelkreis scheint mir nicht weiterzuführen. Einerseits bezeugt Paulus 1Kor 15,7f die Begrenztheit des Apostelkreises, andererseits umfaßte dieser nach Röm 16,7; 1Kor 9,5f; Apg 14,4.14; 2Kor 11,5.13 außer den Zwölf (die höchstwahrscheinlich Apostel waren: *Kasting*, Anfänge, 68–71; *Roloff*, Apostolat, 168; gegen *Klein*, Apostel, 38–49) und Paulus jedenfalls noch weitere Mitglieder. Dabei ist es weder ausgemacht, daß Paulus sie sämtlich kannte, noch daß die Kriterien, die er für sein Apostolat geltend machte (Gal 1f; 2Kor 10–13 u. a.), von allen, die den Aposteltitel für sich beanspruchten, geteilt oder in dieser Weise gewichtet und gedeutet wurden. Die Auseinandersetzungen um sein Apostolat legen vielmehr näher, daß ein einheitliches Apostel*verständnis* zur Zeit des Paulus noch nicht vorausgesetzt werden kann (*Georgi*, Gegner, 42–49; *Schnackenburg*, Apostel, 340f.355f; *Roloff*, ebd., 272f; *Merklein*, Amt, 261; *Hahn*, Apostolat, 61). Es ist deshalb durchaus möglich und wahrscheinlich, daß aus jeweils anderer Perspektive der Apostelkreis verschieden groß war. Nähme man 1Kor 15,7f als objektive und allgemein anerkannte Tatbestände, so ließen sich weder die Kämpfe des Paulus um sein Apostolat noch seine Angriffe gegen das anderer Missionare (2Kor 10ff) verstehen.

109 Vgl. dazu bes. *Klein*, Apostel.

11,3–6)[110]. Ob der Gemeindeapostolat ein Produkt dieser Entwicklung oder (angesichts der Unterschiede zum allgemeinen Apostelbegriff) nicht wahrscheinlicher eine Einrichtung sui generis[111] darstellt, kann hier allerdings offenbleiben.

Der Gemeindeapostolat hat sich, soviel scheint sicher, unter Rückgriff auf die jüdische Rechtsinstitution des Schaliach – vielleicht erst relativ spät und nur auf paulinischem Missionsgebiet[112] – als eine im Vergleich zum Christusapostolat ganz andere Form der Beauftragung christlicher Boten, nämlich durch eine Gemeinde, gebildet. Dieser Unterschied läßt sich sprachlich dadurch zum Ausdruck bringen, daß man besser von »Gemeindegesandten«, »Gemeindedelegierten« oder »-bevollmächtigten« spricht.
Die Differenz zum Christusapostel liegt in der Gemeindebeauftragung sowie in den wechselnden und zeitlich begrenzten Tätigkeitsfeldern; nicht darin, daß der Gemeindegesandte keine missionarischen Funktionen hätte wahrnehmen können und nur untergeordnete Dienste verrichtet hätte[113]. Auch die Kollektenüberbringung hat einen engen Bezug zur Mission, demonstriert sie doch die Aufnahme des Evangeliums durch die Heiden.
Im außerpaulinischen Schrifttum finden sich keine Belege für ein Fortbestehen des Gemeindegesandtentums. Dieser Titel hat ein gleiches Schicksal erfahren wie der συνεργός-Titel. Das ist wohl nicht zufällig.
Wenn er zur Bezeichnung eines Mitarbeiters diente, der von seiner Gemeinde zu Paulus in die Missionsarbeit entsandt wurde, nimmt es nicht wunder, wenn er dort fehlt, wo sich auch von der Mitarbeitermission keine

---

110 *Hahn* (Apostolat, 74) meint, daß sich der weite Apostelbegriff (2Kor 11ff) aus dem engeren entwickelte, nicht umgekehrt. Separat davon steht das Gemeindeapostolat. »Maßgebend ist in jedem Fall der jüdische Sendungsgedanke« (ebd., 75).
111 Das hat besonders *Brockhaus* (Charisma, 112–123) herauszuarbeiten versucht. So einleuchtend aber seine klare Trennung des Christus-Apostolats vom Gemeindeapostolat und die Annahme von »zwei verschiedenen, unabhängig voneinander entstandenen und bestehenden Apostelbegriffen zur Zeit des Paulus« ist, so wenig kann überzeugen, wenn er in jenem »einen geschlossenen Erscheinungsapostolat«, in diesem »ein(en) offene(n) Sendungsapostolat der Gemeinden« repräsentiert sehen möchte (ebd., 119). Diese Parallelisierung scheitert bereits daran, daß die Gemeindeapostel von 2Kor 8,23 als Kollektendelegierte, zu denen sie offiziell gewählt wurden, den Titel ἀπόστολοι trugen, nicht als Missionare. Die sonst von *Brockhaus* für ein solches »Sendungsapostolat« namhaft gemachten Belege (1Kor 9,5f; Apg 13,1–3; 14,4.14; vgl. ebd., 119–122) können weder mit dem Gemeindeapostolat verbunden werden noch die Beweislast für das postulierte »Sendungsapostolat« tragen. – Es scheint mir deshalb aber auch nicht möglich, die Gemeindeapostel in die Nähe der von Paulus 2Kor 11 bekämpften »Falsch-« und »Lügenapostel« zu rücken, weil diese, da sie sich Empfehlungsbriefe von den Gemeinden schreiben ließen (2Kor 3,1 u. ö.), ebenfalls von Gemeinden abhängig, und jene, wie aus 2Kor 8,18 folge, ebenfalls Prediger gewesen seien (*Brockhaus*, ebd., 115f). Die Apostel von 2Kor 11 verstanden sich als ἀπόστολοι Χριστοῦ (2Kor 11,13) und διάκονοι Χριστοῦ (11,23), nicht als Gemeindedelegierte; ihre Empfehlungsbriefe wiesen sie vor bzw. erheischten sie nicht als Nachweis ihrer legitimierten Aussendung, sondern als pneumatische Demonstration.
112 *Roloff* (Apostolat, 39) vermutet seine Entstehung in Antiochia.
113 So *Kasting*, Anfänge, 61; vgl. *Roloff*, Apostolat, 39 (»Wahrnehmung äußerer Hilfsaufgaben sowie die Überbringung von Kollektengeldern«).

Spur mehr findet. Dagegen dürfte die Bezeichnung der Kollektendelegierten als Gemeindegesandte lediglich situationsbedingt sein.
Vielleicht weisen die spärlichen Belege darauf hin, daß dieser Titel nicht allzuoft in den Gemeinden Verwendung fand. Den Philippern und Korinthern war er allerdings geläufig. Doch deutet sich in ihm möglicherweise an, welche Rolle die Mitarbeiter in der Mission des Paulus besaßen, zumal im Falle des Epaphroditos Mitarbeiter- und Gemeindegesandtenbezeichnung in einem Atemzug genannt sind. Darauf wird noch zurückzukommen sein.
Auch der Gemeindegesandten-Titel hat noch einmal gezeigt, daß die Mitarbeiter in ihren Aufgaben und Tätigkeiten nicht auf bestimmte Funktionen festgelegt waren. Ihre Aufgaben lagen allgemein *im Bereich des Missionarischen.*
Finden sich aber darüber hinaus vielleicht andere Hinweise, die die bisherigen Beobachtungen korrigieren, stützen und wenn möglich konkretisieren könnten?

3.4
Die sonstigen Angaben über die Tätigkeiten und Funktionen der Mitarbeiter

Daß es in den paulinischen Gemeinden eine Reihe von Dienstfunktionen gegeben hat, die, an bestimmte Personen gebunden, schon festeren Charakter besaßen, kann nicht bestritten werden[114]. Hier ist einerseits auf die Episkopen und Diakonen in Philippi hinzuweisen (Phil 1,1; vgl. auch Röm 16,1f)[115]; weiter gab es Propheten (1Kor 12,28; 14; 1Thess 5,20; Röm

---

114 Dazu ist vor allem auf die Untersuchung von *Brockhaus* (Charisma, bes. 95–112) zu verweisen (mit ausführlicher Lit.-Diskussion). Vgl. außerdem *Kertelge*, Gemeinde, 77–126; *Merklein*, Amt, 235–331.

115 Daß es sich um eine bestimmte Gruppe innerhalb der Gemeinde handelt, folgt aus der Präposition σύν (Phil 1,1; vgl. *Best*, Bishops, 372–374). Die Erwähnung im Briefeingang läßt weiter erkennen, daß diese Gruppe besonderes, selbstverständliches Ansehen genoß. Der Einsicht, daß hier Gemeindedienste bereits personengebunden erscheinen (so auch *v. Campenhausen*, Amt, 74; *Gnilka*, Philipperbrief, 32–41; *Brockhaus*, Charisma, 98–100; *Georgi*, Gegner, 33–35), sollte man nicht durch die sonst unbegründete Hypothese zu entgehen suchen, es handele sich bei der Erwähnung von Bischöfen und Diakonen um einen »späteren Zusatz« »der Hüter der Tradition . . . gegen die Reaktion der gnostischen Pneumatiker« (*Schmithals*, Gnosis, 83 Anm. 5). – Die verschiedenen Ableitungsversuche der Titel aus jüdischen oder griechischen Vorbildern stellt *Brockhaus* zusammen (Charisma, 99 Anm. 19; dort auch weitere Literatur; Genaueres bei *Beyer*, ThWNT Bd. 2, 605–611.614f). Über die Aufgaben der Episkopen und Diakonen gehen die Meinungen weit auseinander. Vielfach wird die Ansicht vertreten, sie hätten Funktionen bei der Gabenverwaltung bzw. caritative Aufgaben erfüllt. Paulus erwähne sie besonders, weil sie an der Sammlung für ihn beteiligt seien (*Gnilka*, Philipperbrief, 40, nennt Vertreter dieser Auffassung). Aber dadurch begründet sich kaum ihre besondere Hervorhebung und Wertschätzung. Zum anderen spricht dagegen, daß Phil 4,10ff keinen Bezug auf Episkopen und Diakone nimmt, sondern die ganze Gemeinde anspricht. *Marxsens* Versetzung des Briefpräskripts von Phil 1,1 vor das Dankesschreiben 4,10ff (Einleitung, 59f) ist willkürlich (gegen diese Ansicht vgl. auch *Best*, ebd., 372 Anm. 1). – Man wird unter den διάκονοι also nicht »Tischdiener« verstehen dürfen (s. o. S. 73). Eher haben sie

12,6)[116], Lehrer (1Kor 12,28f; 14,6.26; Röm 12,7)[117] und Katecheten (Gal 6,6; vgl. 1Kor 14,19; Röm 2,18)[118] sowie schließlich autoritative Tätigkeiten (1Thess 5,12; 1Kor 12,28; 16,15f; Röm 12,8)[119]. Es läßt sich nun aber zwischen diesen Personengruppen bzw. Tätigkeitsbereichen einerseits und den Mitarbeitern andererseits keine Beziehung von der Art herstellen, daß der Nachweis erbracht werden könnte, jene Funktionen hätten nur die Mitarbeiter wahrgenommen, bzw. umgekehrt, wer Mitarbeiter war, hätte eine der genannten Funktionen ausgefüllt.

1. Eine solche Beziehung wird des öfteren insbesondere hinsichtlich der letztgenannten Tätigkeit, der »Gemeindeleitung«, vermutet[120]. Doch

Verkündigungsfunktionen innegehabt (s. o. Anm. 64; vgl. *Kertelge*, Gemeinde, 119). – Noch undeutlicher ist die Funktion der ἐπίσκοποι (vgl. die Zusammenstellung der Meinungen bei *Brockhaus*, ebd., 99 Anm. 20). Am wahrscheinlichsten scheint mir, daß sie zugleich administrative und verkündigende Funktionen besaßen, also in die Nähe der προϊστάμενοι von 1Thess 5,12 zu rücken sind (so mit *Greeven*, Propheten, 38; *Merklein*, Amt, 326; u. a.).

116 Zum einzelnen vgl. *Greeven*, Propheten, 3–15; *Käsemann*, Sätze, 78–80; *Friedrich*, ThWNT Bd. 6, 849–857; *Schnider*, Prophet, 55–60; *Müller*, Prophetie, 19–31.37–42; *Merklein*, Amt, 316–331.

117 Dazu *Greeven*, Propheten, 16–31; *Rengstorf*, ThWNT Bd. 2, 138–168; *Merklein*, Amt, 313–319.

118 Vgl. *Beyer*, ThWNT Bd. 3, 638–640; *Schlier*, Galater, 275f; *Brockhaus*, Charisma, 101–103. »Lehrer« und »Katechet« bezeichnen vermutlich die gleiche Sache; Röm 2,18.21 sind κατηχεῖν und διδάσκειν quasi Austauschbegriffe, ähnlich 1Kor 14,19 und 14,6.26 (vgl. *Beyer*, ThWNT Bd. 3, 639). Ihre Tätigkeit lag nach *Greeven* (Propheten, 28) »in der Bewahrung, Weitergabe und Fruchtbarmachung der Tradition« – ohne daß nicht auch Apostel diese Funktionen hätten wahrnehmen können (ebd., 29). Gal 6,6 läßt erkennen, daß der Lehrende eine dauernde Tätigkeit ausüben konnte, die ihn so in Anspruch nahm, daß er nicht selber für seinen Erwerb sorgen konnte (so mit *Beyer*, ebd.; *Schlier*, Galater, 275f; *Brockhaus*, Charisma, 101–103; gegen *Oepke*, Galater, 151f, der Gal 6,6 auf die sittlich-religiöse Gemeinschaft zwischen Unterrichteten und Unterrichtenden, nicht auf die materielle Unterstützung beziehen will).

119 Es fällt auf, daß Paulus von den Dienstfunktionen in den Gemeinden z. T. personal, z. T. funktional redet. Einerseits erwähnt er Episkopen, Diakonen, Propheten und Lehrer, andererseits spricht er nur von gemeindeordnenden Tätigkeiten (κυβέρνησις 1Kor 12,28; προϊστάναι 1Thess 5,12; Röm 12,8; vgl. auch das Zungenreden sowie die Charismenlisten insgesamt). Man darf aus der funktionalen Formulierung schließen, daß es zwar gemeindeordnende Tätigkeiten gab, nicht aber eine von bestimmten Personen unabhängig und für sich existierende Funktion – ein »Amt« – des »Gemeindevorstehers« oder »-leiters«, ein Amt, das dann etwa hätte vakant sein können und neu zu besetzen gewesen wäre. – Dies gilt aber nicht nur für gemeindeordnende Tätigkeiten. Auch hinsichtlich der Lehrtätigkeit kann Paulus wiederum verbal-funktional reden (Gal 6,6), ebenso in bezug auf die Verpflichtung zur διακονία (1Kor 16,15; vgl. Kol 4,17) sowie bezüglich der Prophetie (1Thess 5,20; 1Kor 11,4f; 12–14; Röm 12,6). Und falls die oben (Anm. 115) geäußerte Vermutung zutrifft, daß die Episkopen (unter anderem) gemeindeordnende Funktionen ausfüllten, gibt es umgekehrt für sie auch eine personale Kategorisierung. – Diese *offene Ausdrucksweise*, die sich noch auf der Suche nach Bezeichnungen für die in den Gemeinden entstandenen neuen Dienstfunktionen befindet, dabei aber noch wenig differenziert oder gar definiert, wo sich vielmehr noch vieles überschneidet (dazu vgl. u. mehr), charakterisiert das *Frühstadium der paulinischen Gemeindebildung*. Sie darf aber andererseits nicht so interpretiert werden, als wären die Ansätze zur Ämterbildung gar nicht vorhanden. Der Grad der Ausprägung war jedoch in den einzelnen Gemeinden unterschiedlich, und er nahm auch verschiedene Wege.

könnte man sich dafür höchstens[121] auf 1Kor 16,15f stützen. Nach dieser Stelle[122] hat sich der Korinther Stephanas, der »Erstling« Achaias, samt seinem Haus in den Dienst der Heiligen gestellt. Darauf hinweisend, ermahnt Paulus die Gemeinde, »solchen Leuten und jedem, der in der Mitarbeit steht und sich in der Mission abmüht«, Gehorsam zu leisten. Die Mitarbeiter gewannen danach zwar durch ihre besondere Indienststellung in der Gemeinde *Autorität*. Paulus bekräftigt und fördert dies sogar angesichts der Gruppenbildungen in Korinth (vgl. Phil 2,29). Dies war jedoch, wie die Stelle ebenfalls lehrt, nicht eine mit dem Mitarbeiterstatus *gegebene*, sondern durch die besondere Arbeit als Mitarbeiter *erworbene*, also ganz von der jeweils übernommenen Aufgabe abhängige Autorität. Außerdem dürfte 1Kor 16,15f überinterpretiert werden, wollte man Stephanas zum Gemeinde*leiter* machen. Denn erstens ist seine eigentliche Tätigkeit die διακονία an den Heiligen, nicht etwa eine Leitungsfunktion. Seine vorgeordnete Stellung resultiert erst aus jener διακονία. Sie fällt ihm gewissermaßen erst zu, existiert nicht selbständig. Zweitens sollte man besser gar nicht von einer Gemeinde*leitung* sprechen. Denn dies Wort läßt an eine organisierte Gemeinde denken. 1Kor 16,15f – sowie der gesamte 1Kor – erlaubt jedoch lediglich, von *Autoritätspositionen* innerhalb der Gemeinde zu reden[123]. Zudem wird die korinthische Gemeinde nicht nur gegenüber Stephanas zum Gehorsam ermahnt, sondern auch Fortunatus und Achaikos (die nach 16,15 zum Gesinde des Stephanas gezählt haben) soll Folge geleistet werden sowie jedem, der mitarbeitet etc. (!). Hier ›leitet‹ also nicht eine Einzelperson die Gemeinde. Monarchische Vorstellungen über die Führung der Gemeinde wären ganz verfehlt. Dem entspricht auch, daß Paulus 1Thess 5,12 von προϊστάμενοι, also im Plural spricht (so auch 1Kor 12,28)[124]. Wahrscheinlich darf man hier auch auf die ἐπίσκοποι und διάκονοι von Phil 1,1 verweisen[125].

---

120   So äußert sich z. B. *Conzelmann* (Geschichte, 76) im Gegensatz zu seinen eigenen Intentionen, wenn er meint, die Mission in den paulinischen Gemeinden würde nach Weggang des Paulus »von den Schülern des Paulus geleitet«. Hier entsteht die Vorstellung von einer organisierten Mission, bei der die Kompetenzen verteilt und die Mitarbeiter Aufsichtsführende über die einfachen Gemeindeglieder waren (vgl. dagegen u. S. 111ff).
121   Andere Belege halten nicht Stich. Der Kolosser Epaphras (Kol 4,7f; 4,12f) gründete vermutlich nach seiner Bekehrung durch Paulus in seinem Heimatort eine Gemeinde (s. o. S. 44). Aber er »leitete« nicht die Mission. Zur Zeit des Kol befindet er sich außerdem bei Paulus. Tychikos wird zum Kampf gegen die Häresie ins Lykostal entsandt. Ebenso stand Archippos (Phlm 2) seiner Hausgemeinde vor – aber nicht als »Leiter der Mission«, sondern als Hausherr.
122   Vgl. dazu unten S. 96–100.
123   Auf das »Minimum an Organisation« in den paulinischen Gemeinden verweist zu Recht *Conzelmann* (Geschichte, 88). Vgl. vor allem *von Campenhausen*, Amt, 59–81). Auch er wendet sich dagegen, von »Leitung« zu sprechen (ebd., 70–72).
124   Die singularische Formulierung in Röm 12,8 ist durch die generalisierende Aufreihung erfordert.
125   *Merklein* (Amt, 327–330) geht der Frage nach, worin die genannten »leitenden« Funktionen eigentlich bestanden hätten. Er weist zu Recht darauf hin, daß, wer darin »›Administrativbeamte‹, also Organisatoren, Finanzbeamte oder dergleichen« zu sehen meint, müsse »fest-

Aufgrund und im Zuge ihrer jeweiligen (missionarischen) Funktion, die sie über die anderen Gemeindeglieder hinaushob, konnten die Mitarbeiter also zu besonderen Autoritätspersonen werden. Aber Autorität ausüben, gemeindeordnende Funktionen wahrnehmen war keine für sich existierende Tätigkeit. Dieser Zusammenhang wird von 1Thess 5,12 dadurch unterstrichen, daß sich die drei Bestimmungen κοπιῶντας ἐν ὑμῖν, προϊσταμένους ὑμῶν ἐν κυρίῳ und νουθετοῦντας ὑμᾶς gemeinsam ergänzen und interpretieren[126]: Diejenigen, die sich in der Missionsarbeit und als Glieder innerhalb ihrer Gemeinde[127] abmühen (die sich also in besonderer Weise in den Dienst stellen: κοπιᾶν), sind die Autoritäten der Gemeinde (προϊστάνειν). Ihre Autorität äußert sich im Ermahnen, Ermuntern, Trösten und Zurechtbringen (νουθετεῖν)[128].

Daraus wird auch deutlich, daß man die 1Kor 12,28; Röm 12,8 innerhalb der Charismenlisten von Paulus mit aufgezählten Leitungsfunktionen in der Gemeinde nicht isoliert verstehen darf, wie es überhaupt verfehlt wäre, hinter den einzelnen Charismen lauter *verschiedene* Einzelpersonen oder Personengruppen suchen zu wollen. Paulus selbst ist Beispiel dafür, wie sich in einzelnen Personen die Charismen häufen und überschneiden konnten[129]. Der Sinn des wiederholten Hinweises, »nicht alle« seien Apostel, Propheten, Lehrer etc. (1Kor 12,29f), hat seine Spitze nicht etwa darin, jeden nur auf sein eigenes und ein einziges Charisma zu beschränken[130], sondern zu verhindern, daß sich einer über den anderen erhebt bzw. daß ein bestimmtes Charisma überschätzt wird[131].

stellen, daß die Pl-Briefe überall dort, wo man das Eingreifen und Agieren eines *solchen* Leitungsamtes erwarten würde, eine totale Fehlanzeige bieten« (Hervorhebung beim Vf.). Die Funktion des Leitungsamtes habe vielmehr darin bestanden, »daß es vom Evangelium her konkrete Weisung für die Gemeinden ausgesprochen hat« (ebd., 328), was sich nach M. mit der Funktion der Propheten und Lehrer trifft.

126 Vgl. dazu *Henneken,* Verkündigung, 70–72; *Schlier,* Apostel, 95f.

127 Die Annahme, Paulus wechsle zwischen 1Thess 5,12f und 5,14 den Adressaten und wende sich in v 14f nur an die »Vorsteher« (*Faw,* Writing, 225; *Schlier,* Apostel, 97–99), ist willkürlich und unwahrscheinlich (vgl. *von Campenhausen,* Amt, 68 Anm. 3; bes. *Henneken,* Verkündigung, 106f). Vielmehr ist es gerade kennzeichnend für die Gemeindesituation, daß jedes Gemeindeglied zu den gleichen Aufgaben ermahnt wird (νουθετεῖν, παραμυθεῖσθαι etc.), wie sie zuvor von den προϊστάμενοι ausgesagt wurden – denen die Ermahnungen natürlich ebenso gelten. (Letzten Endes ist die Adressenfrage deshalb sinnlos: Gemeindeglieder und προϊστάμενοι bilden keine klar gegeneinander abgrenzbaren Gruppen.)

128 Vgl. *Behm,* ThWNT Bd. 4, 1013–1016. – Richtig folgert *Roloff* (Apostolat, 134 mit Anm. 324) aus 1Thess 5,12f und 1Kor 16,15f, »daß Paulus solche ›Amtsträger‹, wenn man sie so nennen darf« (man sollte es nicht), »weder in Korinth selbst eingesetzt hat, sondern daß diese aus den Reihen der Gemeinde selbst hervorgingen und sich ausschließlich auf Grund ihres geleisteten ἔργον legitimierten« (bis auf den letzten Halbsatz beim Vf. kursiv gesetzt).

129 Man vergleiche 1Kor 2,4f.6–16; 14,6.18f; 2Kor 5,13f; 12,1–7.12; Röm 15,19 mit den Charismenkatalogen.

130 Mit *Brockhaus,* Charisma, 203f mit Anm. 3.

131 Nämlich die Glossolalie, die deshalb 12,28 bewußt ans Ende gestellt wird (zum einzelnen vgl. *Brockhaus,* Charisma, 142–192 et passim). Zu beachten ist auch, daß Paulus 12,31 auffordert, »die höheren Charismata« (!) anzustreben.

Die Mitarbeiter konnten also zweifellos gemeindeordnende Aufgaben
wahrnehmen (vgl. auch Phil 4,2f). Entsprechend liegt die Annahme nahe,
daß sie – ebenso während ihres Einsatzes in der Missionsarbeit bei Paulus
wie schon zuvor und wieder nach ihrer Rückkehr in ihre Gemeinden – ganz
verschiedene, darunter auch prophetische oder lehrende und andere Funktionen ausübten. In bezug auf diese gemeindebezogenen Tätigkeiten zeigen
sich zwischen Mitarbeitern und Gemeindegliedern keine grundsätzlichen
Unterschiede[132]. Wenn weitere Belege darüber fehlen, liegt das auch daran,
daß nicht ihre jeweilige Eigenschaft als Propheten, Lehrer etc. sie zu Mitarbeitern machte und weder Voraussetzung dafür noch Folge davon war. Sondern ihre (zahlreich belegte) alle besonderen Tätigkeiten und Aufgabenfel-
der umgreifende Funktion bildete die Missionsarbeit.

2.   Fragen wir aber noch, was sich, abgesehen von bestimmten Titulierungen, aus dem jeweiligen Kontext über die Tätigkeiten und Aufgaben der
Mitarbeiter entnehmen läßt. Innerhalb der Missionsarbeit wird Timotheus
eine spezielle Tätigkeit zugewiesen: Er reist nach Thessalonich, »um euch
zu unterstützen und für euren Glauben Mut zu machen, damit keiner angesichts dieser Zwangslagen ins Wanken kommt« (1Thess 3,2f). Der Auftrag
des Timotheus für seinen Besuch in Philippi dient dem Zweck, sich – in um-
fassendem Sinn – um ihre Angelegenheiten zu kümmern (Phil 2,19f). In
ähnlicher Weise heißt es global von Tychikos, er solle die Kolosser ermahnen (Kol 4,8). Entsprechend beschreibt Paulus (1Thess 2,1–12) sein, des
Silvanus und Timotheus missionarisches Wirken seinerzeit in Thessalonich.

Nur wenige Bemerkungen gehen in diesem Zusammenhang mehr ins einzelne. Seinem ehemaligen Mitarbeiter Syzygos vertraut Paulus zu seelsor-
gerlicher Ermahnung die in Philippi in Streit geratenen beiden Frauen Euodia und Syntyche an (Phil 4,2f). Lehrende Tätigkeiten nimmt Timotheus
offenbar in Korinth wahr, wo er die Gemeinde zurückrufen soll auf »meine
Wege in Christus Jesus, so wie ich allerwärts in jeder Gemeinde lehre«, wie
Paulus schreibt (1Kor 4,17).

3.   Fragen wir schließlich noch, in welchem Verhältnis die von den Mitarbeitern wahrgenommenen Aufgaben zu den Charismen stehen, die Paulus
für die korinthische und römische Gemeinde namhaft macht.

1Kor 12,28 zählt Paulus, die vorangehenden Erörterungen über das Verhältnis von Leib und Gliedern konkret und zugleich verbindlich (nämlich
für die ganze Kirche geltend) zusammenfassend, zunächst drei Personengruppen, hernach eine Reihe von Tätigkeiten auf, die, wie Paulus formuliert, »Gott in der Kirche eingesetzt« habe. Weil Paulus hier, wohl unter
Rückgriff auf eine traditionelle Formulierung[133], den Ansatz einer Ordnung der Charismen wiedergibt (während die übrigen Listen in sich weniger

---

132 Der Frage, worin die Unterschiede zwischen ihnen liegen, wird später nachgegangen (s.
u. S. 129–132).
133 *v. Harnack*, Mission, 348f; *v. Campenhausen*, Amt, 65.

geordnet und stärker im Dienst der aktuellen Problematik stehen[134]), ist die Stelle von allgemeinerer Aussagekraft.

An 1Kor 12,28 interessiert hier[135] nur der eine Aspekt, daß Paulus in seiner Aufzählung *alle* Ämter und Dienste der Kirche umfassen will. Das folgt sowohl aus der gewichtigen Einleitung (ἔθετο ὁ θεὸς ἐν τῇ ἐκκλησίᾳ) als auch aus der anschließenden Rangfolge wie endlich vor allem daraus, daß Paulus die Aufzählung mit dem Apostelamt, dem ersten und zentralen Amt in der Kirche, beginnt. Gewiß könnte die Reihe noch fortgesetzt werden, wie 1Kor 12,8–10 und Röm 12,6–8 zeigen; *vollständig* will sie also nicht sein. Aber hier soll andererseits jede Aufgabe, jeder Dienst, der innerhalb der Gemeinde existiert, eingegliedert werden. Wie Paulus sein Apostelamt als einen Dienst versteht, den Gott innerhalb der Gemeinde eingesetzt hat, so kann er auch jede andere Funktion nur innerhalb der Gemeinde beschreiben. Das heißt nun aber andererseits, da die Mitarbeiter nicht als eine Sondergruppe unter den Charismenträgern erscheinen, daß die Charismenlisten die Anschauung dafür bieten, welche Tätigkeiten die Mitarbeiter ausüben konnten, und daß hinsichtlich dieser Dienstfunktionen zwischen ihnen und anderen Gemeindegliedern kein grundsätzlicher Unterschied gemacht werden kann.

4. Ein Sonderproblem muß noch besprochen werden. Des öfteren wird eine Bemerkung des Paulus so verstanden, als hätte er seinen Mitarbeitern doch bestimmte Aufgaben zuerteilt, die mehr untergeordneter Natur waren und von ihm selbst nicht versehen wurden: das *Taufen.*

Angesichts der Gruppenbildung in Korinth beruft sich Paulus darauf, wie wenige korinthische Gemeindeglieder er getauft habe:»Gott sei Dank, daß ich niemanden von euch getauft habe außer Krispos und Gajus, damit nicht einer behauptet, ihr wäret auf *meinen* Namen getauft worden. (Ach ja,) ich habe auch noch Stephanas mit seinem Hause getauft. Weiter weiß ich nicht, ob ich noch jemand anderen getauft habe« (1Kor 1,14–16). Aus diesen Sätzen wird gern geschlossen,»daß Paulus die liturgische Handlung seinen Gehilfen überließ«[136] und das Taufen als »Nebensache« behandelte[137].

Beide Folgerungen besitzen keinen Anhalt. Eine »Nebensache« hat das Taufen für Paulus, der Röm 6,1ff schrieb, nicht bedeutet. Darauf liegt auch 1Kor 1,14ff nicht der Ton, im Gegenteil. Getauftwerden heißt für Paulus, mit seinem alten, an die Sünde verkauften Leben absterben und in den Tod Christi mitgekreuzigt werden (Röm 6,6). Weil die Taufe auf das Kreuzesgeschehen hinweist, ist es absurd, sich auf seinen Taufvater zu berufen, da doch allein Christus für den Getauften gekreuzigt wurde (1Kor 1,13, auch bereits im Hinblick auf 1,18ff, bes. 1,23

---

134 So mit Recht *Brockhaus,* Charisma, 205. Das gilt auch für die 12,28 im Anschluß an die Trias genannten Charismen. Die deutliche Hintanstellung der Glossolalie und die Zusammenstellung von Glossolalie und Verdolmetschung in 12,30 muß aus dem Kontext verstanden werden. Röm 12 fehlt die Glossolalie bezeichnenderweise unter den Charismen.

135 Zur Lit. und näheren Diskussion vgl. *Brockhaus,* Charisma, 203–210.

136 *Lietzmann,* Korinther, 8; vgl. *Weiß,* Korintherbrief, 21; *Schmithals,* Apostelamt, 45; *Eichholz,* Paulus, 15.

137 *Lietzmann,* Korinther, 9; *ders., Geschichte,* 145; *Dibelius* (Paulus, 78): »Er hält sich nicht mit Taufen auf.«

formuliert)[138]. Die pointierte Antithese des Paulus (»Christus hat mich nämlich nicht gesandt
zu taufen, sondern das Evangelium zu verkündigen«; 1Kor 1,17a) wird man demgemäß nicht
zu grundsätzlich verstehen dürfen – dagegen sprechen ja auch die in Korinth von ihm durchgeführten Taufen! –, sondern als konkrete, zugespitzte Polemik gegen die, die sich auf ihre Tauf-
väter beriefen. Nicht die Taufe wird abgewertet, sondern eine besondere Bedeutung der Person
des Taufenden beim Taufakt zurückgewiesen[139].

Von den Mitarbeitern ist andererseits hier überhaupt nicht die Rede. Sowenig Paulus die Taufe
abwerten will, so wenig auch die, die sie vollziehen. Sein Apostelamt (ἀπέστειλεν in 1Kor
1,17a spielt wahrscheinlich darauf an[140]) macht ihm die Evangeliumsverkündigung zur alles
überragenden Aufgabe. Aber er steht darin nicht im Gegensatz zu seinen Mitarbeitern, die wie
er Arbeiter am Evangelium sind[141]. Von Gruppen, die sich in Korinth auf einen seiner korinthischen Mitarbeiter als Taufvater berufen hätten, ist denn auch keine Rede. Vermutlich wird
man sich von dem Bild der Apostelgeschichte lösen müssen, daß unmittelbar nach missionarischen Massenveranstaltungen die Apostel an den durch ihre Predigt Überzeugten die Taufe
vollzogen[142]. 1Kor 1,14ff legt näher, daß – wenigstens auf paulinischem Missionsgebiet – *die
Gemeinden selbst* (und gewiß auch gelegentlich die Mitarbeiter) in der Regel das Taufen durch-
führten, die damit von Paulus (und seinen Mitarbeitern) in ihrer Mündigkeit bestätigt und bekräftigt wurden[143]. Diese Praxis wurde jedoch von Apollos (und vielleicht den Petrus-Leu-
ten[144]) nicht geübt.

Alle Überlegungen des Abschnitts führen also zu gleichen Resultaten: Was
die Mitarbeiter zu Mitarbeitern machte, war ihre spezielle Indienststellung
oder Beauftragung für die Mission. Damit haben sich die Ergebnisse der Untersuchung zum συνεργός-Titel bestätigt. Dreierlei ist festzuhalten:
(1)   Hinsichtlich der von ihnen ausgeübten Funktionen hat sich ergeben,
daß sie keine Sonderfunktionen wahrnahmen, sondern die ganze Breite
möglicher Gemeindecharismen darf als Illustration für ihre Tätigkeiten
herangezogen werden.
(2)   Die Mitarbeiter waren für Paulus kein Instrument zur Einrichtung einer bestimmten Gemeindeordnung. Er setzte sie nicht zu Gemeindeleitern
ein – was nicht ausschließt, sondern gerade impliziert, daß sie im einzelnen
entsprechend ihren Tätigkeiten für ihre Gemeinden zu Autoritäten *wurden*.
Der Funktionalität ihrer Aufgaben entspricht die Funktionalität ihrer Autorität[145].

138   Diesen Zusammenhang hat vor allem *Wilckens* (Weisheit, 14–16) aufgewiesen (weitere
Vertreter bei *Baumann*, Mitte, 58f mit Anm. 73); dagegen insbesondere *Schmithals*, Gnosis,
220, und nach ihm *Baumann*, ebd., 58–66.
139   Mit *Kümmel*, Korinther, 168.
140   So auch *Conzelmann*, Korinther, 51.
141   1Thess 3,2; 2,1ff; Phil 2,22; 2Kor 1,19 etc.
142   Apg 8,36–38; 9,18; 10,47f; 16,14f.33 etc.
143   Insofern ist *Conzelmanns* lapidarer Satz: »taufen kann jeder« (Korinther, 51) nur dann
richtig, wenn er nicht abwertend, sondern gerade wertschätzend verstanden wird. Die Gemeinde selbst ist dazu fähig und berechtigt – ebenso wie zu Maßnahmen der Kirchenzucht
(1Kor 5!).
144   Dazu s. u. Kap. 6 Anm. 3.
145   Vgl. *Schweizer* (Gemeinde, 90): »Über- und Unterordnung ist nur als Ereignis festzustellen.« – Damit soll vor allem gesagt sein, daß an den Mitarbeitern des Paulus kein Anhalt für

(3)   Der Mitarbeiterkreis diente Paulus endlich auch nicht etwa dazu, die Missionsarbeit in Sachgebiete zu unterteilen und den einzelnen Mitarbeitern gewissermaßen ihre Ressorts zuzuweisen. Sondern jeder erfüllte prinzipiell die gleichen Aufgaben und war folglich auch für das Ganze mitverantwortlich.

3.5
Ergebnisse

Was hat das Kapitel insgesamt für die Frage nach der Funktion der Mitarbeiter erbracht? Wenn Paulus die Männer und Frauen, mit denen zusammen er in der Mission arbeitete, συνεργοί nannte, dann benutzte er einen Begriff, der vor ihm und nach ihm fast durchweg andere Bedeutung trug. In dieser semantischen Differenz wird man einen Hinweis auf einen der paulinischen Mission eigentümlichen Tatbestand sehen dürfen. Was Paulus unter einem συνεργός verstand, kann nur aus der Analyse aller bei ihm sich findenden Belege in ihrem jeweiligen Kontext entnommen werden. Es ergab sich, daß die landläufige Übersetzung »Gehilfe«, die die funktionale Unterordnung unter Paulus beschreibt, den Sinn ebensowenig trifft wie die Deutung als »Gefährte«, die auf die persönliche Gemeinschaft mit Paulus abhebt. Unbedingt sind auch alle, gelegentlich im Anschluß an 1Kor 3,9 und 1Thess 3,2 behaupteten synergistischen Vorstellungen herauszuhalten. Paulus versteht das Wort inhaltlich, von der Beauftragung zur gemeinsamen Arbeit her, vom ›Werk‹ aus: συνεργός ist der von Gott zum Missionsdienst beauftragte Missionspartner, der darin der Arbeitsgenosse des Paulus wird. Die richtige Übersetzung ist folglich »Mitarbeiter«, »Arbeitskollege«.

Der Mitarbeiter ist also der Arbeitsgenosse in der Mission, der zusammen mit Paulus im weiten Feld der Mission tätig wurde, ohne daß damit bereits eine bestimmte Tätigkeit angesprochen würde. Das erweisen auch die übrigen Prädikationen, die Paulus seinen Mitarbeitern gab. Sie bezeichnen nicht jeweils andere Missionsaufgaben und Tätigkeiten, die die Mitarbeiter wahrgenommen hätten. Sie beziehen sich vielmehr auf gemeinsame Erfahrungen und Erlebnisse während der Missionsarbeit, wollen Einsatz und Be-

Amts- und Sukzessionsvorstellungen gefunden werden kann – nicht mehr Anhalt jedenfalls, als die in den paulinischen Gemeinden insgesamt entstehenden Dienstfunktionen bieten. Andererseits ist nochmals (s. o. Anm. 119) zu betonen, daß die verschiedenen Amtsansätze in den Gemeinden des Paulus nicht übersehen werden dürfen. Die aus der paulinischen Charismenlehre abgeleitete Vorstellung von einer »ersten Zeit der brausenden Geistbetätigung« (*Lietzmann*, Geschichte, 153; vgl. ähnlich *v. Campenhausen*, Amt, 75f.99.326f u. ö.; *Bultmann*, Theologie, 156f; *Käsemann*, Amt, passim; *Stuhlmacher*, Apostolat, 35f u. a.) steht leicht in Gefahr, diese Ansätze zu übersehen oder unterzubewerten. Hinsichtlich der Bemerkungen des Paulus über die Charismen hält es *Brockhaus* (Charisma, 208) m. E. zu Recht für »fraglich, ob die Listen eine in den christlichen Gemeinden tatsächlich vorhandene charismatische Ordnung widerspiegeln«. Er sieht in ihnen vielmehr ein »Leitbild« (ebd., 209) des Paulus für seine Gemeinden im Rahmen eines »paränetischen Konzepts« (ebd.), nämlich »die Vielfalt der Gaben in der Gemeinde (zu) verbinden mit einer entsprechenden Vielfalt der Begabten« (ebd., 207f).

währung der Mitarbeiter herausheben oder seine Indienstnahme durch Gott betonen. Nur die Bezeichnung ἀπόστολος ἐκκλησιῶν, »Gemeindegesandter«, bezieht sich auf eine bestimmte Funktion, nämlich die Wahl und Delegation eines Mitarbeiters durch seine Gemeinde zu einer bestimmten, zeitlich befristeten Aufgabe. Der Titel wird vom jüdischen Schaliach her zu verstehen sein. Aber auch er beschreibt keinen bestimmten Inhalt, sondern die Tatsache einer Beauftragung.

Setzt man die von den Mitarbeitern ausgefüllten Tätigkeiten, soweit sie aus der Analyse des συνεργός-Titels, der verschiedenen Prädikationen und den sonstigen Nachrichten über sie nachgewiesen werden können, in Relation zu denjenigen Funktionen, welche die Christen in den paulinischen Gemeinden wahrnahmen, so läßt sich feststellen, daß zwischen ihnen keine prinzipiellen Unterschiede bestanden (z. B. derart, daß die Mitarbeiter im Gegensatz zu »einfachen« Gemeindegliedern Leitungsfunktionen innegehabt hätten). Vielmehr können die von Paulus auf die gesamte Gemeinde bezogenen Charismenlisten auch für die Einzelfunktionen der Mitarbeiter die allgemeine Illustration bieten.

4
Die verschiedenen Mitarbeitergruppen

Sosehr sich die Mitarbeiter des Paulus erstem Zusehen bloß als eine Reihe
von Einzelgestalten vorstellen, die (wie Kap. 2 zeigte) irgendwann als Missionskollegen des Paulus ins Licht der Geschichte treten und, ohne deutliche
Konturen zu gewinnen, meist bald wieder im geschichtlichen Dunkel verschwinden, sosehr die Versuche älterer Forschung, die verschiedenen Personen in ihrer Individualität zu erfassen, angesichts des Quellenmaterials
zum Scheitern verurteilt sind – sosehr bleibt doch die Frage nach ihrer Gesamtheit offen, danach nämlich, was eine solch große Zahl von Mitarbeitern
an die Seite des Paulus führte. Dabei kann nicht lediglich der Zufall gewaltet
haben. Wenn die Anlässe und Motive, die jemanden zum Mitarbeiter des
Paulus werden ließen, vielleicht auch nicht sämtlich die gleichen waren, so
ist doch zu vermuten, daß es nicht durchweg andere waren.
Damit ist die Fragerichtung für dieses Kapitel angegeben. Ich suche nach
gemeinsamen Merkmalen der Mitarbeiter unter dem besonderen Aspekt
der Frage, wie sie zu Mitarbeitern wurden. Weil man nicht davon ausgehen
kann, daß es in allen Fällen die gleichen Anlässe waren, die die Mitarbeiter
zu Paulus brachten, frage ich offener nach Mitarbeitergruppen[1].

4.1
Der engste Kreis

Es fällt nicht schwer, einen ›engsten Kreis‹ aus der Reihe der Mitarbeiter des
Paulus herauszuheben. Es sind diejenigen, mit denen zusammen er seine

---

1 *v. Harnack* (Mission, 84–86) unterscheidet zwischen den selbständigen Mitarbeitern des
Paulus (zu denen er Barnabas, Silas, Prisca, Aquila und Apollos zählt) und denen, »die Paulus
selbst an sich herangezogen bzw. gebildet hat« (86). – Ansätze zur Gliederung der Mitarbeiter
des Paulus finden sich auch bei *Hadorn* (Gefährten, 73–75.80); er unterscheidet zwischen solchen, die Paulus zu mehr untergeordneten Diensten auf seine Reisen mitnahm (so Johannes
Markus, Titus und Timotheus, jeweils in ihrer Jugend), die aber später (zusammen mit Barnabas, Silas, Lukas) Reise- und Missionsgefährten wurden; sodann eine Reihe »freiwilliger Helfer und Gefährten« (74), »welche die Gemeinden stellten, um sich auf diese Weise am Dienst
des Evangeliums aktiv zu beteiligen« (75; vgl. 77.80). Hinsichtlich dieser letztgenannten Kategorie besteht eine Berührung mit der im Folgenden als dritte behandelten Gruppe. – Ähnlich
äußert sich *Maehlum* (Vollmacht, 22), wenn er meint, Paulus habe »mit zwei verschiedenen
Mitarbeitertypen gearbeitet. Der eine war der ›Evangelist‹. Der andere war nur ein ›Gehilfe‹
für alltägliche Aufgaben«. – Auch *Ellis* (Co-Workers) versucht eine gewisse Einteilung und
Unterscheidung solcher Mitarbeiter, welche »stand in an explicit subordination to Paul«, so
Erastos, Markus, Timotheus, Titus, Tychikos, von solchen, die »appear independently« (439),
so Barnabas, Silas, Apollos, Prisca und Aquila. – Wenngleich sich in den vorgetragenen Versuchen z. T. richtige Ansätze finden, gelang es ihnen doch noch nicht, die Gesamtheit der Mitarbeiter überzeugend zu kategorisieren.

Missionsreisen begann, die ihn von Ort zu Ort begleiteten und nicht nur in
einer Stadt zu seinen Mitarbeitern gehörten, sondern sich ganz an das paulinische Missionswerk banden und jederzeit für es verfügbar waren. Sie arbeiteten sozusagen ›übergemeindlich‹. Im Gegensatz zur weitgehend episo-
denhaften Zusammenarbeit zwischen Paulus und seinen Mitarbeitern blieben sie über längere Zeit kontinuierlich mit ihm zusammen und teilten
Aufgaben und Wanderleben des Paulus.

Es handelt sich nur um einen kleinen Kreis: zuerst Barnabas, mit Beginn der
selbständigen Mission des Paulus Silvanus und bald darauf Timotheus.
Diese Männer bildeten die Säulen der paulinischen Missionsarbeit. Sie trugen die Mitverantwortung für die Arbeit in den verschiedenen Gemeinden.
Sie erscheinen in den Briefpräskripten der paulinischen Briefe als Mitabsender (abgesehen von Barnabas, aus dessen Zeit gemeinsamen Wirkens mit
Paulus wir keine Briefe besitzen)[2]. Man stand sich als Partner gegenüber.

Diese Männer, soweit sie Apostel waren, führte der gemeinsame, einmütige (das heißt gesetzesfreie) Missionsauftrag bzw. das missionarische Sen-
dungsbewußtsein zusammen, wobei die Zwei- bzw. Dreizahl offenbar
durch die theologische Tradition vorgegeben war[3]. Der Apostelgeschichte
zufolge »wählte sich« Paulus in selbstverständlicher Autorität Silas und
Timotheus als Kollegen »aus« (15,40; 16,3), nach 13,2f war es die Gemeinde, die Paulus und Barnabas zur Mission aussendete. Jedenfalls wird man
davon ausgehen können, daß der Zusammenarbeit in jedem Falle Einzelent-
scheidungen zugrunde lagen, bei denen die gemeinsame Arbeit von vornherein nicht bloß als örtlich und zeitlich begrenzt verstanden wurde und in
der sie als für das Ganze verantwortliche Partner nebeneinanderstanden.

4.2
Die unabhängigen Mitarbeiter

Einige Personen, die Paulus seine Mitarbeiter nennt, hat er im Laufe der
Jahre als Christen oder Missionare in seinen Gemeinden – z. T. ganz zufällig
– getroffen und dann mit ihnen eine Weile zusammengearbeitet. Wenngleich sich Paulus zwar dessen rühmt, niemals auf fremdem, von anderen
christlichen Missionaren schon begangenem Boden gearbeitet zu haben
(Röm 15,20; 2Kor 10,12–18), erschienen umgekehrt in seinen Gemeinden
doch immer wieder auch andere christliche Verkündiger (vgl. auch 1Kor
1,12; 9,14; Gal 6,6; Röm 16,7), wofür die Auseinandersetzungen des Paulus mit seinen Gegnern Beispiele bieten. Aber nicht alle fremden Verkündiger wurden gleich zu Gegnern des Paulus. Ein Beispiel dafür ist Apollos. Das
christliche Ehepaar Prisca und Aquila traf Paulus zufällig in Korinth, und er
arbeitete mit den beiden in besonderer Einmütigkeit zusammen (1Kor
16,19; Röm 16,3f).

---

2 Über die (situationsbedingte) Ausnahme im Falle des Sosthenes s. u. Kap. 2 Anm. 77.
3 S. u. S. 153.

Zu dieser Personengruppe gehört in gewisser Weise auch Titus, der von Paulus als Mitarbeiter für eine ganz bestimmte Aufgabe, die Kollekte, gewonnen wurde, dabei aber bei aller Einmütigkeit mit Paulus doch weitgehend selbständig handelte und ein eigenes Interesse verfolgte (2Kor 8,16f)[4].

Weitere Personen lassen sich namentlich nicht mehr sicher fassen. Eine Gruppe im strengen Sinne wird von ihnen natürlich nicht gebildet. Was sie verbindet, ist der Gesichtspunkt, daß sie in mehr oder weniger enger Fühlungnahme mit Paulus, aber unabhängig von ihm eine Weile mit ihm zusammenarbeiteten. Hernach gingen sie jedoch ihrer Wege und fühlten sich dabei z. T. wohl anderen Gemeinden und Autoritäten verpflichtet.

4.3
Die Gemeindegesandten

Die beiden eben beschriebenen Gruppen, der engste Kreis und die unabhängigen Mitarbeiter, machen zusammen nur einen kleinen Teil unter den Mitarbeitern des Paulus aus. Auf die eine stützte er seine gesamte Arbeit, mit der anderen traf er nur mehr oder weniger zufällig zusammen (was ihre Bedeutung für seine Arbeit nicht schmälert). Was aber war mit der großen Mehrheit der Mitarbeiter des Paulus? Was verband sie? Woher kam sie?

Es ist ein bislang nicht gewürdigtes Phänomen der Mission des Paulus, daß der weitaus größte Teil seiner Mitarbeiter aus seinen eigenen Gemeinden stammte. Das ist angesichts dessen, daß die Gemeinden selber soeben erst entstanden waren, gerade erst selber sozusagen die ersten Gehversuche unternahmen, bemerkenswert.

Die folgenden Beobachtungen beziehen sich auf Texte aus der ephesinischen Zeit der paulinischen Mission. Erst in Ephesus scheint sich die nun zu beschreibende Mitarbeitergruppe in größerem Umfang gebildet zu haben.

---

4 Die Parallelisierung des Timotheus und Titus in den Pastoralbriefen hat dazu geführt, daß man die Unterschiede zwischen ihnen bislang noch nicht wahrgenommen hat. Sie gelten in der Forschung ganz allgemein als die beiden Hauptmitarbeiter des Paulus; stellvertretend für viele andere sei dazu *Brox* (Pastoralbriefe, 22) zitiert: ». . . so zählen also Timotheus und Titus zu den vorzüglichen und vertrauten Mitarbeitern des Paulus. Der Apostel übertrug ihnen Aufgaben, von denen nicht nur der Bestand dieser oder jener Gemeinde und des Paulus Autorität als Apostel, sondern die Durchsetzung des wahren, unverfälschten Evangeliums selbst abhing. Sie mußten in prekären Situationen Sendungen übernehmen, die Paulus wegen der drängenden Wichtigkeit unbedingt selbst hätte ausführen mögen, und sie bewährten sich in diesen verantwortungsvollen und schwierigen Missionen. Das Lob, das der Apostel ihnen gelegentlich in seinen Briefen spendete, fand sein Echo in der Hochschätzung der beiden Adressaten der Pastoralbriefe innerhalb der Überlieferung der alten Kirche.« Die Bedeutung des Titus für die letzte Phase der ägäischen Mission des Paulus ist unbestreitbar – aber sie lag auf anderer Ebene als die des Timotheus. Seine Reisen besaßen andere Anlässe (nämlich die Kollektenorganisation). Inwieweit der Verfasser der Pastoralbriefe im Recht war, gerade Titus (und nicht, wenn er die bedeutendsten unter den Mitarbeitern des Paulus als Adressaten auswählen wollte, vielleicht Aquila und Prisca oder Tychikos, der immerhin nach Kolossä entsandt wurde, oder noch andere) auszuwählen, bleibt deshalb eine offene Frage.

Ihre Anfänge dürften jedoch schon am Beginn der selbständigen Mission des Paulus liegen.

Im Laufe seines ephesinischen Aufenthaltes befindet sich eine Reihe von Mitarbeitern bei Paulus, die aus einzelnen seiner Gemeinden stammten[5]. Sie übermitteln Briefe, kommen mit Gemeindeanfragen und berichten Paulus aus ihren Gemeinden[6]. Aus Philippi werden auch Kollekten überbracht[7]. Aber nun kehren diese von ihren Gemeinden entsandten Mitarbeiter auffälligerweise nach erledigter Mission oftmals nicht sogleich in ihre Heimatgemeinden zurück, sondern halten sich weiterhin bei Paulus auf.

4.3.1
1Kor 16,17f (I)

Epaphroditos, der Philipper, überbringt Paulus die Geldsammlung seiner Gemeinde und bleibt dann bei ihm. Im Zuge seines Aufenthaltes in Ephesus wird er todkrank (Phil 2,25–30). Epaphras aus Kolossä ist zu Paulus gereist, hat über seine Gemeinde berichtet und verweilt weiterhin bei ihm trotz der Wirren in seiner Heimatgemeinde (Kol 1,7; 4,12f; Phlm 23). Nach 1Kor 16,17f bleiben die Korinther Stephanas, Fortunatus und Achaikos ebenfalls bei Paulus, obgleich die Lage der korinthischen Gemeinde ihre ordnende Hand hätte gut gebrauchen können (vgl. 1Kor 16,15f). Warum?

Die Tätigkeit der drei Korinther beschreibt Paulus in 1Kor 16,17–18 folgendermaßen:

(v17a) »χαίρω δὲ ἐπὶ τῇ παρουσίᾳ Στεφανᾶ καὶ Φορτουνάτου καὶ Ἀχαϊκοῦ,
(v17b) ὅτι τὸ ὑμέτερον ὑστέρημα οὗτοι ἀνεπλήρωσαν·
(v18a) ἀνέπαυσαν γὰρ τὸ ἐμὸν πνεῦμα καὶ τὸ ὑμῶν.
(v18b) ἐπιγινώσκετε οὖν τοὺς τοιούτους.«

Diese Sätze werden gewöhnlich so verstanden: Stephanas, Fortunatus und Achaikos fungierten als Überbringer des 7,1 erwähnten Briefes der Korinther und brachten Paulus »Klarheit über Leben und Glauben der Gemeinde«[8] und damit »Beruhigung über . . . (ihr) gegenseitiges Verhältnis«[9]. Man versucht, v17b von v18 her zu interpretieren[10]. Doch ist der Sinn von v18 nicht weniger undeutlich.

Sollten Stephanas, Fortunatus und Achaikos den 1Kor 7,1 erwähnten Gemeindebrief über-

---

5 Aus Korinth: Stephanas, Fortunatus, Achaikos (1Kor 16,17); Sosthenes (1Kor 1,1); aus Philippi: Epaphroditos (Phil 2,25ff); aus Kolossä: Epaphras (Kol 1,7; 4,12); aus Thessalonich: Aristarchos und Gajus (Apg 19,29; Phlm 24; Kol 4,10).
6 Vgl. 1Kor 1,11; 5,1; 7,1; 16,11.12.17; Gal 5,7; 1,6; Phil 2,26; vgl. Kol 1,8; 2,1.5 u. a.
7 Phil 4,18; 2,25ff; vgl. 2Kor 11,9.
8 *Wendland*, Korinther, 107; ebenso *Lietzmann*, Korinther, 90; er paraphrasiert: »Euch haben sie beruhigt, denn ihr wißt, daß sie mir Klarheit bringen, mich, weil ich eure Gesinnung durch sie kennen lerne.«
9 *Lietzmann*, Korinther, 90; *Weiß* (Korintherbrief, 386): ». . . P. will sagen: sie haben meinen Geist durch ihre Anwesenheit erquickt, beruhigt – und doch wohl auch euren?! Denn das war doch sicher auch euer Herzenswunsch, daß sie mich beruhigten!?«
10 *Lietzmann* (Korinther, 90): »Den Sinn von 17b können wir nur aus v18 erschließen, da er durch die Situation bedingt ist.«

bracht (was allerdings auch durch die Chloe-Leute, die Paulus 1Kor 1,11 ausdrücklich als seine Informanten bezeichnet, besorgt sein kann) und ihn über die Lage in der Gemeinde unterrichtet haben, dann brachten sie aber nicht gerade gute Nachrichten mit, die Paulus »beruhigten«[11]. Wie wenig sie das taten, zeigt die Antwort des Paulus in 1Kor insgesamt. Insbesondere bleibt aber bei solcher Erklärung auch die wechselseitiges Einvernehmen ausdrückende Wendung καὶ τὸ ὑμῶν (v 18a) unverständlich[12]. Inwiefern hätte denn die Aufklärung des Paulus über die unguten Verhältnisse in der Gemeinde den Korinthern irgendeine Beruhigung verschaffen können? Der Grund für die gegenseitige Beruhigung kann nicht im Bericht über die Lage in Korinth gelegen haben.

Was für ein »Mangel« war es dann, den die Korinther beseitigten, zur Beruhigung für beide Seiten? Inwiefern kann sich Paulus darüber befriedigt zeigen und sogar davon ausgehen, die Reise der drei Männer diene auch für ihre Gemeinde zur Beruhigung?
Paulus spricht – das gilt es als erstes festzuhalten – überhaupt nicht davon, daß er durch die drei Korinther irgendwelche Nachrichten erhielt. Sondern er freut sich über ihre Ankunft und Anwesenheit (παρουσία). Er hat sie erwartet. Darauf deutet die auf gemeinsame Absprache hinweisende Wendung καὶ τὸ ὑμῶν (v 18), weiter die Bekundung seiner Freude sowie schließlich die Tatsache, daß er hier nur anzudeuten braucht, um schon verstanden zu werden. Jener Mangel und diese Erwartung des Paulus, daß die Gemeinde den Mangel beheben werde, haben deshalb Ursachen, die jenseits der augenblicklichen Lage liegen. Die Reise hatte einen klaren, beiden Seiten schon vorher bekannten Anlaß: Sie sollte einen Mangel beseitigen. Darum wußte Paulus, daß nun auch die Gemeinde befriedigt sein könne.
Stephanas, Fortunatus und Achaikos behoben, indem sie zu Paulus kamen, einen Mangel der korinthischen Gemeinde. Nicht ein Mangel des Paulus ist angesprochen, sondern einer der Korinther (τὸ ὑμέτερον[13] ὑστέρημα)! Ihr, der Gemeinde, fehlte etwas, um ihretwillen machten sich die drei Korinther auf die Reise. Ihr Mangel ist nun, mit der παρουσία der drei Gemeindeglieder, beglichen. Ausdrücklich betont Paulus das[14].
Worin dieser »Mangel« der Gemeinde lag, bleibt damit noch immer im Dunkeln. Aber die Vermutung drängt sich auf, daß, wenn ihn die Anwesenheit der drei Gemeindeglieder behebt, ihn ihre Abwesenheit entstehen

---

11 Vgl. *Barrett*, Corinthians, 394. Das gilt auch dann, wenn die Teilungshypothesen zum 1Kor im Recht sind (dazu s. o. Kap. 2 Anm. 266) und v 17f als Teil des Kor A anzusehen sind, vgl. 11,2ff (insbesondere 11,18f); 15; 16,15f.
12 Sie findet auch *Suhl* (Paulus, 211) »etwas rätselhaft«, vertritt aber trotzdem die Meinung, die Beseitigung des Mangels meine die Versorgung des Paulus mit Nachrichten aus Korinth.
13 Ob ὑμέτερον oder ὑμῶν gelesen wird, bedeutet keinen sachlichen Unterschied. Zur Stellung der Possesiva vgl. *Blass-Debrunner*, Grammatik, § 284,2, S. 178.
14 Gegen den Text und unter Verkennung der Parallele in Phil 2,25 (s. u.) will *Theißen* (Schichtung, 250) den Mangel doch als Notlage des Paulus verstehen, dem die Korinther durch eine Kollekte abgeholfen hätten. Zur Formulierung meint er, »solche Paradoxien (seien) Paulus geläufig«.

ließ[15]. Ob diese Vermutung auf die richtige Spur führt und was darunter genauer zu verstehen wäre, kann dieser Stelle nicht abgelesen werden. Paulus erwartet, die Gemeinde solle diese Männer deshalb (γάρ) achten. Er betont dies, weil vermutlich nicht die gesamte Gemeinde hinter ihrer Sendung stand (vgl. 16,15–16; Kap. 1–4), und unterstreicht damit die Bedeutung ihrer Anwesenheit bei ihm. Stephanas war eine wichtige Persönlichkeit in der Gemeinde: der Erstbekehrte Korinths. Seine besondere Stellung in der Gemeinde wird von 16,15f bekräftigt.

4.3.2
Phil 2,29f

Diese Interpretation von 1Kor 16,17f kann nun von einer anderen Stelle her, an der die gleiche Wendung wieder erscheint, überprüft und von ihr weiter erhellt werden. Phil 2,29f heißt es von Epaphroditos, dem Gesandten der philippischen Gemeinde zu Paulus:

(v 29a) »προσδέχεσθε οὖν αὐτὸν ἐν κυρίῳ μετὰ πάσης χαρᾶς,
(v 29b) καὶ τοὺς τοιούτους ἐντίμους ἔχετε,
(v 30a) ὅτι διὰ τὸ ἔργον Χριστοῦ μέχρι θανάτου ἤγγισεν παραβολευσάμενος τῇ ψυχῇ,
(v 30b) ἵνα ἀναπληρώσῃ τὸ ὑμῶν ὑστέρημα τῆς πρός με λειτουργίας.«

Zu bestimmen, worin eigentlich der hier angesprochene Mangel bestehe, bereitet der Auslegung allgemein Schwierigkeiten. Ihn wegen der Wendung πρός με λειτουργίας[16] auf den vielleicht nur kleinen Umfang der Sammlung zu beziehen, ist wegen 4,10ff nicht möglich; auch deshalb nicht, weil hier nicht ein Geldmangel des Paulus, sondern ein Mangel *der philippischen Gemeinde* ausgeglichen werden soll (»euer Mangel«). Es gehen auch die Erklärungen fehl, die meinen, Epaphroditos habe sozusagen zur Prüfung der Gesinnung, mit der die Gabe der Philipper überbracht wurde, bei Paulus den Beweis seines Glaubenseifers erbringen sollen: »Der persönliche Einsatz mußte sichtlich hinzutreten«[17]. Wieso sollte sein Glaubenseifer einen Mangel seiner Gemeinde beseitigen? Ebensowenig trifft die Ansicht zu, Epaphroditos solle deshalb bei Paulus bleiben, »um ihm als Gehilfe zur Verfügung zu stehen«[18] bzw. weil Paulus als Apostel »einen Gehülfen zu persönlichen Diensten« beanspruchte[19]. Alle diese Deutungen verkennen den offiziellen Charakter der Sendung des Epaphroditos, wie er sich in seiner Titulierung ausdrückt.

Die Parallelen zwischen 1Kor 16,17f und Phil 2,25–30 sind frappierend. Beide Male sind Mitarbeiter aus seinen Gemeinden zu Paulus gereist, um bei ihm zu bleiben. Dadurch gleichen sie einen Mangel aus, der ihren Gemeinden (nicht ihnen selbst und nicht Paulus[20]) anhaftet. Was damit ge-

---

15 So richtig *Wilckens*, ThWNT Bd. 8, 597, der jedoch psychologisierend von Paulus die räumliche Entfernung beklagt findet.
16 Zu λειτουργός und λειτουργία in Phil 2,25.30 s. o. S. 76.
17 *Gnilka*, Philipperbrief, 164.
18 *Friedrich*, Philipper, 115.
19 *Lohmeyer* (Philipper, 119; ebenso 187) unter Hinweis auf Apg 13,5: »Man weiß, daß die Apostel das Recht besaßen, einen persönlichen Diener um sich zu haben.« Weiß man?
20 Gegen *Beare*, Philippians, 99.

meint ist, kann nun Phil 2,30 mit aller Klarheit entnommen werden. Epaphroditos erkrankt schwer, während er sich »um des Werkes Christi willen«[21] bei Paulus befindet; mit anderen Worten: während er *in der Missionsarbeit beschäftigt* ist[22].

Dazu war er von seiner Gemeinde zu Paulus entsandt worden: ὑμῶν δὲ ἀπόστολος[23]. Als offizieller Vertreter seiner Gemeinde vertritt er die Philipper in der Missionsarbeit bei Paulus und füllt damit den Mangel aus, der der Gemeinde anhaftet (vgl. v 25).

Paulus war demnach der Meinung, die philippische Gemeinde hätte zu ihm in die Missionsarbeit Vertreter, »Gemeindegesandte« (Phil 2,25; vgl. 2Kor 8,23) zu entsenden. Zur Erfüllung der gleichen Aufgabe waren also auch vermutlich die drei Korinther zu Paulus nach Ephesus gekommen. Wie wichtig Paulus die Funktion der Gemeindegesandten nahm, zeigt die Wendung vom Mangel, der für die Gemeinden ausgeglichen wird, und darüber hinaus, daß Paulus sie jeweils den Gemeinden besonders empfahl und ihre Anerkennung forderte, so auch für Epaphroditos (Phil 2,29): »Haltet solche Leute (τοὺς τοιούτους) besonders in Ehre!« »Solche Leute«: diese Formulierung legt nahe, daß Epaphroditos für die Philipper nicht der erste war, den man in dieser Funktion zu Paulus entsandte, und daß diese Entsendung schon zu einer abgesprochenen Einrichtung geworden war.

4.3.3
1Kor 16,15–18 (II)

Von hier aus ist noch einmal ein Blick auf 1Kor 16 zu werfen. Wir hatten bislang v 17f isoliert betrachtet[24]. In Wirklichkeit ist die Stelle jedoch im Kontext von v 15f zu erklären. Dadurch werden unsere obigen Beobachtungen weiter unterstützt.

Eine ganz ähnliche Wendung wie in Phil 2,29 erscheint in 1Kor 16,18: »Anerkennt nun solche Leute!« Auffälligerweise greift Paulus damit auf v 16 zurück, wo es bereits ganz ähnlich hieß: »Ordnet euch solchen Leuten unter!« In v 15 erläutert Paulus näher, um was für Leute es sich handelt: Stephanas und die Seinen[25] haben sich »in den Dienst für die Heiligen gestellt«.

---

21 So zu lesen nach den besten Handschriften; vgl. 1Kor 15,58; 16,10; Röm 15,20; 1Kor 3,10–15. Zum Verständnis des Ausdrucks vgl. S. 171.

22 Die Funktion des Epaphroditos beschränkte sich also keineswegs »auf die Überbringung einer Liebesgabe an den gefangenen Paulus«. Gegen *Schille*, Kollegialmission, 12.15, Anm. 35, und *Kasting*, Anfänge, 61. Sie bestand auch nicht darin, »dem gefangenen Apostel zu Diensten« zu stehen (*Suhl*, Paulus, 183). S. Kap. 3 Anm. 75.

23 Dazu s. o. S. 19–84.

24 So üblicherweise auch in den Kommentaren; vgl. z. B. *Lietzmann*, Korinther, 89f; *Conzelmann*, Korinther, 358.

25 Paulus gibt in v 15c eine doppelte Begründung für die Sonderstellung des Stephanas und der Seinen. Das Haus des Stephanas, sagt er, sei die »Erstlingsfrucht« Achaias, vgl. 1Kor 1,16. Mit der zweiten Begründung wechselt Paulus das Subjekt (»sie«), das er dann durch »solchen Leuten« (v 16) wieder aufnimmt. Spätestens jetzt hat er die drei Gemeindeglieder zusammen im Blick. Der »Dienst« bezieht sich auf alle drei.

Dieser »Dienst« (διακονία) wird gewöhnlich so verstanden, daß Stephanas
und die Seinen in Korinth ein »Diakonenamt« bzw. eine entsprechende
Funktion ausgefüllt hätten[26]. Daß es sich um eine Tätigkeit in Korinth handelte[27], ist jedoch nicht gesagt. Die Wiederaufnahme der Ermahnung von
v 18b, solche Leute zu achten, legt vielmehr nahe, daß hier die gleiche Funktion im Blick ist: die Reise der drei Männer im Dienste ihrer Gemeinde.
Dies wird durch zwei weitere Beobachtungen gestützt. Sie haben sich »in
Dienst gestellt«, heißt es v 15. Worin bestand dieser Dienst, um dessentwillen[28] Paulus die Gemeinde ermahnt, ihnen gehorsam zu sein? Das sagt v 16
näher: ». . . ordnet euch solchen Leuten unter sowie jedem, der mitarbeitet
und sich (in der Missionsarbeit) abmüht.«[29] Ihre διακονία betraf ihre Indienststellung und Mitarbeit in der Mission[30].
Schließlich betont Paulus besonders, daß ihr Dienst für ihre Gemeinde »für
die Heiligen« versehen werde – derselbe Gedanke, der in der Wendung vom
Mangel (v 17) wieder aufgenommen wird. So freiwillig ihre Entscheidung
auch war, zu Paulus zu reisen – Paulus hebt die Selbständigkeit ihres Ent-
schlusses v 15 hervor –: sie gilt ihrer Gemeinde, Paulus freut sich über sie
(v 17a), sie beseitigen damit einen Mangel, der ihrer Gemeinde anhaftete
(v 17b).
Diesen Männern soll die Gemeinde also Gehorsam leisten, schreibt Paulus,
wie allen Mitarbeitern. Während er 16,18 nur davon redet, man solle sie
»anerkennen«, und in Phil 2,19 dazu anhält, solche Leute »in Ehren zu halten«, gebraucht er hier einen erheblich stärkeren Ausdruck: »Ordnet euch
ihnen unter!« – wahrscheinlich in Anbetracht der Rivalitäten und Gruppenbildungen in der Gemeinde[31]. Ehe er auf seine Freude über die Ankunft
der drei Männer zu sprechen kommt (1Kor 16,17), möchte er durch seine
Ermahnung die *ganze* Gemeinde hinter ihrer Sendung vereinen.

---

26 *Lietzmann*, Korinther, 89; danach *Weiß*, Korintherbrief, 386; vgl. *Barrett*, Corinthians,
394; *Moffatt*, Corinthians, 278.
27 So, obgleich er die Amtsvorstellung abwehrt, *Conzelmann*, Korinther, 357f; vgl. *Wendland*, Korinther, 165.
28 Der ἵνα-Satz v 16 bezieht sich auf παρακαλῶ . . . (zu dieser Konstruktion vgl. auch 1Kor
1,10; 16,12; 2Kor 4,1; 8,6; 9,5); der οἴδατε-Satz steht in Parenthese, er ist zunächst mit Ak-
kusativ, dann mit ὅτι konstruiert. Ehe Paulus die Ermahnung ausspricht (v 16), begründet er
sie im ὅτι-Satz.
29 Zur Wortgruppe κοπιᾶν etc. s. o. S. 75. In den gleichen Bereich führt auch συνεργεῖν
(s. o. S. 65–72).
30 Vgl. o. S. 73f.
31 Man darf wohl annehmen, daß Stephanas und seine Leute zum Paulus-treuen Teil der
Gemeinde gehörten (vgl. auch 1Kor 1,16; Paulus hat sie getauft). Ihre Reise hat angesichts der
Lage in der Gemeinde dabei zweifellos einen demonstrativen Effekt (wenn nicht Zweck) besessen. Indem Paulus die Korinther zum Gehorsam gegenüber diesen Männern ermahnt, bezieht
er innerhalb der Gemeinderivalitäten durchaus eindeutig und einseitig Position; doch nicht so,
daß er parteiisch lediglich seinen Anhängern Recht gäbe, sondern so, daß er die Gemeinde hinter der διακονία ihrer Glieder versammelt. Maßstab ist ihre Arbeit, das was sie zu συνεργοῦντες und κοπιῶντες macht.

4.3.4
Kol 1,7f; 4,12f

Von den bisher besprochenen Texten aus fällt auch ein neues Licht auf Kol 1,7f; 4,12f. In 1,7b heißt es von Epaphras, dem kolossischen Gemeindeleiter, der sich zur Zeit bei Paulus aufhält: »ὅς ἐστιν πιστὸς ὑπὲρ ὑμῶν / ἡμῶν διάκονος τοῦ Χριστοῦ«.

Es ist umstritten, welcher Lesart hier der Vorrang zu geben ist. Die besser bezeugte ἡμῶν-Lesart wird gern als Beleg für die nachpaulinische Abfassung des Kolosserbriefes verwendet[32]: Hier werde Epaphras apostolisch autorisiert. Aber die Entstehung der ἡμῶν- aus der ὑμῶν-Lesart ist aus ebendiesem Grunde leichter verständlich als das Umgekehrte[33], sofern sich eine einleuchtende Erklärung für letztere findet und die Briefsituation des Kolosserbriefes für echt gehalten werden kann[34]. Die ὑμῶν-Lesart fügt sich aber, und das entscheidet die Frage, maßgerecht in die oben besprochenen Texte.

Epaphras wird als διάκονος Χριστοῦ apostrophiert, er hat sich als »unser lieber Mitknecht« in der gemeinsamen Missionsarbeit hervorgetan (Kol 1,7), ist damit ein »Sklave Jesu Christi« geworden – eine Ehrenbezeichnung[35], die den völligen Gehorsam unter den Herrn beschreibt. Dieser Mann vertritt seine Gemeinde bei Paulus ὑπὲρ ὑμῶν, das heißt »*stellvertretend für euch*« (1,7). Deshalb wird seine enge Beziehung zur Heimatgemeinde besonders betont und dabei hervorgehoben, daß er »allezeit« *für sie* (ὑπὲρ ὑμῶν, 4,12) in seinen Gebeten kämpfe. Ja, es heißt sogar: »denn ich bezeuge ihm, daß er *um ihretwillen* (ὑπὲρ ὑμῶν) viel Mühe hat (4,13). Hier kehrt das ὑπὲρ ὑμῶν von 1,7 zweifach wieder und bestätigt abermals die ὑμῶν-Lesart. Epaphras setzt alles daran, ein eifriger und treuer Vertreter seiner Gemeinden zu sein. Er vertritt nicht nur die Kolosser, sondern zugleich die Gemeinden in Laodizea und Hierapolis. Auch in Stellvertretung für sie, heißt es, habe er viel Mühe (4,13).

4.3.5
Phlm 13

Den Adressaten des Philemonbriefes bittet Paulus etwa zur gleichen Zeit, als der Philipper Epaphroditos und der Kolosser Epaphras bei ihm sind, ihm Onesimos, den entlaufenen Sklaven, zurückzusenden, »ἵνα ὑπὲρ σοῦ μοι διακονῇ ἐν τοῖς δεσμοῖς τοῦ εὐαγγελίου« (Phlm 13).

---

32 Vgl. *Marxsen*, Einleitung, 154; *Dibelius*, Kolosser, 7; *Käsemann*, T2
Taufliturgie, 48f u. a.
33 *Lohse* (Kolosser, 54) nimmt eine Einwirkung aus Kol 4,12 an. Das ist aber zu weit hergeholt.
34 Dazu s. Exkurs 1.
35 Vgl. o. S. 75f.

Das διακονεῖν des Onesimos wird hier (wie in Phil 2,25.30 die λειτουργία des Epaphroditos) in der Regel mißverstanden als persönliche Dienerschaft für den Apostel[36], welche allerdings »zugleich ein Dienst der Sache« und für jeden Glaubenden »eine Art Ehrenpflicht (sei), die mit seinem Glauben gegeben ist«[37]. Aber für dieses an Apg 13,5; 19,22 orientierte Verständnis findet sich bei Paulus in keiner der über die Mitarbeiter handelnden Stellen ein Beleg. Hat man jedoch erkannt, daß das Wort διακονία, sofern es eine Dienstfunktion meint, bei Paulus meist eine andere Bedeutung trägt, nämlich den Dienst in der Missionsarbeit bezeichnet, dann bekommt diese Stelle einen ganz anderen Sinn[38]. Paulus bittet um Onesimos als Mitarbeiter für die Missionsarbeit; man hat zu übersetzen: »damit er mir in der Gefangenschaft, die ich um des Evangeliums willen erfahre, stellvertretend für dich in der Missionsarbeit diene«[39]. Der Gesichtspunkt des Dienstes für das Evangelium bestimmt auch Phlm 19b.20a. Dort weist Paulus den Herrn des Onesimos darauf hin, daß er sich selber Paulus schuldet und daß Paulus »im Herrn« einen Nutzen von ihm haben möchte durch die Arbeit des Onesimos.

Sämtliche Komponenten der Gemeindegesandten-Charakteristik kehren hier wieder: Onesimos wird zu Paulus gebeten, um ihm in der Missionsar-

36 So *Lohmeyer*, Philipper, 187; vgl. auch Anm. 17; weiter *Lohse*, Kolosser, 281; ebenso neuerdings wieder *Stuhlmacher*, Philemon, 40, der unter anderem mit Hinweis auf Röm 15,25 (!?) behauptet, das Wort meine »in erster Linie das Aufwarten und Bedienen«. Paulus brauche in dieser Situation »einen Menschen, der ihm alltägliche Handreichungen ebenso macht wie den Kontakt mit der Außenwelt aufrechterhält, also Aufträge ausführt«, und dafür seien in der Antike »durchaus Sklaven verwandt worden« (ebd.). – Als historische Veranschaulichung für diesen »Dienst« weist man gern auf Apg 13,5 hin, was aber *Haenchen* (Apostelgeschichte, 345) mit Recht als lk. Konstruktion erwiesen hat (auch *Conzelmann*, Apostelgeschichte, 73).
37 *Lohmeyer*, Philipper, 187. Ähnlich *Jang* (Philemonbrief, 33): »Als Christ ist Philemon nämlich dazu verpflichtet, dem Apostel in seiner notvollen Situation beizustehen.«
38 S. o. S. 73f.
39 Richtig übersetzt auch *Wilckens* (Das Neue Testament, 774): »Er sollte mir . . . in der Verkündigung dienen.« Durch die sehr persönliche Formulierung (μοι διακονῇ) darf man sich den Blick für dieses offizielle Verständnis der Bitte nicht trüben lassen. Den gesamten Phlm kennzeichnet ein solcher herzlich-persönlicher Ton, und doch spricht Paulus, wie gleich noch zu sehen (v 8!), in ganz dezidierter Weise von seinem Apostelamt (s. u. S. 105f). Paulus redet ja gelegentlich auch ganz »persönlich« von »seinem« Evangelium (Röm 2,16; 1Thess 1,5; 2Kor 4,3), nicht im possesiven Sinn, sondern weil es ihm als Apostel grund-legend anvertraut wurde (dazu s. u. S. 175ff). – Auch der Begriff πρεσβύτης wird nicht auf das Alter des Paulus zu deuten sein (ein solcher Hinweis hätte im Kontext des Phlm keinen speziellen Sinn; inwiefern sollte er die Bitte des Paulus unterstützen? Anders *Bornkamm*, Art. πρεσβύς, 682f, danach *Lohse*, Kolosser, 277; *Lähnemann/Böhm*, Philemonbrief, 17; *Stuhlmacher*, Philemon, 37f; u. a.), sondern wie 2Kor 5,20 (vgl. Eph 6,20; Ign Sm 11,2) auf seinen Apostelauftrag (vgl. noch Anm. 60). Daß diese Übersetzung gut möglich ist, haben *Moule*, Colossians, 144, und *Wikkert*, Philemonbrief, 233 Anm. 8; 234 Anm. 11; 235, gezeigt. – Vor allem ist zu beachten, daß die Gefangenschaft des Paulus einen ganz besonderen Stellenwert für ihn besitzt (vgl. dazu auch Phil 1,12ff und s. u. S. 198ff) und untrennbar mit seinem Apostelverständnis verbunden ist (vgl. 2Kor 6,5; 11,23 und die Peristasen-Kataloge überhaupt, in denen Paulus ja, wie der jeweilige Kontext ausnahmslos zu erkennen gibt, sein Apostolatsverständnis expliziert; vgl. u. S. 178). »Um des Evangeliums willen« liegt Paulus gefangen (Phlm 13), als ein δέσμιος Χριστοῦ Ἰησοῦ (v 9) redet er, und ebenso nennt er sich pointiert anstelle (!) seiner sonst üblichen Aposteltitulierung im Briefeingang »Gefangener Jesu Christi« (v 1; vgl. noch v 23). – Erst in dieser Perspektive erhält v 13 seine richtige Zuordnung. Es spricht Paulus, der *als Apostel um des Evangeliums willen* gefangen liegt und darin den Verkündigungsdienst des Onesimos beansprucht. Dieser Verkündigungsdienst kann eben darin ein »persönlicher« Dienst sein, daß er dem sich im Schicksal des Apostels äußernden Evangelium gilt.

beit zu helfen. Er soll damit seinen Herrn vertreten (ὑπέϱ σου[40]; Phlm 13). Er gleicht auf diese Weise eine »Verschuldung« seines Herrn bei Paulus aus (v 19)[41] und er schafft Paulus damit Beruhigung »in Christus« (v 20). Hier wird der Stellvertretungsgedanke, der 1Kor 16,17 und Phil 2,30 nur umschrieben wurde, wie in Kol 1,7; 4,12f direkt ausgesprochen. Nicht als Diener erbittet Paulus Onesimos zurück, sondern als Ersatz und Ausgleich für seinen Herrn! So wird auch verständlich, warum Paulus Onesimos erst wieder zurückschickt, um ihn dann erneut zurückzubitten.

4.3.6
Der Philemonbrief

Ist damit Onesimos als angehender Gemeindegesandter identifiziert, so führt diese Entdeckung zu einer nicht unerheblichen Konsequenz für das Verständnis des gesamten Philemonbriefes. Die Auslegung[42] versteht ihn durchgängig als ein seelsorgerliches Schreiben des Paulus, in welchem er sich für den entlaufenen Sklaven Onesimos verwendet, indem er (wenngleich er ihn seinem Herrn zurückschickt und damit die Sklavenhaltung selbst nicht in Frage stellt) zugleich ihr Verhältnis zueinander neu definiert. So wird denn auch in der Forschung im Zusammenhang mit dem Philemonbrief vornehmlich die Haltung der Christen zur Sklavenfrage diskutiert. Die Bitte des Paulus um die Rücksendung des Onesimos hingegen wird in den Kommentaren nur beiläufig behandelt. In Wirklichkeit bildet sie jedoch den Kern des Schreibens. Auf sie steuert Paulus nach dem Anschreiben und der Danksagung zu (v 8–14), und mit ihr beschließt er den Brief (v 20.21). Der besondere Fall erfordert dabei auch die Behandlung und Klärung der rechtlichen Frage (v 15–19). Aber nicht sie ist das eigentliche Anliegen des Paulus, sondern die Rückkehr des Onesimos als Ausgleich für seinen Herrn (v 19.20). In dieser Hinsicht erwartet Paulus »Gehorsam« (v 21), den er jedoch gemäß v 8 nicht einfach einfordert[43]. Das heißt aber nun pointiert ge-

---

40 Daß ὑπέϱ mit »in Stellvertretung für«, »anstelle von« zu übersetzen ist, beweist Phlm 19f; vgl. schon die Wendung »zugleich dir und mir nützlich« (v 11).

41 Diese Wendung: »ὅτι ϰαὶ σεαυτόν μοι πϱοσοφείλεις« entspricht der Bemerkung über den Mangel der Gemeinde in 1Kor 16,17 und Phil 2,30.

42 Vgl. *Lohmeyer*, Philipper, 171ff; *Lohse*, Philemon, 263; *Friedrich*, Philemon, 188ff; *Bieder*, Philemon, 9; *Lähnemann/Böhm*, Philemonbrief; *Stuhlmacher*, Philemon, 57–69.

43 Man darf deshalb nicht sagen, erst mit v 17 (»nimm ihn auf wie mich selbst«) werde nun »die eigentliche Bitte ausgesprochen«, und v 10b–16 seien »Zwischenbemerkungen« (*Jang*, Philemonbrief, 36). *Jang* macht mit seiner eigenen Beobachtung (12), »daß Paulus nicht nur für Onesimos bittet (Phlm 10.17), sondern durchaus auch um dessen Anstellung zum Dienst bei ihm als gefangenem Apostel (Phlm 13f)« ersucht, nicht Ernst. Obgleich ihm der v 13 ausgesprochene »Repräsentationsgedanke« (65) nicht entgangen ist, bekommt die Behandlung der Rücksendung des Onesimos zu Paulus bei *Jang* nur Appendix-Charakter (65–68), deren Bedeutung für die gesamte Briefinterpretation er nicht fruchtbar gemacht hat.

sprochen: *Der Philemonbrief ist zu verstehen als Bittschreiben des Paulus um einen Gemeindegesandten*[44].

Aus dieser Perspektive, auf dem Hintergrund des bisher über die Gemeindegesandten Erarbeiteten, bekommen eine ganze Reihe von Aussagen und Formulierungen des Briefes einen spezielleren und z. T. neuen Sinn. Im Folgenden sollen deshalb noch einige Beobachtungen erörtert werden, die gemäß dem vorliegenden Zusammenhang die Frage nach den Gemeindegesandten weiter erhellen.

Der Philemonbrief redet den Herrn des Onesimos in der 2. Person Singular an. Gleichwohl wird man nicht sagen dürfen, der Brief sei ein einfacher Privatbrief[45]. Dagegen sprechen eine ganze Reihe von Einwänden: die Nennung des Timotheus im Präskript neben Paulus (wie auch in den anderen Briefen des Apostels), die Erwähnung von weiteren Christen in der Anschrift sowie die Tatsache, daß der Brief »an die Gemeinde in deinem Hause« mitadressiert ist (v 2). Auch der Schlußgruß (»die Gnade unseres Herrn Jesu Christi sei mit eurem Geiste«; v 25) wendet sich an die ganze Gemeinde; ebenso die Aufforderung zur Fürbitte (v 22)[46]. Daß der Brief im übrigen singularisch redet, hat seine Ursache einerseits in der rechtlichen Lage, dem Verfügungsrecht des Herrn des Onesimos über seinen Sklaven, andererseits darin, daß jener der Hausherr und Leiter über seine Hausgemeinde war. Obgleich also direkt angesprochen, wird er von Paulus doch nicht als Privatperson angeschrieben und gebeten.

---

44 Die Bedeutung der v 13 ausgesprochenen Bitte wird von *Bieder* (Philemon, 37) verkannt; er schreibt: »Wenn Paulus voraussetzt, daß Philemon eigentlich ihm zu dienen habe, dann redet er von der Selbstverständlichkeit gegenseitigen Dienstes, wie er unter Christen zu geschehen hat«; ebenso *Jang* (Philemon, 33): »Ist hier nicht vielmehr an jenen Dienst gedacht, den die Christen ›in Christus‹ einander schulden? – weshalb es dann auch als selbstverständlich angenommen werden kann, daß Philemon dem Apostel dienen wird.« Aber diese allgemeine Schuldigkeit des Christen kann kaum verständlich machen, warum Paulus den Onesimos unbedingt zurückhaben möchte und auf sein apostolisches Recht (v 8) und die Gehorsamspflicht des Adressaten (v 21) verweist. Auch kann so der Stellvertretungsgedanke (v 13) nicht erklärt werden. – *Wickert* (Philemonbrief) möchte die Phlm 13 ausgesprochene Bitte nicht »allzu . . . wörtlich nehmen« (232 Anm. 6). Wenn Paulus Onesimos als Sklaven zu seiner Bedienung (sic!) zurückhalten wolle (*Wickert* unterstreicht noch: »das und kein missionarisches Amt ist in v 13 gemeint«), so wolle Paulus damit nur »auf die wirklichen (zwischen ihnen als Christen waltenden) Verhältnisse aufmerksam machen« (ebd.). Dagegen hat *Knox* (Philemon, 22f.56ff) – auch wenn man ihm darin nicht folgen wollte, es sei hier dieselbe διακονία angesprochen, die Kol 4,17 anmahnt – das Richtige gesehen, wenn er betont, Paulus bitte nicht nur *zugunsten von* Onesimos, sondern auch *um ihn* – nämlich als Helfer in der Missionsarbeit.
45 So auch *Stuhlmacher*, Philemon, 24, der von einem »persönlichen Schreiben« sprechen möchte.
46 Vgl. dazu *Wickert*, Philemonbrief, passim; *Jang*, Philemonbrief, 12f.22f; *Schmauch*, Beiheft, 88–93; *ders.*, Philemonbrief, 183. *Wickerts* im ganzen einleuchtende Überlegungen bekommen m. E. erst dann volle Durchschlagskraft, wenn erkannt ist, daß im Phlm ein auf die Missionsarbeit des Apostels bezogenes Anliegen geltend gemacht wird (nicht bloß eine allgemeine »Christenpflicht«; *Wickert*, ebd., 233.237). Diese Einsicht versperrt sich *Wickert* durch seine zu schnellfertige Exegese von v 13 (s. Anm. 44).

Dem entspricht es, wenn Paulus ihn in der Danksagung zweimal betont in den Zusammenhang und Kreis der Gemeinde stellt. So heißt es v5: ». . . indem ich von deiner Liebe und von deinem Glauben höre, die du gegenüber dem Herrn Jesus und allen Heiligen unter Beweis stellst . . .« »Alle Heiligen« haben seine Liebe erfahren[47]. Diese Tatsache ist Paulus so wichtig, daß er sie (nach der gleich anschließenden Fürbitte[48]; v6) noch einmal wiederholt und konkreter faßt: »Denn ich habe viel Freude und Trost wegen deiner Liebe erfahren, weil durch dich, Bruder, die Herzen der Heiligen Beruhigung erfahren haben« (v7). Worauf Paulus sich hier bezieht, läßt sich nicht ausmachen[49]. Es war eine Liebestat, die der Gemeinde als ganzer zugute kam. An sie knüpft Paulus nun an, auf sie gestützt[50], kann er bitten »um der Liebe willen« (v8).

Angesichts der nun folgenden Bitte darf man wohl sagen, daß Paulus in der Danksagung die Akzente so gesetzt hat, daß sie sein Anliegen vorbereiteten[51]. Denn wenn Paulus Onesimos als Gemeindegesandten zurückwünschte, dann war das zugleich eine Tat, die allen Heiligen zugute kam, und zwar in doppeltem Sinne: indem er die Missionsarbeit des Paulus unterstützte und indem er dies als Mitglied seiner Hausgemeinde tat. Für seinen Herrn (v13) möchte Paulus ihn als Mitarbeiter zurückhaben, also in Stellvertretung für den, der die Hausgemeinde als Ganze repräsentiert und ihr seine Liebe bereits bewies.

Paulus trägt dem Herrn des Onesimos eine *Bitte* vor. Er wollte Onesimos dabehalten, doch nicht ohne Einwilligung seines Herrn (v13f). Hier handelt es sich um einen überlegten Entschluß des Paulus, denn er hätte auch anders können[52]: ». . . obgleich ich das volle Recht[53] in Christus hätte, dir deine Pflicht[54] zu gebieten . . .« (v8). Wenn Paulus auf dieses Recht auch verzichtet – es erhebt sich für den, der das eigentliche Anliegen in der seelsor-

---

47   Die Konstruktion ist chiastisch (vgl. *Lohse*, Kolosser, 271 und Anm. 1 mit weiteren Literaturhinweisen): der Glaube bezieht sich auf den Kyrios Jesus, die Liebe auf die Gemeinde.
48   Sie ist allgemein gehalten, weist jedoch schon mit dem Wunsch für »ein wirksames Eintreten für Christus« auf das Anliegen des Schreibens voraus. Die »Erkenntnis alles Guten« findet in v14 in der Wendung »dein Gutes« eine Wiederaufnahme, wobei sich v14 eindeutig auf die in v13 angesprochene Bitte um die Rücksendung des Onesimos in die Missionsarbeit in Stellvertretung seines Herrn bezieht. Daran dürfte Paulus also auch v6 denken.
49   Die Parallele zu 2Kor 7,4.7.13 hilft nicht weiter. Sie zeigt nur, daß Paulus bei verschiedenen Anlässen so reden konnte.
50   διό (v8) bietet in diesem Fall nicht bloß eine »lockere Verknüpfung«, wie bereits die Wiederaufnahme des ἀγάπη-Motives (v9a) zeigt (gegen *Lohse*, Kolosser, 276, der sich auf *Sanders*, Transition, 355, bezieht; mit *Jang*, Philemonbrief, 31). Aber auch inhaltlich bereitet die Danksagung die Bitte des Paulus vor.
51   Mit *Jang*, Philemonbrief, 24–30; vgl. *Knox*, Philemon, 4.
52   *Lohse*, Kolosser, 280, Anm. 8: »ἐβουλόμην drückt den tatsächlichen Wunsch aus, auf dessen Erfüllung Paulus aber verzichtet: Ich ›wollte eigentlich, tue und tat es aber nicht‹« (unter Hinweis auf *Blass-Debrunner*, Grammatik, § 359, S. 150).
53   So ist mit *Schlier*, ThWNT Bd. 5, 881, zu übersetzen; vgl. *Stuhlmacher*, Philemon, 36f.
54   τὸ ἀνῆκον: das, was sich gebührt (vgl. Kol 3,18; Eph 5,4; der Ausdruck stammt aus der hellenistischen Popularphilosophie; *Schlier*, ThWNT Bd. 1, 361).

gerlichen Fürbitte des Apostels für den entlaufenen Sklaven sieht, doch die
Frage: Wie kann Paulus gebieten in einer Angelegenheit, die nach den antiken Begriffen das persönliche Eigentum des Philemon betrifft? Das apostolische Recht zur Gehorsamseinforderung (vgl. auch v21) wird erst begreiflich, wenn erkannt ist, daß es sich nicht auf die Wiederaufnahme des Entlaufenen bezieht[55]. Hinsichtlich dieser redet Paulus hernach ganz anders: er
verweist auf die durch die Bekehrung des Sklaven völlig neue Situation
(v15f), er bittet als Freund (v17), und er verpflichtet sich selbst zur Schadenersatzleistung (v18.19a)[56]. Das apostolische Recht betrifft vielmehr die
Entsendung des Onesimos als Gemeindegesandten, das heißt umgekehrt:
die Verpflichtung seines Herrn zur Missionsverkündigung. Ihr nachzu-
kommen ist seine »Pflicht«[57]. Paulus macht dies Recht nicht geltend (wenngleich, psychologisch gesehen, er sozusagen mit ihm droht; vgl. auch v21).
Und wenn er die Entsendung des Onesimos nur als freiwillige Entscheidung
seines Herrn wollte, wie er besonders betont (v14), dann liegt das völlig auf
der Linie dessen, was 1Kor 16,15 von Stephanas und den Seinen berichtet ist
oder Phil 2,26.28 von der frühzeitigen Rückkehr des Epaphroditos.

4.3.7
Der Kreis der Gemeindegesandten

Die Nachfrage nach der Gruppe der Gemeindegesandten hat sich damit als
überraschend fruchtbar erwiesen. Es fanden sich vier deutliche Belege, für
sie – angesichts des Quellenmaterials ein zweifellos glücklicher Zufall. Darüber hinaus wurde es möglich, eine Reihe bislang unklarer Abschnitte in
den Paulusbriefen besser zu verstehen.
Direkte Belege für den Kreis der Gemeindegesandten finden sich sonst nicht
mehr.

Einige weitere Angaben gehören aber wohl noch in diesen Kontext:
In der Erwähnung des Korinthers Sosthenes im Präskript des 1Kor, die seine Bedeutung für die
korinthische Gemeinde signalisiert und der Bedeutung der Gemeindegesandten für ihre Gemeinden (1Kor 16,15.18; Phil 2,30) entspricht, darf man wohl einen Hinweis vermuten, daß er
als Gemeindegesandter bei Paulus weilte, zumal Stephanas und die Seinen nach 1Kor 16,16

55 So z. B. *Lohse*, Kolosser, 263: »Paulus verzichtet darauf, Philemon einen Befehl zu geben
oder eine bestimmte Forderung – etwa die, Onesimos die Freiheit zu schenken – geltend zu machen. Er stellt es vielmehr Philemon anheim, wie er entscheiden wird.« Aber an allen drei Stellen, wo Paulus auf sein apostolisches Recht anspielt (v8.(9?).13f.19–21), bezieht er sich nicht
auf die *Aufnahme* des Onesimos, sondern auf seine *Rücksendung* stellvertretend für seinen
Herrn, der sich selbst Paulus »schuldet« – nämlich natürlich nicht materiell, sondern in seiner
»Pflicht« zur Missionsarbeit.
56 Auch die Vermutung, Paulus habe die Schadenersatzleistung im Sinn, wenn er annimmt,
der Herr des Onesimos werde mehr tun, als Paulus von ihm erwartet (Phlm 21), ergibt einen
guten Sinn (so *Greeven*, Prüfung, ebd.).
57 Diese Überlegungen lassen es nochmals als wahrscheinlich gelten, πρεσβύτης in v9 als
»Gesandter« zu verstehen.

nicht die ersten Gemeindegesandten waren (»solche Leute«). Man beachte auch, daß Paulus mit der Rückkehr des Timotheus bereits wieder eine Gesandtschaft von Brüdern aus Korinth erwartet (16,11).

Aristarchos, Phlm 24; Kol 4,10 als Mitarbeiter des Paulus genannt, stammte gemäß Apg 19,29; 20,4 aus Thessalonich; so auch Gajus (Apg 19,29). Diese Angaben fügen sich gut in das bisher über die Gemeindegesandten Erarbeitete.

Da Tychikos, der spätere Kollektenabgeordnete, aus Ephesus stammte (Apg 20,4), von wo aus er in schwieriger Mission ins Lykostal entsandt wird (Kol 4,7f), kamen nicht alle Mitarbeiter des Paulus nur aus solchen Gemeinden, die bereits hinter ihm lagen. Auch in der Gemeinde, in der er sich gerade aufhielt und missionierte, fand Paulus Mitarbeiter. Das ist auch dem Rückblick auf die Mission in Philippi (Phil 4,2f) zu entnehmen, wo Paulus erwähnt, daß Clemens sowie die beiden Frauen Euodia und Syntyche, Glieder der philippischen Gemeinde, seinerzeit zu seinen Mitarbeitern in Philippi zählten.

Wenngleich möglicherweise die Gruppe der ›selbständigen‹ Mitarbeiter des Paulus noch andere Personen einschloß, als sie sich oben erfassen ließen, ist doch nicht anzunehmen, daß ihre Zahl im Verhältnis zu den Gemeindegesandten erheblich war. Denkbar wäre zwar, daß Paulus auch später noch Zulauf durch Mitarbeiter aus anderen, nichtpaulinischen Gemeinden erhielt, so wie ja Barnabas, Silvanus und Titus aus der antiochenischen Gemeinde zu ihm kamen. Aber Anhaltspunkte dafür ergaben sich nicht, im Gegenteil, Paulus war seit dem antiochenischen Streitfall viel eher in der Gefahr, innerhalb der urchristlichen Mission isoliert zu werden. Wir haben also davon auszugehen, daß die meisten von jenen Mitarbeitern, von denen nicht viel mehr als ihr Name bekannt ist, aus seinen Gemeinden stammten.

Ob sie sämtlich als Gemeindegesandte bei Paulus weilten, muß nach Lage der Quellen offen bleiben. Konkrete Hinweise auf andere Mitarbeitergruppen lassen sich jedoch nicht erkennen. Gewiß hat es auch andere Anlässe und Beweggründe für Gemeindeglieder gegeben, zu Paulus zu reisen (so vielleicht für die Leute der Chloe, 1Kor 1,11). Aber abgesehen davon, daß die Paulusbriefe – als offizielle Gemeindeschreiben (!) – von solchen Reisen eben schweigen, bliebe die offene Frage, inwiefern solche Personen, also Nicht-Gemeindegesandte aus den paulinischen Gemeinden, *als Mitarbeiter* bei Paulus weilten. Was oben über die Mitarbeiter, die Missionskollegen des Paulus, erarbeitet wurde, weist alles in Richtung der Gemeindegesandten.

4.4
Ergebnisse

Ich fasse die Ergebnisse des Kapitels zusammen. Es wurde versucht, die Mitarbeiter des Paulus in drei Gruppen aufzuteilen, die sich nach unterschiedlichen Gesichtspunkten voneinander abheben. Mit dem hier so genannten ›engsten Kreis‹ wurden solche Mitarbeiter zusammengefaßt, die Paulus als Reisemissionare begleiteten und als übergemeindliche Missionare ununterbrochen für das paulinische Missionswerk tätig waren. Bemerkenswert ist, daß in diese Kategorie nur drei Mitarbeiter fallen, von denen ihn zwei, Barnabas und Silvanus, nach einige Zeit der Zusammenarbeit wieder verließen. Nur Timotheus blieb ohne Einschränkung ununterbrochen bei Paulus und wurde damit zur zentralen Stütze und Säule seiner Arbeit. Es scheint aber kaum zufällig zu sein, daß Paulus diese Basis nicht verbreiterte. Das eigentliche Schwergewicht der Missionsarbeit verlagerte er auf die Gruppe der Gemeindegesandten.

Sie war allem Anschein nach die größte. Sie ist dadurch gekennzeichnet, daß ihre Glieder aus den paulinischen Gemeinden stammten und eine Zeitlang in Vertretung für ihre Gemeinden in der Missionsarbeit mitarbeiteten. Es fand sich, trotz aller Zufälligkeit der Quellen, eine Reihe von Belegen dafür (1Kor 16,15–18; Phil 2,19f; Kol 1,7f; 4,12f; Phlm 13), die in ihrer Gesamtheit diesen Sachverhalt deutlich erkennen lassen. Als besonders aufschlußreich erwies sich der Phlm, der, wie sich ergab, als Bittbrief des Paulus um einen Gemeindegesandten verstanden werden muß.

Die unabhängigen Mitarbeiter (Apollos, Prisca, Aquila, Titus) schließlich stellen eine gewissermaßen nur zufällige und nicht sehr große ›Gruppe‹ dar, von der allein her nicht verständlich werden könnte, wie Paulus zu so vielen Mitarbeitern kam. Um so mehr geben sie aber (wie noch zu zeigen sein wird) darüber Auskunft, was Paulus unter einem Mitarbeiter verstand und welche Kriterien den Mitarbeiterkreis zusammenhielten.

Während die ›engsten‹ ebenso wie die ›unabhängigen‹ Mitarbeiter, genau besehen, keine Gruppen im strengen Sinne des Wortes bilden, vielmehr jeweils als Einzelgestalten zu würdigen sind (wie es in Kap. 2 versucht wurde), treten die Gemeindegesandten deutlich als Gruppe hervor. Dieser Personenkreis bildete ein spezielles Charakteristikum der paulinischen Missionsarbeit. Im Verständnis dieser Gruppe, das heißt ihrer Funktion und Bedeutung für die paulinische Mission, wird deshalb der eigentliche Aufschluß über das Mitarbeiterphänomen zu suchen sein.

Die Bedeutung der Mitarbeiter
für Mission und Theologie des Paulus

5
Die Rolle der Mitarbeiter
in der Mission des Paulus

In dem Bemühen, die Rolle und Bedeutung der Mitarbeiter innerhalb der paulinischen Mission zu bestimmen und verständlich zu machen, haben die bisherigen Untersuchungen einen Rahmen gesteckt, dessen Konturen noch einmal in Erinnerung gerufen werden sollen, ehe ich daran gehe, das von ihnen umschlossene Bild einzuzeichnen. Es waren hauptsächlich drei Erkenntnisse über die Mitarbeiter, die hier festgehalten werden müssen. Zunächst konnte gezeigt werden, daß Paulus nach Beginn seiner selbständigen Mission allmählich einen immer größer werdenden Kreis von Mitarbeitern um sich sammelte, der schließlich solche Dimensionen annahm, daß bereits das Faktum der großen Zahl die Annahme herausforderte, hier einen planenden Willen, eine gezielte, die Einzelphänomene übergreifende Absicht des Paulus erkennen zu müssen. Zweitens erbrachte die Frage nach den von den Mitarbeitern versehenen Tätigkeitsbereichen und Funktionen, daß sie keine speziellen und festgelegten, sondern alle möglichen missionarischen Aufgaben wahrnahmen. Schließlich hat sich als wahrscheinlich herausgestellt, daß das Gros der paulinischen Mitarbeiter als Gemeindegesandten ihrer Heimatgemeinden bei Paulus weilte.

Von diesen Ergebnissen ausgehend, sie zueinander in Beziehung setzend und genauer durchleuchtend, muß ein Verständnis für den Ort der Mitarbeiter innerhalb der paulinischen Mission gewonnen werden. *Dieser Ort darf nicht nur, wie üblich, allein aus der Sicht des Paulus beschrieben werden, sondern*, sozusagen im dreidimensionalen Koordinatennetz, *ebenso aus der Perspektive der Gemeinden und der Mitarbeiter selbst.* Während in diesem Kapitel zunächst die Beziehung der Mitarbeiter zu den Gemeinden in den Vordergrund tritt, wendet sich das nächste Kapitel ihrem Verhältnis zu Paulus zu, um schließlich im übernächsten sie selbst in ihrer theologischen Bedeutung zu würdigen.

5.1
Die bisherigen Antwortversuche

Es lassen sich unter den herkömmlichen Versuchen, die Rolle der Mitarbeiter des Paulus zu definieren, drei Antwortkategorien unterscheiden, die sämtlich von der Person des Paulus her denken: eine psychologische, eine organisatorische und eine pädagogische.

1. Der erstgenannte Antwortversuch geht von der Psyche oder den persönlichen Bedürfnissen des Apostels aus: Daß Paulus »Gefährten« an sich zog, »entsprang auch einem *menschlich-persönlichen Bedürfnis nach Ge-*

meinschaft, das das Alleinsein nicht ertrug«[1]. Paulus habe »um seiner Missionsarbeit willen auf die Ehe und den natürlichsten Gefährten, die *Lebensgefährtin*, verzichtet. Um so mehr hatte er ein menschliches Anrecht auf Gefährten, die ihm nicht nur Diener und persönliche Gehilfen waren, sondern ihm das ersetzen konnten, was an seelischer Gemeinschaft die Ehe bieten konnte. An die Stelle der Frau traten für ihn die *Söhne*, d. h. die geistlichen Söhne«[2]. Gegen eine solche Verankerung des Mitarbeiterphänomens in den persönlichen Gefühlen des Paulus steht (neben anderem) der klare Befund, den die Untersuchung des συνεργός-Titels erbrachte[3].

2. Die Mehrzahl der Exegeten sucht die Tatsache der vielen Mitarbeiter um Paulus aus den organisatorischen Erfordernissen seiner Mission zu erklären; nämlich als eine Einrichtung zur Steigerung der Effizienz der Mission und Vervielfältigung der Arbeitsmöglichkeiten durch treue Helfer: »Offenbar hat Paulus die wichtigste Kunst des Missionars meisterhaft verstanden, nämlich die eigene Kraft und Wirkung durch die Einstellung (sic!) von Gehilfen zu vervielfachen und damit einen Raum zu beherrschen, der Blickfeld und Arbeitskraft eines Mannes weit überfordert«[4]. Oft versteht man dabei die Mission des Paulus in Analogie zu einem militärischen Unternehmen. Die Mitarbeiter werden zu Adjudanten[5] oder »lieutenants«[6], welche »report on the condition of the churches«[7]. So kann von den Mitarbeitern gesagt werden, daß sie »einen eigentlichen Generalstab um den Apostel (bildeten), der sie bald hierhin, bald dorthin dirigierte, zu Missionen verwendete oder als Schrittmacher voraussandte«[8]. Nach etwas anderer, noch gewaltigerer Perspektive baute Paulus seine »Organisation« nach dem Muster des römischen Imperiums auf: »as Rome sent forth her officials into the provinces, so did S. Paul send his workers into the districts needing their oversight; as the Emperor was the final court of appeal, so S. Paul was the ultimate supreme authority«. »The secret of his success was identical with the secret of the Roman power.«[9] Die Mitarbeiter stehen in den Dien-

---

1   *Hadorn*, Gefährten, 65 (Sperrung beim Vf.!).
2   Ebd.; Sperrungen beim Vf. *Hadorn* stützt sich dabei insonderheit auf Apg 18,5; 1Thess 3,1; 2Tim 4,9.11.21; Apg 20,13ff. Die »Weisheit Jesu und seine Fürsorge für seine Jünger« (68) ließen ihn die jüdische Regel der paarweisen Aussendung auf die Apostel übertragen, damit sie in ihrem schweren Dienst, welcher »in fremde Gegenden und Länder (führt), in denen der Missionar innerlich einsam ist und den Segen der christlichen Gemeinschaft doppelt entbehrt«, nicht als einzelne »unter dieser Last zusammenbrechen« würden (ebd.).
3   S. o. S. 67–72. Die Funktion der Mitarbeiter als Missionare ist nicht beachtet. Angesichts der Zahl der Mitarbeiter hätte Paulus ja einen unstillbaren Hunger nach Gefährten haben müssen.
4   *Schlunk*, Missionar, 99f.
5   O. *Dibelius*, Kirche, 191 (bezüglich Markus).
6   *Redlich*, Companions, 2f.
7   Ebd., 3; vgl. ebd., 48 und *Hengel*, Ursprünge, 17: »Man kann bei ihm von einer echten ›Missionsstrategie‹ sprechen . . . Für die Erschließung des Hinterlandes setzt er Missionsgehilfen ein.«
8   *Hadorn*, Gefährten, 74.
9   *Redlich*, Compasions, 48.

sten des Paulus, »stand in an explicit subordination to Paul, serving him or being subject to his instructions«[10], als mobile Truppe, jederzeit verfügbar, deren Dienst für ihn bis zum »Knechtsdienst«[11] gehen kann, während er selbst in staatsmännischer oder feldherrnhafter Manier die Direktiven erteilt.

Nun könnte man sich sogar darauf berufen, daß Paulus hin und wieder Bilder und Begriffe aus dem militärischen Bereich auf seine Mission anwendet[12]; dies aber, wie eine Detailuntersuchung erbringen würde, immer auf den Glaubenseinsatz, die Festigkeit im Glauben angesichts konkreter Bedrängnisse bezogen (1Thess 2,2; 5,8; Phil 1,30; 2,25; Phlm 2; 2Kor 10,3–5; Röm 6,13; 13,12), also im paränetischen Kontext verwendet – nicht etwa zur Beschreibung der Gemeinde oder gar der Organisation der Mission[13]. Es wird unten im Kapitel über die Zusammenarbeit des Paulus mit seinen Mitarbeitern[14] noch zu zeigen sein, wie abwegig es ist, ihr Verhältnis in militätische Kategorien zu fassen, also in ein System von Befehl und Gehorsam, in welchem Paulus Anweisungen erteilte, welche seine Mitarbeiter ausführten. Paulus verstand sein Missionsunternehmen nicht als Feldzug. Ebensowenig hat er sein Missionswerk in Analogie zum römischen Imperium organisiert[15]. Was endlich die Vorstellung betrifft, Paulus habe in den Mitarbeitern ein Organ zur Maximierung seiner Arbeitskraft gesehen, so darf dieser Gedanke nicht gänzlich abgewiesen werden. Die Wendungen vom Mangel ihrer Gemeinden, welchen die Mitarbeiter beheben[16], belegen aber, daß hierin nicht der primäre Grund der Heranziehung von Mitarbeitern gelegen haben kann: Nicht, weil Paulus die Arbeit über den Kopf wuchs, weil es ihm an Helfern fehlte, sammelte er einen Mitarbeiterkreis um sich, sondern aus Gründen, die die Heimatgemeinden der Mitarbeiter betrafen. In einem allgemeineren, der inhaltlichen Beschreibung noch bedürftigen Sinne wird man aber durchaus sagen können, die Größe des Paulus liege gerade »in der Art, wie er seine Mitarbeiter erzogen und wie er seine Gemeinden geschaffen und organisiert hat«[17]. Nur gilt es noch,

---

10 *Ellis* (Co-Workers, 439) in bezug auf Erastus, Markus, Timotheus, Titus und Tychikos (wobei die Gründe für diese Zusammenreihung nicht richtig einsichtig werden).

11 *Haller*, Mitarbeiter, 52, über Timotheus.

12 S. o. S. 77.

13 Die »Kämpfe«, von denen Paulus 2Kor 7,5 spricht, dabei seine »Trübsale«, d. h. alle Arten von äußeren und inneren Bedrängnissen, konkretisierend, dürften am ehesten als Auseinandersetzungen in seinen Gemeinden zu interpretieren sein, wofür vielleicht Phil 3 als Anschauung dient (*Windisch*, Korintherbrief, 226f; *Georgi*, Kollekte, 52f).

14 S. u. S. 162ff.

15 Vgl. dazu die Ausführungen von *Bornkamm*, Christus, 160–164; ders., Paulus, 68–78, bes. 74f!

16 S. o. S. 97–99.

17 *v. Harnack*, Mission, 83. Vorsichtiger formuliert *Eichholz* (Paulus, 15): »Paulus kennt und sucht in seinem Dienst *Arbeitsgemeinschaft* (beim Vf. kursiv), sammelt Mitarbeiter um sich, verteilt Aufgaben an sie.«

eben diese »Art« genauer zu eruieren: die bisher beschriebenen Versuche haben dazu noch keinen überzeugenden Zugang erkennen lassen[18].

3. Mit den organisatorischen Erklärungsversuchen wird oft eine weitere Vorstellung verknüpft, die auch oben schon anklang: die der Ausbildung und Schulung der Mitarbeiter für ihren missionarischen Dienst. Paulus ziehe »von vornherein junge Leute an sich, die er zu Führerpersönlichkeiten heranbilden möchte«[19]. Der pädagogische Gedanke steht in diesem Falle unverhohlen im Dienste des Elitären, wofür man sich jedoch, wie das oben dargelegte Verhältnis der Gemeindecharismen zu den Diensten der Mitarbeiter belegt[20], auf die Funktionen der Mitarbeiter nicht berufen kann. Er kann aber auch allgemeiner vorgetragen werden, indem nur davon die Rede ist, daß Paulus sich seine Mitarbeiter zum Missionsdienst »erzogen« habe[21]. Oder er wird nach seiner pädagogischen Seite stärker ausgemalt, so daß von »mehrere(n) Stufen« »in der Schule und der Praxis des Apostels Paulus« gesprochen wird[22], gewissermaßen von einem Elementarunterricht für die niederen Hilfsdienste und einer höheren Schule für die Missionare[23].

Man wird nicht bestreiten wollen, daß sich im Zuge der gemeinsamen Missionsarbeit zwischen Paulus und seinen Mitarbeitern Lernvorgänge abspielten – wenngleich nicht etwa bloß einbahnige, von Paulus zu den Mitarbeitern verlaufende. Noch weniger ist es aber gelungen, dafür die historischen Belege herbeizubringen, daß diese Lernprozesse geplant und organisiert, d. h. im Rahmen einer Schulung stattfanden[24].

---

18   Eine besondere Variante der organisatorischen Erklärungsmodelle stellt die Arbeit von *Schille* (Kollegialmission) dar. Es ist hier nicht möglich, auf alle seine z. T. weittragenden Hypothesen und Behauptungen über die Organisation der paulinischen Mission einzugehen. Wie diese Arbeit insgesamt zeigt, stimme ich ihm an nahezu keiner Stelle zu (eine genauere Besprechung von *Schilles* Buch gebe ich in meiner Diss. masch., Heidelberg 1974, S. 328–331; Anm. 17a).

19   *Schlunk*, Missionar, 99. Ebenso *Fascher* (Titus, 1580); nach ihm hielt Paulus Titus »für begabt und glaubensstark genug, um ihn zum Missionar auszubilden«.

20   S. o. S. 85–89.

21   Vgl. dazu die oben (vor Anm. 17) zitierte Formulierung bei *v. Harnack* (Mission, 83). Gleicherweise findet *Hadorn* (Gefährten, 71) in den Notizen über Timotheus belegt, »wie sich der Apostel seinen Mitarbeiter zu diesem Dienst erzogen hat« (vgl. *Pölzl*, Mitarbeiter, 142f). *Hadorn* lehnt allerdings heftig die Vorstellung ab, Paulus habe »um sich herum so etwas wie eine Schule oder Richtung« gebildet (82); vielmehr gehörten die Mitarbeiter mit Paulus zusammen, bildeten eine Einheit »nicht als Vertreter einer Schule, der paulinischen Schule, sondern der Sache Christi, Phil 2,21« (79).

22   *Maehlum*, Vollmacht, 22.

23   So nach *Maehlum*, Vollmacht, 22; vgl. Kap. 4 Anm. 1. Wie vor ihm Markus so hat danach auch Timotheus sozusagen beide Schulstufen durchlaufen.

24   Die vermeintlichen Belege entstammen meist einer unzulässigen Verknüpfung lukanischer mit paulinischen Angaben (so z. B. bei *Fascher, Hadorn, Pölzl* und *Maehlum*, s. die vorigen Anm.). Die Paulusbriefe lassen so gut wie nichts über eine missionarische Lehrzeit erkennen (das später gegenüber Gal 2,1 geänderte Verhältnis zwischen Paulus und Titus z. B. geht gerade nicht auf eine Ausbildung durch Paulus zurück), sondern die Mitarbeiter fungieren alle ohne Einschränkung als Missionare. Zu beachten ist weiterhin, daß Paulus sich den Mitarbei-

Von ganz anderer Seite aus und weniger mit historischen als vielmehr mit traditionsgeschichtlichen Argumenten ist die These einer Schulung der Mitarbeiter durch Paulus aber neuerdings wieder in die Diskussion getragen worden. Die Art und Weise, so lautet diese Überlegung, wie Paulus mit überkommener (und zwar speziell weisheitlicher) Tradition umgehe, wie er sie »aufarbeite«, zeige »ausgesprochenen Schulcharakter«[25]: »Darin wirkt offenbar die formale Schulung des jüdischen Theologen Paulus nach«. Man dürfe deshalb annehmen, »daß im Hintergrund ein von Paulus bewußt organisierter Schulbetrieb, eine ›Schule des Paulus‹, zu erkennen ist, wo man ›Weisheit‹ methodisch betreibt bzw. Theologie als Weisheitsschulung treibt«[26]. Als »Sitz« dieser »Schule« biete sich Ephesus an.

Ein zweiter, stärker historisch ausgerichteter Strang von Überlegungen soll die vorgetragene These erhärten. Die Missionsmethode des Paulus gebe keinen Anlaß für die Annahme, daß er – in apokalyptischer Hast – »als rasender Reporter des nahen Endes durch die Lande eilte. Er läßt sich Zeit«[27]. Er richte sich ein in Missionszentren, von denen aus er die Mission organisiere. »Diese Arbeit fordert geschulte Gehilfen.«[28]

Die dargestellte These besitzt ihre Stärke darin, daß sie sich auf die traditionsgeschichtliche Analyse paulinischer Texte berufen kann[29], ein Verfahren, das an den Paulusbriefen sicher noch nicht in vollem Umfang erprobt worden ist. Immerhin muß hier gefragt werden, wieweit diese Texte zu Recht lediglich aus dem theologischen Denkpotential des weisheitlich geschulten (und schulenden) Paulus zu erklären sind oder wieweit sie auf das Konto konkreter Gemeindesituationen resp. polemischer Auseinandersetzungen gehen[30]. Die These besitzt andererseits ihre Schwäche in der Art, wie sie versucht, mittels traditionsgeschichtlicher Erwägungen kon-

---

tern gegenüber nie als Lehrer deklariert und daß die Mitarbeiter nirgends als μαθηταί bezeichnet werden (vgl. *Ellis*, Co-Workers, 437). – Zur paulinischen Ausdrucksweise s. u. Abschn. 6.2.2.

25 *Conzelmann*, Weisheit, 233.

26 Ebd.

27 Ebd.

28 Ebd., 234.

29 Ebd., 235–244. *Conzelmann* behandelt folgende Texte: 2Kor 3,7ff; 1Kor 1,18ff; 2,6ff; 10,1ff; 11,2ff; 13; Röm 10,6ff; 1,18ff.

30 Dies muß insbesondere hinsichtlich 2Kor 3,7ff; 1Kor 1,18ff; 2,6ff gegen *Conzelmann* eingewendet werden. Zu 2Kor 3,7ff vgl. *Schulz*, Decke, 1–30; *Georgi*, Gegner, 252–282 (deren These, Paulus beziehe sich auf einen *Text* seiner Gegner; mir allerdings fraglich bleibt); *Ulonska*, Doxa, 378–388; gründlich und meist überzeugend *Rissi*, Studien, 13–41; anders *Schmithals*, Gnosis, 272f.299–308; *Luz*, Bund, 319–328; *ders.*, Geschichtsverständnis, 123–134. Zu 1Kor 1,18ff und 2,6ff vgl. *Wilckens*, Weisheit, bes. 21–96.205–213; *Baumann*, Mitte, passim, spez. 80–148.171–261 (mit ausführlicher Diskussion der Literatur); *Lührmann*, Offenbarungsverständnis, 113–117; *Maly*, Gemeinde, 33–49. Auch in bezug auf die übrigen von *Conzelmann* herangezogenen Texte scheinen mir die situationellen Züge und die Verklammerungen mit dem Kontext nicht immer genügend gewürdigt zu sein. – Andererseits wird später noch zu zeigen sein, daß damit die von *Conzelmann* bezeichnete traditionsgeschichtliche Frage nach Texten in den Paulusbriefen, die auf eine ihrer aktuellen Niederschrift vorangehende intensive theologische Verarbeitung und Diskussion hinweisen könnten, nicht erledigt ist (s. u. S. 187ff).

krete historische Daten zu postulieren. Daß die Weise, wie Paulus mit weisheitlich beeinfluß-
ten Traditionselementen umgeht, *Schulcharakter* besitze, ist eine unbelegte These; um so
mehr die Behauptung, daß Paulus diese Interpretationsarbeit im Rahmen einer »Schule« betrieben haben sollte[31]. Dagegen erheben sich eine ganze Reihe von Fragen und Einwänden:
Zunächst bleibt völlig ungeklärt, was die Interpretation einer vorgegebenen Tradition als
»schulmäßig« qualifiziert[32]. Läßt sich auch eine »aktive Verarbeitung« jüdische(r) Weisheits-
tradition[33] durch Paulus erkennen, warum müßte sie innerhalb eines »Schulbetriebes« stattgefunden haben und warum hätte diese Traditionsaufarbeitung sich auf weisheitliche Überlieferungen beschränkt? Die kritische Auseinandersetzung mit vorgegebener Tradition ist aber ein
durchgängig im Corpus Paulinum zu beobachtendes Vorgehen, das sich auf alle Arten von Tradition verschiedenster Herkunft erstreckt[34], ohne dabei die systematisierende und vereinheitlichende Tendenz einer (weisheitlichen) Schulbildung erkennen zu lassen. In der Verarbeitung
weisheitlicher Traditionen handelt es sich vielmehr um *einen* Überlieferungsstrang neben anderen.

Was zum anderen die oben zitierten Äußerungen zur Missionsmethode des Paulus betrifft, so
ist es sicher richtig, daß Paulus sich in der Missionsarbeit auch Zeit lassen konnte[35]. Weder
wollte er durch sie die Parusie herbeizwingen[36], noch meinte er, die Heidenmission in »großer

---

31   Inwiefern kann man z. B. aus den verschiedenen Begründungen in 1Kor 11,2ff schließen,
»hier habe sich eine *Schul*diskussion mit ihren Voten niedergeschlagen« (*Conzelmann*, Weisheit, 240f)? Oder aus den Spannungen innerhalb von 1Kor 2,6ff und mit seinem Kontext, hier
zeige sich »die Esoterik einer *Schul*arbeit« (ebd.)? (Hervorhebungen von mir).
32   Lassen sich dafür überhaupt ohne den *historischen* Nachweis eines »Schulbetriebes« Kriterien finden? – Bedarf ein »Schulbetrieb« nicht unbedingt eines Traditionsnachweises, der
Angabe von Fundort und vorgegebenen Autoritäten (rabbinisches Schrifttum!), was sich bei
Paulus aber gerade nirgends findet (vgl. *Wegenast*, Verständnis, passim, spez. 24–33.119f;
Roloff, Apostolat, 83–104)?
33   *Conzelmann*, Weisheit, 238.
34   Das im einzelnen nachzuweisen, ist hier nicht erforderlich; vgl. *Wegenast*, Verständnis,
51–120; *Luz*, Geschichtsverständnis, 94f. – Die »theologische Arbeitsweise des Paulus« (*Conzelmann*, Weisheit, 232) scheint mir auch damit nicht überzeugend aufgehellt, daß man sie als
Auslegung des Credo (*Conzelmann*), also formulierter, von der Tradition vorgegebener Glaubenssätze bezeichnet. Vielmehr bildet »das paulinische *Evangelium* (als) die Offenbarungs-
macht und Realität des neuen Äons« (*Stuhlmacher*, Evangelium, 107; Hervorhebung von mir)
die für ihn schlechthin bestimmende vorgegebene Größe. Aber Paulus ist »weit davon entfernt, das Evangelium mit einer vorpaulinischen Tradition zu identifizieren; er ist nur bereit
und willens, überkommene Lehre seinem Evangelium zu amalgamieren« (ebd., 107f). Gleiches hat *Kertelge* (Apostelamt, 171) an 1Kor 15,1f gezeigt: »Nicht die Tradition als solche steht
hier am Anfang, um dann nur noch ausgelegt zu werden, sondern das Evangelium.« In anderer
Weise, aber im Grunde mit ähnlicher Tendenz kritisiert auch *Lührmann* Conzelmanns These
von der Interpretation des Credo; nur sieht er Paulus bereits von einer Vielzahl von Traditionen abhängig, die ihm zwar historisch vorgegeben, theologisch aber gerade keine Priorität besitzen: *Das* Credo als einheitlichen Ausgangspunkt der Tradition hat es für Paulus überhaupt
nie gegeben, »vielmehr stehen am Anfang auch der paulinischen Traditionsgeschichte ganz
verschiedene Traditionen« (*Lührmann*, Rechtfertigung, 452), die Paulus besonders prägnant,
aber nicht etwa ausschließlich, unter Zuhilfenahme seines »Rechtfertigungsverständnisses«
(ebd.) vom Evangelium her und aufs Evangelium hin interpretiert.
35   Man denke an die Länge seiner Missionsaufenthalte in den einzelnen Gemeinden (s. o. S.
32 und Kap. 2 Anm. 138), an seine weiteren Bemühungen um seine Gemeinden, wie sie sich in
den Briefen und den zahlreichen Beziehungen hin und her abspiegeln, schließlich auch an Äußerungen wie Gal 1,17–2,1.11; Phil 1,21–26. Vgl. auch *Knox*, Conception, 6.
36   Diese These haben insbesondere *Cullmann* (Charakter, 334–336; *ders.*, Heil, 231f) und
Munck (Heilsgeschichte, 28–60), ausgehend von einer Interpretation zu 2Thess 2,6f, vertre-

Eile«[37] durchführen zu müssen. Aber die Wahrheit dürfte hier in der Mitte liegen[38]. Denn ebensowenig richtete sich Paulus in seinen Missionszentren ein[39], derart, daß er begonnen hätte, Lehrstätten zur Tratitionsverarbeitung und Schulung der Mitarbeiter zu errichten[40]. Dagegen spricht sein im Zusammenhang mit seiner Mission immer wieder Ausdruck findendes Bewußtsein, *allen* Heidenvölkern die Evangeliumsverkündigung zu schulden und deshalb noch in fernere Länder vorstoßen zu müssen (Gal 2,8; 2Kor 10,16; Röm 1,10–15; 15,15–24!). Dagegen spricht auch etwa die wenig organisierte, provisorische Art seiner Missionsfinanzierung[41]. Daß andererseits zwischen der von Missionszentren aus durchgeführten Mission des

ten, derzufolge sie (unter Voraussetzung der paulinischen Verfasserschaft des 2Thess) glauben, τὸ κατέχον meine die Heidenmission, ὁ κατέχων Paulus. Aber Paulus erwartete die Parusie nicht *nach* seinem Tode, sondern noch zu seinen Lebzeiten (1Thess 4,15; vgl. *Betz*, Katechon, 286. Vgl. auch *Luz*, Geschichtsverständnis, 390 Anm. 13. *Schmithals*, Apostelamt, 35 Anm. 94; *Lührmann*, Offenbarungsverständnis, 110f, mit weiteren Gegenargumenten).
37 *Lohse*, Ursprung, 271. Weitere ähnliche Anschauungen wehrt *Kasting* (Anfänge, 107 mit Anm. 121) ab.
38 Mit *Bornkamm*, Paulus, 73f.76f.
39 *Conzelmann*, Weisheit, 234.
40 Die Lehrstätte meint *Conzelmann* (Weisheit, 233 Anm. 7) in der Notiz der Apostelgeschichte (19,9) belegt zu finden, Paulus habe über zwei Jahre hin in Ephesus im Lehrsaal des Tyrannos täglich Vorträge gehalten. Gegen die lukanische Angabe ist jedoch Skepsis geboten. Sie steht ganz im Interesse, den öffentlich-proklamatorischen Akt der Verkündigung hervorzuheben (v 10!), ein Motiv, welches die gesamte Apostelgeschichte (von 1,8; 2,1ff und 4,20 bis 28,23–31) durchzieht. Paulus selbst beschreibt seine Missionstätigkeit weniger aufsehenerregend (1Kor 2,1–5; 4,13; 2Kor 10,1.10; 11,6) und privater (1Thess 2,1–12). Auch die runde Zeitangabe »zwei Jahre«, die als Zeitraum einer mit freimütiger Verkündigung ausgefüllten Zeit auch Apg 24,27 und 28,30 erscheint, weckt Zweifel. Die Kenntnisse des Lk über die ephesinische Missionsperiode des Paulus können so detailliert nicht gewesen sein; von einer Gefangenschaft wußte er nichts. – Schließlich aber hat Lk seine Notiz gerade nicht so gemeint, wie *Conzelmann* sie versteht. Lk will nicht sagen, Paulus habe im Lehrsaal Mitarbeiterbelehrungen durchgeführt, sondern gepredigt. διαλέγεσθαι meint nicht (wie oft bei Epiktet belegt; *Schrenk*, ThWNT Bd. 2, 94) die Diskussion, Debatte, das philosophische Gespräch, sondern nach Apg 17,2.17; 18,4.19 die Ansprache im Synagogengottesdienst, nach 24,12 im Tempel, nach 20,7.9 vor der Gemeinde von Troas, also die Predigt, die Missionsverkündigung (mit *Schrenk*, ebd., 94f).
41 Paulus verfocht von Anfang an erklärtermaßen den Grundsatz der Selbstversorgung (worauf er erstaunlich oft zu sprechen kommt: 1Thess 2,5–9 [vgl. 2Thess 3,8ff]; 1Kor 4,12; 9,4–18; Phil 4,10.15f; 2Kor 11,7–10; 12,13–18; vgl. Apg 18,3; 20,31–35), der vermutlich von seinen Mitarbeitern, jedenfalls von denen des engsten Kreises, geteilt wurde: auch Barnabas verfolgte ihn (1Kor 9,6), ebenso Silvanus und Timotheus (1Thess 2,9). Daß er auch hätte anders können, dessen war sich Paulus durchaus bewußt (1Kor 9,4–18). In seinen Gemeinden wurden Gemeindelehrer versorgt (Gal 6,6; 1Kor 9,12). Auch er selbst huldigte keineswegs einem Autarkie-Ideal, so daß er prinzipiell jede Versorgung abgewehrt hätte. Vielmehr empfing er durchaus von seinen Gemeinden Unterstützung und akzeptierte sie auch (Phil 4,10.15f; 2Kor 11,8f; 12,13). Vermutlich handhabte er seinen Grundsatz in der Weise, daß er lediglich von der Gemeinde, in welcher er gerade missionierte, die Unterstützung ablehnte, und zwar um des Evangeliums willen, damit er es »kostenlos« verkündigte (1Kor 9,12.16–18). Vermutlich war er dabei von den älteren Traditionen der Wandermission abhängig (s. u. S. 154). Jedenfalls empfing Paulus erst nach seinem Weggang aus Mazedonien von den Philippern Unterstützung (Phil 4,15). Obgleich ihm mehrfach auf diese Weise geholfen wurde (4,16), erreichten ihn die Gaben aus seinen Gemeinden nur gelegentlich und unregelmäßig (Phil 4,10), so daß er trotz eigener Arbeit (Apg 18,3; 1Thess 2,9) des öfteren in große Not geraten ist (1Kor 4,11f;

Paulus und seinem Mitarbeiterkreis ein Zusammenhang besteht, ist eine sicher zutreffende
Beobachtung, die uns noch beschäftigen wird[42]. Aber der verbindende Gedanke ist nicht der,
die Mitarbeiter zur Schulung und Ausbildung für die Missionsarbeit heranzuziehen.

Wer Schulen gründet, will Bewährtes festhalten und einüben für fernere
Gelegenheiten. Er sieht sich in einer Überlieferungskette stehen. Für Paulus
hingegen besitzt Tradition eine andere Funktion. Sie steht im Dienste aktu-
eller Problematik, Polemik, Paränese (1Kor 11,23ff; 15,3f). Wer noch zu
seinen Lebzeiten die Parusie erwartet (1Thess 4,15; vgl. 1Kor 7,29; Röm
13,11; 1Thess 5,1–10)[43], richtet keine Schule für angehende Missionare
und Gemeindeprediger ein. Die Rolle der Mitarbeiter in der paulinischen
Mission kann also nicht aus einem pädagogischen Vorhaben abgeleitet werden. Die Arbeit des Paulus gilt nicht den Mitarbeitern, sondern den Gemeinden. Zweifellos hat die Mitarbeitermission auch eine pädagogische
Seite im Sinne eines (gegenseitigen!) Gebens und Nehmens[44], ebenso wie
sie eine organisatorische und auch eine psychologische besitzt. Aber sie läßt
sich von dort aus nicht umfassend erklären.

Wenn auch die »theologische Bildung«[45] der Mitarbeiter nicht das Haupt-
ziel der Mitarbeiterkonzentrierung um Paulus war, so ist doch der Versuch,
eine theologische Erklärung des Mitarbeiterphänomens zu finden, schon
ein Schritt auf richtigem Wege. Der Fehler aller vorgetragenen Erklärungsversuche liegt aber darin, daß sie eine wesentliche Komponente der Mitarbeitermission überhaupt nicht in Rechnung stellen: *die Gemeinden*. Die
Gemeinden werden lediglich als Objekt des missionarischen Handelns betrachtet, ein Produkt vereinter Bemühungen des Paulus und seiner Mitarbeiter. Dementsprechend versteht man die Mitarbeiter als Gehilfen des
Apostels für die Arbeit an den Gemeinden. Aber die Gemeinden waren
mehr als nur Objekte des Handelns der Mitarbeiter und die Mitarbeiter
mehr als Organe des Handelns des Paulus. Die Bestimmungsreihe Paulus –
Mitarbeiter – Gemeinden muß auch umgekehrt werden: Gemeinden – Mitarbeiter – Paulus. Erst dann gelingt es, ihre Funktion voll verständlich zu
machen.

2Kor 11,27; Phil 4,12 u. a.), durch die er in seiner Arbeit nicht wenig behindert wurde. Eine ge-
regelte Missionsfinanzierung besaß er nicht. – Zur ganzen Frage vgl. auch die interessante Untersuchung von *Dautzenberg*, Verzicht, mit weiterer Literatur; und s. u. Anm. 191.
42 S. u. S. 125–129.
43 *Luz* (Geschichtsverständnis, 355–357) wendet sich mit Recht gegen die öfter geäußerte
These, die paulinische Eschatologie habe zwischen 1Thess 4,13–18 und Phil 1,23 eine Entwicklung durchgemacht, und deutet die Phil 1,23 anklingende Möglichkeit, Paulus könne vor der
Parusie sterben, aus der konkreten Situation und bedrohlichen Lage, in der sich Paulus während seiner Gefangenschaft befindet. Daß Phil 1,23 von Paulus nur als Wunsch, nicht wirklich
als reale Möglichkeit ins Auge gefaßt wird, zeigt sich auch daran, daß er nach 2,24 so schnell
wie möglich nach Philippi reisen möchte.
44 Vgl. *Bornkamm*, Paulus, 102.125.
45 *Conzelmann*, Weisheit, 234.

5.2
Die Mitarbeitermission als Gemeindemission

5.2.1
Die Funktion der Gemeindegesandten für die Mission

Im Folgenden sollen nun alle Merkmale zusammengestellt werden, welche die Mitarbeitermission charakterisieren. Ausgangspunkt sind die oben genannten Ergebnisse der vorangegangenen Kapitel, konkret: die Beobachtungen, die sich an den Gemeindegesandten machen lassen. Die übrigen Mitarbeiter des Paulus, die selbständigen und die des engsten Kreises, dürfen in dieser Frage zunächst außer Betracht bleiben; zum einen wegen ihrer begrenzten Zahl, die gegenüber dem Kreis der Gemeindedelegierten nicht ins Gewicht fällt, zum andern, weil sie, wie oben versucht, als Einzelgestalten zu würdigen sind, die jeweils durchaus andere Funktionen innerhalb des paulinischen Missionswerks besessen haben. Welches sind also die Charakteristika der Gemeindegesandten?
1. *Sie stammen aus den paulinischen Gemeinden.* Dieser Tatbestand unterscheidet sie zugleich von den übrigen Mitarbeitern. Man muß sich darüber wundern, daß Paulus nicht versuchte, aus den gestandenen und bewährten Gemeinden Syriens, vorab Antiochias, immer mehr Mitarbeiter zu finden, falls es ihm lediglich auf eine erhöhte Effektivität und größere Stoßkraft der Arbeit angekommen wäre. In Antiochia gab es auch während und nach der Gal 2,11ff beschriebenen Auseinandersetzung Heidenchristen, die zu ihm hielten (Gal 2,13)[46]. Statt dessen belastet er seine jungen, eben entstandenen Gemeinden mit der Entsendung von Mitarbeitern. Das kann nur darin seinen Grund haben, daß er in dieser Entsendung gerade keine ungebührliche Zumutung und Belastung für sie sah, sondern im Gegenteil eine besondere Verpflichtung und Ehre der Gemeinde.
Bemerkenswert ist auch, daß anscheinend sämtliche paulinischen Gemeinden im Kreis der Mitarbeiter des Paulus vertreten waren, nicht nur die großen, und sogar einzelne Hausgemeinden (Onesimos)[47].
2. Die Gemeindegesandten kommen zu Paulus aufgrund einer *offiziellen Entsendung* durch ihre Gemeinden. Dieser Tatbestand ergab sich daraus, daß ihnen der Titel ἀπόστολος ἐκκλησίας übertragen werden konnte. Wie sich an den Umständen, unter denen Stephanas, Fortunatus und Achaikos zu Paulus reisten (1Kor 16,15–18), erkennen läßt, konnte Paulus aber auch solche Gemeindeglieder als offizielle Vertreter ihrer Gemeinden verstehen, hinter denen nicht die gesamte Gemeinde stand und die offenbar aus eigenem Antrieb und freiem Entschluß zu ihm kamen: Sie verschafften Paulus dennoch Beruhigung über die (ganze) Gemeinde (1Kor 16,18) – deshalb nämlich, weil er ihre Sendung als Vertretung der ganzen Gemeinde ver-

---

46 Man denke auch an Silvanus und Titus.
47 S. u. Anm. 54 sowie Anm. 4/5 und S. 106f.

stand (v 17). Der Entsendung konnte anscheinend auch ein Gemeindewahlakt vorausgehen (2Kor 8,19). Ihrer offiziellen Funktion entspricht die ihnen gezollte und für sie reklamierte Wertschätzung durch Paulus und die Gemeinden (2Kor 8,23; 1Kor 16,16.18; Phil 2,19; Phlm 11 u. a.)[48], ebenso auch, daß es sich bei ihnen offenbar oft um die hervorragendsten Gemeindeglieder handelte (Epaphras, Stephanas, Sosthenes). Daß die Mitarbeiter – wenigstens zum Teil – in solcher Form zu Paulus entsandt wurden, beweist jedenfalls nicht nur, wie wichtig *Paulus* ihre Mission nahm, sondern ebenso, daß die *Gemeinden* darin einen ganz besonders bedeutsamen Auftrag erblickten. Hier reisten nicht einige Gemeindeglieder mehr oder weniger zufällig zu Paulus. Vielmehr verantwortete die jeweilige Gemeinde ihren Auftrag. Infolgedessen ging es auch in den Interessen, die von ihnen wahrgenommen wurden, um die Interessen ihrer Gemeinden. Ihr Verhältnis zu den Gemeinden läßt sich aber noch genauer bestimmen.

3. Die Gemeindegesandten reisten *in Vertretung für ihre Gemeinden* zu Paulus. Sie sind nicht lediglich Boten und Beauftragte, sondern *Repräsentanten ihrer Gemeinden*. Ihre Funktion üben sie »ὑπὲρ ὑμῶν« aus (so Epaphras, Kol 1,7; 4,12.13; vgl. Onesimos, Phlm 13). Das bedeutet einerseits, daß, wenn sie zu Paulus kamen, in ihnen gewissermaßen die Gemeinden anwesend waren. Die παρουσία des Stephanas, Fortunatus und Achaikos ist die παρουσία, die Repräsentanz ihrer Gemeinde bei Paulus. Man kann sagen, daß der Apostel, wenn seine verschiedenen Gemeinden zu ihm ihre Delegierten als Mitarbeiter entsendeten, sozusagen seine Gemeinden um sich versammelte. Dieses Repräsentanzdenken des Paulus äußert sich auch noch auf andere Weise und scheint typisch für ihn zu sein[49]. Zum andern vertraten die Mitarbeiter, wenn sie zu Paulus geschickt wurden, in ih-

48 Zu den Mitarbeiterempfehlungen s. u. S. 190–193.
49 Die Hauptstadt steht für die ganze Provinz repräsentativ (vgl. o. Kap. 2 Anm. 255), nach Röm 15,19f.23 gleichsam wie ein erobertes Gebiet, über das der neue Herrschername ausgerufen und seine Fahne aufgepflanzt worden ist. Nicht ganz zutreffend ist das bekannte Bild *v. Harnacks* (Mission, 80), mit dem er die gewaltige Aussage des Paulus in Röm 15,19.23 verdeutlicht: »Vorausgesetzt ist dabei, daß sich nach rechts und links von der flammenden Linie das Feuer von selbst verbreiten wird.« Denn Mission ist für Paulus nicht so sehr eine reisende »Durchquerung der Welt« (ebd.; vgl. 82f), bei der in der hinter ihm liegenden Spur die zum neuen Glauben Bekehrten zurückbleiben. Paulus war weniger Reisemissionar, er baute Brückenköpfe (s. u. S. 125ff). – Was im Großen die Hauptstadt für die Provinz bedeutete, war im Kleinen der Erstbekehrte für das neue Missionsgebiet. Auch darin äußert sich das Repräsentantendenken des Paulus, daß er den Erstbekehrten mit dem besonderen Ehrentitel »ἀπαρχὴ τῆς . . .« auszeichnet (1Kor 16,15; Röm 16,5; vgl. Kap. 3 Anm. 95). Der Erstbekehrte ist das Unterpfand und sichtbare Zeichen für die Missionierung des Ganzen. – Der Repräsentationsgedanke findet sich also, wie auch im Zusammenhang der Gemeindegesandtenidee, immer nur auf die Mission bezogen. Der Teil steht für das Ganze, und er steht für das Ganze ein. Dieser Gedanke beschreibt angesichts der naherwarteten Parusie die Mission als ein Geschehen der Herrschaftsausrufung Christi (Röm 15,20), das seiner eschatologischen Vollendung entgegengeht. Auf diesem Hintergrund finde die oft als überheblich oder phantastisch angesehenen Äußerungen des Paulus in Röm 15,19.23 ein zureichenderes Verständnis (den Repräsentationsgedanken betont in diesem Zusammenhang auch *Dahl*, Volk, 241).

rem Dienst ihre Gemeinden, anders gesagt: Es war *der Dienst ihrer Gemeinden*, den sie verrichteten. So gesehen, erhält das lebhafte Interesse, das die Gemeinden an ihnen nehmen, ebenso aber auch die intensive Beziehung der Mitarbeiter zu ihren Gemeinden (Phil 2,25–30; Kol 4,12f) eine durchaus über das Persönliche hinausreichende Bedeutung.

Wenn es eigentlich die Gemeinden sind, welche in ihren Delegierten bei Paulus vertreten sind, dann kann auch verständlich werden, warum Paulus sagt, sie beseitigten *einen Mangel ihrer Gemeinden* (1Kor 16,17; Phil 2,30). Es ging in ihrer Entsendung nicht um die Beseitigung von Engpässen bei Paulus, weder finanzieller noch personeller Art. Es ging um die Sache der Gemeinden. Aber noch ist nicht gesagt, um welche.

4. Die Mitarbeiter wurden von ihren Gemeinden *als Missionare* zu Paulus entsendet. Diesen oben ausführlich nachgewiesenen Tatbestand[50] gilt es nun mit den bisherigen Überlegungen zu verbinden. Die »Sache« der Gemeinden war – die Mission. Entsendung von Mitarbeitern zu Paulus, das hieß: Entsendung von Missionsarbeitern, von Missionaren, nämlich Bereitstellung der Gemeinden für die Mission. *Die Gemeinden wurden durch ihre Delegierten in der Missionsarbeit bei Paulus vertreten und dokumentierten damit ihre Mitverantwortung und Teilhabe am paulinischen Missionswerk.* Sie bekundeten damit, daß die Mission überhaupt und die des Paulus speziell *ihre Sache* und Aufgabe war – nicht etwa ein abseits von ihnen geschehendes, auch ohne sie funktionierendes Unternehmen des (dazu berufenen) Apostels. Die Mission ist hier nicht als eine Angelegenheit der Apostel verstanden, sondern als Funktion der gesamten Gemeinde. Dies aber wiederum nicht in einem allgemeinen Sinn, in welchem die Apostel selbstverständlich als Glieder am Leib der Gesamtgemeinde, der Kirche gelten (vgl. 1Kor 12,28), dennoch aber die alleinigen Träger des universalen Missionsauftrages wären, sondern in dem konkreten Sinne, daß die einzelnen Gemeinden selber durch einzelne ihrer Glieder aktiv an diesem Missionsauftrag teilhaben und selber zusammen mit dem Apostel wie er missionarisch wirken[51].

---

50 S. o. Kap. 3.

51 Mit richtigem Gespür hat bereits *Hadorn* (Gefährten, 75.77.80) eine »Kategorie von Gefährten des Apostels« konstatiert, »die von den Gemeinden gestellt und delegiert worden sind« (80). Zu dieser rechnet er Erastos, Gajus, Aristarchos, Sosipater, Jason, Epaphras und Epaphroditos. Seine Erklärung für diesen Sachverhalt ist merkwürdig zwiespältig. Einerseits meint er, diese Mitarbeiter hätten die Gemeinden gestellt, »um sich auf diese Weise aktiv am Dienst am Evangelium zu beteiligen, mochten sie sich nun mehr mit der Kollektensache beschäftigen, oder vielleicht vorübergehend auch predigend oder lehrend tätig sein« (75). Andererseits legt er sich ihre Funktion so zurecht, daß sie »teils Überbringer einer Gabe waren, teils um ihrer Gemeinde willen die Nähe des Apostels aufsuchten, um seinen Rat und seine Hilfe zu erlangen« (80). – Auch *Eichholz* (Paulus, 25) sieht Richtiges, wenn er meint, »daß Paulus die von ihm gegründeten Gemeinden, so jung sie waren, sofort selbst für den missionarischen Dienst verantwortlich machte« (der letzte Halbsatz beim Vf. kursiv). Damit versucht er, die gewaltige Aussage von Röm 15,19 zu erklären. Paulus habe sich »missionarische Stützpunkte« geschaffen, »die kaum zufällig an den großen Verkehrsverbindungen lagen« (ebd.; ähnlich auch *Bornkamm*, Paulus, 70–74). Wie die »›freie Mitarbeit‹ (Zitat aufgenommen aus *v. Dob-*

Die Arbeit der Mitarbeiter diente also nicht zuerst der Effektivierung und Intensivierung der Missionsarbeit; sie geschah in Vertretung ihrer Gemeinden, um *ihretwillen*, in ihr äußerte sich *das Selbstverständnis der paulinischen Gemeinden als missionierender Gemeinden*.

5.　Nun erst kann völlig verständlich werden, inwiefern es ein *Mangel* der einzelnen Gemeinde ist, solange sie nicht bei Paulus in der Missionsarbeit vertreten ist. Sie hätte ihren Auftrag und ihre Verantwortung für die Mission nicht wahrgenommen, hätte abseits gestanden und sich selbst ausgeschlossen; sie hätte nicht erkannt, daß sie selbst sich in der Mission des Paulus als Gemeinde Christi erweist, dessen Herrschaft durch sie, die sein σῶμα ist, Wirklichkeit und Gestalt gewinnt.

Auf diesem Hintergrund finden zwei fast gegensätzliche Gesichtspunkte der Mitarbeiterentsendung ihre Zuordnung zueinander. Zum einen geschieht die Delegierung der Mitarbeiter zu Paulus grundsätzlich *freiwillig* aufgrund einer Wahl seitens der Gemeinde. Im Falle des Stephanas und seiner Leute ging die Freiwilligkeit sogar noch weiter. Paulus erwartet zwar die Ankunft der Gesandtschaft[52], doch findet sich kein Hinweis darauf, daß er sie gefordert hätte. Sie ist ihm Anlaß zur Freude (1Kor 16,17), sie »beruhigt« ihn (v 18; Phlm 20). Die Entsendung der Mitarbeiter war nicht einfach ein Einfall einzelner Gemeinden, sie beruhte auf Absprache. Aber wenn Paulus so hervorhebt, daß die Gemeinden mit der Entsendung ihrer Delegierten einen ihnen anhaftenden Mangel beseitigt hätten, dann heißt das, daß er in dieser Delegation eine Art Prüfstein erblickte, die Prüfung der theologischen Mündigkeit der Gemeinden, abgelesen an der Bereitschaft, für sein Missionswerk Mitverantwortung zu übernehmen.

In diese Richtung wenigstens weist auch der zweite Gesichtspunkt: daß Paulus in der *Entsendung von Mitarbeitern ein apostolisches Recht* und andererseits *eine Pflicht der Gemeinden* erkannte, welcher sich mit dem Gedanken der Freiwilligkeit im Philemonbrief, wo Paulus um einen Gemeindegesandten bittet, in eigentümlicher Verschränkung vorfindet. »Nicht genötigt, sondern freiwillig« wollte Paulus die Liebestat der Rücksendung des Onesimos erleben (Phlm 14). Und gleichzeitig weist er doch darauf hin, er besitze »in Christus das volle Recht« (πολλὴν παρρησίαν), zu verlangen, daß Onesimos' Herr seine »Pflicht« (τὸ ἀνῆκον) tue – um der Liebe willen, die jener in rühmenswertem Maße schon unter Beweis gestellt habe (v 5.7), bitte er aber nur (v 8f)[53]. Seine Liebe soll sich noch ein weiteres Mal bewäh-

---

schütz, Thessalonicher-Briefe, 75) von Gliedern der Gemeinde« »näher auszumalen« sei, wagt *Eichholz* aber nur zu vermuten. Er versucht, in 1Thess 1,8 den Ausgangspunkt zu nehmen (vgl. dagegen aber u. Anm. 81), und fragt: »Sollen wir von ›Laienmission‹ sprechen? Ich denke: ja.« Nach Paulus sei, wie *Käsemann* (Frühkatholizismus, 248) formuliert, die ganze paulinische Gemeinde »aus lauter Laien zusammengesetzt«, er verstehe sie als »charismatische Gemeinde« (*Eichholz*, ebd., 26). – Hieran ist vieles richtig gesehen (vgl. die Bemerkungen zur Umlandmission, S. 128f., und zur Mission der Gemeinden, S. 129ff) nur daß die Rolle der Mitarbeiter und ihr Verhältnis zu den Gemeinden nicht bedacht ist.

52　S. o. S. 97.

53　Zum einzelnen s. o. S. 105f.

ren, die Liebe, die nicht einfach in einer bestimmten caritativen Bemühung lag, sondern in der sich sein *Glaube* als wirksam erwies (v6) gegenüber der ganzen Gemeinde (v5). Auch hier sucht Paulus also die Bewährung des Glaubens. Die Rücksendung des Onesimos in die Missionsarbeit erhält den Charakter einer *Prüfung* (vgl. auch v21).

Eigentlich könnte Paulus anordnen (v8), eigentlich müßte ihm gehorcht werden (v21). Denn der Herr des Onesimos (und ebenso jede seiner Gemeinden überhaupt) verdankt sein Christsein dem Apostel (v19). Aber dann wäre es nicht ihre Liebestat, ihr Gutes (vgl. v14). Darin liegt aber gerade der Sinn der Entsendung der Mitarbeiter: daß die ihn entsendende Gemeinde ihre Mündigkeit erweist.

Die grundsätzlich freiwillige Delegierung der Mitarbeiter läßt deutlich werden, daß man *nicht* eigentlich von einer *Institutionalisierung* des Gemeindegesandtenwesens sprechen kann. Es scheint zwar so, daß sich alle paulinischen Gemeinden daran beteiligt hätten, anscheinend aber in sehr unterschiedlichem Umfang. Es bestand eine Erwartung seitens des Paulus an seine Gemeinden, jedoch keine »institutionalisierte« Regelung. Sie hätte den Sinn des Unternehmens pervertiert. Auch dies mag ein Grund sein, weshalb sich im nachpaulinischen Schrifttum kein Widerhall der Gemeindegesandtenidee findet.

6. *Die Zusammenarbeit der aus den einzelnen Gemeinden stammenden Mitarbeiter mit Paulus währte nicht unbegrenzt;* sie war befristet. Die Aufforderung an die Gemeinden, ihre Delegierten in Ehre zu halten bzw. ihnen Gehorsam zu leisten (1Kor 16,15–18; Phil 2,29), wäre sonst schwer zu verstehen. Anders ließe es sich auch – trotz aller Zufälligkeit, mit der uns gerade diese (und nicht andere) Briefe des Paulus erhalten blieben, und trotz ihres Gelegenheitscharakters – kaum erklären, daß die Mitarbeiter fast durchgängig nur einmal innerhalb der Paulusbriefe erwähnt werden. Soweit die Quellen überhaupt Aussagen zulassen, zeigen sie eine ständige Fluktuation im Mitarbeiterkreis. Diese hängt gewiß mit dem Freiwilligkeitscharakter der Entsendung zusammen[54]. Es scheint Paulus dabei viel weniger auf eine besondere Kontinuität der Arbeit angekommen zu sein (die gewährleisteten er und Timotheus). Das unterstreicht wiederum, daß die Mitarbeiter um ihrer Gemeinden willen zu Paulus kamen. Diese delegierten immer wieder andere Glieder aus ihrer Mitte in die Arbeit zu Paulus. Es entstand nicht etwa der Beruf eines Missionars, indem man einzelne Personen (etwa aufgrund irgendwelcher Sonderbefähigungen) zu dauernden Missionaren gewählt hätte, womit sich die Gemeinde als Ganze

---

54 Sie erklärt auch die Unterschiedlichkeiten zwischen den Gemeinden hinsichtlich Zahl und Häufigkeit der Entsendung von Mitarbeitern, in welchem sich die Verschiedenheiten der Gemeinden widerspiegeln. Große Gemeinden delegierten mehrere Mitarbeiter (Korinth), kleinere nur einen (Philippi), manche hatten einen gemeinsamen Vertreter (Epaphras für Kolossä, Laodizea und Hierapolis; Kol 4,13).

sozusagen ihrer missionarischen Pflicht ein für allemal entledigt hätte[55]. Aber auch in anderer Hinsicht war die Zusammenarbeit mit Paulus begrenzt. Es muß beachtet werden, daß Paulus Röm 16,21–23 zufolge, als er seine Arbeit im Osten abschloß, seine Jerusalemreise und die anschließende Spanienmission nur mit einem einzigen Mitarbeiter antrat, mit Timotheus, seinem Missionsgenossen. Die übrigen Begleiter reisten als Kollektendelegierte, Paulus apostrophierte sie nicht als Mitarbeiter (16,21). Er wollte offensichtlich nicht mit einem riesigen Mitarbeiterstab in den Westen reisen. Für die geplante Spanienmission suchte er vielmehr den Kontakt zur römischen Gemeinde, um sie zum Ausgangspunkt seines Unternehmens zu machen. Diese Hoffnung spricht er Röm 15,24 direkt aus. Ob er darunter auch verstand, daß ihm die römische Gemeinde durch die Entsendung von Mitarbeitern Unterstützung gewähren und damit wie vordem die ägäischen Gemeinden die Mitverantwortung für sein Missionswerk übernehmen sollte[56], mag dahinstehen[57]. Jedenfalls wollte Paulus im Westen etwas Neues aufbauen.

Daraus sind zwei Schlüsse zu ziehen. Zum einen betrachtete Paulus seinen Mitarbeiterkreis nicht als einen fungiblen Kommandostab oder einen Kader, den er hier oder dort einen »Einsatz« hätte durchführen lassen können. *Die Mitarbeiter verselbständigen sich in der Arbeit bei Paulus nicht gegenüber ihren Gemeinden.* Ihre spezielle Verbindung zu ihnen, der Status ihrer Delegierung, war und blieb für sie konstitutiv. Sie banden sich deshalb mit ihrer Arbeit nicht an die Person des Paulus, sondern an das ›Werk‹, die Mission. Unter einem Mitarbeiter versteht Paulus folglich nicht den, der ihm hilft, sondern den, der mit ihm das Werk Christi ausführt (vgl. Phil 2,30)[58].

---

55 Dem korinthischen Synagogenvorsteher Sosthenes folgten der achaische Erstbekehrte Stephanas und seine Leute, und Paulus erwartet bereits weitere Brüder aus Korinth (1Kor 16,11).

56 Hierin sieht man gelegentlich überhaupt den Anlaß des Römerbriefes; dieser verfolge ein »Motiv der Missionsstrategie«, indem Paulus die römische Gemeinde »als Operationsbasis für seine weitere Arbeit« gebraucht habe (*Feine-Behm*, Einleitung, 171).

57 Aus der Vokabel προπέμπειν (v 24) läßt sich dies allerdings nicht erschließen. Sie bedeutet hier wie an allen neutestamentlichen Belegstellen »das Geleit geben« und stellte eine selbstverständliche Gepflogenheit und Ehrung seitens der Gemeinden dar: Apg 15,3; 20,38; 21,5; 1Kor 16,6.11; 2Kor 1,16; Tit 3,13; 3Joh 6; Pol Phil 1,1 (vgl. *Bauer*, Wörterbuch, 1406f; *Michel*, Römer, 369: »ein fester Ausdruck der Missionssprache«; ebenso *Käsemann*, Römer, 380). Das Geleit umfaßte nicht nur die Begleitung ein Wegstück weit (Apg 20,38; 21,5), sondern auch die Mitgabe von Begleitschreiben (3Esr 4,47; 1Makk 12,4). Die sonstigen Belegstellen bei Paulus geben keinen Anlaß für die Vermutung, er habe damit außerdem die Ausrüstung mit Geld, die Stellung von Begleitern, die Beschaffung von Fahrgelegenheiten etc. (so *Bauer*, ebd., 1407) gemeint. Dennoch muß der Tatbestand, daß Paulus an die Römer so ausführlich schreibt, sein langgehegtes Interesse an ihnen betont und ihnen genauer von seinen bisherigen und weiteren Missionsplänen (bereits im Brief) berichtet, gewürdigt werden. Wenn man beachtet, wie bedachtsam und zurückhaltend Paulus formuliert (das zeigt *Käsemann*, ebd., 379f, besonders schön), liegt die Vermutung, er habe Rom zum neuen »Brückenkopf« (ebd., 380) machen wollen, durchaus nahe.

58 S. o. S. 71f.

Zweitens *war der konkrete Verantwortungsbereich* der Gemeinden für die Mission *begrenzt* – und gerade deshalb auch konkret, verbindlich und überschaubar für die Gemeinden. Der ägäische Raum war eines; die westliche Hemisphäre ein anderes. Die Mitarbeitermission erhielt ihre Lebenskraft davon, daß die Mitarbeiter repräsentativ und in Stellvertetung für ihre Gemeinden, das heißt aber auch: in unmittelbarem Kontakt mit ihnen (Phil 2,25–30!), die missionarische Verantwortung für ihre Gemeinden wahrnahmen. Dieser Sinn ließ sich nur in überschaubaren Regionen verwirklichen.

Die Untersuchung der missionarischen Funktionen der Mitarbeiter hatte ergeben, daß Paulus die Arbeit nicht in Einzelbereiche aufteilte und die Mitarbeiter nicht je verschiedene Spezialaufgaben ausführten. Sie übten vielmehr alle möglichen missionarischen Funktionen aus. Wenn demnach auch die missionarische Verantwortung der Gemeinden, welche die Mitarbeiter für sie wahrnahmen, geographisch begrenzt blieb, so erstreckte sie sich doch nicht auf Teilgebiete der Missionsarbeit, sondern auf das Ganze der Missionstätigkeiten. Paulus machte die Gemeinden nicht dadurch unmündig, daß er sie nur an einzelnen Aufgaben beteiligte. Er verhinderte aber zugleich durch die Überschaubarkeit des Missionsraumes, daß diese Beteiligung am Ganzen zu einer unverbindlichen bloßen Abkommandierung wurde. Es war nicht die ausgeklügelte Organisation, das Delegiertensystem und die Konzentrierung der Kräfte, durch welche die Mitarbeitermission ihre faszinierende Stoßkraft erhielt, sondern die Art der konkreten Verantwortlichkeit für die Mission, also die theologische Motivation, das Selbstverständnis der Gemeinden als handelnder Teile am weltweiten Missionsauftrag.

Damit sind die Merkmale der Mitarbeitermission des Paulus (soweit die Quellen sie zu erkennen geben) genannt worden. Sie ist dadurch verständlich geworden, daß sie als *Gemeindemission* beschrieben wurde. Die Frage nach den Mitarbeitern ist zur Frage nach den Gemeinden geworden. In den Mitarbeitern verklammerte Paulus seine Mission mit den Gemeinden, und die Gemeinden verbanden sich mit der Mission des Paulus. Das ist der primäre Sinn der Mitarbeitermission.

5.2.2
Die Korrelation von Mitarbeiter- und Zentrumsmission

Diese Verklammerung brachte aber nun zugleich eine enorme Ausweitung des Kreises der Mitarbeiter um Paulus und damit eine erhebliche *Effektivitätssteigerung* der Missionsarbeit mit sich. Auch dieser Gesichtspunkt der Mitarbeitermission, wenngleich erst ein sekundärer, bedarf nun der Würdigung. Denn es kann kaum übersehen werden, daß Paulus das Maß seiner Aktivitäten ohne seine zahlreichen Mitarbeiter schwerlich hätte aufrechterhalten und dabei, trotz relativ kurzer Aufenthalte in den einzelnen Gemeinden, außerdem erfolgreich arbeiten können.

Als Paulus nach dem antiochenischen Streitfall sein eigenes Missionswerk begann, bedeutete das für ihn nicht nur eine persönliche Loslösung von seiner bisherigen Heimatgemeinde, sondern auch den Beginn einer neuen *Missionsmethode*[59]. Paulus nahm Abschied von der bis dahin geübten Reisemission[60] und entwickelte seine *Zentrumsmission*[61]. Er wanderte nicht mehr von Ort zu Ort, als reisender Herold nicht lange verweilend, um am Ende zum Ausgangspunkt, der Muttergemeinde, zurückzukehren. Sondern er gründete nur in einer Stadt in jeder Provinz, gewöhnlich in der Provinzhauptstadt, eine Gemeinde, blieb dort möglichst[62] so lange, bis die Gemeinde auf eigenen Beinen zu stehen vermochte, und reiste dann zur nächsten (Haupt-)Stadt weiter. So hatte er als Ausgangsbasis keine einzelne Gemeinde mehr, keine Muttergemeinde[63], sondern eine Reihe von gleichwertig nebeneinander stehenden jungen Gemeinden. Zentrumsmission: das bedeutet also gerade nicht zentral organisierte Mission, nicht Zentralisierung, sondern, wenn man so will, im Gegenteil Dezentralisierung.

Zum anderen brachte die Trennung von Antiochia, wenn auch keineswegs etwa alle Verbindungen abrissen, doch auch eine personelle Loslösung mit sich. Von begründeten Ausnahmen abgesehen[64], war Paulus hinsichtlich einer Unterstützung durch andere Missionskollegen auf seine eigenen Gemeinden angewiesen, und er *wollte* das offensichtlich auch nach den Erfahrungen im antiochenischen Konflikt[65].

Die eigenständige Zentrumsmission des Paulus war demnach von ihrer ganzen Anlage her darauf ausgerichtet, auf sich selbst gestellte, mündige Gemeinden zu gründen, die, indem sie die Basis für das paulinische Missionswerk bildeten, auch eine selbständige missionarische Verantwortung wahrnahmen. Wenngleich organisatorisch ein genialer Gedanke, war das Sy-

---

59   Vgl. o. S. 16f und u. S. 157ff.

60   Völlig sichere Belege dafür, daß er von Antiochia aus Reisemission betrieb, gibt es nicht, jedoch eine Reihe indirekter Hinweise: Erst nach seiner Trennung von Antiochia entstanden die ersten selbständigen paulinischen Gemeinden. Das Bild der Apostelgeschichte, das Paulus als Reisemissionar zeigt, ist ohne Frage stilisiert, nach 1Kor 9,5f aber wohl nicht ohne historischen Anhalt. Man denke auch an die 2Kor 11,23–27 von Paulus aufgezählten zahlreichen auf seinen Reisen erfahrenen Gefährdungen. Schließlich folgt aus Gal 1f, daß Paulus einerseits in der Arabia, in Syrien und Kilikien über viele Jahre hin Missionsversuche unternommen hat, andererseits in der antiochenischen Gemeinde eine führende Position einnahm. Vgl. S. 157.

61   Dies hat m. W. als erster *Dibelius* (Paulus, 63–77) gegen das traditionelle Bild von den Missionsreisen des Paulus betont. Vgl. auch *Goppelt*, Zeit, 61.63; *Conzelmann*, Geschichte, 76f; *Eichholz*, Paulus, 25; *Kuss*, Paulus, 51; *Kasting*, Anfänge, 107; *Klein*, Abfassungszweck, 131.

62   Gelegentlich zwangen ihn die Umstände zu vorzeitiger und überstürzter Abreise; so aus Philippi (1Thess 2,1) und anscheinend auch aus Thessalonich (1,6; 2,13–20; 3,1–13).

63   Gegen *v. Harnack*, Mission, 81; *Zimmermann*, Paulus, 77; richtig dagegen *Bornkamm*, Paulus, 68.

64   Silvanus, Titus.

65   Dies ist natürlich nur ein Rückschluß. Er versucht, den beiden Tatsachen gerecht zu werden, daß Paulus einerseits noch gute Verbindungen zu den Antiochenern besaß (Titus!; vgl. auch 1Kor 9,6; Apg 18,22), andererseits aber völlig selbständig arbeitete.

stem der Entsendung von Mitarbeitern aus den einzelnen Gemeinden in die Mission des Paulus doch bloß folgerichtig.

Zentrumsmission und Mitarbeitermission stehen also in enger Korrespondenz zueinander[66], und der Erfolg der ersteren hing für Paulus sicher in starkem Maße von dem Funktionieren der letzteren ab[67]. Das verbindende Element, der nervus rerum, war also nicht die reibungslose Organisation. So wie es in der Zentrumsmission um die theologische Eigenständigkeit der paulinischen Mission (und damit auch der von ihm gegründeten Gemeinden) ging, nämlich um die unbeschränkte gesetzesfreie Heidenmission, so stand und fiel die Mitarbeitermission mit der theologischen Mündigkeit der Gemeinden. Die theologische Absicht des Paulus suchte und fand in beidem einen adäquaten historischen Ausdruck. Das ist das Geheimnis ihres Erfolges.

Nur auf diesem Hintergrund kann die Frage nach der Effektivitätssteigerung der paulinischen Mission durch die Mitarbeiter sachgemäß beurteilt werden. Zweifellos erfuhr die Arbeit des Paulus durch seine Mitarbeiter eine Intensivierung und Ausweitung. Sie erstreckte sich auf drei Bereiche: auf die Mission am Ort; auf die Verbindung zu den Heimatgemeinden; auf die Mission der umliegenden Orte.

Daß durch die gemeinsame Missionstätigkeit des Paulus und seiner Mitarbeiter am Ort eine besonders konzentrierte Arbeit entstehen konnte, ist an sich selbstverständlich, auch wenn sich kaum Andeutungen dafür finden. Immerhin bezeugt es Phil 1,14–18 indirekt[68].

Um so zahlreicher sind die vielfältigen Verbindungen belegt, welche Paulus durch seine Mitarbeiter mit den Gemeinden ermöglicht wurden. Es wurde bereits oben[69] versucht, sie an der Phase der ephesinischen Gefangenschaft des Paulus exemplarisch zu veranschaulichen. Vor allem springt die verzweigte *Reisetätigkeit der Mitarbeiter* ins Auge. In besonderem Maße waren an ihr die engsten und selbständigen Mitarbeiter beteiligt[70], aber auch für die Gemeindegesandten bezeugen die Paulusbriefe lebhafte Reisebeziehungen zu ihren Heimatgemeinden[71]. Sowenig Paulus auch einfach von Ort zu Ort eilte, sosehr er sich für jede Gemeinde Zeit nahm und in unermüdlichem Einsatz (1Thess 2,1–11!) um das Entstehen einer standfesten Gemeinde kämpfte, so kurz dürften den einzelnen Gemeinden andererseits seine – manchmal auch nur notgedrungen abgebrochenen – Gemeindeauf-

---

66 Insoweit hat *Conzelmann* (Weisheit, 233f; s. o. S. 115ff) recht. Nur ist die Brücke zwischen beiden nicht die Idee einer zentralen Organisation.

67 Das wird um so deutlicher, wenn man sich klarmacht, daß Paulus sich ja auch mit den Mitarbeitern eine mobile, geschlossene Einsatztruppe hätte schaffen können. Aber das tat er nicht. Basis, »Brückenköpfe« seiner Arbeit waren die Gemeinden. Sie selbst bildeten den Ausweis (den »Brief«: 2Kor 3,2; vgl. 1Thess 2,19f; 3,8; 1Kor 9,1f; 4,15) der Effektivität der paulinischen Missionsarbeit.

68 Zu diesem Text siehe ausführlich u. S. 193ff.

69 S. o. S. 58–61.

70 Insbesondere Timotheus und Titus, aber auch etwa Tychikos und Apollos.

71 Vgl. Kap. 2 Anm. 272 und 273.

enthalte erschienen sein. Jedenfalls geben die Paulusbriefe noch beredtes Zeugnis davon, daß die jungen Gemeinden teilweise sehr unzufrieden darüber waren, daß Paulus sich so wenig Zeit für sie nahm und seine Besuche oftmals aufschob. Seine Erwiderungen lassen noch erkennen, wie schwer es ihm fiel, ihnen seine Motive für verschobene und abermals verschobene Besuchsabsichten und Reisepläne einsichtig zu machen. Bereits aus Thessalonich scheint man energisch angefragt zu haben, warum Paulus nicht selber komme (1Thess 2,17–20; 3,6.10f). In der korinthischen Gemeinde war schon zur Zeit des 1Kor heftiger Unwille darüber aufgekommen, Paulus besuche sie ja nicht (1Kor 4,18), und seinen angekündigten Besuch (4,19–21; 16,5–9) hat er dann noch zweimal verschoben bzw. umgeändert (2Kor 1,15ff; 12,14; 13,1ff). Auch die Philipper hofften auf einen baldigen Besuch (Phil 2,19.24), ebenso wie die Gemeinden im Lykostal (Phlm 22; Kol 4,8; 2,1–5). In keinem dieser Fälle (und vielleicht kamen noch andere hinzu) hat Paulus seinen Besuch wie geplant ausführen können; ins Lykostal scheint er überhaupt nie mehr gelangt zu sein, nach Thessalonich erst mit fünfjähriger Verspätung. Aber in allen genannten Fällen entsendet er einen Mitarbeiter in die Gemeinden. Durch die Mitarbeiter vermochte Paulus einen so intensiven und weitverzweigten Kontakt mit seinen Gemeinden zu unterhalten. Ohne sie hätte er einen Aktionsradius, wie er ihn Röm 15,19 absteckt, nicht spannen können – jedenfalls dann nicht, wenn er selbständige, lebensfähige Gemeinden hinter sich lassen wollte[72]. Das Konzept der Zentrumsmission, das nicht von einer einzelnen Muttergemeinde aus agierte, sondern jeder Gemeinde für sich einen selbständigen Stand zu geben trachtete, war in besonderem Maße auf solche Beziehungen angewiesen. Auch im Blick hierauf hat Paulus immer wieder die vielfältigen Verbindungen der Gemeinden untereinander gefördert und hervorgehoben[73].

Der dritte Sektor, auf welchem Paulus durch die Arbeit der Mitarbeiter eine Intensivierung und Ausweitung der Mission ermöglicht wurde, betraf die *Umlandmission.* Dafür findet sich eine ganze Reihe direkter und indirekter Hinweise. Die Gemeinde in Kolossä wurde durch Epaphras, den von Paulus Bekehrten und späteren Gemeindegesandten, gegründet[74], und sie verstand sich ihrerseits als paulinisch (Kol 1,7f; 2,1–5; 4,15f). Nach ihrer Bekehrung scheinen Philemon und Archippos, die Paulus als Mitarbeiter und Mitkämpfer bezeichnet (Phlm 1f.19), in ihrem Heimatort eine Gemeinde gegründet zu haben (Phlm 2). Von Korinth aus faßte die Gemeinde auch in

72 Sooft Paulus seine Mitarbeiter entsendete, sendete er sie nicht *vorweg,* vor sich her (gegen *Hadorn,* Gefährten, 74; vgl. o. Anm. 8), sondern stets zurück in die Gemeinden. Nicht die Proklamation war ihre Aufgabe, sondern die Befestigung der Gemeinde in ihrer Berufung (vgl. 1Kor 4,17; 1Thess 3,2!). Ihre Reisen dienen dem Gemeindebau, stehen im Interesse konkreter Gemeindebedürfnisse. Der Charakter der Inspektion ist ihnen fremd, ebenso wie den Reisen des Paulus.
73 Vgl. 1Thess 1,7; 2,14; 4,10; 1Kor 16,1; Phlm 5; Phil 4,15f; 2Kor 8,1.18f; 9,2–4; Kol 4,13.16.
74 Vielleicht gründete er auch die Gemeinden in Laodizea und Hierapolis, für die er offenbar ebenfalls als Delegierter bei Paulus weilt (Kol 4,13).

Kenchreä Fuß (Röm 16,1f). Paulus selbst spricht gelegentlich von »den Gemeinden Achaias« (2Kor 11,10) und adressiert den 2Kor »an die Gemeinde Gottes, soweit sie in Korinth ist, samt allen Heiligen, die sich in ganz Achaia befinden« (1,1). Hier hat bereits rege Missionstätigkeit stattgefunden. 2Kor 8,18f rühmt Paulus einen aus den achaischen Gemeinden stammenden Evangeliumsverkündiger, dessen Ruf weit über die Grenzen seiner eigenen Gemeinde hinausging. So sporadisch und zufällig diese Nachrichten auch sind: sie zeigen doch, in welchem Maße sich die paulinischen Gemeinden als missionierende Gemeinden verstanden und welche tragende Bedeutung die Mitarbeiter dabei für die Verbreitung und Vertiefung des paulinischen Missionswerkes besessen haben. So gewaltig die Arbeitsleistung des Apostels auch zu veranschlagen ist (vgl. 1Kor 15,10; Röm 15,19; 1Kor 4,9ff; 2Kor 11,23ff etc.), Größe, Weite und Erfolg seines Missionswerkes können doch nur verstanden werden, wenn die Bedeutung der Mitarbeiter ausreichend gewürdigt wird.

5.2.3
Das missionarische Verhalten der Gemeinden

Mit den bisherigen Überlegungen ist versucht worden, die Rolle der Mitarbeiter des Paulus in seinem Missionswerk zu bestimmen. Die Mitarbeitermission wurde dadurch verständlich, daß sie als Gemeindemission begriffen werden konnte. In den Mitarbeitern übernahmen die Gemeinden Verantwortung für das paulinische Missionswerk. Auf diese Weise bekundeten sie ihr Selbstverständnis als missionierende Gemeinden.

Das Ergebnis der Frage nach der Rolle der Mitarbeiter ist also, daß wir die Rolle der Gemeinden des Paulus anders einzuschätzen haben. Sie waren nicht nur die Objekte der apostolischen Missionsarbeit, nicht bloß Empfänger der missionarischen Bemühungen des Paulus. Sie waren – in der Klammer seines apostolischen Vorranges, über den noch zu reden sein wird[75] – seine *Partner* und beteiligten sich aktiv an seinem Missionswerk. Diese Teilhabe wurde vermittelt durch ihre Mitarbeiter. Welches Verhältnis besaßen aber die übrigen Gemeindeglieder zur Mission, wie äußerte sich das missionarische Bewußtsein der Gemeinde in ihrer Gesamtheit?

So fragend, ist zunächst festzustellen, daß die Gemeinden selbstverständlich missionarisch wirkten. Das folgt schon daraus, daß sie sich nicht als Mysterienzirkel konstituierten, sondern ihren neuen Glauben in vielfacher Berührung und Konfrontation mit ihrer Umwelt lebten. Wie wenig leicht ihnen das fiel, davon zeugt insbesondere der 1. Korintherbrief. Die missionarische Offenheit der Gemeinden wird in besonderer Weise durch eine gelegentliche Bemerkung des Paulus über die Teilnahme von Nichtchristen an den gottesdienstlichen Versammlungen in Korinth (1Kor 14,23) illustriert, die in ihrer Beiläufigkeit unterstreicht, wie selbstverständlich diese Praxis in

75 S. u. 175ff.

Korinth (und deshalb sicher nicht nur in Korinth) gewesen ist[76]. Durch den
normalen Kontakt mit der heidnischen Umwelt, durch die mannigfachen
Berührungen des täglichen Lebens und die grundsätzliche Offenheit gegenüber den Nichtchristen entstand also eine gewissermaßen natürliche missionarische Wirkung[77], bewußt zwar, aber nicht eigentlich geplant oder sogar organisiert[78].

Dieser Tatbestand erfährt eine eindrückliche Unterstreichung, wenn man
die von der Missionsterminologie bestimmten Aussagen in den Paulusbriefen näher untersucht. Sooft Paulus auf die missionarische Verkündigung zu
sprechen kommt[79], ist niemals eine Gemeinde als Ganze Subjekt des Handelns. Dies gilt für alle Begriffe missionarischen Verkündigens[80]. Stets erscheinen die Gemeinden nur als Objekt, als Empfänger der Botschaft[81]. Sie

76 Vgl. die Mahnungen bzw. Beteuerungen, nicht nur auf das Gute vor Gott, sondern auch
vor den Menschen bedacht zu sein, 1Thess 4,12; 2Kor 4,2; 8,21; Röm 12,17.
77 *v. Harnack* (Mission, 448): »Sie (die Gemeinde) . . . war der kräftigste Missionar. In der
Tat, wir dürfen als sicher annehmen, daß die bloße Existenz und die stetige Wirksamkeit der
einzelnen Gemeinden die Verbreitung des Christentums vor allem bewirkt hat.«
78 Zu 1Thess 1,8 s. u. Anm. 81. Zum Ganzen vgl. auch *Greeven* (Gemeinde, 64–68), der
eine Reihe weiterer zumindest indirekter Belege aufzählt und kommentiert.
79 Zur Begrifflichkeit für die Missionspredigt vgl. *Bultmann*, Theologie, 68–94 (Lit.); *Conzelmann*, Theologie, 78; vgl. auch die Übersicht bei *Stuhlmacher*, Evangelium, 56–63 und
Bußmann, Missionspredigt.
80 So für εὐαγγελίζεσθαι, κηρύσσειν, καταγγέλλειν, λαλεῖν τὸν λόγον o.ä. (zur Bezeichnung der Missionsverkündigung), κοπιᾶν, ebenso συνεργεῖν und διακονεῖν, jeweils
auch hinsichtlich der substantivischen Wortformen. Handelndes Subjekt ist, wenn nicht die
Botschaft etc. selbst (vgl. z.B. 1Kor 9,12.23; Phil 1,7.12.16 etc.), der Apostel; gelegentlich
auch andere Einzelpersonen (vgl. Anm. 83), jedenfalls aber nie die gesamte Gemeinde.
81 Wenn Paulus die Philipper τοῦ εὐαγγελίου συγκοινωνούς μου nennt (Phil 1,7), bezieht
sich das, wie v5f zeigen, auf die Annahme des Evangeliums und die weitere Bewährung der
Gemeinde, welche sich im einmütigen Kampf für den aus dem Evangelium erwachsenden
Glauben gegen die »Widersacher« der Gemeinde und schließlich in der Bereitschaft zum Leiden erweist (1,27–30). Die Gleichheit mit dem Apostel liegt darin, daß dies Leiden um Christi
willen (v29) geschieht (vgl. *Gnilka*, Philipperbrief, 101f). – Auch 1Thess 1,8 bildet keine Ausnahme. Paulus rühmt die Thessalonicher: Sie seien allen mazedonischen und achaischen Christen zum Vorbild geworden (1,7), denn von ihnen aus sei das Evangelium erschallt (ἐξήχηται ὁ
λόγος τοῦ κυρίου), nicht nur in Mazedonien und Achaia, sondern überall. Was bekanntgeworden ist, das ist ihre Aufnahme des Evangeliums (v6.9f), ihr Glaube (v3.8). Damit bilden sie
gewissermaßen einen »Lautsprecher« für das Evangelium. »Denn von ihrem Glauben und
Gläubigwerden erzählt man sich natürlich nicht, ohne daß von dem Evangelium, das ihn hervorgerufen hat und auf das er antwortet, die Rede ist« (*Schlier*, Apostel, 24). Insofern erweist
das Evangelium an ihnen *zeichenhaft* seine Kraft und die Wirksamkeit des Geistes (v5) und bestätigt in der Nachahmung der Gemeinde die Arbeit des Paulus (v5f). – Wenn *Henneken* (Verkündigung, 63.65.67; vgl. *v. Dobschütz*, Thessalonicher-Briefe, 75; *Eichholz*, Paulus, 26) dagegen in (unberechtigter) Ablehnung einer »Auffassung, die in 1,8a lediglich ein Weitererzäh-
len der Bekehrung der Thessalonicher und des von ihnen angenommenen Evangeliums er-
blickt« (ebd., 63), meint, es sei »hier an eine aktive Verkündigungstätigkeit durch die Thessalonicher zu denken« (ebd.), beachtet er nicht genug das Begründungsgeflecht von 1,3–10.
Nachahmer des Apostels und seiner Mitarbeiter werden die Thessalonicher, indem, genauer:
weil sie das Wort in großer Bedrängnis aufnahmen. *Daraus* resultiert (ὥστε!) ihre Vorbild-
lichkeit für die anderen Gemeinden. Umgekehrt gibt v9 den Grund (γάρ!) dafür an, daß sie
überall von sich reden machten (v8), nämlich die Nachricht davon, welche Aufnahme Paulus

werden auch innerhalb der Paränese nie dazu angehalten oder darauf verpflichtet, ihrerseits das Evangelium weiterzusagen, also als Missionare zu wirken[82]. Gemessen an der Häufigkeit des Vorkommens der Verkündigungstermini, ist dieser Befund eindeutig.

Als Subjekte missionarischer Verkündigung erscheinen neben Paulus (außer den anderen Aposteln und Reisemissionaren) nur – die Mitarbeiter[83]. Sie unterschieden sich von den übrigen Gliedern ihrer Gemeinden eben dadurch, daß sie speziell als Missionare wirkten; also durch ihre Auswahl und (zeitweilige) Freistellung zur Missionsarbeit[84]. Indem die Gemeinden ihrer missionarischen Verantwortung innewurden und Mitarbeiter in die Arbeit zu Paulus delegierten, wurden sie nicht allesamt, in allen ihren Gliedern, zu Missionaren. Sie wanderten nicht aus, verließen nicht Arbeit, Besitz, familiäre Bindungen und gewohnte Umgebung[85], um sich auf die missionarische Wanderschaft zu begeben. Gerade weil Paulus die Missionsarbeit als Herauslösung aus den normalen Bindungen und als mit ganzem Einsatz betriebene konkrete Verkündigungstätigkeit verstand, welche vielerlei Ein-

und seine Mitarbeiter bei ihnen fanden (vgl. 2,1–12). Gewiß findet das Evangelium durch sie über sie hinaus Gehör, aber nicht so, daß die Gemeinde selber Missionsverkündigung betrieben hätte. Ihre μίμησις lag in der Annahme des λόγος ἀκοῆς als des λόγος θεοῦ (2,13), sie bezieht sich auf das Christusgeschehen als Ganzes, das ihnen in der Verkündigung des Paulus, in seinem ὁδός (3,11; vgl. 1Kor 4,16f), begegnete und sie nun in einer »Schicksalsgemeinschaft« von Leiden und Freuden (v6) verbindet (vgl. *Schulz*, Nachfolgen, 287.315) – nicht darin, daß sich die ganze Gemeinde zur Missionsverkündigung wie Paulus auf den Weg gemacht hätte. Zur weiteren Illustration seiner Meinung kann *Henneken* dann auch lediglich auf die innergemeindlichen Tätigkeiten des παρακαλεῖν und οἰκοδομεῖν (4,18; 5,11) hinweisen (ebd., 68–70).

82 Anders, aber ohne überzeugenden Nachweis, *Ridderbos*, Paulus, 313f. Er verweist auf den Aufruf des Paulus zur Fürbitte (2Thess 3,1; Röm 15,30) und die Bitte um Geleit (Röm 15,24). Auch die Formulierung *Liechtenhans* (Mission, 86): »Zu den Aufgaben der Gemeinde gehört auch die Mission« ist deshalb abzuwehren (vgl. überhaupt ebd., 84–91). Die von ihm namhaft gemachten Belege (Phil 1,5–7; 1,27; die Aufforderung zur Fürbitte Röm 15,30; 2Thess 3,1; 2Kor 1,11; die Mahnungen zu ehrbarem Wandel 1Thess 4,12; Röm 13,13; 1Kor 10,32; schließlich Phil 1,14) können diese Behauptung nicht tragen (s. Anm. 81!), ebensowenig die unbegründete Vermutung, die Propheten in den Gemeinden (vgl. 1Kor 14) seien die örtlichen Missionare (88). Richtig weist *Liechtenhan* in diesem Zusammenhang schließlich aber auf die Mitarbeiter hin (90), nur daß er ihr Verhältnis zu ihren Gemeinden nicht erfaßt. Immerhin kommt ihm die Frage nach der Mitarbeitermission am Ende seines Buches zu Gesicht, indem er fragt, wieweit von einer »eigentlichen Missionsstrategie« gesprochen werden könne (91). Die Antwort sei »ungewiß«.

83 Vgl. 1Thess 3,2; 2,1–12 (soweit Paulus Silvanus und Timotheus einbezieht); 1Kor 3,5ff; 4,17; 9,5ff; 16,15f; Phil 1,14–18 (dazu s. u. S. 193ff); 2,22.25.30; 4,3; Phlm 13; 2Kor 1,19; Röm 16,3.5.9.12f. Vgl. außerdem o. Kap. 3.

84 Die Unterscheidung liegt aber nicht, wie oben gezeigt (S. 89), in einem grundsätzlichen Unterschied der von den Mitarbeitern hier, den Gemeinden dort wahrgenommenen einzelnen Tätigkeiten. Indem ein Gemeindeglied als Gemeindegesandter gewählt wurde, mußte es nicht erst bestimmte neue Fähigkeiten erwerben, sondern es stellte sein χάρισμα – eine Zeitlang – ausschließlich in den Dienst der Mission. – Hierin liegt also auch letztlich das Kriterium für die Zuordnung der in Kap. 2 aufgezählten Personen zum Kreis der Mitarbeiter des Paulus.

85 Vgl. dazu auch u. S. 154.

schränkungen, Notlagen und Verfolgungssituationen[86] mit sich brachte,
konnte sie, obgleich Aufgabe der ganzen Gemeinde, nur von einzelnen
wahrgenommen werden. Das Fehlen jeder Aufforderung seitens des Paulus
an die Gemeinde, Mission zu treiben, und das Fehlen einer allgemeinen Ermahnung zum εὐαγγελίζεσθαι beweist, daß er die Missionsarbeit im Sinne
einer völligen Freistellung zur Verkündigung nie als eine von allen Gemeindegliedern selbst gleichermaßen und gleichzeitig wahrzunehmende
Aufgabe betrachtete. Gleichwohl hatten die Gemeinden als Gemeinden
Christi Anteil an der Aufrichtung der Weltherrschaft Christi und besaßen
deshalb Mitverantwortung für die Mission. Paulus verband beide Anliegen
durch den Gedanken der Delegierung und Repräsentation der Mitarbeiter
für ihre Gemeinden.

Zu Partnern in seinem Missionswerk wurden die Gemeinden durch ihre
Mitarbeiter. In ihnen beteiligten sie sich aktiv an seinem Missionswerk;
nicht direkt zwar, sondern durch Delegation vermittelt, gleichwohl aber
konkret und verbindlich. Somit zeigen die paulinischen Gemeinden ein erstaunlich reflektiertes Selbstverständnis, indem sie als Teile um ihre Verantwortung für das Ganze wissen und ihr in der Teilhabe am paulinischen
Missionswerk Ausdruck geben.

5.3
Das Gemeindeverständnis der missionierenden Gemeinde

5.3.1
Hauptlinien paulinischer Gemeindevorstellungen

Dieses Ergebnis stellt nun vor eine neue Frage: die Frage danach, welches
Verständnis von der Gemeinde den Hintergrund für die Partizipation an der
Mission des Paulus bildet, anders formuliert, im Kontext welcher Ekklesiologie Paulus einerseits und die Gemeinden andererseits die Mission als gemeinsame Verantwortung begriffen.

Abgesehen von den besprochenen, jeweils auf *konkrete* Situationen bezogenen Bemerkungen, welche die historischen Tatbestände der Mitarbeitermission aufzuhellen und ihren Sinn verständlich zu machen vermochten,
finden sich nun aber bei Paulus sonst keine *grundsätzlichen* Ausführungen
über den Zusammenhang von Mission und Gemeinde; auch und gerade
nicht in solchen Passagen, in denen er seine Mission zum Thema macht[87].

---

86 Man denke vor allem an den Selbstversorgungsgrundsatz des Paulus (s. o. Anm. 41) sowie
an die zahlreichen Entbehrungen und Auseinandersetzungen im Verlaufe der Missionsarbeit,
wie Paulus sie in den sog. Peristasenkatalogen zusammengestellt hat (vgl. 1Kor 4,9–13; 2Kor
6,4–10; 11,23–27 u. a.). Vgl. außerdem die Bezeichnung der Missionsarbeit als κόπος (s. o.
S. 75) und die Charakterisierung des Mitarbeiters als συστρατιώτης (s. o. S. 77).
87 Gal 2,8f; 1Kor 9; 2Kor 10,12–18; Röm 1,1–15; 11,13; 15,14–24; vgl. auch 1Thess
2,1–12; 1Kor 1,17. – Es ist fraglos selbstverständliche Voraussetzung seiner Missionsarbeit,
daß er seine Mission von vornherein als *gemeindegründende Mission* (nicht als Bekehrung von

Diese erörtert er vielmehr im Kontext seines Apostolats, nämlich seines speziellen Auftrags zur Verkündigung des Evangeliums unter den Heiden. Mission ist für Paulus, pointiert gesprochen, Evangeliumsverkündigung – darüber, welche Funktion seine Gemeinden für seine Missionsarbeit besitzen sollten, hat er sich schriftlich nicht weiter ausgesprochen. Eine ausgeführte Missionstheologie findet sich nicht bei ihm[88]. Will man deshalb Gemeindeverständnis und Missionsverhalten zueinander in Beziehung setzen, muß ein indirekter Weg beschritten werden, indem erst beides für sich betrachtet und dann vergleichend zueinander ins Verhältnis gesetzt wird. Hat Paulus nicht näher expliziert, in welchem ekklesiologischen Kontext er seine Gemeinden als Missionspartner und als für seine Missionsarbeit mitverantwortlich ansah, so läßt sich doch erwägen, ob und wie diese Sichtweise seinem Gemeindeverständnis *entspricht* und von ihm aus verständlich gemacht werden kann. Demzufolge werde ich zunächst in kurzen Zügen die Gemeindekonzeption des Paulus betrachten und ihre theologischen Intentionen zu erfassen suchen. Hiernach ist zu überlegen, wie sich Missionspraxis und Gemeindevorstellung des Paulus zueinander verhalten.

Paulus hat keine einheitliche Ekklesiologie. In seinen Briefen begegnet eine Reihe sich zum Teil stark voneinander unterscheidender Gemeindevorstellungen[89]. Man wird dennoch nicht einfach sagen dürfen, daß sie bei ihm untereinander konkurrierten[90], obgleich sie teilweise ganz unterschiedlicher

Einzelpersonen) betreibt. Das bedarf fast keines Nachweises. Es spiegelt sich schon darin, daß seine Briefe (auch Phlm) durchweg Gemeindebriefe sind und sich in Anrede, Prä- und Postskripten sowie im gesamten Briefkorpus selbst (insbesondere in der Paränese) an die Gemeinde als Ganze wenden, fast (1Kor 4,18; 15,12.34; Phil 4,2f; vgl. Kol 4,17) nie an Gemeindegruppen oder Einzelpersonen, obgleich dieses oft nähergelegen hätte (vgl. 1Kor 1–4.5,1ff; 6,1ff; 8; 10; 11,17ff; 15,1ff; 2Kor 2,5ff; 7,8ff; Röm 14f u. a.). So wird z. B. auch der Einzelbekehrte Onesimos an seine Hausgemeinde zurückverwiesen. Ziel der missionarischen Bemühungen des Paulus ist ohne Zweifel die Gemeindegründung. – Aber sowenig Paulus die Beteiligung der Gemeinde an der Missionsarbeit irgendwo zum Thema macht, hat er auch diesen Tatbestand der gemeindegründenden Mission niemals ausdrücklich – in den uns erhaltenen Briefen – reflektiert.
88 Vgl. *Ridderbos*, Paulus, 313; *Kertelge*, Verkündigung, 193.
89 Es werden hier nur die hauptsächlichen bzw. für das Thema wichtigen Gemeindevorstellungen betrachtet. Die Fülle der im Neuen Testament und auch bei Paulus verwendeten Bilder von der Gemeinde stellt *Minear* (Bilder) zusammen. Vgl. *Schnackenburg*, Kirche, 52ff.127ff; *Delling*, Merkmale, 297–316.
90 So aber *Käsemann* (Römer, 322) in bezug auf Leib-Christi- und Gottesvolkvorstellung. Die Frage wird meist nur im Blick auf das Verhältnis von Gottesvolk- und Leib-Christi-Ekklesiologie diskutiert. *Müller* (Gerechtigkeit, 102) ist der Ansicht, der Gedanke des Leibes Christi stehe nach seiner Herkunft »ursprünglich in keinerlei Beziehung zum Gottesvolkgedanken«, nur in Gal 3,26–29 schaffe Paulus eine Verbindung und verwende den Gottesvolkgedanken gewissermaßen als Korrektiv für den gnostischen Leib-Gedanken. Für *Schweizer* (Gemeinde, 82 Anm. 353) stehen beide Vorstellungen »unausgeglichen« nebeneinander. Nach *Dahl* (Volk, 225f) hingegen konkurrieren sie nicht, sondern entsprechen sich. Ähnlich *Schnackenburg* (Kirche, 147): »Die Kirche ist ›Volk Gottes‹ als ›Leib Christi‹, und sie ist ›Leib Christi‹ in einem vom Volk-Gottes-Gedanken her bestimmten oder doch grundgelegten Sinn.« Auch *Ridderbos* (Paulus, 282) sieht beides in Entsprechung: »›Leib Christi‹ ist die christologische Konzentration von ›Volk Gottes‹.« Für *Oepke* (Gottesvolk, 224) trifft die Analyse des Begriffs Leib Chri-

Herkunft sind und relativ unverbunden nebeneinander stehen. Vielmehr nehmen sie unter Verwendung verschiedener traditioneller Vorstellungen je andere Aspekte der Gemeinde in den Blick und ergänzen sich dadurch. Paulus gebrauchte sie folglich auch in jeweils anderem Kontext und mit verschiedener Intention.

In diesem Zusammenhang interessiert dabei weniger die religionsgeschichtliche und traditionsgeschichtliche Herkunft der einzelnen Vorstellungen als vielmehr ihre theologische Bedeutung für Paulus und seine Gemeinden, die aus ihrer jeweiligen Funktion im kontextlichen Zusammenhang erhoben werden muß.

1.   Aus der Tradition vorgegeben[91] ist die Beschreibung der christlichen Gemeinde als »*Nachkommenschaft Abrahams*«, des »Vaters aller Glaubenden« (Gal 3; Röm 4; 9,7f), als das »Israel Gottes« (Gal 6,16)[92] im Gegensatz zum »Israel nach dem Fleisch« (1Kor 10,18), als die wahrhaft Beschnittenen (Phil 3,3), die Gemeinde des neuen Bundes (2Kor 3,6)[93]. Warum nimmt Paulus diese Vorstellung auf, was leistet sie für ihn? Sie stellt die Gemeinde Christi, in der die Heidenchristen immer größeren Raum einnehmen, in die heilsgeschichtliche *Kontinuität des Gottesvolkes*[94], d. h. in die Geschichte der Verheißungen Gottes an sein Volk (Gal 3,29). Nicht zum physischen Volksverband tritt die Heidenchristenheit hinzu. Diesem galten zwar die Verheißungen, und sie gelten noch immer (Röm 9,4), »den Juden zuerst, dann auch den Heiden« (Röm 1,16; 2,9f; 3,9.29; 9,24), aber Israel hat sie ausgeschlagen (Röm 2f; 9,16–21; 11,25.31f; 2Kor 3,6.14f; Gal 3,10–13). Gottes Geschichte mit Israel war deshalb in der Sicht des Paulus nie Geschichte des physischen Israels, das sich auf seine Privilegien, vor allem das Gesetz und die Beschneidung, hätte berufen können (Röm 2,17–29; 3,1), sondern die Geschichte derer, die erwählt wurden (11,5f.7.28f): »nicht alle, die zum Volksverband Israels gehören, sind (in Wahrheit) Israel« (Röm 9,6.7–13). Kinder Gottes (9,8), Erben der Verheißung (Gal 3,29) können nur die sein, die sich wie Abraham den Verheißungen Gottes unterstellen und sie im Glauben ergreifen (Gal 4,7), die somit in den Fußstapfen

---

sti, »bis zur letzten Konsequenz durchgeführt, auf den Gottesvolkgedanken«, der für die ganze Ekklesiologie »ausschlaggebend« bleibe (vgl. überhaupt 224–230; und *ders.*, Leib, 363f), und nach *Meuzelaar* (Leib, 14) läßt er sich sogar »zurückführen auf den jüdischen Gottesvolkgedanken«. Die Einheit der verschiedenen Gemeindevorstellungen des Paulus behaupten *Minear* (Bilder, 228–257), *Schlier* (Einheit).

91   Den alttestamentlichen und frühjüdischen Hintergrund beschreibt ausführlich *Dahl*, Volk, 2–50.51–143; vgl. *Oepke*, Gottesvolk, 87–155.

92   Dafür, daß Gal 6,16 die Christenheit aus Juden und Heiden, nicht nur die Judenchristenheit gemeint ist, führt *Dahl* (Auslegung, 161–170) den Beweis.

93   Zum Folgenden vgl. inbesondere *Schweizer*, Gemeinde, 80–82; *Müller*, Gerechtigkeit, 34–36.90–113; *Luz*, Geschichtsverständnis, 269–279.

94   Paulus selbst gebraucht den Ausdruck λαὸς θεοῦ zur Bezeichnung der christlichen Gemeinde (vgl. Apg 15,14; 18,10; 1Petr 2,9f (z. T. Zitat); Hebr 4,9; 13,12; Apg 18,4; 21,3) allerdings nur im Zitat: Röm 9,24–26. An nahezu allen übrigen Stellen im Neuen Testament er-

Abrahams laufen (Röm 4,12). In Christus sind diese Verheißungen Gottes zu den Heiden gelangt (Gal 4,14); denn Christus ist das Ende aller Selbstbehauptung des Menschen gegen Gott durch das Gesetz und die Offenbarung der Gerechtigkeit Gottes durch den Glauben (Röm 10,4; 1,16f). Zugehörigkeit zum Volk Gottes, Abrahamskindschaft, gibt es nur vermittelt durch die Tat Christi und nur für den, der glaubt. Radikaler, aber mit durchaus gleicher Intention, formuliert Paulus: Wer in Christus[95] ist, ist eine neue Schöpfung (2Kor 5,17; vgl. Gal 6,15)[96]; er ist Teil der Gemeinde des in Christi Tod begründeten (1Kor 11,25) neuen Bundes (2Kor 3,6). Alt und neu trennt die äonenwendende, eschatologische Offenbarung des Heils in Christus. Das wahre Israel, das Israel Gottes, steht also in herber Diskontinuität, ja Antithese zum historischen Israel, beweist aber dadurch gerade die Treue Gottes (Röm 3,3ff; 11,29; vgl. 1Thess 5,24; 1Kor 1,9; 10,13), die Kontinuität seiner Verheißungen, seiner Heilszusage, die er in Christus offenbart hat[97].

Im Aufweis *dieser* Kontinuität liegt die Funktion, welche für Paulus die Beschreibung der Gemeinde als Nachkommenschaft Abrahams und Israel Gottes besitzt. Weil Gott auch an Israel gehandelt hat, und zwar sozusagen immer schon auf Christus hin (1Kor 10,1–13), darum befindet sich die christliche Gemeinde im nicht auflösbaren Zusammenhang mit Israel, dem

---

scheint der Begriff ebenfalls im Zitat (vgl. Mt 1,21; 2,6; Lk 1,77; 2,32; Apg 3,23; 7,34; Röm 11,1f; 15,10; 2Kor 6,16; Tit 2,14; Hebr 8,10; 10,30) und zunächst auf Israel bezogen.

95 Die mystische Deutung der Formel »in Christus« wehrt *Neugebauer* zu Recht ab und erläutert ihren Sinn als »Umstandsbestimmung . . ., daß das eschatologische Heil geschehen ist, geschieht und geschehen wird; . . . (sie) weist zurück auf das Geschehen von Kreuz und Auferstehung« (In Christus, 148). *Conzelmann* präzisiert dies und betont besonders den instrumentalen Sinn von »in Christus«: »Christus ist das Instrument Gottes«; die Wendung drücke »die objektive Stiftung und die innerweltliche Unanschaulichkeit der christlichen Existenz aus«, das Extra nos des Heils: »›In Christus‹ heißt also: Dort, in ihm, nicht in mir, ist das Heil geschehen« (Theologie, 234). Doch läßt sich daneben (auch wenn die Formel nicht »*primär* eine ekklesiologische Formel« ist, welche »das Eingefügtsein in das σῶμα Χριστοῦ durch die Taufe« bezeichnet: *Bultmann*, Theologie, 312; Sperrung von mir) eine räumliche Bedeutung der Wendung nicht bestreiten, wie die Stellen zeigen, an denen »in Christus« mit εἶναι verbunden wird bzw. gedacht ist, vgl. Gal 2,17; 3,26–28; Phil 1,1f; 4,21; Röm 8,1 und besonders auch 2Kor 5,17 (vgl. auch *Luz*, Geschichtsverständnis, 213). »In Christus sein« bedeutet dann aber nicht Verschmelzung mit Christus, sondern sich in einem »Bereich« befinden, der als Neuschöpfung der alten Schöpfung gegenübertritt (s. Anm. 96), in dem sich Gott also in den Glaubenden als Herr der Welt manifestiert.

96 Inhaltlich geht der Gedanke der neuen Schöpfung (zum jüdisch-messianischen Hintergrund vgl. *Schlier*, Galater, 282 mit Anm. 1) allerdings weit über die Gottesvolkvorstellung hinaus. Zwar ist es auch hier der gleiche Gott, der Schöpfergott des Alten Testaments (und nicht ein neuer Erlösergott marcionitischer Prägung), welcher der Gott der Christengemeinde ist. Aber er schafft etwas ganz Neues, indem er eine erste Schöpfung antithetisch gegenübersteht: »Das Alte ist vergangen, siehe es ist alles neu geworden« (2Kor 5,17b) in Christus. Diese messianische Neuordnung besitzt kosmische Dimensionen, wie die erste Schöpfung, aber sie löst die alte zugleich ab.

97 Vgl. *Bultmann*, Theologie, 99.

Zusammenhang seiner Erwählung und Gnade[98]. Es ist der gleiche Gott[99], welcher Abraham und die, die seinen Fußstapfen folgten, im Glauben Gerechtigkeit finden ließ und der durch seine Gnade in Christus allen denen die Gerechtigkeit vor ihm selbst schenkte, die glauben (Röm 3,21ff). Das Hauptgewicht der Vorstellung vom Gottesvolk liegt auf der Betonung der Einheit des in der Geschichte handelnden Gottes, demgegenüber weder Juden noch Heiden (11,16–24!) auf irgendwelche Vorzüge pochen können[100]. Daß Paulus vom Gottesvolk lediglich »in direkter Auseinandersetzung mit dem Judaismus« spreche, die Vorstellung für Heidenchristen aber nicht tauge[101], wird man jedoch genausowenig behaupten dürfen, wie man die Rechtfertigungslehre des Paulus nicht zu einer antijudaistischen Kampflehre[102] abwerten darf. Paulus macht ja im Interesse der Zerschlagung gerade auch heidenchristlicher Vorranganspüche die Gottesvolkvorstellung geltend (Röm 11,11–33; vgl. auch 4,1–25).

2. Eine zweite Vorstellung von der Gemeinde, die, wiederum eindeutig aus alttestamentlichem Vorbild abgeleitet[103], von Paulus nicht selten aufgegriffen wird und sich mit dem Gottesvolkgedanken berührt, beschreibt die Christen als Gemeinde der »*Heiligen*« (1Kor 1,2; Phil 1,1; 2Kor 1,1; Röm 1,7 etc.) und als den »*Tempel Gottes*« (1Kor 3,16f; 6,19; 2Kor

---

98 Deshalb ist die christliche Gemeinde als ἐκκλησία die Gemeinde der Erwählten: 1Thess 1,4; 2,12; 4,7; 5,24; Gal 1,6; 5,8.13; 1Kor 1,2.9; 7,15ff; Röm 1,6f; vgl. bes. 1Kor 1,26–28 (hier bezeichnenderweise auf das Schöpfungshandeln Gottes bezogen, nicht etwa auf den Aufweis der Kontinuität mit Israel). Der Zusammenhang der Selbstbezeichnung ἐκκλησία mit der Bezeichnung der christlichen Gemeinde als ἐκλεκτοί (bei Paulus Röm 8,33; 16,13; vgl. 9,11; 11,5.7.28) und κλητοὶ ἅγιοι (Röm 1,6f; 8,28; 1Kor 1,2.24) kann nicht übersehen werden (1Kor 1,1f.9; vgl. *Conzelmann*, Korinther, 35), auch wenn die Herleitung des Begriffs ἐκκλησία aus der LXX als Äquivalent von »qahal« mit guten Gründen bestritten wird (*Schrage*, Ekklesia, 178–202).

99 In der Gottesfrage liegt das heimliche Zentrum der ganzen Ausführungen des Paulus in Röm 9–11, vgl. schon 2,1–10; 3,1–9: Gott in seiner Güte, in seiner Treue, als Richter, als der, der sich sein Recht schafft, der zu seinen Verheißungen steht etc. Den »theozentrischen Grundzug des paulinischen Denkens« hebt zu Recht auch *Luz* (Geschichtsverständnis, 135 Anm. 461, 236ff.277.397 mit Anm. 37) hervor.

100 Das betont *Luz* (Geschichtsverständnis, 278f).

101 *Käsemann*, Problem, 187f; *ders.*, Römer, 296f.322. Er möchte zugunsten der Leib-Christi-Vorstellungen den Gottesvolkgedanken nicht im Zentrum der paulinischen Ekklesiologie ansiedeln (wie hingegen bei *Oepke*, Gottesvolk, 218–224.224–230, und *Neugebauer*, In Christus, 92–98).

102 So *Wrede*, Paulus, 72.

103 Belege bei *Procksch*, ThWNT Bd. 1, 88–97; *Wikenhauser*, Kirche, 21–29; *Delling*, Merkmale, 303; *Vielhauer*, Oikodome, 62–70; *Michel*, ThWNT Bd. 4, 886f; vgl. *Gärtner*, Temple). Vgl. insbesondere Lev 19,2: »Ihr sollt heilig sein, denn ich, Jahve, bin heilig«; vgl. Dtn 7,6; 26,19; Jer 2,3; vor allem Protojesajas Prägung »der Heilige Israels« (1,4; 5,24; 12,6 u. ö.), vorwiegend in der Gerichtsankündigung. Hinsichtlich des Wohnens Jahves in Israel vgl. Jes 28,16f; Hen 90,28f; 91,13.

6,16[104])[105]. Als Erwählte und Berufene (1Kor 1,2; Röm 1,7) sind die Christen Ausgesonderte, in Beschlag Genommene, Heilige, nicht im dinglichen Sinne, sondern »in Christus« (Phil 1,1; 1Kor 1,2.30). Zwar werden die Heidenchristen auf den aus heiliger Wurzel wachsenden Stamm des heiligen Israels aufgepfropft und so Glieder des Gottesvolkes; aber nur geschenkweise und deshalb ohne jedes Recht zum Renommieren (Röm 11,16ff)[106].

Der Gottesvolkgedanke bildet demnach den Hintergrund für die Vorstellung von der »Gemeinde der Heiligen« (1Kor 14,33), ihr Proprium liegt aber an anderer Stelle. Das zeigen die beiden Hauptstellen bei Paulus (1Kor 3,16f; 6,19) gleichermaßen. »Der Tempel Gottes ist heilig; der[107] seid ihr« (1Kor 3,17b). Heiligkeit eignet dem Tempel, der Gemeinde, insofern ihr der Geist Gottes geschenkt worden ist[108]: »Wißt ihr nicht[109], daß ihr der Tempel Gottes seid und daß der Geist Gottes in euch wohnt?« (3,16)[110]. Der Geist des lebendigen Gottes, dessen Werk die Gemeinde ist (2Kor 3,3), ist das Zeichen der Anwesenheit Gottes und damit zugleich der Beschlagnahme und Aussonderung für Gott. Im Tempel »wohnt« Gott (1Kön 6,13), d. h., er ist sein »Haus« (vgl. Lk 2,49; Joh 2,16) und Herrschaftsbezirk. In diesem Sinne sagt Paulus Röm 8,9.11, daß in den Christen Gottes Geist »Wohnung genommen« hat: das Leben des Christen steht nun unter der gegenwärtigen Herrschaft des Geistes. Der Geist heiligt die christliche Gemeinde (Röm 15,16) und grenzt sie deshalb vor der Welt ab – nicht in dem Sinne, daß die Gemeinde aus der Welt auswandern müßte (1Kor 5,10), vielmehr so, daß sie den dinghaften Zwängen und Mächten entronnen (1Kor 8,1–6) nur noch dem Gesetz Christi untersteht (Gal 6,2; 1Kor 9,21). Sie begegnet der dinglichen Welt wie den Ansprüchen und Bedingungen des Alltags in eschatologischer Freiheit (1Kor 7,29–31). Als Gottes geheiligter Bezirk ist die Gemeinde nicht etwa eine eigentlich unsichtbare Größe, sondern sie besteht aus der empirisch beschreibbaren Gruppe von Glaubenden[111]. Der Übeltäter muß aus der Gemeinde entfernt werden um ihrer Heiligkeit willen (1Kor 5,1–13). Wer mit dem Herrn verbunden ist, untersteht damit dem einen Geist (6,17), so wie alle Äußerungen der Gemeinde als Wirkungen des einen Geistes verstanden werden müssen (1Kor 12,4–11); sein Leib ist ein

---

104 Die Echtheit von 2Kor 6,14–7,1 wird seit langem mit guten Gründen bestritten (wofür seine sprachlichen Eigenarten, die Unterbrechung des Kontextes sowie vor allem die mannigfachen paulusfremden und qumrannahen Vorstellungen sprechen); eine völlig sichere Entscheidung läßt sich allerdings nicht fällen (Literatur und Diskussion bei *Kümmel*, Einleitung, 249f).

105 Zum Bild vom Bau, das nicht in diesen Zusammenhang gehört, s. u. S. 138f.

106 Nach 1Kor 6,11 (einer jedenfalls teilweise traditionellen Formulierung) ist für Paulus die Gemeinde durch die Taufe geheiligt worden.

107 Zur Attraktion des Numerus von οἵτινες vgl. *Blass-Debrunner*, Grammatik, § 131 und 132; das Relativum bezieht sich (mit *Weiß*, Korintherbrief, 86 Anm. 1; *Conzelmann*, Korinther, 97) am besten auf ναός.

108 Man beachte die indikativische Aussage: »ihr seid«, vgl. 3,16.

109 Diese Vorstellung war der Gemeinde also geläufig; vgl. ebenso 1Kor 6,19.

110 Zum Kontext von 1Kor 3,16f s. u. S. 163ff.

111 Deshalb versteht Paulus sie nicht als corpus mixtum.

»Tempel des heiligen Geistes« (6,19), durch den Gott verherrlicht werden will, und das heißt: er selbst sein will (6,20)[112].
Die eigentliche Funktion der Beschreibung der Gemeinde als heilige bzw. als heiliger Tempel liegt demnach in der Paränese, darin nämlich, die Gemeinde angesichts der Präsenz Gottes im Gegenüber zur Welt als Herrschaftsgebiet Gottes zu kennzeichnen und zu verpflichten. »Heilig« ist die Gemeinde grundsätzlich und überhaupt, nicht etwa nur im Bereich des Kultischen, nicht etwa nur dann, wenn sie sich im Tempelbezirk befindet, sondern sie selbst *ist* der Tempel, sie ist von Gott total beanspruchte Gemeinde, ihr Gottesdienst, in dem sie sich als heilig und von dieser Welt geschieden erweist (Röm 12,1f), geschieht im Alltag der Welt.
3. Ein weiterer von Paulus gebrauchter Vorstellungskomplex von der Gemeinde wird oft (jedoch fälschlicherweise)[113] mit der eben behandelten Vorstellung verknüpft: die Beschreibung der Gemeinde als *Bau* oder *Gebäude*, als *Ackerfeld* und *Pflanzung Gottes* (1Kor 3,5–9)[114]. Was die genannten Bilder verbindet, ist zum einen der Gesichtspunkt, daß mit ihnen die Gemeinde als Gegenstand des Handelns Gottes charakterisiert wird. Es ist Gott, dessen Bauwerk die Gemeinde ist oder der durch seine Beauftragten (διάκονοι) die Gemeinde »angepflanzt« und »begießt« und ohne den nichts wachsen würde (3,6f). Zum anderen wird die Gemeinde verstanden als im Wachstum begriffen: als ein Gebäude, an dem weitergebaut wird, an dem aber auch falsch weitergebaut werden kann (3,10–15)[115], oder ein Gewächs, das durch die Arbeit der Gärtner (in Wirklichkeit durch Gott, der seinen Segen spendet) sprießt und gedeiht. Insoweit[116] beschreibt Paulus

---

112   Auf diesem Hintergrund wird die scharfe Gerichtsandrohung von 1Kor 3,17a verständlich. Wer die Gemeinde in ihrer Heiligkeit schändet, der tastet Gott selber an und wird durch das Gericht Gottes vernichtet. (Gegen die Bezeichnung der Talionsformel als »heiliges Recht«, ihre Herleitung aus der den Segen-Fluch-Formeln des Alten Testament und die Bestimmung ihres »Sitzes im Leben« in der urchristlichen, in apokalyptischer Naherwartung stehenden Prophetie – so bei *Käsemann*, Sätze, 69–82, bes. 69–71.78–82 – vgl. aber insgesamt zu Recht *Berger*, Sätzen, 10–40, bes. 33f, der seinerseits als Herkunft der Sätze die Weisheit und ihren Charakter als paränetisch zu bestimmen sucht.)
113   So *Oepke*, Gottesvolk, 219; *Dahl*, Volk, 223; *Michel*, ThWNT Bd. 5, 129; *Schnackenburg*, Kirche, 140–146; *Minear*, Bilder, 98; dabei stützt man sich auf Eph 2,19–22; 1Petr 2,5, wo die Bilder verbunden werden. Paulus greift aber das Tempelbild 1Kor 3,16f lediglich unter dem Gesichtspunkt des Wohnens Gottes, seiner heiligenden und Heiligkeit fordernden Gegenwart auf, nicht unter dem des Wachsens der Gemeinde (vgl. *Vielhauer*, Oikodome, 85f; *Delling*, Merkmale, 307; *Conzelmann*, Korinther, 96). Eine völlige Vermengung der Bilder vom Haus Gottes, vom Leib Christi, vom Schlußstein Christus und vom Tempel Gottes findet sich bei *Roloff* (Apostolat, 105–11); ähnlich *Meuzelaar* (Leib, 126–130), der Kol/Eph für paulinisch hält und deshalb nicht differenziert.
114   Zur Herkunft und Geschichte der Begriffe (die auch sonst schon oft verbunden erscheinen; s. u. Anm. 172) vgl. *Vielhauer*, Oikodome, 7–55, und danach *Michel*, ThWNT Bd. 5, 139–151.
115   Dazu vgl. ausführlich u. S. 167ff.
116   Der Skopos des Abschnitts liegt ja nicht etwa in der Wesensbestimmung der Gemeinde, sondern – im Zusammenhang der Frage nach der Rolle und Bedeutung der Verkündiger für die

hier die Gemeinde, wenn er sie οἰχοδομή nennt, zugleich als Objekt und Produkt des durch seine Beauftragten an ihr handelnden Gottes[117].

Nun gebraucht Paulus das gleiche Bild, und zwar an den meisten übrigen Stellen[118], noch in einem anderen Sinne, nämlich nicht zur Charakterisierung der Gemeinde, sofern Gott an ihr handelt, sondern (im verbalen Verständnis als nomen actionis) innerhalb der Gemeindeparänese zur Bestimmung des Verhaltens der Gemeindeglieder gegeneinander: Sie sollen ihr Verhalten untereinander so gestalten, daß es der gegenseitigen »Erbauung«, d. h. dem »Aufbau« aller, der ganzen Gemeinde, dient. Der Aufbau der Gemeinde bildet bei Paulus geradezu ein Zentralkriterium innergemeindlichen Verhaltens (1Thess 5,11; 1Kor 8,1.10; 10,23; 14,1ff; Röm 14f), eines Verhaltens, das inhaltlich von ihm – in Antithese zu der in Korinth so überschätzten und als eigentliche Geistesgabe mißverstandenen Glossolalie, die doch bloß vergänglich ist (1Kor 13,8)[119] – in ein Wort gefaßt wird, die Liebe[120]: »Die Erkenntnis bläht auf, die Liebe dagegen baut auf« (1Kor 8,1). In der Liebe[121] hört der Starke auf, sich gegenüber dem Schwachen durchzusetzen, seinen Vorteil zu suchen (1Kor 8,9–11; 13,4–7; Röm 14,1ff), und kann ihn als Bruder annehmen – freilich nicht im Sinne einer allgemeinen Brüderlichkeit und Philanthropie, sondern deswegen, weil Christus für den Bruder gestorben ist (1Kor 8,11; Röm 14,15). In der Liebe wandeln (Röm 14,15a) heißt also, den akzeptieren und dessen Bestes suchen, den Gott in Christus akzeptiert hat (15,7).

Der Aufbau der Gemeinde in der Liebe ist die Antwort des Paulus auf die Frage nach der inneren Konfliktbewältigung der christlichen Gemeinde. Das Bild wird darum, wo es im Zusammenhang der Gemeindeparänese steht, von Paulus als Replik auf konkrete innergemeindliche Spannungen verwendet. Beschreibt er mit dem Gedanken der Heiligkeit ihr Wesen ge-

Gemeinde, um die es in 1Kor 3f insgesamt geht – in der Verhältnisbestimmung der Verkündiger zueinander.

117 Gegen *Minear* (Bilder, 47f) und *Vielhauer* (Oikodome, 79): »Die Gemeinde soll dem Zusammenhang nach lediglich als Eigentum Gottes bezeichnet werden.«

118 Nur einmal (2Kor 5,1) erscheint das Wort nicht auf die Gemeinde bezogen als anthropologischer Terminus, welche Stelle hier unberücksichtigt bleiben kann. Zum religionsgeschichtlichen Hintergrund vgl. aber *Vielhauer*, Oikodome, 37–39.106–110; *Rissi*, Studien, 73–87.

119 Den Gedankengang von 1Kor 12–14 erarbeitet sehr schön *Brockhaus* (Charisma, 142–192). Gewissermaßen eine Zusammenfassung der Erörterungen von 1Kor 12–14 und ihrer Zentrierung auf die Liebe bietet in einem Satz 2Kor 5,13f; vgl. auch *Bornkamm*, Verständnis, 118f. 1Kor 13 hat formal wie inhaltlich nicht nur akzidentiell-polemische, sondern grundsätzliche Funktion innerhalb der paulinischen Paränese (vgl. Röm 13,10).

120 Vgl. außer 1Kor 13 auch Gal 5,14; 6,2; Phil 2,1–11; 2Kor 5,14; Röm 13,8–10; 15,1f.7.

121 Wenn in 1Kor 13 so beharrlich »die Liebe« selber – nicht der liebende Mensch – als Subjekt des Handels bezeichnet wird (vgl. 2Kor 5,14 u. a.), dann ist dies Ausdruck dessen, daß in ihr nicht die Tugend des Menschen triumphiert, sondern daß sie Macht und Gabe Gottes ist, »das Schon-jetzt-Gegenwärtigsein des neuen Äons« (*Bornkamm*, Weg, 110; vgl. *Käsemann*, Leib, 151–155.171–174). Die Liebe hat ihren Ursprung in der Liebe Gottes, die sich im Tode Christi für die Gottlosen gezeigt hat (Röm 5,8). Wenn dieser Kontext des Wortes nicht beachtet wird, muß die Liebe als ethische Großtat und doch nie erreichtes Ideal mißverstanden werden.

genüber denen draußen (vgl. 1Kor 5,12f; 1Thess 4,12), gegenüber der
heidnischen Umwelt, so liegt die Funktion der οἰκοδομή-Aussagen in der
Verhältnisbestimmung der Gemeindeglieder zueinander. Beide Apostro-
phierungen stehen im Dienste der Paränese, jedoch mit verschiedener Ausrichtung.
Die Verbindung der beiden οἰκοδομή-Begriffe, des von 1Kor 3,9 und des
von 1Kor 8; 10; 14 etc., beruht auf der Vorstellung vom aufbauenden oder
zerstörenden Handeln Gottes[122], nicht in der Rückführung auf das Bild vom
Gebäude. Denn das der Gemeinde verbindlich gemachte Verhaltenskrite-
rium »Aufbau« wird von Paulus nicht aus der Wesensbestimmung als
»Bau« hergeleitet oder irgendwo mit ihr in Beziehung gesetzt. Nicht das
Bild vom Gebäude (oder vom Tempel[123]) bildet hier[124] das Zentralmotiv; es
erscheint überhaupt nur 1Kor 3,9 bei Paulus. »Bau« ist die Gemeinde bei
Paulus nicht im Blick auf die Art des Gebäudes (etwa als Tempel Gottes)
oder die Zusammensetzung aus vielen Steinen, die in bestimmter Beziehung zueinander ständen, auch nicht in bezug auf den Eckstein, auf dem sie
gründet[125]; »Bau« ist sie ausschließlich unter dem Gesichtspunkt, daß Gott
an ihr baut[126]. Nur deshalb kann Paulus seine eigene missionarische Tätigkeit an der Gemeinde als οἰκοδομή bzw. οἰκοδομεῖν bezeichnen (2Kor
10,8; 12,19; 13,10; Röm 15,20)[127]. Denn im apostolischen Handeln des
Paulus kommt Gottes aufbauendes oder zerstörendes Handeln an der Gemeinde selbst zum Ausdruck, als die ἐξουσία, die ihm der Herr gab εἰς
οἰκοδομήν bzw. εἰς καθαίρεσιν (2Kor 10,8 = 12,10). Aber Gottes eigent-
licher Wille ist der Aufbau, nicht die Zerstörung. Im Dienst des Aufbauens
steht jeder, dessen Arbeit der Gemeinde gilt (1Kor 3,5–15)[128], ebenso auch
jedes Gemeindeglied selber. So kann man sagen, daß überall, wo Paulus
vom Bau der Gemeinde spricht, »als logisches Subjekt Gott« fungiert, »ob

122   Die Wurzeln dieser Vorstellungen liegen zweifellos im Alten Testament (mit *Vielhauer*,
Oikodome, 9–15.120–122); zum Gegensatz »bauen – niederreißen« (verbunden mit dem Bild
der Pflanzung) vgl. insbesondere Jer 1,10; 12,14–17; 24,6; 31,28; 42,10; 45,4 u. ö.; Ez 36,36;
Ps 28,5; Ijob 12,14; Sir 49,9. Das Bild wurde ebenso auf »Haus Israel« angewandt (Jer 31,27f)
wie auf die Stadt Jerusalem oder den Tempel, besonders in der Apokalyptik (4Esr 10,40–57;
Hen 25,4), vgl. auch in der rabbinischen Literatur (*Vielhauer*, Oikodome, 20f).
123   S. o. Anm. 113.
124   In nachpaulinischer Tradition sind dann die Bilder vom Hausbau und Tempel fest ver-
schmolzen und mit weiteren Vorstellungen verknüpft worden: Eph 2,19–22; 1Petr 2,4–10;
vgl. Kol 2,6f; Eph 4,11–16.29; Hebr 3,1–6; Jud 20f. Dazu vgl. *Vielhauer*, Oikodome,
112–151, sowie 154–171 zur weiteren Nachgeschichte; *Michel*, ThWNT Bd. 5, 128–131.
125   Diese Vorstellung wird von Paulus nicht aufgenommen (vgl. Mt 21,42; Mk 12,10f; Lk
20,17; Apg 4,11; 1Petr 2,7), obgleich sie sich sachlich mit 1Kor 3,10ff berührt. In Jes 28,16; Ps
118,22f den primären Hintergrund des Bildes vom Bau zu sehen, welches via Mt 16,18 zu Paulus gelangt sei (*Roloff*, Apostolat, 106.109 Anm. 236), wird den paulinischen »Aufbau«-Aus-
sagen in keiner Weise gerecht.
126   So auch an den alttestamentlichen Stellen, an denen sich das Wort auf Israel bezieht; vgl.
Vielhauer, Oikodome, 11–14.
127   Vgl. *Bornkamm*, Verständnis, 116.
128   Der Akzent liegt in 1Kor 3 allerdings an anderer Stelle, nämlich auf der Frage nach dem
Verhältnis von Fundamentlegen und Weiterbauen; dazu s. u. S. 163ff.

nun das grammatikalische der Apostel, die Gemeinde oder ein einzelner Christ ist«[129]; das »logische Objekt« hingegen ist »immer die Gemeinde«[130]. Das heilsame Handeln Gottes an der Gemeinde ist der Grundgedanke aller οἰκοδομή-Aussagen. Es findet im heilsamen Miteinander-Umgehen der Gemeinde seine Entsprechung[131].

4. Eine letzte bedeutsame, bisweilen als *die* eigentliche ekklesiologische Vorstellung des Paulus angesehene Beschreibung der Gemeinde[132] ist die, in der Paulus sie als »*Leib Christi*« (σῶμα Χριστοῦ) bezeichnet. Die Wendung besitzt (formal betrachtet) gegenüber den anderen Gemeindegedanken insofern eine Sonderstellung, als sie nur in paulinischer oder von Paulus beeinflußter Literatur belegt ist[133]. Inhaltlich gesehen, beschreibt sie die christliche Gemeinde ohne irgendeinen Bezug auf die Gemeinde des Alten Bundes und entfernt sich damit am weitesten vom Gottesvolkgedanken[134].

Paulus redet in zweifacher Weise von der Gemeinde als von einem Leib, weshalb man allgemein einen bildlichen, vergleichenden vom eigentlichen, realen, identifizierenden Wortgebrauch zu unterscheiden pflegt, wenn auch die erstere Vorstellung sich mit der letzteren verschlingt (1Kor 12,12–27; Röm 12,4f)[135]. Das Leib-Bild, in dem die Gemeinde als ein vielgliedriger Organismus beschrieben wird, entstammt der hellenistischen Popularphilosophie und fand breite Aufnahme in der Stoa[136]. Es entfaltet dort den Gedanken von der Einheit in der Vielfalt, vom harmonischen Ineinandergreifen und Aufeinanderangewiesensein einer vielgliedrigen Gemeinschaft[137],

---

129 *Vielhauer*, Oikodome, 121.

130 *Vielhauer*, Oikodome, 114. Einen reflektiv-individualistischen Wortgebrauch (»sich erbauen«) kennt Paulus nicht (vgl. die Polemik gegen die Selbsterbauung: 1Kor 14,16f).

131 Daß die Vorstellung vom Aufbau der Gemeinde den paulinischen Gemeinden geläufig war, zeigen einmal die häufige und selbstverständliche Verwendung (vgl. 1Thess 5,11; bes. 2Kor 10,8–13,10), weiterhin ihre vornehmliche Benutzung in der Paränese, schließlich ihre Nachgeschichte (vgl. o. Anm. 124).

132 So *Käsemann*, Problem, 185–190. *Schnackenburg* nennt sie die »reifste Frucht des neutestamentlichen Kirchendenkens« (Kirche, 146). Dagegen wird sie von *Minear* (Bilder, 198: »offenbar keine Sonderstellung«) völlig eingeebnet.

133 Das gilt zwar auch für die Art, wie Paulus den Bau- und Aufbaugedanken versteht, doch steht er in der Aufnahme dieser Vorstellung in verbreiteter urchristlicher Tradition. Die Vorstellung vom Leib Christi besitzt mit dem johanneischen Bild vom Weinstock und seinen Reben (Joh 15,1–17; vgl. Did 9,2) eine gewisse inhaltliche Verwandtschaft, welche *Schweizer* (Gemeinde, 106; ders., ThWNT Bd. 7, 1069) hervorhebt, jedoch zu stark betont (*Käsemann*, Problem, 179 Anm. 2). Denn in der Leib-Christi-Vorstellung liegt der Ton auf dem Inkorporationsgedanken, der die Einheit der Gemeinde begründet, im Weinstock-Bild (das auch Bild bleibt) auf dem Bleiben in Jesus, zu dem jeder aufgerufen wird.

134 S. u. Anm. 163.

135 Das gilt jedoch nicht umgekehrt! Die bildliche Vorstellung bedarf demnach für Paulus der realen als Korrelat – in welchem Sinne, wird sich noch zeigen, s. u. Anm. 158.

136 Die Texte werden zusammengestellt und kommentiert bei *Wikenhauser*, Kirche, 130–152; vgl. *Schweizer*, ThWNT Bd. 7, 1033–1038.1041f.1047f.1051f; *Meuzelaar*, Leib, 141–162; *Conzelmann*, Korinther, 248f.

137 Vgl. *Schweizer*, ThWNT Bd. 7, 1033f.1037.1066f; *Brockhaus*, Charisma, 175.

wobei aber nicht bloß Teile zu einem Ganzen zusammengesetzt werden, sondern in einer höheren Einheit aufgehen[138]. Paulus nimmt das Bild sowohl 1Kor 12,12–27 als auch Röm 12,4f auf, um damit seine Aussage, die Gemeinde bestehe aus lauter Charismenträgern, zu illustrieren[139]: Gott hat jedem sein eigenes, anderes Charisma und damit allen ganz verschiedene Funktionen in der Gemeinde gegeben[140], und das ist für die einen kein Grund für Minderwertigkeitsgefühle (1Kor 12,14–20) und für die anderen kein Anlaß zu Überheblichkeit (12,21–25)[141], da sie sich doch zueinander verhalten wie Glieder eines Leibes[142], die zusammen eine Einheit bilden, in der jeder auf den anderen angewiesen ist.

Paulus bleibt nun aber nicht dabei stehen, daß er die Gemeinde mit einem Leibe vergleicht[143], sondern er identifiziert sie mit dem Leibe *Christi:* »Ihr seid Christi Leib und als einzelne betrachtet Glieder« (1Kor 12,27), d. h., die Glieder werden betrachtet als in Christus inkorporiert. Dabei ist Christus als riesenhafter Leib gedacht, der alle Christen in sich schließt. Diese Vorstellung begegnet vor Paulus nicht[144]. Ob er sie bereits aus der christlichen Gemeinde übernahm oder ob erst er sie schuf, ist kontrovers und läßt sich kaum sicher entscheiden[145]. Man darf sich durch die relativ wenigen Belegstellen jedenfalls nicht dazu verleiten lassen, ihre theologische Bedeutung für Paulus zu unterschätzen. Näher besehen, erscheint sie bei ihm so selten

---

138 *Wikenhauser,* Kirche, 141f.

139 Das ursprüngliche Bild erhält bei Paulus teilweise absurde Züge (1Kor 12,14.19f), und er hebt an ihm ausgesprochen nebensächliche Gesichtspunkte hervor. Lediglich v21.26 greift Paulus das Bild in seiner klassischen, hellenistisch-popularphilosophischen Form auf (vgl. *Brockhaus,* Charisma, 171–175). Daraus folgt, daß das Bild für Paulus nur dienende Funktion besitzt: »Paulus konstruiert sein Bild eben von der Anwendung aus« (*Lietzmann,* Korinther, 63).

140 Man beachte die Aufzählung in 1Kor 12,8–10 (dem einen – dem anderen – dem nächsten – dem anderen etc.), die in v7 und v11 durch »jeden (einzelnen)« eingeleitet und abgeschlossen und in v12f durch dreimaliges »alle« wieder aufgenommen wird.

141 *Schweizer,* ThWNT Bd. 7, 1067.

142 Sowohl 1Kor 12,12 als auch Röm 12,4f führt Paulus das Bild vom Leib durch eine Vergleichspartikel (καθάπερ) ein, die jeweils in οὕτως ihre formale Entsprechung besitzt. Es handelt sich also zunächst wirklich um einen bildlichen Vergleich der Gemeinde mit einem Leib. Ob die Gleichsetzung der Gemeinde mit einem Leib in Röm 12,5 noch aus popularphilosophischen Vorstellungen zu erklären ist (*Schweizer,* ThWNT Bd. 7, 1039.1067), erscheint fraglich. Eher deutet sich bereits ein Übergriff der Sache (die Gemeinde als Leib Christi) auf das Bild an (s. Anm. 148). – Der Leib-Christi-Gedanke läßt sich aus dem Bild jedenfalls nicht herleiten. Er klingt aber in dem »in Christus« in Röm 12,5 eindeutig an, wie auch die Parallele in 1Kor 12,12f bestätigt.

143 Gegen *Schlier,* Christus, 40f; *Meuzelaar,* Leib, 5–8.171–174. *Minear* (Bilder, 179–227, bes. 236–243) spricht konstant und unbeirrt vom »Bild des Leibes«, ohne seine Ausdrucksweise irgendwann zu rechtfertigen.

144 Sie wird in den Deuteropaulinen aufgenommen und modifiziert; vgl. Kol 1,15–20; 2,10.19; Eph 1,22f; 2,11–22; 4,1–16.25; 5,22–33. (Zum johanneischen Weinstockbild s. o. Anm. 133.) Zur Aufnahme bei den apostolischen Vätern vgl. *Bultmann,* Theologie, 183.

gar nicht[146]; außer in 1Kor 12,12f.27[147] und Röm 12,4f[148] ist sie auch Gal 3,27–29; 1Kor 1,13; 6,15; 10,16f[149] vorausgesetzt[150]. Aus der Selbstverständlichkeit, mit der er auf sie Bezug nimmt, läßt sich ersehen, daß sie seinen Gemeinden geläufig war[151]. Herkunft und Ableitung der Vorstellung ist äußerst umstritten und bislang noch nicht überzeugend aufgehellt, was wohl hauptsächlich darin begründet liegt, daß sich eine Reihe verschiedener Vorstellungen gegenseitig berühren, überschneiden und durchdringen[152].

Welches ist nun die Funktion der Aussage vom Leib Christi? Sie kann zunächst an 1Kor 12,12f im Kontrast zur Organismusvorstellung am besten abgelesen werden. Die Gemeinde verhält sich nicht nur *wie* eine Einheit in der Art eines Leibes – sie wird auch nicht darauf verpflichtet –, sondern – und das ist eine rein indikativische Aussage – sie *ist* Einheit, weil jeder in der Taufe durch den Geist dem einen Leibe Christi inkorporiert wurde (12,13). Diese Einheit entsteht nicht durch den Zusammenschluß der einzelnen Gemeindeglieder, sie ist auch nicht im mystischen Sinne Vereinigung mit Christus, sondern sie ist in der Einheit des Leibes Christi vorgegeben[153]. Der eine Leib Christi kann nicht zerteilt werden (1Kor 1,13). Wenn auch der Geist den einzelnen Gemeindegliedern seine Gaben in verschiedenen Zutei-

---

145   Für vorpaulinische Entstehung plädieren *Brockhaus*, Charisma, 168; *Käsemann*, Problem, 183f; für paulinische Schöpfung *Wikenhauser*, Kirche, 1.224; *Schnackenburg*, Kirche, 76; *Conzelmann*, Theologie, 288.

146   Zu beachten ist auch, daß er die Vorstellung nirgendwo genauer entfaltet und selbstverständlich auf sie Bezug nimmt.

147   1Kor 12,27 formuliert den Gedanken von allen Belegen am klarsten: »Ihr seid Christi Leib.« Daß 12,12f ebenso zu verstehen ist (gegen *Schlier*, Christus, 40f, der übersetzen will: »so steht es auch dort, wo Christus ist«; nach ihm *Straub*, Bildersprache, 164), folgt daraus, daß es in der Sachhälfte statt des zu erwartenden »so verhält es sich auch mit der Gemeinde« lapidar und ohne Erklärung (!) heißt »so auch der Christus« (v 12), was v 13 dann expliziert wird durch die Äußerung von der Hineintaufe in den Leib und v 27 abschließend festgehalten wird.

148   Richtig *Brockhaus* (Charisma, 199): »Zwar dominiert hier das Bild über die reale Vorstellung, da das Subjekt der Sachhälfte des Vergleichs ›wir‹ und nicht ›der Christus‹ lautet; aber ›Leib‹ und ›Glieder‹ tauchen dann doch wieder in der Sachhälfte auf.« S. auch o. Anm. 142.

149   Vgl. dazu *Kümmel*, Theologie, 186f; *Brockhaus*, Charisma, 164f; *Lohse*, Grundriß, 102.

150   Ein vermutlich weiterer Anklang an die Leib-Christi-Vorstellung findet sich, wie die Beziehung zu Gal 3,28f anzeigt, in Röm 10,12 (so *Müller*, Gerechtigkeit, 35.103). – Die Bedeutung der Vorstellung für Paulus wird auch von ihrer breiten Aufnahme im Kol/Eph (s. o. Anm. 144) unterstrichen (das betont *Käsemann*, Problem, 186, besonders).

151   Man beachte die polemische Frage in 1Kor 1,13: »Ist Christus etwa zerteilt?« (die natürlich voraussetzt, daß die Gemeinde sich eigentlich die Antwort selber geben kann), sowie die anknüpfende Frage »wißt ihr nicht, daß eure Leiber Glieder Christi sind?« in 1Kor 6,15.

152   Es werden bis heute vier Grundtypen zur religionsgeschichtlichen Herleitung diskutiert: hellenistisch-popularphilosophische, jüdische, gnostische und christliche. An einigermaßen übersichtlichen Darstellungen vgl. *Wikenhauser*, Kirche, 84–88.224–240; *Meuzelaar*, Leib, 2–14; *Käsemann*, Römer, 320–323.

153   *Bultmann*, Theologie, 311; *Schlier*, Einheit, 187.

lungen[154] schenkt (12,4.7f), wie er will (12,11), so äußert sich gerade darin
der eine und selbe Geist, und es findet darin die für alle geltende Zugehörigkeit zum Christusleibe ihren Ausdruck. Die verschiedenen Charismen sind
also nicht Zeichen der Unterschiedlichkeit oder Überlegenheit des einen gegenüber dem anderen[155]. Im Gegenteil: Im Leibe Christi (und das ist der
Kerngedanke der Vorstellung[156]) sind alle Unterschiede, seien sie religiöser, sozialer oder sogar physischer Art (1Kor 12,13; Gal 3,28), aufgehoben.
Dieser Gedanke konnte aus dem Organismusbild nicht abgeleitet werden,
das nur ausreicht, das Funktionieren der vielen Glieder als ein harmonisches
Ganzes zu beschreiben, ihre Verschiedenheit verständlich zu machen und
ihre Einigkeit zu fordern[157]. Paulus bestimmt aber den *Grund der Einheit*
als nicht in den Glaubenden liegend und die Einheit als bereits gegeben; die
Unterschiede zwischen ihnen *sind* aufgehoben. Alle Leib-Christi-Aussagen
sind dementsprechend indikativische (nie imperativische) Aussagen. Sie
geben jeweils die Voraussetzung und Begründung für die Gemeindeparänese[158].

Gegeben ist die Einheit der christlichen Gemeinde in allen ihren Gliedern,
weil sie in den einen Leib Christi inkorporiert wurden. Diese Inkorporation
widerfährt dem Christen in der Taufe, und er vergewissert sich ihrer im
Herrenmahl (Gal 3,27f; 1Kor 10,16f; 12,12f sowie 1,13[159]). Taufe und Herrenmahl sind der Ort innerhalb der paulinischen Verkündigung, an welchem dem Gemeindeglied seine Inkorporation in den Leib Christi zugespro-
chen wurde[160], zugleich aber auch der Ort, an dem der Christ in den Tod
Christi getauft wurde (Röm 6,3f), an dem er im Mahl teilhat am für ihn dahingegebenen Leib des Gekreuzigten und an dem er fortwährend den Tod

---

154   Der Ausdruck »διαίρεσις« (1Kor 12,4; vgl. v 11) meint nicht nur »Zuteilung« (*Schlier*,
ThWNT Bd. 1, 184; *Conzelmann*, Korinther, 245), sondern auch »Unterschied«, wie insbesondere v 11b zeigt: der Geist teilt *unterschiedlich* aus, nämlich, »wie er will«. Nicht: jedem
das gleiche, sondern jedem das Seine (vgl. *Käsemann*, Amt, 115.119f; *Weiß*, Korintherbrief,
197).

155   In Korinth: der Glossolalen, die sich als Pneumatiker den anderen Gemeindegliedern
überlegen dünkten (vgl. dazu bes. *Brockhaus*, Charisma, 148–156 und überhaupt 148–192).

156   Vgl. *Brockhaus*, Charisma, 170, Anm. 133; *Conzelmann*, Theologie, 287. Man vgl.
auch 1Kor 7,17–24; Kol 3,10f; Eph 2,11–22; 3,6!

157   Nämlich so, daß »das Wohl des Ganzen das oberste Gesetz des Handelns für die einzelnen Glieder sein müsse« (*Wikenhauser*, Kirche, 142; vgl. ebd., 87).

158   Die immer wieder geäußerte Meinung, daß die Aussagen des Paulus über den Leib Christi »eindeutig paränetisch ausgerichtet« seien (*Ridderbos*, Paulus, 263; *Meuzelaar*, Leib,
16–19.172–174; *Schweizer*, Kirche, 173; *Conzelmann*, Theologie, 268.288; *Käsemann*, Problem, 183; *Brockhaus*, Charisma, 169f), ist in dieser Form nicht richtig. Vielmehr bildet der in
der Leib-Christi-Vorstellung ausgesprochene Gedanke der Einheit die Grundlegung und Voraussetzung für die Paränese. Dem entspricht die Voranstellung der Leibaussagen vor dem Charismenkatalog in Röm 12,4f und die Anknüpfung mit γάρ in 1Kor 12,12; vgl. auch Gal
3,27–29; 1Kor 1,13; 6,15; 10,16f.

159   Zu dieser Interpretation von 1Kor 1,13 vgl. *Wilckens*, Weisheit, 11–16.

160   Die These *Meuzelaars* (Leib, 20–46 und passim), wonach die Frage der (Tisch-)Gemein-
schaft zwischen Juden und Heiden den »Sitz im Leben« für die Leibvorstellung abgebe, wird
den Taufaussagen nicht gerecht.

seines Herrn verkündigt (1Kor 11,24.26). Wie immer auch die Frage traditionsgeschichtlicher Verbindungslinien zwischen dem Kreuzesleib Jesu und der Vorstellung vom Riesenleib Christi, der alle an ihn Glaubenden umfaßt, zu beantworten ist[161], sachlich befindet der in den Leib Christi Inkorporierte sich in einem Bereich, der durch das Kreuz Christi bestimmt ist[162]. Die Einheit, die die Christen in Taufe und Herrenmahl in ihrer Zugehörigkeit zum Leib Christi erfahren, umspannt die gesamte Kirche, Juden- und Heidenchristen[163], sie ist weltweit[164]. Denn sie entsteht ja nicht erst durch die Sammlung der Gemeinde am Ort, sie ist vielmehr in Christus, der sich überall, unter Heiden wie unter Juden, seine Gemeinden zusammenruft, vorgegeben und begründet[165]. Nicht der Zusammenschluß der einzelnen Christen zu einer Gemeinde und der einzelnen Ortsgemeinden zu einer Ge-

---

161 Nach *Conzelmann* (Theologie, 287) liegt »in der Abendmahlstradition . . . wohl der Ursprung des Ausdrucks ›Leib Christi‹« (damit ist aber natürlich kein Urteil über die religionsgeschichtliche Herkunft des Begriffes – s. o. Anm. 152 – ausgesprochen). *Percy* meint, der Christ werde »in Christus selbst und zwar in ihn nicht nur als den Auferstandenen, sondern in ihn schon als den, der am Kreuz starb, auf eine ganz reale Weise eingegliedert« (Leib, 28; vgl. 29–33.44). *Schnackenburg* »kann . . . den Apostel nur so verstehen, daß der eine Fleischesleib Christi, der . . . am Kreuz verblutete . . ., dann (nach der Auferstehung) in einer neuen Weise – durch den Geist – zu dem einen ›Leib Christi‹ wird, der die Kirche ist« (Kirche, 154). »Die Kirche wird auf diese Weise eine Größe, die schon im Kreuzesleib Christi da ist« (ebd., 155). Auch *Schlier* (Einheit, 187) setzt in dieser Weise den Leib Christi als seine Kirche mit »Christi Kreuzesleib« gleich. *Schweizer* (ThWNT Bd. 7, 1066) meint, man könne in den Abendmahlstexten Kreuzesleib und den Leib des Erhöhten »nicht scheiden«. »Denn dieser ist der Kreuzesleib in seiner fortdauernden Wirkung, er ist der Raum der Kirche«. – Dem wirft *Güttgemanns* (Apostel, 252–262) spekulative Tendenzen vor, und *Käsemann* formuliert: »Ich gestehe, mit solchen Spekulationen nicht einmal eine klare Anschauung verbinden zu können.« Er stellt dem seinerseits gegenüber: »Die Bezeichnung des eucharistischen Elements als Leib Christi war Paulus offensichtlich vorgegeben. Es ist höchst unwahrscheinlich, daß sie ursprünglich irgend etwas mit der ekklesiologischen Formel vom Christusleib zu tun hatte« (Problem, 192f). Vgl. ähnlich *Ridderbos* (Paulus, 266f), für den »es vollkommen unmöglich (ist), die Gemeinde irgendwie mit dem historischen Blut und Leib Christi zu identifizieren« (267) und *Wikenhauser* (Kirche, 231), der es für fraglich hält, »ob der Ausdruck ›Leib Christi‹ für die Kirche von dem eucharistischen Leib Christi herzuleiten sei«. Das Problem kann hier nicht entschieden werden; die letztgenannten Meinungen scheinen mir aber mehr für sich zu haben.

162 Vgl. *Conzelmann*, Theologie, 290; *Delling*, Merkmale, 308.

163 Als Leib Christi betrachtet, gibt es in der Kirche keinerlei Vorrang, auch kein »zuerst den Juden«! Insofern wird hier die Gottesvorstellung überboten.

164 Daß sich die Leib-Christi-Vorstellung nicht etwa bloß auf die Ortsgemeinde bezieht (*Reuß*, Kirche, 113), folgt aus der unmittelbaren Fortsetzung von 1Kor 12,12ff in v 28, wo von der Gesamtkirche die Rede ist (vgl. auch Kol/Eph, o. Anm. 142).

165 Es ist aber unzulässig, wie *Käsemann* (Problem, 185.188f) σῶμα Χριστοῦ kosmologisch zu interpretieren, nämlich als »die Welt als das von Christus beanspruchte Herrschaftsgebiet« (185) bzw. »neue Welt, besser: neue Schöpfung in weltweiter Dimension« (189). Dies setzt zunächst die (umstrittene) Ableitung der Wendung aus der Urmensch-Anthropos-Vorstellung voraus, zweitens setzt es unter der Hand Kirche und Welt gleich – eine schon exegetisch nicht haltbare These. *Käsemann* begründet sie folglich auch gar nicht exegetisch, sondern deduziert sie aus dem Gedanken der Weltherrschaft Christi. Nicht die Grenzen der Kirche besitzen aber »weltweite Dimension«, sondern *in ihr* gibt es keine Grenzen mehr. Der die Gottesvolk-Vorstellung überbietende Gedanke (in der Leib-Christi-Aussage) liegt nicht in der Kosmologie, sondern in der totalen Konzentrierung auf die Christologie.

samtgemeinde bildet die Kirche, sondern die eine Kirche als der eine Leib Christi findet Gestalt in den einzelnen Ortsgemeinden und ihren Gliedern, so daß Paulus in der einzelnen Gemeinde immer das Ganze sehen kann und beide sprachlich nicht unterscheidet[166]. Wenn er die christliche Gemeinde als σῶμα Χριστοῦ bezeichnet, so bestimmt er ihr Wesen als gänzlich außer ihr liegend, nämlich allein aus ihrer Beziehung zu Christus. Christus selbst manifestiert sich in ihr, und sie repräsentiert ihn in der Welt. Was sie ist, ist sie ausschließlich als »*ein* Leib in Christus« (Röm 12,5) bzw. als »Christus« (1Kor 1,13). Aber so sehr sich hier Christologie und Ekklesiologie nahekommen, ist dieser Satz doch nicht umkehrbar; Ekklesiologie und Christologie fallen für Paulus nicht zusammen[167]. Denn Christus selbst bleibt Herr seiner Gemeinde. Mit der Eingliederung in seinen Leib im Taufgeschehen hat er sich nicht in sie verströmt und wird sie nicht ihrer Welt zu Christus hin entrückt, sondern es bedeutet für sie, einen Herrschaftswechsel zu erfahren (Röm 6,6–9), der sie zu neuem Leben im Gehorsam gegenüber Gott befreit und ermächtigt (6,12–23). Gliedschaft am Leibe Christi heißt, sich im Herrschaftsbereich Christi befinden, und das schließt andere Herrschaftsverhältnisse aus (1Kor 6,15–17). In der Verankerung der Inkorporations-Zusage im Tauf- und Herrenmahlgeschehen findet die strenge Priorität der Christologie vor der Ekklesiologie in der Leib-Christi-Vorstellung einen klaren Ausdruck.

Die Funktion der σῶμα Χριστοῦ-Vorstellung innerhalb der ekklesiologischen Aussagen des Paulus läßt sich – um die Überlegungen zusammenzufassen – also folgendermaßen kennzeichnen: Als Leib Christi bezeichnet Paulus die Gemeinde, insofern ihre weltumspannende, alle menschlichen Unterschiede, alle Nachteile und Vorzüge aufhebende Einheit ausschließlich in Christus, d. h. im Herrschaftsbereich des Gekreuzigten und Auferstandenen, begründet und ihr geschenkt worden ist.

5.3.2
Das Verhältnis zwischen Gemeindevorstellungen und Missionspraxis des Paulus

Damit sind die Hauptlinien der paulinischen Gemeindevorstellungen nachzuzeichnen versucht worden. Ich habe nun auf die Ausgangsfragestellung zurückzukommen, um derentwillen es galt, diesen Überblick über die ekklesiologischen Vorstellungen des Paulus zu gewinnen. Die Frage war, im Kontext welchen Gemeindeverständnisses die sich in der Gemeindegesandtenidee abzeichnende missionarische Mitverantwortung der paulinischen Gemeinden für die Mission des Paulus einsichtig werden kann. Eine direkte

---

166　Im Deutschen böte sich dagegen die Unterscheidung Kirche – Gesamtgemeinde und Gemeinde – Einzelgemeinde an.

167　Vgl. dazu bes. *Käsemann* (Problem, 195f.202f) und die dortige Abwehr anderer Auffassungen.

Antwort findet sich darauf nicht. Paulus hat den Zusammenhang von Missionspraxis und Gemeindeverständnis innerhalb seiner uns bekannten Briefe nicht ausdrücklich reflektiert[168]. Deshalb war es erforderlich, die Gesamtheit seiner Gemeindevorstellungen einer näheren Betrachtung zu unterziehen. Angesichts der sehr verschiedenen ekklesiologischen Ansätze bei Paulus ist es aber von um so stärkerem Interesse, zu fragen, welchem oder welchen von ihnen seine Missionspraxis in höherem Maße entspricht. Es liegt nahe, von der Beurteilung dieser Frage aus auch Rückschlüsse auf die den einzelnen Vorstellungen im Vergleich zueinander von Paulus zugemessene theologische Relevanz zu ziehen.

Fragt man danach, ob die Gemeinde in einer der vorgestellten Gemeindekonzeptionen als missionierende Gemeinde verstanden wird oder werden kann, so ist das zweifellos dort am wenigsten der Fall, wo sie als Gemeinde der Heiligen charakterisiert wird. Heilig ist sie, wie gezeigt, insofern sie in der Präsenz Gottes lebend als von Gott Beschlagnahmte und damit von der Welt Geschiedene gilt. Eine Gemeinde, die sich ausschließlich in diesem Ausgesondertsein begriffe, sich also lediglich nach innen besänne und aus der Distanz zur Welt lebte, könnte keine Mission treiben[169].

Auch der Gottesvolkgedanke besitzt, für sich gesehen, keine besondere Affinität zur Mission, insbesondere verhält er sich spröde gegenüber der paulinischen Heidenmission[170]. Nur an einer Stelle setzt Paulus ihn in Beziehung zu seinem Missionswerk, in Röm 11,11–15.25–32 – aber nicht etwa so, daß er daraus ein Konzept und Programm für seine Heidenmission ableitete[171], sondern so, daß umgekehrt die bereits praktizierte Heidenmission in Relation zum Gottesvolkgedanken gesetzt und aus den geheimen Ratschlüssen und der »Gnadenansage«[172] Gottes erklärt wird[173]. Der Gottesvolkgedanke bedeutete für das weltweite Heidenmissionsprogramm des Paulus, für sich gesehen, keinen Antrieb. Er war zwar unaufgebbar für ihn in seiner Sorge und seinem Kampf um die Einheit der sich in Judenchristenheit und Heidenchristenheit konstituierenden Kirche, wie sie sich auch im paulinischen Kollektenwerk abspiegeln, und er wird deshalb auch nicht von

---

168 Es läßt sich mutmaßen, daß diese Frage in den zahlreichen Begleitschreiben, welche den – zu Paulus delegierten bzw. von ihm entlassenen – Gemeindegesandten mitgegeben wurden (und von denen uns im Philemonbrief immerhin ein Exemplar erhalten geblieben ist), des öfteren zur Sprache gekommen ist.

169 Ein Beispiel dafür bietet die Qumrangemeinde.

170 Insoweit hat *Käsemann* (Problem, 183–190; *ders.*, Frühkatholizismus, 245) sicher recht; vgl. noch o. Anm. 101 und *Kasting* (Anfänge, 130): »Diese Mission (die der Urgemeinde) vollzog sich ganz im Rahmen des alten Gottesvolkes . . . Das Ziel der Mission hieß: Sammlung und Erneuerung des endzeitlichen Gottesvolkes, Restitution des wahren Israels, Vorbereitung auf den Tag der Parusie . . . Ein derartiges Konzept war für die beginnende Heidenmission natürlich zu eng.«

171 So *Munck*, Heilsgeschichte, 34–41 und passim; s. o. Anm. 36.

172 *Luz*, Geschichtsverständnis, 300.

173 Zum Ganzen vgl. *Luz*, Geschichtsverständnis, 390–394.

ungefähr gerade im Römerbrief so breit entfaltet[174]. Hinsichtlich der Heidenmission und der heidenmissionarischen Missionspraxis des Paulus konnte er aber kaum impulsgebend wirken. Die Gottesvolkvorstellung reflektiert lediglich auf die innere Kontinuität der sich aus den Verheißungen Gottes verstehenden Christenheit mit dem aus den Verheißungen Gottes lebenden Volk des Alten Bundes. Die äußere Verbreitung, die Sendung der Gemeinde in die Welt und die Verantwortung der Gemeinde für die Mission wird von ihr aus nicht zum Thema.

Wenn Paulus die Gemeinde als im Bau begriffen beschreibt und, darüber hinausgehend, den gegenseitigen ›Aufbau‹ geradezu zum Kriterium ihres Verhaltens untereinander macht, dann zeichnet sich darin nun ein viel dynamischeres Gemeindeverständnis als in den bisher besprochenen Vorstellungen ab. Gleichwohl wendet Paulus den Gedanken zunächst und zumeist auf das gemeinde-interne Verhalten an. Doch rückt er auch das Verhalten zu den nichteingeweihten Gottesdienstteilnehmern in Korinth unter das Kriterium des Aufbaues (1Kor 14,16f.23–26). So kann er auch seine eigene missionarische Tätigkeit mit dem gleichen Wort (οἰκοδομεῖν) bezeichnen (Röm 15,23). Indem die Gemeinde als im Wachstum, in der Entfaltung begriffen, als ein »Bau« verstanden ist, an dem noch »weitergebaut« wird (1Kor 3,5–15), weiß sie sich auch innerhalb einer missionarischen Entwicklung stehend, kapselt sie sich nicht gegen die Welt ab. Dennoch darf nicht übersehen werden, daß der »Aufbau« zuerst ein innergemeindliches Wachstum meint, nämlich das Zusammenleben der Gemeinde in der Liebe zum Wachstum des Glaubens aller. Charakterisiert Paulus seine Missionsarbeit als Aufbauen der Gemeinde, so zeigt sich darin zwar, wie sehr er sie als gemeindegründende Tätigkeit verstand. Missionsarbeit war für ihn nichts anderes als Gemeindearbeit, und das am Aufbau orientierte Verhalten der Gemeindeglieder zueinander unterschied sich von der Arbeit des Paulus auch nicht grundsätzlich[175]. Aber die Bewegungsrichtung des Aufbaugedankens verläuft doch nicht aus der Gemeinde heraus, sondern auf sie zu, sein theologischer Ort ist in der Gemeindeparänese, und ein Sendungsgedanke in die Welt ist mit ihm nicht verbunden[176].

Der zentrale Gedanke der Leib-Christi-Vorstellung liegt, wie oben gezeigt, in der in Christus vorgegebenen Einheit der Gemeinde, und er findet seinen konkreten Ausdruck in der Aufhebung aller zwischenmenschlichen Unterschiede in Christus. Das Singuläre an dieser Vorstellung ist, daß sie das Wesen der Gemeinde ausschließlich aus ihrem Sein in Christus begründet. Gemeinde ist sie nur insoweit, als Christus durch sie präsent ist, anders gesagt, als sie sich im Herrschaftsbereich Christi befindet und er sein Herrsein durch sie verwirklicht. Es findet also die Herrschaftsaufrichtung Christi in

---

174 Vgl. *Bornkamm*, Römerbrief, 136–139; *Käsemann*, Problem, 188.
175 S. o. Abschn. 3.4.
176 Ebenso im Kol/Eph oder 1Petr, vgl. *Vielhauer*, Oikodome, 139–151; *Minear*, Bilder, 219–221.

der Welt nicht abseits von ihr statt, sie ist nicht Zuschauer, sondern selber Repräsentant dieses Geschehens. Der Gedanke der Sendung der Gemeinde in die Welt ist hier zwar nicht angesprochen, aber er ist impliziert: Weil Christus Herr über die Welt ist und alle Welt ihm unterworfen werden wird (Phil 2,9–11)[177], muß die Gemeinde in ihrer Gesamtheit als sein Leib die Aufrichtung seiner Herrschaft vorantragen. Sie tut das durch ihre dazu berufenen Sendboten, die Apostel, aber sie ist als Ganze dafür verantwortlich, weil sie sonst nicht mehr zum gleichen Leib gehörte und Gemeinde wäre. Die Mission des Paulus ist folglich nichts anderes als die Mission der Gemeinde. Deshalb reiht Paulus den Aposteldienst selbstverständlich unter die verschiedenen Charismen als die Funktionen des einen Leibes ein (1Kor 12,28). Sein Apostelauftrag ist ein Charisma unter anderen – allerdings das wichtigste und erste – und Äußerung der ganzen in der Einheit des Leibes zusammengehörenden Gemeinde. Die Leib-Christi-Vorstellung impliziert also sowohl den Gedanken der Sendung der Gemeinde in die Welt als auch die Verantwortung der ganzen Gemeinde für die Mission. Keiner der beiden Gesichtspunkte ist jedoch von Paulus in den uns bekannten Schriften näher entfaltet worden. Vielmehr erscheint die Vorstellung überall im ekklesiologischen Kontext: zur Grundlegung des Zusammenlebens der Gemeinde aufgrund der ihr in Christus vorgegebenen Einheit (1Kor 12) oder zur Bezeichnung der unbedingten Zusammengehörigkeit mit Christus (1Kor 6,15f). Ein Missionsprogramm hat Paulus nicht aus ihr abgeleitet[178]. Aber de facto entspricht seine Missionspraxis in hohem Maße einer als Leib-Christi verstandenen Gemeinde. Sie entspricht ihr, weil die Gemeinde streng christologisch begründet ist und alle Unterschiede zwischen Judenchristenheit und Heidenchristenheit negiert werden, weil die Gemeinde als Leib Christi die Herrschaftsaufrichtung Christi in der Welt selber repräsentiert und weil sie schließlich in der Einheit des Leibes als Ganze an ihr partizipiert. Der missionarische Impuls der Vorstellung liegt nicht in einem kosmologischen Verständnis der Gemeinde, sondern allein in der Konzentration auf Christus, der der $\varkappa\acute{\nu}\rho\iota\varsigma$ ist; nicht in der Ekklesiologie, sondern in der Christologie. Nur in diesem Sinne wird man sagen können, daß die Gemeinde in der Leib-Christi-Ekklesiologie sich als missionarische Gemeinde verstanden hat.

So darf man also in der den paulinischen Gemeinden wohlbekannten Leib-Christi-Vorstellung ein Gemeindeverständnis bezeichnet finden, welches der in der Mitarbeitermission zum Ausdruck kommenden Partizipation der

---

177 Der Hymnus spricht allerdings so, daß Jesus Christus die Weltherrschaft bereits besitzt, die Akklamation der Mächte bereits vollzogen ist, und vertritt darin eine andere Theologie als Paulus; paulinisch ist, daß die Öffentlichwerdung des Herrseins Christi über die Welt noch aussteht, erst dem Glaubenden sichtbar ist, also zukünftig ist. Vgl. dazu *Eichholz*, Paulus, 150–152.

178 Deshalb muß man die Formulierung *Käsemanns*: »Die Rede vom Christusleib ist die ekklesiologische Formel, mit welcher sich die hellenistische Christenheit zur Weltmission anschickte« (Problem, 183), als überspitzt ansehen.

Gemeinden an der Mission des Paulus in besonderem Maße entspricht – um so mehr, als, wie wir gezeigt haben, keine andere ekklesiologische Vorstellung (am ehesten noch die stark paulinisch geprägte vom Aufbau der Gemeinde) dem Gedanken der missionarischen Verantwortung der Gemeinde Raum gab. Aber gerade darum, im Kontrast zu den übrigen Gemeindekonzeptionen des Paulus, hebt sich Stellenwert und Kontur der Leib-Christi-Idee schärfer heraus. Weitergehende Aussagen läßt das Quellenmaterial nicht zu[179]. Dennoch wird man die Bedeutung der Leib-Christi-Vorstellung als eigenständiger heidenchristlicher Gemeindekonzeption weder für die Theologie noch auch für das Missionswerk des Paulus unterschätzen dürfen[180].

5.4
Missionsformen vor und neben Paulus

Am Abschluß dieses Kapitels, in dem die Mission der Mitarbeiter des Paulus als die Mission ihrer Gemeinden erkannt wurde, soll noch die Frage aufgeworfen werden, welches der historische und traditionsgeschichtliche Hintergrund für die Missionspraxis und das besprochene Missionsverständnis ist[181]. Diese Frage führt auf das weite Feld der urchristlichen Mission; sie

---

179　Dem Versuch *Schweizers* (Church), aus dem jüdisch geprägten Leibverständnis des Paulus (nach welchem Leib »maens man's physical corporeity which . . . includes the psychic experiences«; 321), mit dem Paulus im Gegenüber zu den korinthischen Enthusiasten auf die Weltbezogenheit des Christen hinweise (322), eine Brücke zur Weltbezogenheit und missionarischen Intention der Leib-Christi-Vorstellung zu schlagen (323), fehlt es an einer einsichtigen Verhältnisbestimmung zwischen anthropologischem und ekklesiologischem Gebrauch des Wortes »Leib« bei Paulus. Die Themafrage seines Aufsatzes, »to ask what connexion may exist between the church and its mission to the world« (317), sucht *Schweizer* dann auch vom Kol her positiver zu beantworten (323–328). Hier nun beruft er sich auf die Verbindung von kosmologischem und ekklesiologischem Verständnis des Leib-Gedankens in 1,18. Der Sinn der Aussage von Kol 1,18 sowie 2,10.17–19 ist jedoch nicht der, daß Kosmos und Kirche gleichgesetzt werden, sondern daß Christus zugleich Herr der Welt und der Kirche ist, für den Christen also die anderen Mächte und Gewalten ihre Macht verloren haben (vgl. *Lähnemann*, Kolosserbrief, 140–143). Für den Kol ist nicht die Welt der Leib des Christus, sondern die Kirche (so *Schweizer*, ThWNT Bd. 7, 1074, selbst), ebenso auch in Eph (vgl. die scharfe Trennung von Kirche und Welt, Eph 6,10–20). – Es bleibt m. E. dabei, daß ein überzeugendes Verständnis der missionarischen Intentionen der Leib-Christi-Vorstellung nur über die Christologie gewonnen werden kann.

180　Die Darstellungen von *Dahl*, Volk, 224–229; *Oepke*, Gottesvolk, 218–230 (weitere s. o. Anm. 90), werden dem nicht genügend gerecht.

181　Wünschenswert, wenn auch in diesem Rahmen nicht mehr möglich, wäre es, über die traditionsgeschichtliche Fragestellung hinaus den religionsgeschichtlichen Hintergrund zu erhellen. Die paulinische Missionspraxis wäre zu konfrontieren mit den Formen außerchristlicher religiöser Propaganda, mit dem zeitgenössischen Kult- und Vereinswesen sowie dem jüdischen und popularphilosophischen Schulbetrieb. Ob sich von dort aus Verbindungslinien zur paulinischen Mission ergäben, müßte näher untersucht werden. Der zumeist aus Sekundärquellen erarbeitete Versuch *Schilles* (Kollegialmission, 181–200), im außerchristlichen Bereich kollegiale Arbeitsformen nachzuweisen, ist allerdings wenig sinnvoll. Dieser Vergleichspunkt ist zu allgemein, um Aussagekraft zu besitzen. *Schille* überspringt das theologische Pro-

kann hier nur durch Stichworte angedeutet werden[182]. Das Folgende versteht sich lediglich als Problemanzeige mit dem Versuch, dabei einige für die paulinische Mission wichtige Hauptlinien zu erfassen.

Paulus gehört nicht zu den allerersten christlichen Missionaren, vielmehr liegt seine Berufung zum Heidenapostel mit aller Wahrscheinlichkeit bereits nach dem Beginn planmäßiger Mission unter Nichtjuden durch die sog. Hellenisten[183]. Dieser Mission schloß er sich, wie oben (Kap. 2.1) geschildert, an und wirkte in der etwa anderthalb Jahrzehnte währenden Spanne vor Beginn seines selbständigen Missionswerkes als Heidenmissionar, vermutlich die meiste Zeit von Antiochia aus, wo er gegen Ende dieser Phase neben Barnabas eine führende Rolle einnahm (Gal 2; Apg 13,1–5; 15).

Es ist selbstverständlich, daß er sowohl in seinem theologischen Denken als auch in seiner Missionspraxis in vielfacher Weise insbesondere von den antiochenischen Missionskollegen geprägt oder beeinflußt worden ist – wie er auch umgekehrt versucht hat, der Gemeinde von Antiochia seinen theologischen Stempel aufzudrücken (Gal 2,11–21). Doch zeigt gerade der letzterwähnte sog. antiochenische Zwischenfall – nach welchem Paulus bekanntlich sein eigenes, unabhängiges Missionsunternehmen begann –, daß ihre Übereinstimmung, auch in wesentlichen Fragen, Grenzen haben konnte.

Als Paulus sich von Antiochia löste, begann er in vielfacher Hinsicht etwas Neues, in seiner alten Gemeinde zuvor nicht Geübtes: ein weltweites Missionsprogramm, die Gründung selbständiger Gemeinden – in der Regel in den Provinzhauptstädten –, die Konzentrierung von Mitarbeitern als Delegierten ihrer Gemeinden und Mitverantwortlichen für die Mission am Ort seines Wirkens.

Aber wie neu war diese Mission eigentlich? Wieweit knüpfte Paulus in alledem an Bekanntes, schon Praktiziertes an, inwiefern schuf er Neues? Diese

---

blem des jeweiligen Missionsverständnisses und sucht das Konstitutivum der Mission im Formalen, Strukturellen. Darin liegt ein zentraler Mangel seiner Arbeit. So findet er eine ganze Reihe von Arbeitskollegien im religionsgeschichtlichen Umfeld des NT, aber keinen einzigen Beleg dafür, daß sich Mitarbeitergruppen *zu missionarischen Zwecken* gebildet hätten.

182   Grundlegend und immer noch lesenswert ist *v. Harnack*, Mission; außerdem *Liechtenhan*, Mission; *Schille*, Anfänge; *ders.*, Judenchristentum, 80–95; *Hahn*, Verständnis; *Kasting*, Anfänge; zu beachten ist auch *Goppelt*, Zeit, 22–28.41–46.55–63; *Filson*, Geschichte, 194–214; *Conzelmann*, Geschichte, 48–52.53.59; *Georgi*, Gegner, 205–218; *Hengel*, Ursprünge.

183   Vgl. zunächst 1Kor 15,8. Seine Verfolgertätigkeit (Gal 1,13f.23; Phil 3,6), die sich – aus Eifer um die väterlichen Überlieferungen (Gal 1,14)! – auf die judenchristliche (!) Gemeinde richtete, macht sehr wahrscheinlich, daß zu dieser Zeit bereits eine gesetzeskritische Richtung unter den Christen entstanden war, gegen die er sich wandte (vgl. immerhin auch Apg 6–8). Als Paulus seine Bekehrung erfuhr und vom Verfolger zum Verfechter wurde, war damit zugleich auch das Recht der gesetzeskritischen Heidenmission für ihn erwiesen. Daß er seine Bekehrung zugleich als Berufung zum Heidenmissionar erlebte, muß damit im engsten Zusammenhang gesehen werden. – Zur Frage vgl. in neuerer Zeit *Wilckens*, Bekehrung, 273–293; *Kasting*, Anfänge, 53–60; *Schmithals*, Paulus, 9–29 (jeweils mit weiterer Literatur); *Bornkamm*, Paulus, 36–48; *Conzelmann*, Geschichte, 44.

Frage ist leicht gestellt und schwer zu beantworten. Unser Wissen über Missionsverständnis und Missionspraxis in Antiochia, in Syrien insgesamt und ebenso in Palästina ist, wo überhaupt faßbar, unsicher und lückenhaft. Was läßt sich erkennen über die Missionsformen, in denen vor oder neben Paulus Mission getrieben wurde, insbesondere über die Rolle, welche die Gemeinden dabei spielten? Wer waren die Träger der Mission außerhalb der paulinischen Gemeinden, und welche Gestalt besaß ihre Mission[184]?

5.4.1
Die Wandermission

Die Sendungsworte der Evangelien (Mt 28,19; Lk 24,47f; Joh 20,21), die vermutlich durchweg von den Evangelisten redaktionell überarbeitet wurden[185], binden die Beauftragung zur Mission mit Selbstverständlichkeit an den Kreis der zwölf Jünger, der für sie ebenso selbstverständlich mit dem Apostelkreis identisch ist. Die Kirche des ausgehenden ersten Jahrhunderts sah allein in den Aposteln die ursprünglichen Beauftragten und *Träger* der Mission.
Die gleiche Sicht vertritt Lk auch in der Apostelgeschichte. Er schildert die zwölf Apostel als die vom Auferstandenen selber zur Mission beauftragten Zeugen (Apg 1,8 etc.). Daneben weiß er allerdings auch von einer Reihe anderer Missionare. Er erwähnt den »Evangelisten« Philippus (Apg 6,5; 8,5ff; 21,8), Stephanus (6,5ff), die »Hellenisten« (6,5; 8,1; 11,19ff), Barnabas und Paulus (13,1ff), Silas (15,40), Markus (15,39), Priscilla und Aquila (18,2), Apollos (18,24ff). Ihnen allen enthält Lk den Aposteltitel vor, bindet sie aber in der Weise in die Entwicklung der Kirche und Ausbreitung der Mission ein, daß er sie stets – wenigstens mittelbar – als von den zwölf Aposteln autorisiert vorstellt. Immerhin wird deutlich, daß außer den »Aposteln« (also nach Lk dem Kreis der Zwölf) noch eine ganze Reihe weiterer Personen Mit-Träger der urchristlichen Mission waren. Dabei muß es angesichts des engen, auf die Zwölf eingegrenzten und nicht einmal Paulus umschließenden Apostelbegriffs des Lk völlig offenbleiben, inwieweit diese Missionare für sich selbst den Aposteltitel beansprucht haben[186].

184   Diese Frage wird selten gestellt und kaum je gründlicher behandelt (vgl. z. B. *v. Harnack*, Mission, 84–88.332–389; *Greeven*, Gemeinde, 69; *Goppelt*, Zeit, 24; *Conzelmann*, Geschichte, 49). Häufig wird wenig differenziert von der »christlichen Gemeinde« oder einer »christlichen Bewegung« gesprochen, durch welche die Mission vorangetragen wurde (vgl. z. B. *Hahn*, Verständnis, 38.63.63 u. ö.; *Kasting*, Anfänge, 90.92.95.127 u. ö.; *Goppelt*, ebd., 22).
185   Das hat zuletzt *Kasting* (Anfänge, 34–45; mit weiterer Literatur) eingehend nachgewiesen. Demgegenüber sieht er aber das in den Sendungsworten sich ausdrückende von ihm so genannte »Sendungsmotiv« (die Aussendung der Jünger durch den Auferstandenen) als alt und in der Ostertradition beheimatet an (ebd., 46–52). Auch wenn man dem zustimmt, kommt man noch nicht an den historischen Ursprung der Beauftragung zur Mission heran. Mk 16,15 ist bekanntlich später Nachtrag.
186   S. o. Kap. 3 Anm. 108.

Von weiteren Missionaren, die zur Zeit des Paulus wirkten bzw. in seinen Gemeinden erschienen, berichtet Paulus. Man denke an Apollos, an Andronikos und Junias sowie insbesondere an seine Gegner in Galatien, Korinth und Philippi (auch in Kolossä). Daß diese sich wenigstens teilweise als Apostel verstanden, wird an den Gegnern des Paulus in Korinth erkennbar (2Kor 11,5.13; 12,11f). Andererseits hat Paulus Apollos nirgends so apostrophiert. Wieweit dieser Tatbestand auf die Quellenlage oder auf einen speziellen Apostelbegriff des Paulus oder darauf zurückzuführen ist, daß Apollos den Aposteltitel wirklich nicht beanspruchte, muß hier offenbleiben. Möglich ist, daß alle Träger der urchristlichen Mission sich als Apostel verstanden, vermutlich aber zumindest die überwiegende Zahl.

In welcher *Form* vollzog sich nun diese Mission? Wie an Apollos erkennbar, konnte sie sich bisweilen als Einzelmission gestalten[187]. Daneben scheint eine verbreitete und wohl übliche Gepflogenheit die Partnermission gewesen zu sein. Sie bildet nicht nur für die in der Apostelgeschichte beschriebenen Missionsunternehmen durchweg die selbstverständliche Voraussetzung, sondern findet sich auch in verschiedener Weise in der synoptischen Überlieferung und vereinzelt bei Paulus belegt[188]. Die Ursprünge dieser Praxis liegen wahrscheinlich im alttestamentlichen Zeugenrecht, nachdem eine Aussage, die durch zwei oder drei Zeugen bestätigt wurde, als beglaubigt galt[189].

Ein weiteres Merkmal dieser Mission scheint gewesen zu sein, daß sie sich als Wandermission vollzog. Das belegt vielfach die Apostelgeschichte, es wird für die Gegner des Paulus von 2Kor 3,1 u. a. bezeugt und legt sich auch für Apollos, Andronikos und Junias nahe. In gleiche Richtung weisen außerdem die Aussendungsreden der Synoptiker (vgl. Mk 6,7ff par.; Lk 10,1ff).

Partnermission und Wandermission – daraus läßt sich vielleicht auch ein Rückschluß auf das Missionsverständnis dieser Missionare wagen. Sie wußten sich als Zeugen, Zeugen der in Jesus Christus angebrochenen Herrschaft Gottes, deren Proklamation sie von Ort zu Ort trieb. Diese Mission stand unter dem Zeichen des Eschaton. Pointiert gesagt: nicht die Gründung von

---

187 S. o. S. 40.

188 Nach Mk 6,7 sandte Jesus die Jünger zu zweit aus, nach Lk 10,1 die »Siebzig«; bei Mt 10,2–4 (z. T.) und Apg 1,13 werden die Apostel paarweise aufgezählt. Zahlreiche weitere Belege paarweisen Sendens im Neuen Testament zählt *Jeremias* (Sendung, 135–139) auf. Für die Apostelgeschichte vgl. 3,1ff; 8,14; 9,38; 10,7.20; 13,2f; 15,22.27.32.35–40; 19,22 u. a.; für Paulus Röm 16,7; man kann auch an das missionierende Ehepaar Prisca und Aquila denken, die nach *Käsemann* (Römer, 394) »zu den bedeutendsten urchristlichen Missionaren im Diasporagebiet zählten«. Missionierende Ehepaare erwähnt Paulus auch 1Kor 9,5.

189 *Jeremias*, Sendung, 134f. Dieser Dtn 17,6; 19,5; Num 35,30 belegte Rechtssatz ist im Neuen Testament des öfteren aufgenommen worden: Mt 18,16; Joh 8,17; 2Kor 13,1; 1Tim 5,19; Hebr 10,28; auch Mt 26,59f. – Damit ist zugleich etwas über das Selbstverständnis der Paare gesagt: Sie wissen sich als Zeugen des Evangeliums (nach Lk: des Lebens und der Auferstehung Jesu: Apg 1,8; 2,32ff; 3,15f; 5,32 etc.).

Gemeinden war ihr Ziel, sondern die Proklamation der Gottesherrschaft (Mt 10,7; Lk 9,2; 10,9).
Hervorstechendstes Merkmal der Wandermission aber war wohl ihr Radikalismus. Er kommt in der Forderung zum Verzicht auf Familie, Besitz und festen Wohnsitz in schroffer Form in den synoptischen Aussendungsreden (Mt 10,5–42; Lk 9,1–5; 10,4–13; 12,2–9.51–53; 14,26f; Mk 6,8–11) zum Ausdruck. Daß dieser Radikalismus jemals von der ganzen Gemeinde praktiziert worden wäre, darf man bezweifeln[190], ebenso aber auch umgekehrt, daß es sich bloß um ideale Forderungen handelte. Das läßt sich an der Person des Paulus aufzeigen.

Zum Verzicht auf die Familie vgl. Lk 14,26; Mt 10,37; Lk 12,52f/Mt 10,35f; Mt 8,21f/Lk 9,59f; Mt 19,12; Mk 10,29f; 3,35; vgl. die Behandlung der Frage für die Gemeinde in 1Kor 7 durch Paulus, der dabei selber (7,7) rigoros entscheidet, dies jedoch für die ganze Gemeinde nicht fordert. Der völlige Verzicht auf die Familie fand allerdings auch nicht bei allen Wandermissionaren Echo, wie 1Kor 9,5 zeigt. – Zum Verzicht auf Besitz vgl. Mk 10,17–31 parr.; Mt 6,19–21/Lk 12,33f; Mt 6,25–34/Lk 12,22–31. Wiederum vertritt Paulus in dieser Frage für sich selbst eine strengere (Phil 4,11–13; 2Kor 6,10; 11,27; man denke auch an seinen Selbstversorgungsgrundsatz, 1Kor 9 etc.), gegenüber der Gemeinde jedoch eine in gewisser Weise laxere Haltung (1Kor 7,30f). – Zum Verzicht auf den Wohnsitz vgl. Mt 8,20/Lk 9,35; Mk 10,29f sowie die Nachfolgeworte überhaupt. Auch diese Forderung findet sich nirgends in der Gemeindeparänese des Paulus, obwohl er selbst ihr nachkam.

Träger und Adressaten dieser Forderungen waren allem Anschein nach jene Wandermissionare, die gemäß den synoptischen Aussendungsreden von Jesus zur Proklamation der Gottesherrschaft auf die Wanderschaft geschickt wurden[191] – nicht jedoch die Gemeinden in ihrer Gesamtheit. Ja, man muß wohl sagen, daß eine solche radikale Ethik Gemeindegründungen geradezu ausschließt.
In diesen Überlieferungen spiegelt sich das Bild einer Missionsform, die durch von Ort zu Ort ziehende Wandermissionare bestimmt wurde, eine Erscheinung, die vermutlich das Erbe des Wanderlebens Jesu und der ihm nachfolgenden Jünger angetreten und sich offensichtlich noch lange (Did 11–13) erhalten, vereinzelt allerdings auch klare Ablehnung (Lk 22,35–38) erfahren hat[192]. Auch die Mission des Paulus steht offenbar in der Tradition

190   S. o. S. 131f.
191   Dies hat jüngst *Theißen* (Wanderradikalismus, 252 und passim) mit guten Gründen vertreten: Der sich in diesen Stellen offenbarende ethische Radikalismus sei »Wanderradikalismus« gewesen, vertreten und auch wirklich praktiziert von christlichen Wandermissionaren, Gestalten »am Rande der Gesellschaft«, »Charismatiker(n) der Heimatlosigkeit«, die die nahe herbeigekommene Herrschaft Gottes verkündigten (Mt 10,7; Lk 9,2; 10,9); ähnlich urteilen auch schon *Kretschmar* (Beitrag, 27–67) und *Hoffmann* (Logienquelle, 312–334), auf die *Theißen* verweist. (Nicht überzeugen kann es mich aber, wenn *Theißen* die Logienüberlieferung insgesamt auf das Konto besagter Wandermissionare setzen möchte; ebd., 255f u. ö.).
192   Diese Mission brachte es mit sich, daß Lebensunterhalt und Unterkunft völlig ungesichert blieben (vgl. Anm. 41). Der Wandermissionar war darauf angewiesen, irgendwo Hilfe zu erfahren, aufgenommen und gespeist zu werden (vgl. Lk 10,5–7). Er konnte nur solange blei-

dieser Wandermission – nicht aber das missionarische Verhalten seiner Gemeinden, wie es sich in der Mitarbeitermission niederschlug.

5.4.2
Die Mission der Hellenisten

Neben der Mission der Wanderprediger hat sich, und zwar schon sehr früh, eine andere Art der Mission ausgebildet, die sich von der Wandermission in charakteristischer Weise unterschied[193]. Als Träger dieser Mission treten zuerst die Leute um Stephanus, die sog. Hellenisten, ins Blickfeld (Apg 6). Sowenig über diese Männer auch bekannt ist[194], lassen sich doch folgende Merkmale ihrer missionarischen Bemühungen konstatieren: 1. Sie bildeten eine eigenständige Gruppe (Apg 6,1); 2. sie waren in Jerusalem ortsansässig; 3. sie trieben eine planmäßige Mission (6,8–10); 4. sie eröffneten der Kirche die gesetzeskritische Heidenmission, auf welchem Wege sie massive Widerstände zu überwinden hatten[195].

Das Neue und Besondere an dieser Missionsform ist die Verbindung von Ortsgebundenheit einerseits, planmäßiger Mission, die von einer Gruppe – man darf wohl sagen: Gemeinde – getragen wurde, andererseits. Hier übernahm demnach die ganze Gemeinde für die Mission Verantwortung, und eben in diesem gemeinsamen Bewußtsein der universalen, den jüdischen Volksverband aufsprengenden Bedeutung der Botschaft Jesu muß wohl

---

ben, wie er Aufnahme fand; erfuhr er Ablehnung, wurde er verfolgt, so mußte er weiter, in der Gewißheit, daß Gottes Gericht über jene ungastlichen Häuser und Städte kommen werde (Mt 10,9–15). Man zog von Ort zu Ort übers Land, wobei die Entfernungen nicht zu groß gewesen sein können (*Theißen*, Wanderradikalismus, 266), sonst bliebe die Forderung, nur für eine Tagesreise Proviant mitzunehmen (Did 11,6) unverständlich.

193   Eine Andeutung dieser Unterscheidung findet sich bei *Goppelt* (Zeit, 24).

194   Außer den Kommentaren vgl. *Bihler*, Stephanusgeschichte, 189–141; *Storch*, Stephanusrede, 114–126; *Schmithals*, Paulus, 9–29; *Kasting*, Anfänge, 99–105 (jeweils mit ausführlicher weiterer Literatur).

195   Diese Aussagen sind in der Literatur nicht umstritten. Allenfalls ließe sich fragen, ob man bei ihnen bereits von einer planmäßigen Mission sprechen darf. Dafür scheint mir aber eindeutig su sprechen, 1. daß sich eine Gemeinde der »Hellenisten« bildete; 2. daß man nach Apg 6,9 mit denen von der Libertinersynagoge disputierte, wie Lk es formuliert; 3. daß sich daraus eine Verfolgung aller Hellenisten entwickelte, was auf eine expansive Haltung des ganzen Kreises schließen läßt; 4. daß sie nach ihrer Vertreibung nach Auskunft des Lk (dem es eigentlich noch gar nicht ins Konzept paßt und der deshalb Apg 8–10 zwischenschiebt) sogleich mit Erfolg »das Evangelium verkündigten« (8,4; 11,19–21). – Daß die Hellenisten schon in Jerusalem *Heiden*mission getrieben haben sollten (*Klein*, Besprechung, 368), ist damit nicht gesagt, wenn auch nicht unmöglich. Umgekehrt ist es jedoch unwahrscheinlich, daß der Schritt zur Heidenmission gemäß Apg 11,19 und 11,20 erst in Antiochia erfolgt sein sollte (so *Storch*, Stephanusrede, 136). Dagegen spricht stark die Philippustradition (vgl. *Grundmann*, Apostel, 125–128) sowie die Berufung des Paulus zum Heidenmissionar (s. o. Anm. 183). Die Heidenmission dürfte auch kaum in der »Verwerfung von Seiten Israels« motiviert sein, wie *Storch* (ebd., 137) annimmt: »Die christlichen Missionare, von den Juden abgewiesen, suchten sich ihre Zuhörer woanders.« Dazu bedarf es jedoch bereits der prinzipiellen Möglichkeit, woanders hinzugehen!

überhaupt der Grund für die Bildung der Hellenistengemeinde in Jerusalem gelegen haben[196].

Als der Kopf der Gruppe, Stephanus, in Jerusalem hingerichtet worden war und der Kreis um ihn, aus Jerusalem vertrieben, sich in alle Winde zerstreut hatte, nahmen nach Auskunft der Apostelgeschichte die missionarischen Bemühungen und Erfolge der Verstreuten einen enormen Auftrieb (Apg 8,1.4; 11,19–21). An zwei Stellen sind sie historisch weiterhin faßbar, in Philippus und in den Antiochenern. Beide Fortführungen sind aufschlußreich, denn sie lassen erkennen, daß die verstreuten Hellenisten, soweit man sehen kann, die Art ihrer ursprünglichen Missionspraxis beibehielten.

Philippus ging nach Samarien und missionierte unter den Samaritanern (Apg 8). Im Zuge dieser Arbeit erhielt er den Beinamen »Evangelist« (Apg 21,8). Er war dort ortsansässig und konnte von Paulus nach vielen Jahren in seinem Haus in Cäsarea besucht werden (21,8). Was die nach Antiochia entflohenen »Hellenisten« betrifft, gründeten sie dort eine Gemeinde (Apg 11,20–30; 13,1–3; 15; Gal 2), von der aus sie missionarische Vorstöße in das umliegende Land unternahmen[197].

Haben sich die Träger dieser Mission, die Hellenisten, als Apostel verstanden? Jedenfalls Paulus, der ja lange Zeit von Antiochia aus agierte. Es gilt wahrscheinlich ebenso für Barnabas und Silvanus, auch für Andronikos und Junias (wenn sie zur antiochenischen Gemeinde gehörten). Dabei betrachtete man das Apostelamt, wie wohl 1Kor 12,28 zeigt[198], als Gemeindefunktion.

196 Daß die gesetzeskritische und damit prinzipiell für die Heidenmission aufgeschlossene »Hellenistengemeinde« sich nicht erst in Jerusalem bildete, sondern in ihren Anfängen auf galiläische ehemalige Jüngerkreise Jesu zurückgeht, in denen sich zuerst heidenmissionarische Tendenzen gerührt hatten, vermuten wohl zu Recht *Schille* (Anfänge, passim; *ders.*, Judenchristentum, 85f), *Schmithals* (Paulus, 20–22.25f) und *Kasting* (Anfänge, 82–95). Daß man sich dabei zu Anfang bereits als eine von der judenchristlichen unterschiedene Sondergemeinde konstituierte und dann erst später in Jerusalem aufeinanderstieß (*Schille*, Judenchristentum, 85), ist aber ganz unwahrscheinlich. Weshalb hätten sich die Galiläer (die nach *Schille* bereits »eine fertige christliche Mission«, nämlich ein Weltmissionsprogramm besaßen!; ebd.) in Jerusalem versammeln und festsetzen sollen? Sie wie alle anderen späteren Jerusalemer führte vielmehr einige Zeit nach der Auferstehungserfahrung die Erwartung der nahen Parusie (Lk 19,11) und das Bewußtsein, das neue Gottesvolk zu repräsentieren, dort zusammen (*Schmithals*, ebd., 22; *Hahn*, Verständnis, 37f; *Kasting*, ebd., 91). Erst allmählich dürften sich »Hebräer« und »Hellenisten« (Apg 6,1) als zwei getrennte Gruppen empfunden und formiert haben. Auf das trennende Moment der Sprache macht *Hengel* (Jesus, 176ff) aufmerksam.
197 Das ist aus Gal 1,21 (der Bemerkung des Paulus über seine langjährige Mission in Syrien und Kilikien) sowie 1Kor 9,6 und Gal 2,1ff (wo er erwähnt, daß er mit Barnabas in Antiochien bzw. von Antiochia aus zusammengearbeitet und Missionsreisen unternommen hat) zu schließen. Deshalb hat doch, bei aller Fragwürdigkeit im einzelnen (s. o. Kap. 2 Anm. 20), Lk in Apg 13f im grundsätzlichen sicher historisch Richtiges überliefert, wenn er von Missionsunternehmen berichtet, die von Antiochia aus ins Werk gesetzt wurden. Man darf doch wohl auch annehmen, daß Paulus und Barnabas nicht etwa die einzigen waren (vgl. auch 15,39). Darauf deutet auch, daß Apg 13,1 neben Paulus und Barnabas weitere Namen überliefert worden sind.
198 S. o. S. 89.

Doch scheint es daneben in Antiochia auch nichtapostolische Missionare gegeben zu haben, wie sich an dem Heidenchristen Titus zeigt. Man beachte auch, daß Paulus bald nach seiner Trennung von Antiochia in Timotheus einen Missionspartner fand, der nicht Apostel war. Im Zuge der Mission der Hellenisten wurden also wahrscheinlich auch »einfache« Gemeindeglieder zu Trägern der Mission.

Die Apostelgeschichte berichtet an einer Stelle (13,2f) detailliert von dem in Antiochia geübten Beauftragungsverfahren zur Mission, nach welchem die Gemeindeversammlung unter Fasten, Beten und Händeauflegen einzelne ihrer Glieder zur Mission aussendete. Die Entsendeten kehrten nach vollzogenem Auftrag in ihre Gemeinde zurück und leisteten Rechenschaft (14,26f). Man reklamiert diese Notizen (samt dem von ihnen umschlossenen Reisebericht) zwar gewöhnlich etwas zu unbesehen für die in Antiochia übliche Missionsmethode[199]. Vermutlich darf man ihnen, sieht man davon ab, daß Lk den Ritus wohl in Anlehnung an die Gepflogenheiten seiner Gemeinde schildert[200], aber dies entnehmen[201], daß die Gemeinde als ganze einzelne ihrer Glieder zu bestimmten Missionsunternehmen aussandte, wobei die Verantwortung der Allgemeinheit vor allem in der gemeinsamen Wahl der Missionare (es waren also nicht immer die gleichen) ihren Ausdruck fand[202].

5.4.3
Die paulinische Missionspraxis

Eine solche Aussendungspraxis[203] kommt nun aber der in den paulinischen Gemeinden geübten durchaus nahe, und damit läßt sich eine traditionsgeschichtliche Brücke schlagen, die von den Hellenisten über die Antiochener

199 Vgl. z. B. *Liechtenhan*, Mission, 54–56; *Schweizer*, Gemeinde, 189; *Georgi*, Gegner, 47; *Schnackenburg*, Lukas, 240f; *Kasting*, Anfänge, 105; *Maly*, Paulus, 74f; *Filson*, Geschichte, 226f. Dagegen vgl. die vorige Anmerkung sowie oben Kap. 2 Anm. 20; außerdem *Merklein*, Amt, 253.
200 Die religionsgeschichtlich verbreitete Sitte des Fastens und Betens (vgl. *Behm*, ThWNT Bd. 4, 927.928–930) zur Vorbereitung einer Gottesentscheidung schildert Lk des öfteren als Brauch der christlichen Gemeinde: Apg 13,2.3; 14,23; 27,9; zum gemeinsamen Gemeindegebet vgl. 1,24; 6,6; 8,15; 9,11.40; 10,9; 14,23 etc. Die Entscheidung trifft der Heilige Geist: 13,2; vgl. 1,26; 10,19; 15,28; 16,6f; 20,23; dazu 9,10; 11,28 etc. Die Sprache der Aussagen von Apg 13,2f ist lukanisch; zu ἀφορίζειν vgl. 19,9; Lk 6,22; zu ἔργον als Bezeichnung des Missionswerkes im Ganzen vgl. 14,26; 15,38; zu προσκαλεῖσθαι (sonst oft bei Lk) im Sinne von »berufen« vgl. Apg 16,10; zum Ritus des Händeauflegens vgl. Apg 6,6; 8,17.19; 9,12.17; 19,6; außerdem 1Tim 5,22; Apg 1,17.
201 Vgl. noch einmal Anm. 197.
202 Die Tatsache der Beauftragung und Aussendung von Missionaren durch die antiochenische Gemeinde läuft der lk. Tendenz, die Boten von Jerusalem aus zu legitimieren, entgegen. Er fängt sie damit auf, daß er den Heiligen Geist als eigentlichen Auktor erscheinen läßt.
203 Zum Versuch, das Missionsverständnis der »Hellenisten« zu rekonstruieren, vgl. *Hahn*, Verständnis, 50–65; *Wilckens*, Missionsreden, 80–88, bes., 88. *Hengel*, Ursprünge, 24–30; *ders.*, Jesus, 182.186–204.

bis zu den paulinischen Gemeinden führt, was auch historisch viel Wahrscheinlichkeit für sich hat. In beiden Fällen, in Antiochia und auf paulinischem Missionsgebiet, entsandten die Gemeinden in eigener Verantwortung und Entscheidung ausgewählte Glieder ihrer Gemeinden in die Mission. Allerdings wurden nach Apg 13f die Gesandten als Reisemissionare, ganz auf sich gestellt, auf eine Missionsreise in fremdes Gebiet ausgeschickt, während die Gesandten der paulinischen Gemeinden in die Mission des Paulus eintraten, gezielt und konzentriert, im Sinne der Zentrumsmission an einem Ort wirkten und unterdessen in dauerndem Kontakt mit ihren Heimatgemeinden standen. Aber vor allen Dingen wußte die Apg 13 beschriebene antiochenische Gemeinde sich einen Sendungsauftrag gegeben, den sie in eigener Verantwortung wahrzunehmen hatte. Sie verstand sich wie die paulinischen als missionierende Gemeinde. Andererseits – selbst wenn man davon ausgeht, daß in Antiochia des öfteren und vielleicht auch gleichzeitig mehrere Gemeindeglieder oder Gruppen zur Mission ausgesandt wurden – erreichte dieses Missionssystem doch nicht die konkrete und durch den Austausch der Gesandten sowie die dauernden Beziehungen zur Heimatgemeinde permanent rückgekoppelte Verbindung der ganzen Gemeinde zur Mission der von ihr Ausgesandten, wie es auf paulinischem Missionsgebiet praktiziert wurde.

Unter den speziellen Bedingungen seines Missionswerkes, welche sich ihm nach seiner Trennung von Antiochia stellten – der Selbständigkeit des Unternehmens und seiner weltweiten Konzeption –, wandelte Paulus dann die in Antiochia erfahrenen und lange geübten Ansätze ab und schuf etwas ganz Neues; etwas Lebensfähiges, wie sich zeigte: die Mitarbeiter- und Zentrumsmission. Den Grundgedanken, die Verantwortlichkeit der Gemeinde für die Mission, behielt er bei, aber er konkretisierte und intensivierte ihn. So darf man annehmen, daß das diesem Gedanken zugrunde liegende Gemeindeverständnis wenigstens im Ansatz auch in Antiochia vertreten worden ist. (Daß speziell die Leib-Christi-Vorstellung bereits in der antiochenischen Gemeinde ausgebildet wurde, ist wohl denkbar, wenngleich nicht zu beweisen. Entstanden ist sie jedenfalls in einer heidenchristlichen Gemeinde[204].)

Wandermission und Gemeindemission, wie sie in Antiochia geübt und von dort modifiziert in die paulinischen Gemeinden übernommen wurde, stehen sich, wie schon angedeutet, im Blick auf die paulinische Mission nicht unverbunden und gegensätzlich gegenüber. Vielmehr haben die von der Gemeinde getragene Mission der Antiochener und in gleicher Weise die des Paulus Elemente der Wandermission übernommen und festgehalten. Dies zeigte sich bereits oben[205] am Verzicht des Paulus auf Ehe[206], Besitz

204 Vgl. *Käsemann*, Problem, 183; *ders.*, Frühkatholizismus, 246; vgl. o. S. 142f mit Anm. 145.
205 S. o. S. 154.
206 Zum Streit um den Familienstand des Paulus (Witwer oder ledig) zwischen *Jeremias* und *Fascher* vgl. *Kuss*, Paulus, 42f. Andere Apostel hielten es allerdings anders (1Kor 9,5).

und Wohnsitz. Zu erinnern ist auch an seinen Selbstversorgungsgrundsatz (zusammen mit seinem antiochenischen Missionspartner Barnabas, 1Kor 9,6–18)[207]. Weiter hat Paulus die Form der Partnermission, die er von Antiochia aus wohl übte, auch für seine Mission beibehalten[208]. In gewisser Weise blieb er also Reisemissionar. Zu seinen Missionsunternehmen brach er zu zweit bzw. zu dritt auf (mit Silvanus und Timotheus). Diese Basis verbreitete er auch später nicht, als er schon eine Fülle von Mitarbeitern um sich gesammelt hatte.

Aber die Tatsache, daß er in späterer Zeit allein den Nicht-Apostel Timotheus zum Partner hatte, auf einen Apostelgenossen als Kollegen – vielleicht aus Not – verzichtete, läßt seine Flexibilität gegenüber den ihm vorgegebenen Missionstraditionen erkennen. Seine Abkehr von der reinen Reisemission und Hinwendung zur Zentrumsmission, die Ausweitung der Missionsaufenthalte in den einzelnen Orten, beschreibt andererseits, daß für ihn der Gesichtspunkt der Gemeindegründung gegenüber dem der zeugnishaften Christusproklamation den Vorrang gewann.

Andererseits gibt es dafür, daß etwa die Mitarbeiter des Paulus paarweise zu ihm entsendet worden wären, keinen Hinweis[209]. Darin liegt ein wesentlicher Unterschied. Sie waren keine Wandermissionare im Sinne von Apg 13,2f wie – trotz der Abkehr von der Durchreisemission – noch Paulus und Timotheus. Die Mission der Mitarbeiter verfolgte keine überregionalen Ziele, sondern war (innerhalb geographisch überschaubarer Gebiete[210]) bezogen auf die – ihrerseits weltweite – Mission des Paulus. Sie erstreckte sich dabei auf die jeweiligen Zentren, in denen Paulus missionierte, oder, von diesen sich ausfächernd, auf das Umland, dabei aber in stetigem Kontakt mit den Heimatgemeinden stehend.

Während Paulus also für sein weltweites Missionsprogramm im Sinne der Ausrufung des Herrschernamens Christi in aller Welt wichtige Elemente der Wandermission beibehielt (Röm 15,19–21.23), gab er seiner Mission am Ort ein ganz anderes Gesicht, indem er von der tragenden Bedeutung der Gemeinde für die Mission ausging und sie zur Basis seiner Arbeit machte. War es in Antiochia die ›Muttergemeinde‹, welche die Verantwortung für die Mission besaß, so übertrug Paulus diesen Gedanken konsequent auf jede der neuentstehenden Gemeinden, weil er in der Einzelgemeinde entsprechend der Leib-Christi-Vorstellung immer zugleich die Repräsentantin der ganzen Gemeinde Christi erblickte.

---

207 S. o. Anm. 41.

208 »Daß Paulus mehr und mehr als Einzelgänger missioniert«, worin gegenüber den anderen Aposteln, die zu zweit auszogen, seine »Sonderstellung« liege (*Harnack*, Mission, 344), ist unrichtig.

209 Epaphroditos aus Philippi war (Phil 2,25–30) wie Epaphras aus Kolossä (Kol 1,7f) – vgl. Onesimos (Phlm 13) – allein zu Paulus gekommen. Aus Korinth war man (1Kor 16,15–18) zu dritt angereist. Anders die Apostelgeschichte: Sie sieht das Zweierprinzip auch bei Paulusgehilfen wirksam: 19,22.29; 20,4 (Auffüllung der Liste durch Hinzufügen von Timotheus; s. o. bei Anm. 249).

210 S. o. S. 125.

Diese enorme Bedeutung und Eigenständigkeit der paulinischen Einzelgemeinde hat sich geschichtlich noch lange erhalten. Die sämtlich an Einzelgemeinden adressierten Sendschreiben der Apokalypse (Offb 2f) – gerichtet an Christen auf altem paulinischem Missionsgebiet – geben Zeugnis davon[211].

5.5
Ergebnisse

Welches war die Rolle der Mitarbeiter in der Mission des Paulus? In der Antwort auf diese Frage sollten die bisherigen Überlegungen zusammengefaßt und ein Verständnis für das Gesamtphänomen der Mitarbeitermission gewonnen werden.

Zunächst wurde zu zeigen versucht, daß die bisher in der Literatur vertretenen psychologischen, organisatorischen und pädagogischen Erklärungsversuche nicht ausreichen. Sie alle lassen einen entscheidenden Faktor außer Sicht: die Gemeinden. Die Rolle der Mitarbeiter erschließt sich jedoch erst, wenn ihre Beziehung zu ihren Gemeinden beachtet wird.

Danach ließ sich in der Zusammenstellung aller bisher gefundenen Merkmale die Mitarbeitermission folgendermaßen als ›Gemeindemission‹ bestimmen: Indem die paulinischen Gemeinden Delegierte (Gemeindegesandte) als Mitarbeiter in die Mission des Paulus entsandten, dokumentierten sie ihre Mitverantwortung und Teilhabe am paulinischen Missionswerk. Paulus verstand diese Delegation als ›freiwillige Pflicht‹, mit der die Gemeinden ihre Mündigkeit unter Beweis stellten. In dieser Entsendung äußert sich andererseits ein erstaunlich reflektiertes Selbstverständnis der paulinischen Gemeinden als missionierender Gemeinden.

Der Mitarbeitermission, in der es um die theologische Mündigkeit der Gemeinde ging, korrespondiert, wie dann zu zeigen versucht wurde, die Abkehr des Paulus von der reinen Reisemission und der Aufbau der Zentrumsmission, in der sich die Eigenständigkeit und Unabhängigkeit der paulinischen Gemeinden von anderen Gemeinden ausdrückt.

Schließlich ließ sich erkennen, daß die paulinischen Gemeinden ihrer missionarischen Verpflichtung explizit nur in der Form der Mitarbeiterdelegation nachkamen. Zwar wirkten sie indirekt missionarisch (1Kor 14,23), doch forderte Paulus nirgends seine Gemeinden als ganze zur Missionsarbeit – und damit zur missionarischen »Auswanderung« aus den normalen Lebensbezügen – auf.

Das dargestellte Selbstverständnis der paulinischen Gemeinden, mitverantwortlich zu sein für das Missionswerk des Paulus, ließ danach fragen, welches Gemeindeverständnis sich darin ausspricht. Da Paulus den Zusammenhang zwischen Missions- und Gemeindeverständnis nirgends expliziert, wurden die wesentlichen ekklesiologischen Vorstellungen des Pau-

---

211 Vgl. *Kretschmar*, Beitrag, 43.

lus – die Vorstellung vom Gottesvolk, von der Gemeinde als heiligem Tempel, als Bau und als Leib Christi – dargestellt und gefragt, welcher dieser Vorstellungen das beschriebene missionarische Verhalten entspricht. Es ergab sich, daß nur die Leib-Christi-Ekklesiologie der in der Mitarbeitermission zum Ausdruck kommenden Partizipation der paulinischen Gemeinden am Missionswerk entsprechende theologische Grundsätze zu liefern vermag.

Abschließend wurde versucht, die Mitarbeitermission im Kontext anderer Missionsformen vor und neben Paulus zu betrachten. Dabei waren zwei Missionstypen zu unterscheiden: der vor allem in den synoptischen Aussendungsreden belegte Typ des Wandermissionars, der die Herrschaft Gottes proklamiert, und der gemeindebezogene und gemeindegründende Typ der Mission der Hellenisten.

Paulus hat aus beiden Formen Elemente übernommen, sie jedoch modifiziert. In seinem eigenen missionarischen Verhalten (Selbstversorgungsgrundsatz, Verzicht auf Ehe, Besitz, Wohnsitz) übernahm er die radikale Ethik der Wandermission, in seinem weltweiten Missionsprogramm (Röm 15,19) den Gedanken der Proklamation des Christusevangeliums. Beides erfuhr in der Abkehr von der Durchreisemission und dem Aufbau der Zentrumsmission eine charakteristische, auf die Gemeinde bezogene Änderung. Die Mission der Mitarbeiter hingegen hat sich nicht im Sinne der Wandermission gestaltet, sondern steht in der Tradition der antiochenischen Gemeindemission, in der die Gemeinde als ganze für die Mission Verantwortung trägt. Diese Verantwortung hat jedoch für die Gemeinden des Paulus eine erheblich umfassendere und konkretere Bedeutung bekommen.

6
Die Zusammenarbeit
zwischen Paulus und seinen Mitarbeitern

Das vorangehende Kapitel befaßte sich mit dem Verhältnis der Mitarbeiter zu ihren Gemeinden. Indem ich nach der Funktion suchte, die sie als Gemeindegesandte für ihre Heimatgemeinden besaßen, ließ sich ihre Rolle für die Mission des Paulus insgesamt bestimmen: als Partnerschaft und Teilhabe am Missionswerk des Apostels. Jetzt soll nach ihrem Verhältnis zu Paulus gefragt werden. Inwiefern war ihre konkrete Zusammenarbeit »partnerschaftlich«[1], inwiefern arbeiteten die Mitarbeiter eigenständig und mündig? Hat nicht Paulus, der im allgemeinen zwar die Selbständigkeit der Gemeinden betont, im konkreten dann doch – und oft anstößig aufdringlich – Autorität beansprucht und Gehorsam eingefordert? Bestand nicht doch »zwischen ihm und seinen Mitarbeitern . . . ein großer Abstand«[2], und trug ihre Zusammenarbeit nicht hierarchische Züge?
Wie steht es also mit der Selbständigkeit der Gemeinden im Blick auf die Selbständigkeit der für sie in der Missionsarbeit bei Paulus wirkenden Mitarbeiter neben dem dominierenden, tonangebenden Völkerapostel, dem sie obendrein ihr Christsein verdankten? Wann, und wenn: in welcher Weise und worauf begründet machte Paulus seine Autorität ihnen gegenüber geltend, kurz gefragt: Worin bestanden die Grundlagen ihrer Zusammenarbeit? Und wo – denn das ist die Kehrseite der Frage – lagen ihre Grenzen? Wann wurde die Basis gemeinsamen Wirkens so schmal und brüchig, daß aus Mitarbeitern Gegner wurden?
Machen wir uns die Tragweite dieser Fragen klar, so wird deutlich, daß es in ihnen nicht etwa bloß um die Psychologie oder die Struktur der gemeinsamen Arbeit zwischen Paulus und seinen Mitarbeitern geht, sondern um einen eminent theologischen Sachverhalt, um die Frage nach den theologischen Kriterien der Zusammenarbeit. Dabei treten nun nicht nur, wie weitgehend im vorigen Kapitel, die Gemeindegesandten ins Blickfeld, sondern gerade und noch mehr die übrigen Mitarbeiter. Denn ihnen gegenüber stellte sich die Frage der Zusammenarbeit in besonderem Maße. Speziell an den selbständigen Mitarbeitern muß sich am besten zeigen, worauf sich die gemeinsame Wirksamkeit gründete. Es ist ein glücklicher Umstand, daß die Quellenlage die Möglichkeit bietet, gerade hierzu Genaueres zu ermitteln.

---

1 Vgl. o. S. 70–72.
2 *v. Harnack*, 85; vgl. ähnlich *Deißmann* (Paulus, 184): »Während sein erster Begleiter, Barnabas, ihm an Autorität mindestens gleichgestellt war, sind die späteren Genossen ihm unbedingt untergeordnet.«

6.1
Die Basis der Zusammenarbeit (1Kor 3,5–15)

Die Grundlagen der Zusammenarbeit werden erörtert, wenn sie problematisch werden, ob nun durch innere oder äußere Spannungen und Einflüsse provoziert. Spaltungserscheinungen in der korinthischen Gemeinde, im Verlauf deren sich Gruppen gebildet hatten, die sich mit den Parolen: »Ich gehöre aber zu Paulus! Ich zu Apollos! Ich zu Kephas!« auf ihre ehemaligen Verkündiger[3] beriefen (1Kor 1,12)[4], machten es für Paulus nötig, ehe er sich anderen Anfragen und Problemen der Gemeinden zuwenden konnte, ausführlich dieser Situation zu begegnen (1Kor 1–4).

Er geht die Frage von verschiedenen Seiten an: Er sucht der Gemeinde die theologische Grundlage für das Aufkommen ihrer Streitigkeiten, ihre Weisheitstheologie, zu entziehen und ihnen die einzig legitime Basis, das Evangelium vom gekreuzigten Christus, wiederzugeben. Er demonstriert ihnen dies an ihrem eigenen Beispiel und an seinem Auftreten in Korinth. Er befaßt

3 Daß man sich in Korinth auf bestimmte Personen berief, die Spannungen also nicht bloß aus einem Mißverständnis der paulinischen Verkündigung herrührten (so *Dahl*, Paul, 315; ähnliche Meinungen referiert *Baumann*, Mitte, 14–16), folgt eindeutig aus 1Kor 4,6b, weiter aus der ersten Behandlung der Gruppenfrage, 1,13–17, wo Paulus seine Bedeutung als Taufvater abwehrt, schließlich aus der Warnung, sich unter Berufung auf Menschen zu rühmen, 2,21 (verbunden mit einer Wiederholung und Abwehr der Gruppen-Schlagworte), vgl. auch 1,31; 2,4; 4,15! Welche Personen dies waren, ist allerdings viel schwerer zu ermitteln; mit Sicherheit nur Paulus und Apollos, von deren Verkündigungstätigkeit in Korinth 3,5–9 die Rede ist (vgl. 4,1f.6). Dagegen findet sich in Kap. 1–4 (außer der in 1,12 zitierten Parole) kein einziger Hinweis auf eine missionarische Tätigkeit des Petrus in Korinth (auch nicht im übrigen Brief; vgl. *Kümmel*, Korinther, 167; anders *Schmithals*, Gnosis, 191.331; *Barrett*, Cephas, 1–12), woraus man schließen muß, daß Petrus entweder durch ihm nahestehende in Korinth aufgetretene Missionare (eine solche Tätigkeit ließe 3,10–15 zwar zu, doch findet sich hier und sonst nirgendwo ein Hinweis, daß hier ein *von außen* kommender Einfluß wirksam wurde) oder am wahrscheinlichsten durch sonstige Berichte über die Bedeutung des Petrus für die Kirche (vgl. z.B. Gal 2,7–9) zu einer anziehenden Persönlichkeit für einzelne Korinther wurde.

4 Die Frage nach der Existenz einer Gruppe von »Christus-Leuten« in Korinth ist bekanntlich umstritten, doch haben sich die Bedenken gegen eine solche Annahme in letzter Zeit gemehrt (vgl. *Wilckens*, Weisheit, 11–14; *Baumann*, Mitte, 51f mit Literatur). Grundlegend bleiben dazu m.E. immer noch die Beobachtungen von *Weiß* (Korintherbrief, XXXVI–XXXIX, 12–19), vor allem mit dem Argument, Paulus hätte sich, wenn es eine Christusgruppe in Korinth gegeben hätte, zu ihr bekennen oder ihr Christusbekenntnis korrigieren müssen. Andererseits spricht gegen eine Interpolation des »ich aber Christi« in 1,12 die Fortführung »ist denn Christus zerteilt?«. Deshalb muß das »ich aber Christi« am ehesten als pointierte Gegenthese des Paulus verstanden werden, womit er in scharfem Gegensatz seine eigene Position angibt (so auch *Baumann*, Mitte, 54, ebenso *Käsemann* an der bei *Baumann* angegebenen Stelle). Auf diese Weise gewinnt der gesamte Gedankengang an Prägnanz und Schärfe: Paulus gehört Christus an, der für ihn gekreuzigt ist, auf dessen Namen er getauft ist (1,13). Die nicht weiter begründete Behauptung *Conzelmanns* (Korinther, 47–49), Wortlaut, Konstruktion und Logik sprächen gegen diese Lösung, leuchtet nicht ein. Die Annahme einer »Christus-Gruppe« führt außerdem zu großen Schwierigkeiten, da a) von ihr nirgends mehr die Rede ist (!), da es (vgl. Anm. 3) b) in Kap. 1–4 ja um die Abwehr der Berufung auf bestimmte *Personen* geht und da c) Paulus, wo er nochmals auf die Gruppen-Losungen zu sprechen kommt (3,22; vgl. v4), wiederum pointiert sein »Ihr aber seid Christi« der Gemeinde entgegenhält (3,23).

sich mit dem korinthischen Gruppen- und Richtegeist und dem Tatbestand, daß man sich auf bestimmte Gemeindeverkündiger berief. Und er legt dar, welches das Verhältnis dieser Verkündiger untereinander sowie zur Gemeinde ist, speziell, worin *seine* Funktion für die Gemeinde liegt. Diese Ausführungen stellt Paulus aber nicht in abgeschlossenen Abschnitten abgegrenzt nebeneinander, sondern verschränkt sie fortwährend miteinander, so daß dieser ganze Briefteil durch eine eigentümlich verzahnte Struktur gekennzeichnet ist[5]. Die einzelnen Abschnitte müssen also in engem Bezug zueinander betrachtet und interpretiert werden[6].

Durch die Leute der Chloe[7] wurde Paulus über die unguten Entwicklungen in der korinthischen Gemeinde unterrichtet (1,11). Dabei ging es keineswegs bloß um gewisse Spaltungstendenzen und Streitigkeiten in der Gemeinde; vielmehr hatte sich in Korinth offenbar eine Gruppe gebildet[8], die heftig gegen Paulus polemisierte, sein Verhalten gegenüber der Gemeinde kritisierte und gegen das anderer Verkündiger, insonderheit des Apollos, ausspielte[9]. Dieser Umstand machte es für Paulus erforderlich, auf sein

5   Man gewahrt sie erst, wenn man die vier Kapitel insgesamt in den Blick nimmt. Ihr eines Thema ist die Abwehr der Weisheitstheologie (1a), dem Paulus einerseits die Kreuzestheologie entgegenhält (1b), andererseits sein Beispiel und Auftreten in Korinth (1c). Ihr anderes Hauptthema ist die Beurteilung der Gemeindeverkündiger (2a), ihr Verhältnis zur Gemeinde (2b) und untereinander (2c). Beide Themenkreise gehören aber unlöslich zusammen, wie die folgende Aufstellung zeigt. Daneben kann man einen dauernden Wechsel von allgemeineren (I) und konkret-situationsbezogenen Passagen (II) feststellen.
Danach ergibt sich für 1Kor 1–4 (im Anschluß an Präskript und Danksagung, die jedoch auch nicht ohne konkrete Bezüge sind: *Baumann*, Mitte, 20–46) folgende Struktur:
II 1,10–17 Ausgangslagebericht, die Gruppenparolen, Gegenthese, Bedeutung des Paulus (2a+b+1b+c)
I, II 1,18–31 Weisheit und Torheit, Wort vom Kreuz, Beispiel der Korinther (1a+b)
II 2,1–5 Paulus' Anfangsverkündigung in Korinth (1c)
I 2,6–16 Weisheit und Vollkommenheit (1a)
II 3,1–4 Unvollkommenheit der Korinther (1a)
II, I 3,5–17 Einheit, Basis und Grenzen für die Verkündiger (2a+b+c)
I 3,18–23 Weisheit und Torheit, Abwehr der Gruppen (1a)
I, II 4,1–8 Abwehr des Richtegeistes (2a+b)
I 4,9–13 Beispiel des Paulus (1c)
I 4,14–16 Verhältnis der Verkündiger (2c)
II 4,17–21 Abwehr konkreter Vorwürfe, Strafandrohung (2a)
Obgleich 1,18–3,4 einen relativ geschlossenen Block zum Thema Weisheitstheologie der Korinther bildet, geht ihm doch einerseits ein Abschnitt über die Verkündigerfrage voran (1,12–17) und wird er andererseits noch mehrfach innerhalb des zweiten Themas (in 3,18–23; 4,9–13) wieder aufgenommen.
6   Ungeachtet der Ergebnisse ihrer Untersuchungen erscheint es deshalb methodisch bedenklich, wenn alle drei neueren Arbeiten zu den Eingangskapiteln des 1Kor nur ausgewählte Abschnitte behandeln: *Wilckens* (Weisheit): 1,18–2,16; *Maly* (Gemeinde): Kap. 2–3; *Baumann* (Mitte): 1,1–3,4. *Schmithals* (Gnosis) geht auf Kap. 3 überhaupt nicht, auf Kap. 4 nur flüchtig ein.
7   Nicht durch den 5,9 erwähnten Brief und nicht durch Stephanas und seine Leute (16,17f) wurde Paulus informiert; die zugrunde liegenden historischen Verhältnisse bleiben unklar.
8   Vgl. 4,18: τινές. Zum Gebrauch von τινές bei Paulus vgl. noch 15,12; 2Kor 3,1; 10,2; Gal 1,7.
9   So vielleicht schon 2,3; 2,16; jedenfalls 4,3–5.6.18f (vgl. auch *Dahl*, Paul, 321). Man wird aber in diesem Zusammenhang auch an 1Kor 9 und vielleicht an 1Kor 15,8–11 denken müssen

Verhältnis zu seinem Mitarbeiter Apollos einzugehen und die Kriterien zu beschreiben, denen ihre Arbeit in der Gemeinde unterliegt. Er tut dies unter verschiedenen Gesichtspunkten[10] in 1Kor 3,5–4,16. Man wird also, worauf auch eine Fülle konkreter, oft ironischer Anspielungen und Bemerkungen verweist, welche diesen Abschnitt durchziehen[11], den situativen Hintergrund nicht aus den Augen verlieren dürfen. Aber Paulus zieht den Sachverhalt, wie so oft, zugleich ins Grundsätzliche, beschreibt an sich und Apollos, was für die Zusammenarbeit und die Arbeit an der Gemeinde überhaupt gilt, so daß wir insbesondere in 3,5–15 eine ausführliche Erörterung über Grund und Grenzen der Mitarbeiterschaft vorliegen haben, die wir – unter Beachtung der genannten Einschränkung – auf die Zusammenarbeit des Paulus mit seinen Mitarbeitern überhaupt anwenden können[12].

1. (v 5–9) »Was ist denn Apollos? Was ist Paulus?« (3,5). Mit diesen Fragen nimmt Paulus, nachdem er die Weisheitstheologie der Korinther abgewehrt und ihr die Verkündigung des gekreuzigten Christus gegenübergestellt hat (1,18ff), die korinthischen Gruppenparolen auf und beantwortet sie zweifach, sowohl im Blick auf die Gemeinde als auch auf das Verhältnis

---

(vgl. *von der Osten-Sacken*, Apologie, 245–262). Diese Kritik ist bis zum 2Kor offenbar nicht wirklich still geworden, obgleich dort von außen beeinflußt.

10 Vgl. Anm. 5.

11 Das gilt besonders für 4,3–8, aber wohl auch für 3,18; 4,9f; 4,15 und 4,19–21.

12 Von 3,5 an handelt Paulus von Apollos und sich, 3,9 stellt er ihr Verhältnis ausdrücklich unter den Gesichtspunkt der Mitarbeit, summiert die Gruppenfrage 3,22f und geht dann 4,1ff nochmals konkret auf sich und Apollos ein, was er 4,6 auch ausspricht. Das ταῦτα von 4,6 wird man dem Gedankengang entsprechend wohl auf die Ausführungen von 3,5 an beziehen (*Lietzmann*, Korinther, 19; *Wendland*, Korinther, 39; modifiziert *Weiß*, Korintherbrief, 101f, der jedoch, weil er 3,9bff als gegen die Petrus-Gruppe gesagt versteht – darin folgt ihm *Vielhauer*, Oikodome, Anm. II/6 [S. 182] –, in Schwierigkeiten kommt und sich diesen Teil später geschrieben oder eingefügt denkt). μετεσχημάτισα (4,6) ist, da an kein wirkliches Umgestalten eines Gegenstandes oder Verwandeln einer Person (wie 2Kor 11,13–15; Phil 3,21) gedacht sein kann (mit *Weiß*, ebd.; *Schneider*, ThWNT Bd. 7, 958; u. a.), stilistisch-literarisch gemeint. Doch läßt sich der Ausdruck angesichts der konkreten Gruppenbildungen und Rivalitäten um die Verkündiger (1,12; 3,4.22; 4,6) jedenfalls nicht lediglich uneigentlich verstehen, als hätte Paulus Apollos und sich nur zum Beispiel genommen, in Wirklichkeit jedoch ganz andere Leute (etwa eine »Christusgruppe«) im Blick (so – nach dem Vorgehen anderer – *Schmithals*, Gnosis, 191–193). Das μετασχηματίζειν geschieht, wie die Fortführung des Satzes zeigt, zum Zwecke dessen (2x ἵνα), daß man erstens aus der Einigkeit des Paulus und Apollos lernt (so viel wenigstens ist an v 6b deutlich) und zweitens sich nicht voreinander rühmt und brüstet um des jeweiligen Verkündigers willen (vgl. 1,12 etc.; 4,15; 4,18). Anders gesagt: Die Erörterung des Paulus über sein Verhältnis zu Apollos dient dem Zweck der Demonstration ihrer Einheit. Der Ausdruck μετασχηματίζειν will nicht nachträglich erläutern, daß das vorher Gesagte über Paulus und Apollos handelte, denn das ist nach 3,5ff selbstverständlich (auch die Ansicht von *Hooker*, Things, 131, das Wort bezöge sich auf die Bilder bzw. Metaphern in 3,5–9; 4,1f zurück, geht deshalb fehl). Am besten ist darum zu übersetzen: »das habe ich demonstriert an a . . .« Der in μετ. entfaltete Gedanke der Übertragung bezieht sich auf das Verhältnis von Paulus und Apollos im Gegenüber zu dem der Gemeindeglieder untereinander: δι' ὑμᾶς (v 6)!

zwischen ihnen beiden[13]: »θεοῦ γάρ ἐσμεν συνεργοί· θεοῦ γεώργιον, θεοῦ οἰκοδομή ἐστε« (3,9)[14]. Er und Apollos sind *Mitarbeiter*, sie stehen im gleichen Dienst Gottes an der Gemeinde, als seine Beauftragten (v5); zwar durchaus nicht so, daß jeder das gleiche täte, sondern je nachdem, wie Gott ihn »begabt«[15], tut er seine eigene Arbeit (v6) – wofür er Gott Rechenschaft zu geben hat und seinen Lohn empfängt (v8b)[16]. Aber wie beide, weil ihre Arbeit ganz von Gott als dem »Arbeit-Geber« abhängig ist, »nichts sind« (v7), so sind sie untereinander »eins« (v8a). Das ist die Antwort des Paulus auf ihr Verhältnis untereinander. Wenn jemand in der Gemeinde den einen gegen den anderen Verkündiger ausspielen will (4,6), dann gibt es dazu keinerlei Anlaß. Wer so redet, trifft nicht sie. Er trifft vielmehr Gott selbst, der – durch sie – an der Gemeinde handelt. Und damit ist zugleich auch das Verhältnis der Verkündiger zur Gemeinde bezeichnet. Ob nun auch der eine andere Aufgaben wahrgenommen hat als der andere (3,6), so haben doch die Korinther durch sie beide ihren Glauben vermittelt bekommen (v5), und es war Gott, der darin wirksam war (v7). Deshalb sind sie »Gottes Ackerfeld, Gottes Bau« (v9)[17]. Mit der Zusammenfassung in v9 ist das Schluß- und Hauptwort ausgesprochen, das der Spalterfreude und den Personaldiskussionen der Gemeinde ein für allemal die Handhabe nimmt. Ist damit nun nicht alles gesagt, was zur Abwehr der korinthischen Vorstellungen nötig ist? Betont hat Paulus sich und Apollos »Mitarbeiter« genannt. Die Basis der Mitarbeiterschaft ist die gemeinsame Indienstnahme, unabhängig davon, welche Funktionen jeder im einzelnen wahrnimmt. Gott handelt durch sie gleichermaßen, die Gemeinde hat keinen Grund, den einen dem anderen Verkündiger vorzuziehen[18].

---

13 Beide Gesichtspunkte sind miteinander verbunden: ἐσμεν – ἐστε (3,9), vgl. schon v5.

14 Dazu s. o. S. 68.

15 Das Wirken als Verkündiger ist Gnadengeschenk Gottes; und zwar gilt, daß Gott nicht jedem das gleiche, sondern jedem das Seine schenkt. Damit entspricht diese Aussage völlig den Ausführungen über die Charismen (1Kor 12,4ff) und unterstreicht unsere Überlegungen zum Verhältnis von Gemeindecharismen und Mitarbeiterfunktionen (s. o. S. 87–89).

16 Der Gedanke von v8b ist eingeschoben (mit *Furnish*, Fellow Workers, 369; *Vielhauer*, Oikodome, 79); v9a (»im Dienste Gottes sind wir Mitarbeiter«) bezieht sich auf v8a, nicht auf v8b, und beschreibt die Einheit stiftende Beauftragung durch Gott, nicht daß Gott Richter über sie ist und Lohn auf sie wartet (*Conzelmann*, Korinther, 93, verwischt beides). Paulus läßt in v8b anklingen, was er erst später (v12–15) breiter behandelt (nicht v10ff, wie *Lietzmann*, Korinther, 15, meint, der auch unrichtig von einer »Anmerkung, die . . . abschweift«, spricht). Paulus hat das Folgende schon im Blick. Die Abschnitte gehören eng zusammen (auch das spricht gegen die Anm. 12 zitierte These von *Weiß*). – In ähnlicher Weise präludiert Paulus in v10b.c schon den Gedanken des Weiterbauens, schiebt aber v11 erst den vom zweiten Fundament dazwischen. Beide Male haben, wie die folgende Auslegung weiter zeigen wird, die den weiterlaufenden Gedanken zunächst unterbrechenden Sätze (v9.11) entscheidende Bedeutung.

17 Dreimaliges betontes θεοῦ in v9: Darauf liegt der Ton.

18 Der gleiche Grundsatz gilt auch für die Gemeindeglieder untereinander (Gal 6,4f) sowie ebenfalls für die Missionare untereinander. Das Vergleichen lehnt Paulus ab. Wo er es doch tun muß, hält er es selbst für »verrückt« (2Kor 11,1ff.16ff; 12,11).

Nun aber differenziert Paulus doch noch zwischen ihnen[19], und damit erhalten seine Ausführungen eine weitere, für unsere Fragestellung bedeutsame Richtung. In doppelter Hinsicht trifft er eine Unterscheidung: zum einen im Blick auf Art und Bedeutung der Arbeit unter dem Leitbild vom Fundamentsetzen (v10f), zum andern im Blick auf Leistung und Lohn der Arbeit unter dem Leitbild des Hausbaus (v12–15)[20]. Die Arbeit der Gemeindeverkündiger ist weder gleichartig noch ist sie gleichwertig. Für beide Gedanken muß Paulus Gründe haben, sie noch hervorzuheben. Denn daß er hier differenziert, könnte doch nur Wasser auf die Mühlen der Korinther gießen. Wohl um dem entgegenzuwirken, wird Paulus im Folgenden grundsätzlich[21] und, abgesehen davon, daß er (v10) auf sich hinweist, allgemein[22]. Seine Ausführungen sind aber durchaus nicht frei von Bezügen auf die konkrete Situation, wie sich an mancherlei Einzelzügen und Verklammerungen mit dem Kontext zeigt.

2. (v10f) »Als ein weiser[23] Architekt habe ich das Fundament gesetzt« (v10a), sagt Paulus, »ein anderer baut darauf weiter (v10b). Jeder sehe zu, wie er weiterbaut (v10c). Denn ein anderes Fundament kann niemand setzen neben das, was schon gelegt ist, das ist Jesus Christus« (v11). Als der, der der Gemeinde das Fundament[24] gesetzt hat, gab er allen folgenden Verkündigern die Grundmauern vor. Es wird noch zu fragen sein, worauf sich dieser Vorrang begründete[25]. Hier interessiert zunächst, welcher Art er war und was er bedeutete. Auf dem der Gemeinde gesetzten Fundament kann jeder nur weiterbauen, wenn er seine Maße einhält. Tut er das nicht, dann baut er nicht nur nicht sorgfältig[26] weiter, zieht sozusagen nicht nur schiefe Mauern, dann (das Bild springt[27] und wendet sich ins Paradoxe) würde er

---

19 Das hebt auch *Satake* (Apostolat, 99) hervor; allerdings vermutet er, mit den folgenden Sätzen (v10ff) sei wohl an »innergemeindliche Dienste« gedacht, wogegen aber sowohl die Wiederaufnahme von v8b als auch die Tatsache steht, daß von der Gemeinde bis einschließlich v15 nicht die Rede ist (vgl. Anm. 22).

20 Die Bilder gehen ineinander über (was im gesamten folgenden Abschnitt zu beobachten ist), verbindende Vorstellung ist zunächst das Weiterbauen (v10b.c).

21 ἄλλος v10; ἕκαστος v10.13(2x); οὐδείς v11; τις v12.14.15.17; αὐτός v15.

22 Die Gemeinde wird zuletzt v9, dann erst wieder v16 angesprochen. Dies übersieht *Maly* (Gemeinde, 65–72), der aus dem Bild des Bauens erschließt, daß weiterhin von der Gemeinde geredet werde (ebenso *Vielhauer*, Oikodome, 84), aber nicht beachtet, daß der Blick auf den (gewiß: an der Gemeinde) *Bauenden* gerichtet ist.

23 σοφός ist vielleicht eine Anspielung, wahrscheinlich aber ein idiomatischer Ausdruck: »sachverständig« (Belege bei *Conzelmann*, Korinther, 94).

24 Das Bild ist verbreitet, speziell in den Diatribe, bei Philo (Belege bei *Conzelmann*, Korinther, 93, Anm. 58) und in den Qumranschriften (*Pfammatter*, Kirche, 155–164), dort als Bild der Elementarlehre, hier, von Jes 28,16 ausgehend, als Sinnbild für den Tempel und wohl – übertragen – für die Gemeinde (ebd., 157f.160) bzw. für ihre älteren Mitglieder (ebd., 162f).

25 S. u. S. 175–178.

26 βλέπειν = darauf achten, dafür Sorge tragen, aufpassen (vgl. *Bauer*, Wörterbuch, 285).

27 Das Bild vom Weiterbauen auf dem Fundament wird durch das vom Fundamentsetzen abgelöst.

auf dem schon daliegenden[28] Fundament ein zweites gründen. Das geht nicht[29], es sei denn, er würde das Fundament, auf dem die Gemeinde als »Bau Gottes« (v9) ruht, verlassen. Paulus hat es ihr gesetzt. Aber nicht er ist es – auf ihn soll man sich nicht berufen (1,13–17; 3,21)! –, sondern (und jetzt, als Schlußeffekt und letztes, jeden Zweifel wegfegendes Wort, nennt Paulus die gemeinte Sache) das Fundament ist Jesus Christus.

Jede Mit- und Weiterarbeit in der Gemeinde muß auf dieser Basis ruhen und erfährt zugleich von ihr aus, und zwar allein von ihr aus, ihre Maße und Kritik. Das gilt zuerst für die Mitarbeiter; es muß aber auch verstanden werden vor dem Hintergrund der Gemeindesituation[30]: Sowenig Christus »zerteilt« ist (1,13), sosehr bleibt er für alle das gleiche Fundament. Paulus, der für sich beansprucht, den »Geist Christi« zu haben (2,16), hat, indem er dies Fundament legte, alle, Gemeinde und Mitarbeiter und sich selbst, auf Christus verpflichtet (vgl. 3,23), und zwar auf den »gekreuzigten« (1,23).

Daß man das Recht hat, das 3,10f genannte Fundament mit der »Botschaft vom Kreuz« (1,18) zu identifizieren[31], folgt nicht nur aus dem Kontext als ganzem. Es entspricht auch der Schilderung des Paulus von seiner Erstverkündigung in Korinth (2,1–5), in der er nichts anderes »wissen« wollte als »Jesus Christus, und den als Gekreuzigten« (2,2). Paulus hat hier in ganz gleicher Weise Christus selbst, und zwar den Gekreuzigten (1,23; 2,2), der Gemeinde zum Maßstab gegeben und mit dem Evangelium vom Kreuz (1,17f) in eins gesetzt. Fundament – Evangelium vom Kreuz – Christus selbst: diese Gleichsetzungen sind von erheblicher sachlicher Bedeutung. Denn der Inhalt des Evangeliums ist Christus selbst, nicht etwa bloß Bericht über ihn und über sein Heilshandeln, nicht bloß Missionspredigt, sondern selbst äonenwendendes Geschehen, das im Wort der Verkündigung präsent wird und sich in ihm manifestiert[32]. Deshalb *ist* Christus das Fundament der Gemeinde, welches ihr in der Verkündigung des Paulus gelegt wurde, und

---

28 *Fridrichsen* (Themelios, 316) hat wahrscheinlich gemacht, daß ὁ κείμενος (θεμέλιος) bautechnischer terminus technicus für »das schon daliegende Fundament« ist. Paulus verwende den Ausdruck hier statt des zu erwartenden »das ich schon gelegt habe«, um nicht Christus »als Objekt seines Handelns darzustellen« (ebd.), eher aber doch wohl, um damit anzuzeigen, daß er selbst diesem Maßstab unterliegt (gegen *Fridrichsen*). Weiter bezeichne θεμέλιος nicht den Baugrund (ἔδραφος), sondern eine der oder alle vier Grundmauern, womit also besonders auf die Festsetzung der Maßstäbe reflektiert ist.

29 οὐ δύναται, v 11a.

30 Auch *Schlatter* (Bote, 133f) sieht in 3,10 eine Anspielung bzw. Polemik, allerdings eine, die konkret gegen die »Christus-Gruppe« (212) gerichtet sei.

31 Ebenso *Maly*, Gemeinde, 67.89; vgl. *Thüsing*, Milch, 336–338. Andere, zumeist spitzfindig-spekulativer dogmatischer Phantasie entstammende »Deutungs«versuche für das »Fundament« zählt *Pfammatter* (Kirche, 25f) auf: Man versteht unter dem Fundament die Person Jesu oder die Lehre Christi oder das Kerygma (letzteres bei *Vielhauer*, Oikodome, 85) oder den Glauben an Christus oder Person und Heilswerk Christi; *Pfammatter* selbst entscheidet sich für Wort und Sakrament (27).

32 Vgl. *Stuhlmacher*, Evangelium, 107f.

das Wort vom Kreuz ist der Maßstab für jeden, der an der Gemeinde baut und weiterbaut, und damit für jeden Mitarbeiter. Insofern dieser Maßstab durch Paulus zugrunde gelegt wurde, ist seine Verkündigung bindend für jede spätere. Und darin unterscheidet sich sein Wirken in Korinth von dem des Apollos (vgl. 3,6). Wie unterschiedlich Verkündigungsform und -funktion nachfolgender Gemeindeprediger auch sein können, in diesem Punkt sind sie alle auf die gleiche von Paulus errichtete Grundlage verpflichtet, und mit ihr steht alles auf dem Spiel. Über die konkrete korinthische Situation hinaus gilt dies grundsätzlich und für jede Zusammenarbeit der Mitarbeiter[33].

3. (v 12–15) Noch in einer zweiten Hinsicht unterscheiden sich die Mitarbeiter, nämlich hinsichtlich ihrer je anderen individuellen Arbeit. Diesen Gedanken schnitt Paulus bereits in v 8b an, verfolgte in v 5–9 aber ein anderes Aussageziel: die Einheit der Mitarbeiter trotz individueller Unterschiede. Ab v 12 behandelt er ausschließlich das persönliche Geschick der Mitarbeiter. Die Gemeinde ist dabei weiterhin nicht im Blick; dieser Tatbestand will beachtet sein[34].

Worauf sich nun eigentlich die Unterschiedlichkeit der individuellen Arbeit bezieht, ist nicht leicht zu sagen[35]. Die Frage ist: »Wie wird weitergebaut?« (v 10.12.14), nämlich auf dem von Paulus gelegten Fundament. Aber während v 11 diese Frage schroff abschnitt (»Niemand kann ein anderes Fundament legen!«), geht Paulus nun doch noch auf die verschiedenen Arten des Weiterbauens ein – genauer gesagt: er deutet sie mit verschiedenen Bildern an (v 12), deren Sachhälfte er jedoch bewußt verschweigt. Denn es leiten ihn zwei entgegengesetzte Gesichtspunkte. Dem absoluten Kriterium von v 11 (neben Christus gibt es nichts) stellt er ein relatives an die Seite (die unterschiedliche Beschaffenheit[36] der Arbeit). Einerseits soll deutlich werden, daß es hinsichtlich der Verkündigung von Christus als dem Gekreuzigten nur ein Entweder-Oder geben kann. Andererseits gibt es im Blick auf die einzelnen Verkündiger aber durchaus ein So oder So. Nur ist auch dies nicht

---

33 Man beachte die unbedingte und prinzipielle Formulierung (Präsens, 3. Pers. Singular): »Ein anderes Fundament kann niemand legen . . .« (v 11), die in Gal 1,6 und 2Kor 11,4 nahe Parallelen besitzt (aber natürlich nicht gegen die gleichen Prediger gerichtet ist, wie *Weiß*, Korintherbrief, 79, meint).

34 S. o. Anm. 22.

35 *Schlatter* (Bote, 134) interpretiert die Arbeit als die unterschiedliche Menge der in die Gemeinde gebrachten Menschen (dagegen *Kümmel*, Korinther, 172). *Conzelmann* (Korinther, 95) scheint ihm teilweise zuzustimmen, bleibt aber allgemeiner: es sei nur von der »Leistung« die Rede (aber worin besteht sie?). Gegen *Schlatters* Deutung spricht zum einen, daß das »Werk« der Arbeiter nach v 13–15 eventuell verbrannt wird, daß zum anderen nach v 15 klar zwischen »Werk« und Person unterschieden wird. *Schlatter* kommt zu einer unhaltbaren Vorstellung für den »untüchtigen« Arbeiter: »Der Untergang der von ihm Geleiteten bringt auch ihrem Führer Bestrafung« (135), denn Gott ließ es nicht zu, »daß der Untergang des einen nicht auch den andern belaste« (136). Aber wer die Gemeinde zerstört, wird nach v 16f selber vernichtet.

36 τὸ ἔργον ὁποῖόν ἐστιν (v 13).

einfach ins Belieben eines jeden gestellt, bietet deshalb keinerlei Anlaß zum Rühmen oder Verurteilen[37], weder von seiten der Verkündiger noch von seiten der Gemeinde. Deshalb rückt Paulus den ganzen Abschnitt[38] unter den Gedanken des Gerichts[39]. Nur im Horizont des Gerichts geht er auf das So oder So ein. Indem er ihm somit höchstes Gewicht gibt, entzieht er es doch zugleich menschlichem Ermessen, sosehr hinter seinen Worten auch der Aufruf zur Selbstprüfung der eigenen Arbeit gehört werden muß.

Das Werk des Weiterbauenden beschreibt Paulus im Bilde von den Baumaterialien (v 12): »Wenn jemand auf dem Fundament weiterbaut: Gold, Silber, Edelsteine . . .« – dann (so fordert der Sinn als Fortführung) wird sein Werk im Gericht so und so beurteilt werden. Aber der Satz bricht ab, diese inhaltliche Fortsetzung schneidet sich Paulus ab. Denn das Gericht steht noch aus (v 12b), Gott allein ist Richter (vgl. 4,4), nur er kann beurteilen und vergelten (3,24f).

Vielleicht ist mit dem Bild der Baumaterialien nur der Wert und Unwert der Baustoffe (und damit der Arbeit) anvisiert. Den kostbaren stehen die wertlosen – Holz, Gras, Stroh – gegenüber[40]. Möglicherweise, falls das Bild von der Feuerprüfung (v 13–15) schon hereinspielt, hat Paulus auch zugleich die Widerstandsfähigkeit und Dauerhaftigkeit der Materialien im Blick[41]. Jedenfalls sollen möglichst verschiedene Baustoffe mit unterschiedlichen Merkmalen aufge-

---

37   Dieser Gedanke wird dann in 3,21–23 und 4,1–8 breiter aufgegriffen, klang aber schon 1,29–31 und 3,4 deutlich an.

38   *Fishburne* (Testament, 109–115) hat nachzuweisen versucht, daß Paulus in der Kombination der folgenden vier Elemente vom Testament Abrahams (Kap. XIII) abhängig sei: »(1) the testing (2) of works (not souls) (3) by tire (4) on an eschatological Day of Judgement« (110). Seine Prüfung ergibt, daß diese von einigen, keinesfalls allen Forschern ins 2. nachchristliche Jahrhundert datierte Schrift vermutlich bereits vorpaulinischen Ursprungs ist, daß Paulus von ihr in 1Kor 3,10–15 abhängig ist, ihre Werketheologie jedoch charakteristisch uminterpretierte (ebd., 114).

39   Man beobachte die zahlreichen Gerichtstermini in den folgenden Sätzen: φανερὸν γενέσθαι v 12; ἡμέρα (Gerichtstag), δηλοῦν, πῦρ, ἀποκαλύπτεσθαι, δοκιμάζειν v 13; μένειν, μισθὸν λαμβάνεσθαι v 14; φθείρειν v 17. Vgl. *Synofzik*, Gerichtsaussagen, 65.69, Anm. 1 mit umfangreichen Belegen; außerdem *Gnilka*, Fegfeuer, 124–126; *Mattern*, Verständnis, 168–179; vgl. *Lührmann*, Offenbarungsverständnis, 105 Anm. 6.

40   Mit Hinweis auf Tob 13,16 (vgl. Offb 21); 1Kön 5,31; 7,9–11 (LXX: 3Rg 6,2; 7,46–48) hat *Deißmann* (Paulus, 244–247; ihm folgend *Jeremias*, ThWNT Bd. 4, 272 Anm. 5) die auch mögliche Übersetzung »kostbare Steine« statt »Edelsteine« vertreten. Allerdings sind auch Gold und Silber keine Baumaterialien als solche, so daß man das Bild des Paulus ohnehin nicht pressen darf. Immerhin zeigen die angeführten Belege, daß Paulus mit den ersten drei Materialien an ein besonders kostbares Gebäude in der Art des Tempels oder der Paläste Salomos gedacht haben kann (vgl. noch 1Chr 29,1–5). Weniger wahrscheinlich ist an ein »märchenhaftes Bauwerk« gedacht (*Conzelmann*, Korinther, 95, unter Hinweis auf Suet Nero 31; Dio Chrys 30(47); 42(79)), auch kaum an ein apokalyptisches Gebäude (*Conzelmann*, Korinther, 95, unter Anführung von Jes 54,11f; Tob 13,17; Offb 21,18ff; Ps Callisth III,28,4; Ps Philo Ant XII,9), was beides dem Gedanken, daß hier ein sehr reales Menschenwerk geprüft werden soll, widerspräche.

41   *Maly*, Gemeinde, 68. Allerdings unterscheiden sich Holz, Gras und Stroh kaum hinsichtlich ihrer Widerstandsfähigkeit im Feuer, ebenso Gold und Silber. *Lietzmann* betont (Korinther, 16f), daß die beiden zum Bau notwendigen Stoffe, Ziegel und Lehm, in der Aufzählung fehlen. Die sachliche Aufzählung eines »kundigen Baumeisters« ist v 12 nicht.

zählt werden⁴². – Welches die mit dem Bild gemeinte Sache ist, läßt sich nicht mit Sicherheit entscheiden⁴³. Folglich muß auch die oben gestellte Frage, worauf sich die Unterschiedlichkeit der individuellen Arbeit beziehe, unbeantwortet bleiben. Paulus will nicht einzelne, konkrete Tätigkeiten aufführen, sondern die Tatsache verschiedenfältiger und verschieden wertvoller Arbeit ins Bewußtsein rufen.

»Eines jeden Werk« wird im Gericht sichtbar werden (v 12). Das ist die zentrale Aussage des Satzes. Jeder wird einschränkungslos für sein Werk verantwortlich gemacht. Dieses Gericht erwartet deshalb nicht nur den anderen, sondern ebenso Paulus selbst (vgl. 4,4).

Spricht Paulus vom »Werk« eines jeden⁴⁴, so gehört dieser Ausdruck von Anfang an innerhalb der vielen sich ablösenden Bilder des Abschnitts nicht in die Bildhälfte, sondern auf die Sachseite. »Arbeit« (κόπος) und »Werk« (ἔργον) der »Mitarbeiter« (συν-εργοί) sind identische Begriffe, wie besonders die parallelen Formulierungen v 8b und v 13a zeigen⁴⁵. Mit dem Wort »Werk« charakterisiert Paulus die Tätigkeit der Verkündiger inhaltlich (neben v 8.9 vgl. v 13(2x).14.15). Gemeint sind nicht die – guten oder schlechten – Werke des Menschen resp. der Gemeindeverkündiger⁴⁶. Paulus verwendet konsequent den Singular⁴⁷. Es ist das Werk, das einer tut, der in den Dienst Gottes gestellt ist (v 9), und bezeichnet allgemein die Missionsarbeit der Mitarbeiter (vgl. v 5–8). In diesem Sinne spricht Paulus immer wieder von »dem« Werk, wenn er seine Missionsarbeit oder die seiner Mitarbeiter meint (1Kor 1,9; 2Kor 3,2f; 1Thess 2,20; 1Kor 16,10; Phil 2,30)⁴⁸.

42 *Weiß*, Korintherbrief, 80; *Straub*, Bildersprache, 87.
43 Der Väterexegese folgend, versucht *Pfammatter* (Kirche, 29f), die mit den Bildern gemeinte Sache als »das sittliche Verhalten«, »die Arbeitsmühe«, den »selbstlosen Einsatz« und »die Haltung bei der gesamten Ausübung des Dienstes« (ebd., 30) näher zu bestimmen.
44 S. o. S. 70.
45 Vgl. *Pesch* (Sonderlohn, 200 mit Anm. 5). Er interpretiert dann aber ἔργον als »Anstrengung im Dienste Gottes« (ebd. 200; *Merk*, Handeln, 84–86, folgt ihm unkritisch) und gewinnt daraus gegen den dazu schweigenden Text ein quantitatives Gütekriterium für den der Arbeit zuerteilten Lohn (v 14). Ebenso legt offenbar *Mattern* (Verständnis, 171) v 8b aus; vgl. weiter *Pfammatter*, Kirche, 30. *Conzelmann* betont zwar die Identität von κόπος und ἔργον, deutet dann aber (obgleich er *Pesch* ablehnt) letzteres mißverständlich als »Leistung« (Korinther, 93 Anm. 51; 95). ἔργον meint aber nicht eine bestimmte Art, Schwere oder Menge der Arbeit (in dem Begriff selber liegt noch kein Kriterium für seine Beurteilung), sondern die Tätigkeit der Mitarbeiter generell und überhaupt. Ihr drückt jeder seinen Stempel auf und füllt sie in seiner Art aus, und danach richtet sich sein Lohn (v 8b). *Wie* sie aussehen soll, wie nicht, spricht Paulus gerade nur in den Bildern aus; es bleibt in der Schwebe.
46 So *Vielhauer*, Oikodome, 81; *Conzelmann* (Korinther, 96), offenbar im Anschluß an *Mattern* (Verständnis, 176–179; sie unterscheidet Singular und Plural zwar sprachlich, aber nicht sachlich); *Pfammatter*, Kirche, 30.
47 Vgl. *Schrage*, 54–57, im Hinblick auf die Einheit des paränetischen Annspruchs.
48 *Petersons* Verständnis von ἔργον als »Bau« (Ἔργον, 439–441), das das »Werk« noch als Bestandteil der Bildhälfte verstehen will (aufgenommen von *Pfammatter*, Kirche, 28 Anm. 34), ist also abzulehnen. Weitere Einwände gegen ihn bei *Gnilka*, Fegfeuer, 124.

Der Gerichtstag[49] wird die geleistete Arbeit ans Licht bringen (3,13a). Er führt für die Verkündiger entweder Belohnung oder Strafe[50] herauf, was Paulus unter Zuhilfenahme einer Reihe verschiedener, nicht mehr völlig verständlicher Bilder und Vorstellungen[51] (an die sich desto eifriger dogmatische Spekulationen geknüpft haben[52]) ausführt (v 13b–15). Aber weder beschreibt Paulus, worin denn ihre Strafe[53] besteht, noch worin ihr Lohn[54]. An der Ausmalung der Gerichtsszene im einzelnen hat er kein Interesse. Entscheidend ist der Gedanke der folgenschweren Rechenschaft jedes Mitarbeiters für sich vor Gott, gemäß seiner von ihm geleisteten Arbeit. Eine Überlegung des Paulus bringt dabei aber noch eine überraschende Wendung. Eines jeden Werk wird im Gericht geprüft werden. In der Feuerprobe wird sich erweisen (v 13), ob es »Bestand hat« (v 14) oder verbrannt wird (v 15a). Aber der, dessen Werk verbrennt, wird dennoch gerettet werden, er geht des Heils nicht verlustig (v 15b.c).

Dieser Gedanke hat in 5,5 und 11,32 Entsprechungen. Er bezieht sich nicht auf die »Welt« (vgl. 1Kor 1,18; 11,32; 2Kor 2,15; 4,3 u. a.), sondern nur auf Gemeindeglieder. Er bedeutet nicht die Bewahrung *vor* dem Gericht – das Werk des Menschen *wird* verbrannt, er selbst »leidet

49   Der Ausdruck ist im Neuen Testament so weit zum terminus technicus geworden (vgl. 1Thess 5,4; Hebr 10,25 und Mal 3,19), daß er ohne Erläuterung stehen kann (vgl. im Alten Testament: *v. Rad*, Art. ἡμέρα, 945–949; im Neuen Testament: *Delling*, Art. ἡμέρα, 954–956), vgl. noch 1Thess 5,2; 1Kor 1,8; 4,3; 5,5; Phil 1,6.10; 2Kor 1,14 (Tag des Herrn bzw. Christi).
50   Lohn oder Strafe sieht auch der Christ Paulus auf sich zukommen. Zum Problem vgl. *Braun*, Gerichtsgedanke, passim; *Bornkamm*, Lohngedanke, 69–92; *Mattern*, Verständnis, passim, speziell 171–179; *Synofzik*, Gerichtsgedanke, 65–69 und bes. 110–122.
51   Nach *Lang* (Art. πῦρ κτλ., 944) bringt Paulus v 13–15 vier geläufige Vorstellungen in lose Verbindung: 1. das Motiv vom brennenden Haus (im Anschluß an v 12), 2. die Erwartung des mit Feuer erscheinenden wiederkommenden Herrn (2Thess 1,8), 3. die Vorstellung von der eschatologischen Feuerprobe (Mal 3,2), 4. die Redewendung »wie durchs Feuer« = »nochmals davongekommen«. Doch vgl. dazu Anm. 38. *Vielhauer* (Oikodome, 81–84) zeigt, wie wenig die Bilder in sich überzeugen und wie stark sie daher von der Sache her gedacht sind.
52   So die Vorstellung vom Reinigungs- bzw. Fegfeuer, von der Apokatastasis aller und vom Weltbrand (dazu *Gnilka*, Fegfeuer, passim).
53   Die Bedeutung von ζημιοῦσθαι (v 15a) ist nicht eindeutig; entweder »Strafe erleiden« oder »Einbuße erfahren« (*Stumpff*, Art. ζημία κτλ., 891f). Der Ausdruck steht parallel zum »Lohn empfangen« in v 14, was im Sinne der traditionellen Gerichtsvorstellung stärker die erste Übersetzungsmöglichkeit begünstigt. Sonst wäre lediglich von einer (vielleicht schmerzlichen, aber doch zu verkraftenden) Lohneinbuße die Rede. Dem widerspricht außerdem, daß die endliche Rettung des Geprüften nur »wie durchs Feuer« geschieht (v 15b), das Gericht läßt ihn nicht einfach unangetastet (vgl. *Weiß*, Korintherbrief, 82f). Pointiert formuliert *Mattern* (Verständnis, 177): »Paulus sagt die Rettung ausdrücklich *trotz* der Strafe an« (Hervorhebung durch die Verfasserin).
54   *Pesch* (Sonderlohn, 200) meint, Paulus rede in 1Kor 3,8.14f »prinzipiell vom ›Sonderlohn‹ Gottes für apostolische Arbeit‹«, trägt aber den Gedanken des *Sonder*-Lohnes ohne Nachweis in den Text ein (ebenso *Merk*, Handeln, 84–86). Er beachtet nicht, daß 1Kor 3 nicht von der Quantität, sondern von der Qualität der Arbeit geredet ist (dagegen richtig *Synofzik*, Gerichtsaussagen, 67f, und s. o. Anm. 45).

Schaden« und wird gerettet nur »wie durchs Feuer« (v 15)[55] –, sondern *im* Gericht. Worauf sich die Gewißheit der endgültigen Rettung gründet, sagt Paulus nicht. Eine mögliche Erklärung ist[56], in ihr einen Ausdruck des Rechtfertigungsverständnisses des Paulus zu sehen.

Die Arbeit des Gemeindeverkündigers kommt ins Gericht und wird, wenn sie der Prüfung nicht standhält, vernichtet, auch wenn er selbst – mit knapper Not – davonkommt. Damit schließt Paulus seine Überlegungen (v 12–15) ab. Aber dann gibt er ihnen noch einmal eine unerwartete Richtung: Die Vernichtung droht aber dem, der den »Tempel Gottes«, die Gemeinde[57], zerstört (v 17)[58]. Diesen Schlußsatz setzt Paulus dadurch deutlich vom Vorhergehenden ab, daß er die Gemeinde wieder direkt anspricht. Die eben gebrauchten Bilder werden nicht mehr aufgegriffen. V 16f bildet den Abschluß für den gesamten Abschnitt, und er tritt in seiner Grundsätzlichkeit und Ausschließlichkeit sowie vom Inhalt her näher an v 11 heran: Wer[59] »ein anderes Fundament« setzt, der verkündigt nicht mehr Jesus Christus und zerstört die Gemeinde, den trifft das Anathema, Gottes Fluch und Vernichtung[60]. Ist das richtig interpretiert, so erweisen sich v 12–15 nachträglich noch deutlich als Einschub, in welchem Paulus einerseits klar die indivduelle Unterschiedlichkeit der Verkündigung der Mitarbeiter konstatieren, andererseits diese Unterschiede aber uneingeschränkt unter den Gedanken des Gerichts rücken wollte.

In 3,12–15 zielt er damit auf die Mitarbeiter selbst ab; der Leitgedanke ist der der Prüfung. Jeder sehe darauf, wie er weiterbaue! In 4,1–6 wendet er denselben Gedanken auf die Gemeinde und ihr Verhältnis zu ihren Verkündigern: Der Richter ist Gott, der jedem sein Lob zusprechen wird (v 4f)[61].

---

55 ὡς διὰ πυρός ist nach *Weiß* (Korintherbrief, 83, mit einer Reihe von Belegen) als sprichwörtliche Redensart zu verstehen, etwa: »mit knapper Not«, »gerade noch einmal davongekommen«, »um Haaresbreite entgangen«.

56 Vgl. *Conzelmann*, Korinther, 96.

57 Dazu s. o. S. 138.140.

58 Der Satz v 17a formuliert (charakteristisch durch den Chiasmus verstärkt) jus talionis; vgl. dazu *Käsemann*, Sätze, 69–71. Worin Paulus die Zerstörung der Gemeinde sieht, zeigt der Kontext (s. u.).

59 Man beachte das τις (v 17a), das dem οὐδείς (v 11) entspricht.

60 Völlig verkannt hat *Merk* den Sinn von 3,10ff und 3,16f. Er spricht angesichts der scharfen Wendung in v 17a von einer »plötzlich . . . ethischen Sicht des Problems der Spaltungen«, welche er sich mit dem »Hinweis auf den Sonderlohn« (s. o. Anm. 54) verständlich machen möchte: »Wer Spaltungen in der Gemeinde fördert, zerstört die Mühe und den Einsatz des Apostels (vgl. 1Kor 4,14f) und macht damit dessen Sonderlohn zunichte, weil dann die treue und untadelige Gemeinde für ihn nicht besteht« (Handeln, 85). – Die Frage nach dem theologischen Fundament der Gemeinde und der Zusammenarbeit der Mitarbeiter wird so zum Problem des »Sonder«lohnes verharmlost, der Gerichtsgedanke ist übersehen, 3,10f nicht beachtet.

61 »Lob« (4,5) entspricht vermutlich »Lohn« in 3,8.14 (vgl. *Pesch*, Sonderlohn, 200) und zugleich dem 3,15 angesprochenen Heil (vgl. Röm 2,29; Phil 1,11), denn man darf nicht mit *Mattern* (Verständnis, 183f) aus Belohnung und Rettung zwei verschiedene Akte machen (ähnlich dagegen auch *Synofzik*, Gerichtsaussagen, 72). Vgl. die Identität von »Lohn« und »Ruhm« in 1Kor 9,15f.18 (*Pesch*, ebd., 203), vgl. noch 1Thess 2,19f.

Dem hat die Gemeinde nicht vorzugreifen und einen gegen den anderen Gemeindeprediger auszuspielen (v6). Das Vergleichen des einen mit dem anderen, das unter den Korinthern aufgekommen ist, steht ihnen nicht zu (vgl. Gal 6,4f), weil Gott richten wird. Er *wird* richten. Und jeder prüfe sich deshalb, ob er (noch) auf dem gemeinsamen Fundament arbeitet. Das Evangelium von Jesus Christus, dem Gekreuzigten, ist dieses Fundament und die Basis der Arbeit der verschiedenen Mitarbeiter; zugleich aber auch seine Grenze. Andere Grenzen, über welche Menschen zu urteilen hätten, gibt es nicht.

4.   Paulus wollte also, und damit sei die voranstehende Interpretation gebündelt, in 1Kor 3,5–15 drei Aussagen machen:

(1)   Er wollte zuerst die Einheit zwischen sich und Apollos im Auftrage Gottes klarstellen (v5–9).

(2)   Er wollte die Norm und Grenze aller Arbeit und Weiterarbeit der Mitarbeiter an der Gemeinde angeben (v10f).

(3)   Er wollte schließlich mit dem Hinweis auf das Gericht jeden zur Prüfung seiner eigenen Arbeit aufrufen, aber zugleich zeigen, daß das Richten allein Gottes Sache ist (v12–15; vgl. 4,1–6)[62].

Die *Basis der Zusammenarbeit* zwischen Paulus und seinen Mitarbeitern ist »Jesus Christus« (3,11), und der Kontext gibt das Recht, dies im Sinne der Kreuzestheologie zu interpretieren. Aber das kann nicht heißen, daß Paulus das gleiche – in anderem Kontext, angesichts anderer Gesprächspartner und Problemstellungen – nicht auch anders aussagen könnte, etwa in den Gedanken der Rechtfertigungsbotschaft oder mit Bezug auf die Proklamation der Versöhnung, der Liebe Gottes oder der Herrschaft Christi über die Welt. Die sachlich-inhaltliche Identität des unter so verschiedenen Aspekten und Frontstellungen Beschriebenen und Verkündigten kann hier nicht aufgewiesen werden. Seine theologische Mitte sehe ich aber in der Verkündigung des Evangeliums als dem vorleistungslos heilbringenden und äonenwendenden Christusgeschehen, das seinerseits eben je nach den Bedingungen, in die hinein es verkündigt wird, noch auslegungsfähig und auslegungsbedürftig ist, ohne daß es dadurch in beliebiger Weise aussagbar würde. Wenn nicht mehr das Christusereignis selbst darin zu Wort kommt, ist die gemeinsame Basis verlassen. Aber eine andere Basis – welcher Art auch immer – gibt es für Paulus nicht. Sie allein ist Grund, sie allein ist auch Grenze der Zusammenarbeit[63]. Ob und wie sich diese Basis in der konkreten Zusammenarbeit zwischen Paulus und seinen Mitarbeitern bewährte, wird noch zu untersuchen sein.

---

62   Ganz abwegig konstatiert *Vielhauer* (Oikodome, 85) als Ziel der Aussage und Thema von 3,10–15 »die Weiterbildung des Kerygmas in Lehren«, womit er die Bilder vom Fundament und Weiterbauen auslegen will. Damit rächt sich, daß er sich in seiner ganzen umfänglichen (78–85) Besprechung von 3,5ff niemals darum bemüht, die historisch zugrunde liegende Situation zu erheben.

63   Damit entsprechen die Ergebnisse dieses Abschnitts der oben im 3. Kapitel vorgeführten Untersuchung zur Frage, was Paulus unter einem »Mitarbeiter« verstand.

6.2
Die Autorität des Paulus

Als Mitarbeiter, das hat Paulus betont (1Kor 3,9), will er von seiner Gemeinde angesehen werden (vgl. ebenso 2Kor 1,24; 6,1), als einer von denen, die am gemeinsamen Werk, dem Bau der Gemeinde, und auf gemeinsamer Basis zusammenarbeiten. 1Kor 3,5–15 hat auch gezeigt, daß diese Einreihung grundsätzlich verstanden werden will, nicht bloß als die huldvoll-leutselige Herablassung dessen, der weiß, daß er ›in Wirklichkeit‹ doch das Zepter führt.

Dennoch war und blieb Paulus für seine Gemeinden wie für seine Mitarbeiter Autorität – eine Autorität, die um so weniger einfach ›natürlich‹ aus seiner menschlichen oder religiösen ›Persönlichkeit‹ entsprang (Gal 4,14; 1Kor 2,1–5; 2Kor 10,1.10!), als er sie ausdrücklich und des öfteren in seinen Briefen zur Geltung gebracht hat, argumentierend, anordnend und Gehorsam fordernd.

6.2.1
Paulus als Fundamentsetzer (1Kor 3,10f)

Gehen wir deshalb noch einmal auf 1Kor 3,5ff zurück und wenden wir uns der oben[64] offengebliebenen Frage zu, worauf Paulus seinen Vorrang, allen nach ihm Bauenden das Fundament gesetzt zu haben (v 10), begründet. Bezeichnet er einen grundsätzlichen oder einen akzidentiellen – etwa zeitlichen oder situativen –, einen allgemeinen oder einen an seine Person gebundenen Vorrang? Inwiefern ist er ›Fundamentsetzer‹?

Die Antwort kann nicht zweifelhaft sein. Mit diesem Bild beschreibt er nichts anderes als seinen *apostolischen Auftrag*. Sein Prae wurzelt allein in seiner Berufung und Beauftragung zum Apostel. Dies deutet die Einleitung von v 10 an, mit der er seine Bevollmächtigung zum Fundamentlegen begründet: »Gemäß der mir von Gott übertragenen Gnade . . .«

Mit dem Wort »Gnade« (χάρις) kennzeichnet Paulus des öfteren sein Apostelamt[65] und charakterisiert es als Gnadengeschenk Gottes. Das zeigt sich deutlich an einer Reihe hervorgehobener Stellen. So beschreibt er 1Kor 15,10 seine Apostelberufung als Gnadengabe Gottes: ». . . durch die Gnade Gottes bin ich, was ich bin, und seine Gnade gegen mich ist nicht vergeblich ergangen . . .« Ähnlich Gal 1,15f ». . . der mich durch seine Gnade berief, um mir seinen Sohn zu offenbaren, damit ich ihn unter den Heiden verkündigte . . .« Im Prolog des Römerbriefes stellt er im gleichen Sinne »Gnade« und »Apostelamt« pleonastisch[66] nebeneinander: ». . . Jesus Christus, unsern Herrn, durch den wir Gnade und Apostelamt empfangen haben

---

64 S. o. S. 167.
65 Vgl. *Bultmann*, Theologie, 291; *Conzelmann*, Art. χάρις κτλ., 386; vor allem *Satake*, Apostolat, 96–107.
66 Vgl. *Michel*, Römer, 40f.

. . .« In ähnlicher Weise spricht Paulus des öfteren von der ihm »übertragenen Gnade«, wobei der Kontext deutlich den Bezug zu seinem Apostolat erkennen läßt (bes. Gal 2,9; 1Kor 15,15; Röm 15,15; 12,3; vgl. noch 2Kor 1,12; 12,9)[67].

Formulierung und Inhalt zeigen an, daß Paulus auch 1Kor 3,10, wo er seine grund-legende Bedeutung für den Bau an der Gemeinde beschreibt, diesen Bezug im Blick hat[68]. *Fundamentsetzer ist er als Apostel.* Ebenso gilt aber zugleich das Umgekehrte: *Als Apostel ist er Fundamentsetzer.*
Dies belegt von anderer Seite Röm 15,20. Dort kennzeichnet Paulus seinen Auftrag als Heidenapostel (v 16.18.21) – v 15 mit derselben Wendung wie 1Kor 3,10a eingeleitet – ebenfalls als Fundamentlegen (während der Begriff »Fundament« sonst nicht mehr, also auch nie in anderer Bedeutung, bei ihm erscheint). Die anscheinend merkwürdig überhebliche Äußerung, nicht »auf einem fremden Fundament« bauen zu wollen (Röm 15,20; vgl. 2Kor 10,15f) bezieht sich, im Lichte von 1Kor 3,10 betrachtet, nicht etwa darauf, daß Paulus es ablehnte, dort zu predigen, wo ihm andere schon zuvorgekommen sind[69], sondern allein auf das Legen der apostolischen Ba-

---

67 *Satake* (Apostolat) möchte nachweisen, daß Paulus, wo er von der ihm geschenkten Gnade spricht, »an keiner Stelle in seinen Briefen das Wort χάρις auf sein rein privates Leben (bezieht). χάρις manifestiert sich für Paulus immer im apostolischen Dienst« (200). Andererseits bezeichne er die Dienste der Gemeinde nie als χάρις, sondern als χαρίσματα. Soweit ist *Satake* zuzustimmen. χάρις sei nach Röm 12,6 die (in der Bekehrung erfahrene) Gnade zum Heil, χάρισμα die Gnade zum Dienst (101). Der Grund für den prinzipiellen Unterschied von Charismen und paulinischem Amt liege darin, daß Paulus – im Gegensatz zu den Gemeindediensten – sein Apostelamt als ihm in der Bekehrung übertragenes Amt verstehe (Glaube und Dienst fielen also zusammen; 102f) und »sein eigenes Heil davon abhängig« wisse, »daß diejenigen, denen er verkündigt hat, wirklich zum Heil gelangen« (105). Aber diese Unterscheidung wird 1Kor 12 (bes. 12,28) und Röm 12 kaum gerecht. Der Unterschied liegt nicht im Wann und Wie des Dienstes, sondern in seinem Inhalt (1Kor 3,10f!). Die von *Satake* (104f) genannten Stellen (Phil 1,19; 2,15f; 1Thess 2,19f; 1Kor 9,23.27 sowie Gal 2,2; 4,11; 1Thess 3,5; vgl. noch 1Kor 15,58; 2Kor 6,1) belegen auch nicht, daß Paulus sein *Heil* von der Ausrichtung seines Apostolats abhängig wußte, sondern daß Paulus seines »Ruhmes«, des »Lobes« oder des »Lohnes« verlustig ginge. Gerade dies sagt er auch 1Kor 3,15, aus welcher Stelle außerdem deutlich wird, daß Paulus nicht nur seinen, sondern jeden Verkündigungsdienst derartig beurteilt weiß.
68 Die Bedeutung von v 10f wird selten richtig erkannt. Durchweg gehen die Kommentatoren über diese Sätze schnell hinweg. Wenn Paulus sich (v 10a) auf die ihm übertragene Gnade beruft, sieht *Weiß* (Korintherbrief, 79) darin »ein Zeichen, daß sich sein verletztes Selbstgefühl aufrichtet«, *Maly* (Gemeinde, 65) die Absicht, »von vornherein jedes Schielen auf ein leicht mißverständliches Verdienst-Denken unmöglich zu machen«. Nach *Wendland* (Korinther, 34) bedeutet der Hinweis auf die Gnade eine Erinnerung an den Auftraggeber Gott und »eine ernste Mahnung an seine Werkleute«. (Er übersieht, daß es hier um die Paulus gegebene Gnade geht.) Nach *Gnilka* (Fegfeuer, 120) sagt Paulus v 10 nur: »er hat den Anfang gemacht . . . Aber alle menschlichen Bemühungen wären vergeblich gewesen, wenn nicht Gott seine Gnade gegeben hätte.«
69 Dagegen spricht die ausdrückliche Absicht (Röm 1,13), unter den Römern »etwas Frucht einsammeln« zu wollen (was *Lipsius*, Römer, 75.181f, neben anderem zur Streichung von 15,19f verleitet hat), sowie der Röm als Ganzer. Weitere, nicht haltbare Erklärungsversuche wehrt *Klein* (Abfassungszweck, 139) ab.

sis[70]. Sie muß nicht zweimal gelegt werden[71]. Nur so wird der Satz voll verständlich und paßt sich zugleich in die Aussage von 1Kor 3,10f ein[72]. Weil das »Fundamentieren« sein Auftrag ist, nämlich durch die Verkündigung des Evangeliums den Namen Christi auszurufen (v 20a), hat Paulus an einem solchen Ort keine Aufgabe mehr[73].

Auf seinem ihm im Akt der Offenbarung des Gottes-Sohnes übertragenen Auftrag zum Apostel gründend (Gal 1,15), oder bildlich gesprochen: weil er Fundamentsetzer ist, kann er – und muß er! – sein Apostelamt verteidigen und apodiktisch im Vollzug sakraler Rechtsprechung »ein anderes Evangelium« (1,6; 2Kor 11,4) ebenso verwerfen wie einen »anderen Jesus« und einen »anderen Geist« (2Kor 11,4). Aus gleicher und keiner anderen Vollmacht kann er es auch 1Kor 3,11 als »unmöglich« qualifizieren, daß jemand »ein anderes Fundament« setzen kann. Er selbst ist ja dem gleichen Kriterium unterworfen (1Kor 3,10f; Gal 1,8)[74].

Die von Paulus hier beanspruchte Autorität, die Priorität seiner fundamentierenden Arbeit, ist für ihn unaufgebbar, gegenüber der Gemeinde ebenso

---

70   Gegen *Vielhauer* (Oikodome, 87): »Der ›fremde Grund‹, auf dem er nicht weiterbauen will, ist wohl als das von andern, Fremden gelegte Fundament zu verstehen . . ., aber kaum als ein falsches Fundament wie 1Kor 3,11 . . . Das fremde Fundament besteht darin, daß an einer Stelle schon ›Christus genannt worden war‹ und zwar von andern als Paulus.« Ebenso *Pfammatter*, Kirche, 62 Anm. 154.

71   Diesen Gedanken formulierte Paulus am dramatischsten in der Auseinandersetzung mit seinen Gegnern im 2Kor, die ihm vorwarfen, er habe sich Kompetenzen angemaßt, für die er keine Legitimation besitze (10,12–18; vgl. 10,2.4.7; 11,5.23; 12,11–13), indem er in »maßlosem Selbstruhm« (10,13.15) sein »Maß« überschreite (v 14). Paulus verteidigt sich unter Hinweis auf das ihm von Gott gesetzte Maß (v 13), demgemäß er sogar noch über Korinth hinaus zu missionieren beabsichtigt (vgl. Röm 15,23f). Nur eine Beschränkung bringt diese Arbeit mit, bemerkt Paulus in bissiger Ironie: *Er* rühmt sich dabei nicht der von anderen verrichteten Missionsarbeit (v 15) und dessen, was dem Maßstab eines anderen entspricht und (als Arbeit) *bereits erledigt* sei (εἰς τὰ ἕτοιμα καυχᾶσθαι; v 16). Hiermit wird der gleiche Gedanke wie in Röm 15,19 ausgesprochen. »Erledigt« ist die Arbeit der Evangeliumsverkündigung eben dort, wo das Fundament gesetzt ist. Seine korinthischen Gegner brüsten sich ihrer Erfolge (v 17f) und bauen doch nur auf schon bepflanztem Grund; sie rühmen sich selbst (v 18; vgl. 11,16ff etc.), während doch allein Gott, der das Wachsen gibt (vgl. 1Kor 3,6), der Ruhm zukommt.

72   Ebenso *Klein* (Abfassungszweck, 139f), der sich zu Recht gegen das Mißverständnis wendet, »als sei für Paulus ein geographischer Bereich schon daraufhin unantastbar, daß in ihm Glaubende sich nachweisen lassen. Vielmehr ist ihm der Zugang erst dort verwehrt, wo eine fundamentierte Christenheit vorhanden, das heißt: wo die Apostolizität der Gemeinde gegeben ist« (ebd., 140). – Ob sich daraus, wie *Klein* nachzuweisen versucht (ebd., 138–144), der Widerspruch zu 1,13.15 auflösen und der gesamte Abfassungszweck des Römerbriefs (Übermittlung des apostolischen Fundamentierung; 143) erklären läßt (dagegen *Bornkamm*, Testament, 128f.138 Anm. 47), soll hier offenbleiben.

73   Vielleicht steht dieser Gedanke auch hinter 1Kor 1,17a.

74   Das οὐδεὶς δύναται, so sagt *Fridrichsen* (Themelios, 317) völlig richtig, »bedeutet somit nicht: ›kein anderer (etwa Judaist oder Gnostiker) kann ein anderes Fundament legen als das von mir gelegte‹, sondern: ›keiner überhaupt (auch ich nicht) . . .‹«

wie gegenüber seinen Mitarbeitern[75]. Diese Priorität ist sachlich-inhaltlich begründet, insofern sein Apostolat ebendies bedeutet: *daß ihm die grundlegende Evangeliumsverkündigung anvertraut ist*[76]. Die ihm widerfahrene Berufung und Beauftragung zur Verkündigung des Evangeliums unter den Heiden (Gal 1,15f) ist ein einmaliger, geschichtlich nicht wiederholbarer Akt (vgl. 1Kor 15,8), der ihm, wie den anderen Aposteln, folglich einen einmaligen geschichtlichen Ort zuweist[77]. Darum hat Paulus auch mit seiner ganzen Existenz dafür einzustehen (vgl. 1Kor 4,9ff u. a.[78]).

Sein Apostolat gibt ihm die Verantwortung für die grundlegende Christusverkündigung in der Heidenwelt; es ist sein »Schicksal«[79], das auf ihm liegt, und wehe, wenn er seinem Verkündigungsauftrag nicht nachkäme (1Kor 9,16)! Deshalb ist es »sein« Evangelium, das er ausrichtet[80], er setzt das Fundament, an ihn als Apostel ist die kirchengründende Verkündigung gebunden – nicht weil es seine eigene Verkündigung wäre, sondern weil er den ihm in seiner Berufung offenbarten Sohn Gottes verkündigen muß[81]. Sein Vorrang, seine Autorität entstammt also nicht einem übersteigerten Selbstbewußtsein, sondern einem absolut verbindlich verstandenen Auftragsbewußtsein. Es ist die Autorität des Evangeliums selbst, nichts weniger und nichts darüber hinaus. Sie gilt grundsätzlich und ist an seine Person gebunden. Die Überlegung, ob er selbst vielleicht die Basis der Christusverkündigung verlassen könnte, kommt bei ihm nie auf.

6.2.2
Paulus als Vater und Vorbild (1Kor 4,14–17)

Ob Paulus seine apostolische Autorität folgerichtig auch gegenüber fremden Gemeinden geltend machte, ist nicht sicher zu sagen. Gal 2 könnte es nahelegen, und vielleicht muß auch der Römerbrief mit in diesem Licht ge-

---

75　Mit *Fridrichsen*, Themelios, 317; ähnlich *Vielhauer* (Oikodome, 85): »Paulus bringt also mit dem Bild vom Fundamentieren für seine apostolische Tätigkeit 1. das zeitlich Primäre, 2. die sachlich entscheidende Bedeutung seiner Arbeit für jede weitere Arbeit und damit 3. seine absolute Überlegenheit, Autorität und Sonderstellung zum Ausdruck.« Aber auch der erste und dritte Punkt sind erst und nur eine Folge des zweiten, so daß es sich im Grunde nur um einen einzigen Sachverhalt handelt.

76　Die Bestimmung *Kertelges*: »Die Verkündigung des Evangeliums ist die apostolische Grundfunktion« (Gemeinde, 84), reicht deshalb noch nicht hin.

77　Vgl. *Roloff*, Apostolat, 55.87.136, und zur historischen Seite *Kasting*, Anfänge, 80f.

78　Vgl. auch Anm. 39.

79　*Käsemann*, Variation, 232, zu 1Kor 9,16 (aufgenommen von *Conzelmann*, Korinther, 186).

80　1Thess 1,5; 2Kor 4,3; Röm 2,16; vgl. 2Thess 2,14; Röm 16,25; 2Tim 2,8.

81　Damit ist auch das Verhältnis bezeichnet, das Paulus zu ihm vorgegebener Tradition besitzt; dazu richtig *Wengst* (Apostel, 154): »Paulus kann ihm überkommene Tradition aufnehmen, weil sie nach seiner Überzeugung mit seinem Evangelium übereinstimmt. In ihrem Gebrauch versteht und interpretiert er sie im Sinne seines Evangeliums, das er damit zur entscheidenden Norm erhebt. Er muß das tun, weil er als Apostel mit ebendiesem Evangelium nach eigener Aussage ohne menschliche Zwischeninstanz direkt von Gott beauftragt worden

lesen werden[82]. Innerhalb seiner eigenen Gemeinden hat er sich gegen Opponenten und Gegner mit allem Nachdruck auf seine Apostolizität berufen (1Kor 9; Gal 1f; Phil 3; 2Kor 3ff; 10ff; vgl. auch 1Thess 2). Gegenüber den Gemeinden selber und den von ihm bekehrten Mitarbeitern charakterisiert er seine Autorität öfter anders, nämlich als *Vaterschaft*. Die Frage ist, inwiefern sich darin dasselbe ausdrückt oder worin eventuelle Unterschiede liegen.

Mit dem Ausdruck des Vaters und der von ihm gezeugten Kinder[83] will Paulus, wie 1Kor 4,14–16 im Vergleich zu 3,5f deutlich werden läßt, die Tatsache beschreiben, daß die Gemeinde – oder ein Mitarbeiter – durch ihn zum Glauben gekommen ist[84]. Die Vorstellung[85] wendet er in doppelter Richtung an. Zunächst, und dieser Gesichtspunkt ist eindeutig dominant, will er mit ihm seine liebevolle väterliche (bzw. familiäre[86]) Fürsorge vor Augen malen.

Als »meine geliebten Kinder« (1Kor 4,14) behandelt Paulus seine Gemeinden, er will sie aufmuntern, ermahnen, beschwören und ihnen gut zureden (4,14; 1Thess 2,11f). »Liebevoll sind wir unter euch aufgetreten, wie eine Amme ihre Kinder umsorgt. So hatten wir Sehnsucht nach euch, nicht nur am Evangelium Gottes wollten wir euch teilhaben lassen, sondern an uns

ist.« Aus Gal 1 und 2 wird nach *Wengst* »ersichtlich, was für Paulus das Kriterium für Evangelium ist« (149), nämlich »die Rechtfertigung des Gottlosen« (150). Vgl. hierzu auch das o. S. 174 und Kap. 5 Anm. 34 Gesagte.

82   Trotz der teilweisen Einschränkungen des Paulus (Röm 1,11–13; 15,14f) ist die apostolische (1,1–5!) Autorität des Paulus, mit der er in Rom das Evangelium verkünden will (1,1.5f.9.13–15 etc.; 15,15–21), doch auf keinen Fall zu übersehen und in der Erklärung abzuschwächen (*Klein*, Abfassungszweck, 134f; *Bornkamm*, Testament, 128; 143 Anm. 47).

83   Es erscheint (mit Abwandlungen) an folgenden Stellen bei Paulus: 1Thess 2,7–12; Gal 4,19; 1Kor 4,14f; 4,17; Phlm 10; Phil 2,22; 2Kor 6,13; 12,14; vgl. Eph 5,1; 1Tim 1,2; 1,18; 2Tim 1,2; 2,1; Tit 1,4.

84   Es handelt sich, wie *Roloff* (Apostolat, 116) und *Conzelmann* (Korinther, 110) mit Recht erwähnen, nicht um ein bloßes Bild (*Weiß*, Korintherbrief, 116), wenngleich die Gegenüberstellung Erzieher – Vater anzeigt, daß das Bildhafte noch mitschwingt.

85   Der religionsgeschichtliche Hintergrund dieser Redeweise ist nicht sicher. Alttestamentlichen Vorstellungen (*Quell*, Art. πατήρ, 961–964.970) entspricht, daß Paulus seine Vaterschaft auch als das Recht zum Strafen verstand (1Kor 4,21). Bei den Rabbinen ist »Vater« der Ehrentitel des Rabbi (2Makk 14,37; Jos Ant 17,45; Talmud Sanh fol 19b; vgl. Mart Polyc 12,2). Aber ließ Paulus sich mit »Vater« anreden? Das Lehrer-Schüler-Verhältnis des Paulus zu seinen Mitarbeitern und Gemeinden war anders als das der Rabbinen: Der Dienst gilt dem Evangelium (Phil 2,22; Phlm 13 etc.; s. u.), »während im Judentum die Herrschaft des Lehrers gesetzliche Abhängigkeit bringt« (*Schrenk*, Art. πατήρ κτλ., 1007; vgl. auch *Billerbeck*, Kommentar, III, 240f). Auch für das Lehrer-Schüler-Verhältnis der Pythagoräer sowie die Titulierung des Kynikers ist die Vaterbezeichnung belegt (*Schrenk*, ebd., 977 Anm. 203). Die »geistliche Vaterschaft« ist geläufige Vorstellung in der Mysterienliteratur für die Beziehung des μυῶν zum μυόμενος (Apul met XI,25; Tert apol 8; ad nat 5,7ff; CIL III,882; VI 2278; XIV 70; vgl. *Dieterich*, Mithrasliturgie, 134–156; *Reitzenstein*, Mysterienreligionen, 27.40f.117; *Dürr*, Vaterschaft, 1–20).

86   Die Vorstellung kann auch auf die Mutter (Gal 4,19) oder die Amme (1Thess 2,7) übertragen werden, woraus schon ersichtlich wird, daß besonderer Nachdruck auf dem Gesichtspunkt uneigennütziger Liebe und Zuwendung liegt.

selbst, denn ihr seid uns lieb geworden« (1Thess 2,7f). Der Vergleich mit der Amme wechselt dann in v 11 ohne Bedeutungsunterschied in das Vaterbild. Durchweg assoziiert Paulus im Zusammenhang mit dem Bild Vorstellungen aus dem Gefühlsleben[87] (vgl. Phlm 10–12; Phil 2,20–22; 2Kor 6,13; besonders überspitzt Gal 4,19, wo er sich mit einer kreißenden Mutter vergleicht). Die soziale Fürsorge wird 2Kor 12,14 angesprochen.

Die Art, wie Paulus seine ›Vaterschaft‹ gegenüber seinen Mitarbeitern geltend macht, ist aufschlußreich. Gegenüber den Philippern äußert er sich (2,22) folgendermaßen über Timotheus (man achte auf den Bruch in der Aussage):»Wie einem Vater ein Kind . . .« – hat er *mir* gedient, müßte man ergänzen; so eng, so liebevoll und einmütig war ihre Zusammenarbeit, so sehr kann sich Paulus auf Timotheus verlassen. Doch er biegt den Gedanken um:». . . hat er *mit mir* unter dem Evangelium gedient« – damit keinerlei Mißverständnis aufkommt, in wessen Diensten hier Timotheus steht und wodurch seine Arbeit legitimiert wird[88].

Mit seiner ›Vaterschaft‹ kann Paulus andererseits seinen Vorrang vor allen nach ihm in der Gemeinde wirkenden »Erziehern« ausdrücken (1Kor 4,14–16). Auf sie gründet[89] er seine offizielle Mahnung an die Gemeinde[90] sowie die Aufforderung, ihn nachzuahmen (v 16).

Paulus stellt zu seiner Funktion als Vater der Gemeinde die aller anderen »zahllosen« Erzieher in scharfen Kontrast (v 15). Aus dieser Gegenüberstellung, die der von 3,5f und 3,10 entspricht, weiter aus dem (übertreibend gesteigerten) Plural sowie aus dem Zusatz: Erzieher »in Christus« wird ersichtlich, daß Paulus neben Apollos auch alle anderen nur möglichen Gemeindeverkündiger oder Mitarbeiter im Blick hat[91]. Da die »in Christus« wahrgenommene Tätigkeit der »Erzieher« an der Gemeinde nicht negativ verstanden sein kann, kann der Gegensatz zwischen ihnen und Paulus nur im Gegensatz von Vaterschaft und Nicht-Vaterschaft gefunden werden[92]; d. h., Paulus bringt hier, nur in anderen Worten, dasselbe zum Ausdruck, was er 3,10ff betont hat[93]: Er ist der Fundamentsetzer, alle anderen sind nur Weiterbauende.

87   Das berechtigt aber nicht, die Vatervorstellung lediglich psychologisch zu verstehen, wie es *Lietzmann* zu 1Kor 4,14f tut (Korinther, 21), als wolle Paulus mit ihr nur die vorangehenden Worte mildern und sagen:»Seht, ich schreibe das alles ja aus Liebe, denn ich bin euer rechter und einziger Vater: alle anderen Lehrer, und wenn sie auch noch so viel Weisheit predigen, können euch nicht so lieb haben wie ich.«
88   Mit *Bornkamm*, Paulus, 174.
89   οὖν (v 16a).
90   4,16ff gehört (neben 1,10ff und 16,15ff) zu den drei παρακαλῶ-Abschnitten des 1Kor; das hebt *Dahl* (Church, 319.324; vgl. auch *Bjerkelund*, Parakalo, 141–146 und passim) hervor und stellt fest, daß sie sämtlich im Zusammenhang mit den Gruppenbildungen in Korinth stünden (was für 16,15ff allerdings bloß vermutet werden kann; doch s. o. S. 99f).
91   *Furnish* (Fellow Workers, 370) möchte v 15 so verstehen, daß Paulus sich gegen örtliche Gemeindeführer wende, um so der Schwierigkeit zu entgehen, daß Paulus nun entgegen 3,5–9 doch eine eindeutige Linie zwischen sich und den anderen Mitarbeitern zieht. So ließe sich *Conzelmanns* Frage zu v 16 (auf welche dieser keine Antwort versucht) klären:»Hat Paulus damit nicht doch eine Paulus-Parole suggeriert? Jedenfalls scheint er so verstanden worden zu sein« (Korinther, 111 Anm. 14). Beide Ausleger beachten aber den Kontext, insbesondere das Verhältnis zu 3,10f, nicht genug (s. u.).
92   Ähnlich *Weiß*, Korintherbrief, 116.
93   Dem einen »Vater«, der die Gemeinde ins Leben gerufen hat (4,15), der ihr das Fundament gesetzt hat (3,10), stehen alle anderen – »Erzieher« (4,15) oder »Weiterbauer« (3,10) – gegenüber. Wie in 3,10f pointiert auf die Apostel-Gnade einerseits, das Fundament »Christus« andererseits hingewiesen wurde, hat Paulus auch 4,15 den »Zeugungsakt« der Gemeinde nach

Beruht also das Prae des Paulus als Vaters der Gemeinde gegenüber allen anderen »Erziehern« der Gemeinde auf seiner apostolischen und kirchengründenden Funktion, so ruht auch seine Vollmacht, die Gemeinde zu ermahnen und auf sein *Vorbild* zu verweisen, auf diesem Tatbestand: »Ich ermahne euch also (οὖν), werdet meine Nachahmer!« (4,16)[94].

Paulus hat seine Gemeinden auch sonst gelegentlich aufgefordert, seinem Vorbild nachzueifern (1Kor 11,1f; Gal 4,12; Phil 3,17; 4,9; vgl. 2Thess 3,7.9)[95]. Wie Paulus an ihnen loben kann, daß sie seine Nachahmer geworden sind (1Thess 1,6–10; 3,6), hebt er auch an seinem Mitarbeiter Timotheus hervor, daß er wie er selbst (ὡς κἀγώ) »das Werk des Herrn« betreibe (16,10). Deshalb kann Timotheus im Auftrage des Paulus die Gemeinde an seine »Wege in Christus Jesus« erinnern (4,17).

Worin ist Paulus Vorbild, was soll nachgeahmt werden? Wollte man (was zunächst naheliegt) die Aufforderung von 4,16 nur auf die vorangehenden Äußerungen des Paulus beziehen, nämlich auf die Schilderung seiner apostolischen Existenz in Niedrigkeit und »Torheit« um Christi willen (4,9–13), so wäre der spezielle Sinn: die Ermahnung zur Nachfolge im Leiden (vgl. 1Thess 1,6; 2,14; Phil 3,17) angesichts der Überschätzung der christlichen Persönlichkeit und des pneumatischen Enthusiasmus in Korinth. Die Anknüpfung und Fortsetzung in 1Kor 4,17: »Aus diesem Grunde (διὰ τοῦτο) habe ich Timotheus zu euch entsandt . . ., der euch an meine Wege in Christus (Jesus) erinnern soll«, und die Umschreibung der »Wege« als »so wie ich allenthalben in jeder Gemeinde lehre« zeigen aber[96], daß die Aufforderung zur Nachahmung sich auf das Gesamte der apostolischen Existenz des Paulus bezieht[97], auf seine Lebensführung ebenso wie auf seine Verkündigung[98].

Maßstab – »in Christus« – und Mittel – »durch die Gemeinde« – beschrieben, mit letzterem durchaus nicht einen »das Kunstmittel der Metapher eigentlich illusorisch« machenden »überflüssigen Zusatz« (*Weiß*, Korintherbrief, 117) anfügend (die Elle kunstfertiger Rede wollte Paulus nicht an sich anlegen lassen, 2,1–5), sondern in der vermeintlichen Doppelung des Ausdrucks anzeigend, daß sich Vaterschaft und Kindschaft ausschließlich auf die in Jesus Christus begründete Evangeliumsverkündigung bezieht. Nur in Relation zu ihr erhält das ἐγώ des Paulus (4,15; vgl. 3,10) Platz und Bedeutung. 4,15 und 3,10f entsprechen sich also völlig.
94 Vgl. *Schrage*, Einzelgebote, 102–109. Er betont zu Recht, »daß aber nicht die geistliche *Vaterschaft* dem Apostel seine Vollmacht zur paränetischen Weisung gibt, sondern der hinter ihm stehende *Herr*« (ebd., 108; Hervorhebungen beim Verfasser).
95 Zum Problem vgl. *Schulz*, Nachfolgen, 270–289.308–316; *de Boer*, Imitation, 139–154; *Betz*, Nachfolge, 137–189 (vgl. dazu aber die berechtigte Kritik von *Hengel*, Nachfolge, 94–99).
96 Darauf hat besonders *Michaelis* (Art. μιμέομαι κτλ., 670, und Art. ὁδός κτλ., 92f) hingewiesen, der jedoch den Gedanken des persönlichen Vorbildes des Paulus zu Unrecht eliminieren möchte zugunsten der Gehorsamsleistung gegenüber den apostolischen Geboten. Folglich interpretiert er die »Wege« als »Gebote, Grundsätze, Regeln« und die Ermahnung zur Nachahmung als von den Korinthern erwarteten »Ausdruck des Gehorsams« gegenüber den paulinischen Geboten (vgl. dagegen aber *Schulz*, Nachfolgen, 309; *Kümmel*, Korinther, 173).
97 *Weiß*, Korintherbrief, 117; ebenso *Merk*, Handeln, 88; letzterer bestreitet jedoch mit *Schulz* (Nachfolgen, 309) die Zusammengehörigkeit von 4,16 und 4,17. Zwar kann sich διὰ τοῦτο (v 17) auch auf das Folgende beziehen (Joh 1,31; 2Kor 13,10; Phlm 15; 1Tim 1,16; vgl. *Blass-Debrunner*, Grammatik, § 378,231; *Bauer*, Wörterbuch, 360) und αὐτό (v 17) ist varia lectio, also möglicherweise unrichtig. Aber selbst wenn das alles zuträfe, läßt sich doch inhaltlich v 17 überhaupt nicht von v 16 trennen, wie v 17c.d zeigt: was Timotheus in Korinth in Erinnerung bringen soll, sind »die Wege« *des Paulus*, wie er sie allenthalben lehrt, und zwar seine »Wege« *in Christus*, was sachlich genau v 16 entspricht.
98 *Betz* weist darauf hin, daß Paulus in 1Kor 1,10 die gleiche Ermahnung ausspreche wie 4,16

Wie Paulus *Christus* nachahmt[99], so soll die Gemeinde *ihn* nachahmen (1Kor 11,1), Christus ist das Fundament, das er setzt (3,10f) und auf dem er steht, die apostolische Grundlage seiner Aufforderung zur Nachahmung. Indem Timotheus das »Werk des Herrn« verrichtet wie Paulus selbst, steht auch er auf dieser Basis und kann seinerseits der Gemeinde zum Vorbild werden (4,17; 16,10). Die geforderte Nachahmung ist nicht die des Schülers gegenüber dem Lehrer, sondern des Christusgläubigen gegenüber dem Evangelium. Die Inhalte sind ihr Gegenstand, die Person ist Vermittler. Weil nach Meinung des Paulus ihm in seiner Berufung die grundlegende Evangeliumsverkündigung anvertraut wurde, kann und muß er für Mitarbeiter und Gemeinden »Vorbild« sein[100]. Der Vorbildgedanke ist also identisch mit dem Fundamentierungsgedanken.

6.3
Die Selbständigkeit der Mitarbeiter

Ließ sich also von 1Kor 3,10f und 4,14–17 her Wesen, Begründung sowie Art und Weise der paulinischen Autorität erfassen, so muß nun auch noch von der Kehrseite dieser Beobachtungen, der von Paulus stets betonten *Selbständigkeit und Mündigkeit der Mitarbeiter* vor dem Hintergrund des basisbestimmenden apostolischen Vorranges des Paulus, ausdrücklich die Rede sein.

Immer wieder hat Paulus auf die Mündigkeit seiner Mitarbeiter hingewiesen (vgl. zum Beispiel 1Kor 4,17; 16,10; Phil 2,19–22; 1Thess 3,2 zu Timotheus; 2Kor 8,16f zu Titus; 1Kor 3,5–9; 16,12 zu Apollos; 1Kor 16,15 zu Stephanas, Fortunatus und Achaikos; Phil 4,3 zu Syzygos; im Phlm zum Herrn des Onesimos; 1Kor 16,3; 2Kor 8,18ff zu den von der Gemeinde ausgewählten Kollektendelegierten).

1Kor 3,5–15 hat deutlich werden lassen, daß und in welcher Weise von der Selbständigkeit der Mitarbeiter gesprochen werden muß: Auf dem gleichen Fundament arbeitend, sind die verschiedenen Verkündiger »Mitarbeiter«, und ihre Arbeit, obgleich verschiedener Art, bietet der Gemeinde keine Handhabe, den einen dem anderen vorzuziehen. Anders gesagt: Auf der gemeinsamen Basis fußend, versieht jeder selbständig gemäß dem ihm ge-

---

(vgl. o. Anm. 90), die ganze Darlegung dazwischen werde also zusammengefaßt mit der Aufforderung »werdet meine Nachfolger« (4,16). Er schließt: »Das apostolische παρακαλεῖν ist dann nichts anderes als die Konkretisierung des . . . μιμηταί μου γίνεσθε« (Nachfolge, 154). Das bedeutet, daß 1Kor 1–4 selbst die Anschauung gibt für die »Wege«, die Paulus geht und die nachgeahmt werden sollen, konkret: die »theologia crucis« und das Leben »in Niedrigkeit« (ähnlich *Betz*, ebd., 157–159, dessen Deutung von ὁδός als Mysterienterminus mich allerdings nicht überzeugt; vgl. auch *Hengel*, Nachfolge, 94 Anm. 2).

99   Vgl. außer der in Anm. 95 genannten Literatur noch *Larsson*, Vorbild (zur Kritik vgl. *Betz*, Nachfolge, 104f).

100   Zutreffend formuliert *Roloff* (Apostolat, 117): »Der Apostel handelt im Auftrag und an Stelle des erhöhten Herrn. Und zwar in der Weise, daß alle Aussagen über den Apostel erst durch ihre Verlängerung auf Christus ihren vollen, unverkürzten Sinn erhalten.«

gebenen Auftrag seine eigene Arbeit (ἴδιον κόπον). In diesem Dienst wird
er – als ein zuverlässig gefundener Untergebener Christi und Verwalter der
Gottesgeheimnisse (4,1f) – für die Gemeinde zur Autorität[101]. Daß hiermit
eine für alle Mitarbeiter geltende Einschätzung ihrer Arbeit gegeben ist, haben wir von anderer Seite auch der Begriffsanalyse des συνεργός-Titels sowie der Frage nach den von den Mitarbeitern ausgeübten Funktionen und
ihrem Verhältnis zu den Gemeindecharismen entnehmen können.

6.3.1
Die Mitarbeiter als Mitabsender der paulinischen Briefe

Wenden wir uns mit dieser Einsicht in die selbständige und mündige Rolle
der Mitarbeiter (die sowohl im folgenden Abschnitt als auch im nächsten
Kapitel jeweils noch unter anderem Blickwinkel untersucht werden soll)
noch einem speziellen, in diesen Zusammenhang reichenden, allerdings zugleich besonders diffizilen Problem zu, der *Frage nach der Mitverfasserschaft der Mitarbeiter an den paulinischen Briefen.*
Könnte die Mündigkeit der Mitarbeiter, die in ihrem selbständigen missionarischen Handeln an den Gemeinden zu beobachten ist, nicht auch darin
einen Ausdruck gefunden haben, daß sie Anteil hatten an den in die Gemeinden entsendeten Schreiben des Paulus? Einer Beantwortung dieser
Frage stellen sich allerdings erhebliche methodische Schwierigkeiten in den
Weg. Fragen wir deshalb zunächst, ob sich überhaupt für solche Vermutungen in den paulinischen Briefen Hinweise finden.
Bekanntlich nennt Paulus in der Regel in seinen Briefpräskripten, soweit sie
uns erhalten sind, Mitabsender[102], und zwar – mit einer schon erläuterten,
aber beachtlichen Ausnahme[103] – seine engsten Missionsgenossen Silvanus
und Timotheus, die tragenden Säulen der Mission. Gewissermaßen war-
nend wird in der Forschung durchgängig dazu vermerkt, daß Mitabsenderschaft aber nicht Mitverfasserschaft bedeute[104]. Diese Einschränkung
gründet sich vor allem darauf, daß die Mitabsender durchweg im folgenden
Briefkorpus nicht mehr in Erscheinung treten, daß der Brief oft sehr bald in

101 Daß die Mitarbeiter ihre Legitimität und Autorität nicht von Paulus, sondern durch das
Evangelium erhalten, betont Paulus auch an anderen Stellen besonders: vgl. noch 1Thess 3,2;
1Kor 16,10f; Phil 2,19–23; 2,25–30; 4,3; 2Kor 8,17–24 (!); vgl. Kol 1,7; 4,7; 4,12.
102 Ausnahme ist nur der Röm (zum Gal s. u.). *Klein* (Abfassungszweck, 141f) hat gemutmaßt, die Besonderheit des Röm erkläre sich daraus, daß Paulus an die Römer als Apostel sein
apostolisches Evangelium schreibe, was keinen Mitabsender zulasse. Man wird allerdings allgemein schon in Rechnung stellen müssen, daß er sich an eine fremde, nicht von ihm (und Timotheus) gegründete Gemeinde richtet.
103 Sosthenes 1Kor 1,1 (s. o. Kap. 2 Anm. 77).
104 Vgl. z. B. *Bornkamm*, Paulus, 22; *Eichholz*, Paulus, 15; *Conzelmann*, Korinther, 33
Anm. 12 (doch vgl. u. S. 186 und Anm. 123); *Schlier*, Apostel, 15; *Lietzmann*, Korinther, 4;
Lohse, Kolosser, 34.

die 1. Pers. Singular wechselt[105] und daß Paulus innerhalb des Briefes des öfteren sich selbst mit Namen nennt[106], von seinen Mitarbeitern aber in der 3. Person spricht[107]. Es ist also Paulus, der sich in diesen Schreiben als der »berufene Apostel«[108] in offizieller Form, durch Verkündigung und Mahnung, an die gesamte Gemeinde wendet. Sein autoritatives Wort ist angefragt oder soll gehört werden. Um so mehr fällt aber nun ins Auge, daß der Apostel überhaupt Mitabsender neben sich erwähnt, und es ist die Frage, aus welchem Grund er dies tut.

Die in der Forschung darauf gegebenen Antwortversuche sind – im Gegensatz zur oben beschriebenen communis opinio hinsichtlich der Mitverfasserschaft – sehr unterschiedlich. Man versteht die Erwähnung der Mitabsender als den Versuch des Paulus, dem Schreiben den Charakter des Privatbriefes zu nehmen[109] und »seinen eigenen Worten und Ausführungen vor den Gemeinden mehr Gewicht zu geben«[110], oder meint, Paulus wolle damit der Forderung entsprechen, das Evangelium durch zweier oder dreier Zeugen Mund bestätigt[111] zu verkünden[112]; man erkennt in ihr eine Ehrung der erwähnten Mitarbeiter[113] oder einen Hinweis darauf, daß der Mitabsender den Adressaten gut bekannt sei[114], so daß er als Vermittler zwischen Paulus und den Gemeinden fungieren könnte[115]; oder man sieht in der Erwähnung einfach einen Mitgruß des Schreibers oder vielleicht des Überbringers[116]. Wenn sich diese herausgegriffenen Antwortversuche auch nicht alle gegenseitig ausschließen, deutet ihre Vielfalt doch an, daß hier ein nicht wirklich gelöstes Problem liegt.

---

105   Zur Frage nach dem Verhältnis von Ich- und Wir-Passagen innerhalb der paulinischen Briefe vgl. Anm. 135.

106   Vgl. 1Thess 2,18; 1Kor 1,13–17; Phlm 9; Phil 1,7ff etc.

107   Vgl. 1Thess 3,2.6; 1Kor 4,17; Phil 2,19–23 etc.

108   1Kor 1,1; Röm 1,1. Außer im 1Thess und Phil bezeichnet sich Paulus in jedem Brief ausdrücklich als Apostel. Die Ausnahme in 1Thess 1,1 hat ihren Grund sicher nicht darin, daß Paulus, da »sein Verhältnis zu den Lesern . . . ungetrübt« war, »keine Ursache« hatte, »seine apostolische Autorität zu betonen« (*Oepke*, Thessalonicher, 160). Paulus gebraucht den Titel nicht nur in apologetischem Interesse (Röm 1,1) und betont andererseits (1Thess 2,7) doch seine Apostolizität. Paulus wollte 1Thess 1,1 wohl die Einheit aller drei Mitabsender bezeichnen, ohne sich und seinen (vermutlichen, s. o. Kap. 2 Anm. 60) Mitapostel Silvanus über Timotheus zu stellen (mit *Schmithals*, Situation, 98). – Ähnliches gilt vermutlich für Phil 1,1, wo Paulus die besondere Einigkeit mit Timotheus herausstreicht (vgl. 2,19–23! zu Recht betont von *Gnilka*, Philipperbrief, 158). Der Verzicht auf den Aposteltitel und die Titulierung als δοῦλοι rührt sicher nicht daher, den Philippern ein Beispiel der Demut vorzuführen (*Best*, Bishops, 375); δοῦλος ist Ehrentitel (s. o. S. 75).

109   Z. B. *Gnilka*, Philipperbrief, 30 (zu Phil 1,1); vgl. *Roller*, Formular, 59.

110   Z. B. *Gaechter*, Petrus, 342.349f (unter der Kapitelüberschrift »Schranken im Apostolat des Paulus«, ebd., 338).

111   S. o. S. 153.

112   Z. B. *Michaelis*, Einleitung, 243; *Friedrich*, Philipper, 96 (zu Phil 1,1).

113   Z. B. *Lietzmann*, Korinther, 4 (zu 1Kor 1,1); *Hadorn*, Gefährten, 78 (»Anteil an Ruhm und Ehre gewährt«).

114   Z. B. *Friedrich*, Philipper, 96 (zu Phil 1,1).

115   Z. B. *Schlier*, Galater, 29 (zu Gal 1,2).

116   Z. B. *Weiß*, Korintherbrief, 2 (zu 1Kor 1,1).

Sinn und Zweck der Mitnennung von weiteren Absendern im Anschreiben der paulinischen Briefe kann wohl das in diesem Zusammenhang kaum beachtete Präskript des Galaterbriefes aufhellen. Die Besonderheiten des Briefeingangs dieses Schreibens sind schon oft hervorgehoben worden[117]. Betonter und schärfer als in seinen übrigen Briefen verweist Paulus bereits mit den ersten Worten die einem »anderen Evangelium« (1,6) nachlaufende Gemeinde auf seine allein in Christus begründete Apostolizität (1,1; vgl. v 10ff). Sie bedarf keinerlei Stützung durch menschliche Autoritäten. Dennoch fährt er im Anschreiben mit den Worten fort: »und sämtliche Brüder« bei mir« (v 2). Damit unterstreicht er nicht seine Autorität, sondern einerseits die völlige Isolation, in die sich die Galater verrannt haben, andererseits den einmütigen Konsens, in dem er, Paulus, steht und dem seine Ausführungen entspringen[118]. Alle stehen sie hinter ihm. Das heißt, nimmt man Paulus beim Wort und verdächtigt ihn nicht der Übertreibung, nichts anderes, als daß die Lage in Galatien im Kreise der um Paulus versammelten Brüder[119] erörtert, die Entgegnung gemeinsam besprochen und von allen gutgeheißen wurde. Allen voran antwortet Paulus, aber neben ihm verantworten »alle Brüder« den Inhalt des Schreibens mit und verleihen ihm Nachdruck.

Gleichwohl beginnt Paulus dann sofort in der 1. Pers. Singular zu reden: »Ich staune, daß ihr . . .« (v 6); er selber fungiert also zweifelsohne als derjenige, der den Brief konzipiert und als seine Äußerung formuliert (vgl. nur Gal 1f)[120]. Zwischen beiden Tatbeständen, der paulinischen Verfasserschaft

---

117 Nämlich: sein amtlicher Charakter durch die strenge Betonung der Apostolizität und Mitnennung von »allen Brüdern«, die »kahle Bezeichnung der Adressaten« (*Lietzmann*, Galater, 3), die Ausdehnung des Gnadenwunsches, die fehlende Danksagung.

118 So auch *Mußner*, Galaterbrief, 48.

119 Die Frage, ob mit dem Wort »Brüder« neben den Mitarbeitern um Paulus auch die örtlichen Gemeindeglieder gemeint sind (*Schlier*, Galater, 29, nennt die jeweiligen Vertreter), ist unerheblich. *Borse* (Standort, 43f) sucht mit im ganzen zutreffenden Gründen nachzuweisen, daß Paulus seine Mitarbeiter im Blick habe (mit zurückhaltender Zustimmung von *Mußner*, Galaterbrief, 48 und Anm. 25, aufgenommen).

120 Insofern ist *Oepke* (Galater, 18) zuzustimmen, wenn er schreibt: »Kundgebung eines Kollegiums ist der Brief nicht.« Aber damit ist nicht die alleinige Alternative gegeben. *Roller* (Formular) hat nachzuweisen versucht, daß zwar jene Briefe, welche ausdrücklich seinen »Gruß mit eigener Hand« erwähnen (Gal 6,11; 1Kor 16,21; vgl. Phlm 19), von Paulus selbst abgefaßt und geschrieben worden seien; denn so hätte Paulus seine persönliche Abfasserschaft angezeigt, während in den übrigen Briefen mit der persönlichen Unterzeichnung durch den Schlußgruß allein schon am Wechsel der Handschrift ersichtlich geworden sei, daß er nicht der Schreiber des voranstehenden Briefes war. In der Regel aber habe Paulus seine Briefe nicht selbst geschrieben, sie auch nicht diktiert, sondern sich wie in der Antike üblich eines Sekretärs bedient, und zwar so, »daß der Brief nach Angaben des Apostels, vielleicht auch mit kurzen Notizen auf einem Wachstäfelchen von einem Dritten entworfen und das Konzept von Paulus genehmigt, vielleicht auch korrigiert und die Briefanfertigung dann von ihm unterschrieben wurde« (ebd., 21). *Rollers* z. T. interessante Untersuchungen leiden allerdings insgesamt an vielen Unrichtigkeiten und haben sich mit Recht nicht durchgesetzt (zur einzelnen Kritik vgl. *Percy*, Probleme, 10–14 [Anm. 62]; *Michaelis*, Einleitung, 242–244; *Kümmel*, Einleitung, 216.329f).

und der inhaltlichen Mitverantwortung der um ihn versammelten Brüder, besteht jedoch kein Widerspruch. Was alle – jedenfalls nicht ohne entscheidenden Einfluß des Paulus – bedenken und gutheißen, bildet die Grundlage für die Entgegnung des Paulus, die er zum Diktat formuliert (Gal 6,11), wobei weder gesagt ist, in welchem Sinn und Umfang hinsichtlich des Argumentationsganges, der Vorstellungen und Formulierungen der Beitrag der anderen sich niederschlug, noch ob er sich lediglich auf die Phase *vor* der Niederschrift erstreckte. So trägt das Schreiben zwar die Handschrift des Paulus, darf jedoch auch nicht einfach nur als seine eigene Ausführung verstanden werden. Vielmehr ist die Diskussion mit den »Brüdern« in sie eingeflossen.

Es gibt keinen Grund, das, was am Präskript des Galaterbriefes erkennbar wird, nicht auch auf die übrigen Briefe des Apostels zu beziehen[121]. In erster Linie übernimmt Timotheus (ehedem auch Silvanus) als Hauptträger des paulinischen Missionswerkes und Mitgründer der angeschriebenen Gemeinden die *Mitverantwortung* für das, was Paulus schreibt[122], also nicht zur Stützung seiner Autorität, nicht zur Ehre des Mitabsenders, nicht zum Zwecke der Vermittlung zwischen Apostel und Gemeinde und was dergleichen Erklärungen mehr sind, sondern zur Bezeugung des von *ihnen zusammen* vertretenen einen Evangeliums. Infolgedessen entstanden die entsprechenden Schreiben auch nicht ohne Mitdenken und Einwirken des Timotheus. In begründeten Fällen (Gal 1,2; 1Kor 1,1) bezieht Paulus ausdrücklich auch andere Brüder mit ein. Der Satz, Mitabsenderschaft bedeute nicht zugleich Mitverfasserschaft, erfaßt diesen Sachverhalt nicht ausreichend, ist nicht differenziert genug[123]. In den Briefen des Paulus tritt uns nicht nur die affektive Individualität oder der nicht mit Normalmaß meßbare Genius des Paulus entgegen[124].

Das Recht zu dieser Einschätzung ist von anderer Seite längst erwiesen. Die traditionsgeschichtliche Betrachtungsweise der paulinischen Briefe hat ge-

---

121   Richtig, aber zu allgemein formuliert *Lohse* (Mitarbeiter, 189): »Mit der Angabe der Namen von Missionaren und Brüdern, die mit ihm in derselben Arbeit stehen, will Paulus sagen, daß er die eine frohe Botschaft verkündigt, die allerorten von allen Boten des Evangeliums ausgerufen und ausgelegt wird.« Warum nennt Paulus gerade solche und nicht andere Namen, warum im Briefpräskript, und inwiefern unterstreichen sie die Einheit der Verkündigung?
122   Soweit sagt *Gaechter* (Petrus, 341) zu Recht gegen *Roller* (Formular, 168): »Gerade in der Mitverantwortung dürfte die eigentliche Rolle der Mitarbeiter liegen.«
123   Eine Reihe von Forschern erwägt oder betrachtet es wenigstens als möglich – ohne darin allerdings ein besonderes Problem zu sehen –, daß Paulus seine Mitarbeiter »vor der Abfassung . . . zu Rate zog« (*Gnilka*, Philipperbrief, 29; ähnlich *Windisch*, Korintherbrief, 33: »mitgewirkt und mitgeraten«). Nach *Weiß* (Korintherbrief, 2) könnte man (von Sosthenes, 1Kor 1,1) in dem Sinne von einem »Mitverfasser« reden, als Paulus andeute, er schreibe »alles Folgende in vollem Einverständnis mit jenem hochgeachteten Bruder«. Am klarsten sagt *Conzelmann* (Weisheit, 234 Anm. 5) über die Mitabsender: »Auch wenn man diese nicht als Mitverfasser ansehen kann« (die Verbeugung vor der communis opinio), »ist anzunehmen, daß ihre Nennung keine pure Fiktion ist, sondern daß sie bei der Abfassung als Berater und Gesprächspartner beteiligt sind.«
124   *Conzelmann*, Weisheit, 234.

zeigt, in wie starkem Maße Paulus aus den Quellen ihm vorgegebener christlicher Überlieferung, insbesondere der hellenistischen Gemeinde, schöpft. Doch zeigen die hier angestellten Überlegungen, daß man bei dieser Einsicht nicht stehenbleiben darf. Vielmehr wird man damit rechnen müssen, daß seine Briefe nicht ohne das Gespräch mit den Mitarbeitern entstanden sind und ihre Vorstellungen und Gedanken in vielfacher Weise in seine Ausführungen miteingeflossen sind. Sofern sich Hinweise darauf finden, daß der theologische Beitrag der Mitarbeiter eigenständiger Art war, könnte damit ein traditionsgeschichtlicher Tatbestand von beträchtlicher Tragweite bezeichnet sein. Die Briefe des Paulus müßten stärker als üblich als Dokumente der Gemeindetheologie gelesen werden.

Andererseits erhebt sich hier natürlich die Frage, ob und wie man diesen Beitrag konkret am einzelnen Text überhaupt genauer erfassen kann[125]. Aber der Ertrag unserer Erwägungen liegt zunächst in der Erkenntnis der *Verflechtung* von Genuin-Paulinischem und Hetero-Paulinischem. Die Frage ist deshalb vielmehr, ob sich auch vom Text der Paulusbriefe her Hinweise auf eine solche Verflechtung aufweisen lassen.

6.3.2
Die Frage nach der Mitverfasserschaft der Mitarbeiter an den paulinischen Briefen

Nun haben traditionsgeschichtliche Erwägungen zu bestimmten Abschnitten der Paulusbriefe bereits die Vermutung aufkommen lassen, daß die Art und Weise, wie Paulus mit vorgegebenen Überlieferungen umgeht, auf eine aktive, diskussionsmäßige Verarbeitung hinweise[126]. Wenn auch die These, diese ›Verarbeitung‹ geschehe im Sinne weisheitlichen theologischen Denkens und zeige ausgesprochenen Schulcharakter[127], zweifelhaft erscheint und wenigstens noch eines genaueren Nachweises bedarf[128], lenkt sie doch zu Recht den Blick auf den Weg theologischer Vorstellungskomplexe und Gedankenreihen innerhalb bestimmter Abschnitte der Paulusbriefe, der *vor* ihrer aus aktuellem Anlaß entsprungenen Niederschrift lag, wobei die Frage nach dem Beitrag der Mitarbeiter an dieser theologischen Denkbewegung folgerichtig sogleich aufkommt. Vermutungen in dieser Richtung werden auch – neben der besprochenen Erwähnung von Mitbrief-

---

125 Vgl. dazu auch u. S. 203–205.
126 *Conzelmann*, Weisheit, 233–235. Die traditionsgeschichtliche Erarbeitung einzelner Texte oder Textgruppen ist natürlich schon öfter geboten worden. Das Neue an *Conzelmanns* Überlegungen ist die Anwendung auf die theologische Arbeitsweise des Paulus im ganzen, die Frage also, ob sich »ein einheitlicher theologischer Stil in der Verarbeitung der überkommenen Tradition feststellen« läßt (232). Er behandelt dann – im Rahmen des Aufsatzes – natürlich nur einzelne Texte, an denen er seine These von der grundlegenden Bedeutung der Weisheit für Paulus meint verifizieren zu können.
127 *Conzelmann*, Weisheit, 233.
128 S. o. S. 115–118.

stellern in den paulinischen Briefadressen – durch den bei Paulus häufig zu beobachtenden Diatribenstil[129] sowie durch jene Abschnitte in seinen Briefen gestützt, »die sich nicht glatt in den Kontext fügen, die nicht unmittelbar auf den Briefzweck bezogen sind oder den Eindruck erwecken, sie seien diesem erst nachträglich, durch Überarbeitung, zugeordnet«[130]. Aus der speziellen Art der Aufarbeitung vorgegebener Tradition, wie sie sich in solchen Abschnitten zu erkennen gibt[131], kann man vermutungsweise auch auf Überlegungen und Diskussionen im Mitarbeiterkreise schließen, die sich in den Texten niedergeschlagen haben.

Aber es fragt sich doch, ob solche Einzelbeobachtungen ausreichen, dem von mir gestellten Problem als Ganzem beizukommen[132]. Um der Unterscheidung von vorwiegend oder ausschließlich situativ zu interpretierenden Textabschnitten und solchen, hinter denen eine theologische Verarbeitung oder Diskussion sichtbar wird, eine methodisch tragfähige Basis zu geben, bedarf es zunächst einer gründlichen formgeschichtlichen und stilkritischen Analyse der paulinischen Briefschaft insgesamt. Dies Thema ist in der Forschung zwar gelegentlich aufgeworfen worden, jedoch kaum in neuerer Zeit und niemals umfassend[133], und man darf wohl sagen, daß seine Behandlung ein wichtiges Desiderat darstellt.

Entsprechende Untersuchungen hätten allerdings zweifellos ein weites Feld zu beackern: Im Vergleich mit dem außerpaulinischen Schrifttum gälte es, Sprache und Stil des Paulus nach formalen und inhaltlichen Gesichtspunkten zu beschreiben und Typisches von Untypischem zu trennen. Das ist heute nicht mehr möglich ohne die Anwendung linguistischer Methoden, nicht nur im morphologischen und syntaktischen Bereich, sondern ebenso, obgleich hier erst Ansätze vorliegen, im Bereich der Textlinguistik[134].

129 *Conzelmann*, Weisheit, 233.
130 Ebd., 235.
131 Konkret erwähnt *Conzelmann* als Beispiel für einen Text, in dem stilistische Beobachtungen (Ungleichheit und Vielzahl der Argumente) auf eine zugrunde liegende Diskussion zu deuten scheinen, nur 1Kor 11,2ff. – Man denke aber weiter an 1Kor 9,7ff; 1Kor 15; auch an die Aufreihung Gal 1,13ff, die Abschnitte Gal 3,6–4,7; 4,21ff und vor allem an die durchdachte, abgerundete Darstellung des Röm, in dem in vielfacher Weise schon früher geäußerte Gedanken verarbeitet wurden; vgl. *Bornkamm*, Testament, 130–135.
132 Diese Fragestellung ist offener als die *Conzelmanns*. Sie vermutet nicht, Paulus insgesamt aus einer bestimmten Überlieferung verstehen zu können. Sie fragt vielmehr ganz allgemein nach den Bedingungen und Einflüssen, denen die Vorstellungen und Formen der uns vorliegenden paulinischen Texte bis zu ihrer jetzigen Gestalt unterlagen, und speziell, ob die Mitarbeiter des Paulus dazu einen Beitrag beigesteuert haben, gegebenenfalls welchen.
133 Vgl. *Bultmann*, Stil; *Thyen*, Stil; auch *Jeremias*, Gedankenführung, 269–276; *ders.*, Chiasmus, 276–290; *Schneider*, Eigenart; *Bujard*, Untersuchungen; weitere verstreute Literatur bei *Rigaux*, Briefe, 164–203; *Kümmel*, Einleitung, 216.
134 Vgl. dazu *Güttgemanns*, Gottesgerechtigkeit, 79 Anm. 115 (Literatur); *ders.*, Theologie, 220–230 und passim. Die exegetische Theologie hat, wie an der zurückhaltenden und oft ungerechtfertigt ablehnenden Bewertung der Arbeiten von *Güttgemanns* zu erkennen, die Tragweite der modernen Linguistik, insbesondere der Generativen Transformationsgrammatik, für das Verhältnis der neutestamentlichen Texte noch nicht genügend erkannt. Wenngleich hier eine völlig neue Wissenschaft und Sprache zu erlernen ist und obgleich manchem

Besonderes Augenmerk wäre auf die Gedankenführung und die Beziehung der Texteinheiten zueinander zu legen. Stilistische und gedankliche Unebenheiten innerhalb der paulinischen Briefe geben bekanntlich den Literarkritikern Anlaß zu verschiedenen Teilungshypothesen im paulinischen Briefkorpus, doch bleibt die methodische Basis für solche Operationen oft zweifelhaft. Andererseits argumentieren ihre Gegner angesichts unbestreitbarer Brüche gelegentlich unter Zuhilfenahme der Psychologie mit Diktierpausen und überschlafenen und durchwachten Nächten etc. methodisch ebenso ungesichert.

Von besonderem Interesse wäre es fernerhin zu wissen, bei welchen Gelegenheiten sich Paulus welcher Stilmittel bediente und in welchem Maße sich darin wirkliche Praxis oder nur literarische Gepflogenheit niederschlug. Es wäre zu fragen, in welchem Maße der Diatribenstil bei ihm ein bloß literarisches Aussagemittel ist.

Bezüglich unserer konkreten Fragestellung wäre auch eine neue Untersuchung des sog. schriftstellerischen Plurals[135] und des Pendelns zwischen 1. Pers. Singular und 1. Pers. Plural innerhalb der paulinischen Briefe vonnöten. Auch hier ist zu überprüfen, in welchem Sinn ein bloß literarischer, in welchem ein gelebter Sachverhalt zum Ausdruck kommt.

Angesichts der Komplexität der mit der Verfasserfrage aufgeworfenen Sachverhalte und der Menge der ungeklärten Fragen scheint es nicht sinnvoll – in diesem Rahmen –, den aufgeworfenen Problemen im einzelnen oder in Ausschnitten nachzugehen. Ich begnüge mich deshalb hier damit, die Frage angeschnitten und an einigen Stellen ihre Reichweite bezeichnet zu haben, und bin mir dabei bewußt, daß die Erwägungen zur Mitverfasserschaft der Mitarbeiter an den paulinischen Briefen lediglich – nicht ganz unbegründete – Vermutungen bleiben.

Die oben vorgetragenen Überlegungen haben aber das Verhältnis zwischen der Autorität des Paulus einerseits, der Selbständigkeit der Mitarbeiter andererseits hinreichend deutlich werden lassen. Es muß differenziert betrachtet werden. Der Vorrang des Paulus vor seinen Mitarbeitern läßt sich nicht einfach etwa mit der Formel »primus inter pares« beschreiben. Denn in einer Hinsicht war Paulus grundsätzlich und ohne Einschränkung Autorität: in bezug auf das ihm übertragene Apostelamt und die Grundlegung des Evangeliums von Jesus Christus. In anderer Hinsicht aber, im Blick auf die gemeinsame Arbeit, war er grundsätzlich Gleicher unter Gleichen.

---

bislang der Ertrag linguistischer Texterschließung noch gering erscheinen mag, führt doch methodisch auf längere Sicht kein Weg an ihr vorbei, wie schon daran zu erkennen ist, daß sich binnen weniger Jahrzehnte die gesamte Sprachwissenschaft (nicht nur die germanistische) auf die methodischen Grundlagen der Linguistik umgestellt hat.

135 Vgl. dazu *Dick*, Plural; *v. Dobschütz*, Thessalonicherbriefe, 67f; *Windisch*, Korintherbrief, 33f; *Blass-Debrunner*, Grammatik, § 280,175f (Literatur); *Roller*, Formular, 168–187 und 578–590; *Gaechter*, Petrus, 351–363; *Lofthouse*, I and You, 72–80; *Suhl*, Paulus, 259 mit Anm. 11; und s. u. S. 226 mit Anm. 112.

6.4
Das Urteil des Paulus über seine Mitarbeiter

6.4.1
Der offizielle Charakter der Mitarbeiterbelobigungen

Sooft Paulus in seinen Briefen einen seiner Mitarbeiter erwähnt, tut er es fast nie ohne eine Bemerkung des Lobes[136]. Er übertrug ihnen, wie schon gesehen[137], eine Fülle verschiedener Prädikate und hob daneben nicht selten Rühmenswertes an ihnen hervor[138]. Diese vielfältigen, durchaus nicht stereotypen Äußerungen beziehen sich durchgängig auf gemeinsame Erfahrungen und konkrete Situationen. Sie sind deshalb nichts weniger als eine bloß übliche »Höflichkeitsform«[139] und literarische Pflichtübung.

Man wird in ihnen ebensowenig die Absicht des Paulus erspähen dürfen, seinen verdienten Mitarbeitern ein Denkmal zu setzen. Wenn man in Rechnung stellt, daß seine Briefe stets durch Boten überbracht wurden, so fiel es an sich diesen zu (was auch gelegentlich erwähnt wird[140]), persönliche Nachrichten, Lageberichte und dergleichen zu übermitteln. Daß in seinen Briefen überhaupt Mitarbeiter namentlich erwähnt werden, ist also schon ein auffallendes Phänomen. Denn er richtet seine Schreiben bewußt jeweils an die ganze Gemeinde und bemüht sich auch gerade dann, wenn er auf Schwierigkeiten einzelner Gemeindeglieder eingeht, sie als Probleme der ganzen Gemeinde darzustellen[141]. Viel eher hätte man also in apostolischen, an die Gesamtgemeinde adressierten Sendschreiben, in gewisser Weise ›unpersönlichere‹ Ausführungen zu erwarten, wie sie ja auch über weite Strecken begegnen und der übrigen neutestamentlichen Briefliteratur entsprechen[142]. Wenn sich Paulus folglich über seine Mitarbeiter äußert, so betrifft das einen die ganze Gemeinde angehenden Sachverhalt, und ebendies entspricht auch nur dem, was wir über ihre Funktion als Repräsentanten ihrer Gemeinden erarbeitet haben[143]. Nicht um der Mitarbeiter willen erwähnt sie Paulus, so darf man pointiert sagen, sondern um ihrer Gemeinden willen. Diese Äußerungen sind also nicht »persönliche Mitteilun-

---

136   Vgl. *Haller*, Mitarbeiter, 89.
137   S. o. S. 72ff.
138   Vgl. Röm 16,1f.3f.5f.7.8ff; 1Kor 16,10f.15–18; 2Kor 8,16–24; 12,17f; Phil 1,1; 2,19–23.25–30; 4,2f; 1Thess 3,1–5; Phlm 1f.4ff.10–12.23; vgl. Kol 1,7f; 4,7f.9.10f.12f.14.
139   *Fascher*, Timotheus, 1343. *Deißmann* (Paulus, 185) spricht von »gemütvollen Beinamen«.
140   Kol 4,7–9 (Eph 6,21); 1Kor 1,11; Phil 2,19; 2Kor 7,7; 1Thess 3,6 u. a.
141   S. o. Kap. 5 Anm. 87.
142   Eine Ausnahme bilden nur die Past, die damit die paulinischen Briefe kopieren und bestimmte theologische Aussagen machen wollen. Wieweit die im Gegensatz zu ihrem Briefkorpus stehenden persönlichen Briefschlüsse in 1Petr 5,12–14 und Hebr 13,23f durch die paulinische Briefliteratur beeinflußt worden sind (1Petr und Hebr stehen bekanntlich auch theologisch Paulus relativ nahe), sei als Frage aufgeworfen.
143   S. o. S. 119ff.

gen«[144], sondern tragen *offiziellen Charakter;* die Belobigungen für die Mitarbeiter sind letztlich Laudationes für ihre Gemeinden[145]. Das gilt für die Gemeindegesandten. Aber auch die übrigen Mitarbeiter des Paulus erfahren gelegentlich hohe Lobesworte und werden den Gemeinden warm empfohlen. Darin wird man das gleiche Anliegen entdecken dürfen, lediglich von der anderen Seite betrieben: Wie durch das Lob der Gemeindegesandten die Mitverantwortung der Gemeinden für das paulinische Missionswerk Anerkennung fand, so suchte Paulus mit den Belobigungen der übrigen Mitarbeiter ihre Arbeit vor den Gemeinden ins rechte Licht zu setzen, ihre Funktion und Bedeutung für die Gemeinden aufzuweisen und damit eine Brücke von ihnen zu den Gemeinden zu schlagen[146]. Sinn und Zweck der paulinischen Laudationes ist also in jedem Fall die Verklammerung seines Missionswerkes mit den Gemeinden.

Wenn Paulus sich in einem offiziellen Schreiben an eine Gemeinde lobend über bestimmte Personen äußert, dann klingt darin, formal betrachtet, die verbreitete Form der Empfehlungsbriefe an[147].

Das Ausstellen von Empfehlungsschreiben ist eine in der Antike weitbekannte Gepflogenheit[148], die dazu diente, einen dem Empfänger Unbekannten bzw. einen Boten auszuweisen und zu legitimieren, um freundliche Aufnahme und Unterstützung zu ersuchen. Auch im Urchristentum fand sie häufige Anwendung (Apg 9,2 ; 18,27 ; 22,5 ; 1Kor 16,3 ; 2Kor 3,1). Der Inhalt solcher Schreiben konnte, wie wohl dem 2Kor zu entnehmen ist[149], auch die Gestalt einer Aretalogie, speziell der Aufzählung pneumagewirkter Zeichen und Wunder annehmen. – Paulus hat es prinzipiell abgelehnt, sich von seinen Gemeinden Empfehlungsbriefe ausstellen zu lassen (2Kor 3,1 ; 5,12 ; 10,12.18), hat dem aber in zugespitzter Paradoxie seine Peristasenkataloge entgegengehalten (2Kor 4,8f ; 6,4–10 ; 11,23–33 ; 12,10)[150]. Andererseits bediente er sich selber zugunsten seiner Mitarbeiter durchaus des Empfehlungsschreibens, vgl. etwa Röm 16,1f[151] und den Philemonbrief[152].

---

144 Vgl. z. B. *Lähnemann,* Kolosserbrief, 57 ; ähnlich spricht etwa *Conzelmann* (Kolosser, 155) für Kol 4,7ff von »persönlichen Nachrichten« ; *Weiß* (Korintherbrief, 380) und gleichlautend *Wendland* (Korinther, 163) übertiteln 1Kor 16 : »Geschäftliches und Persönliches«. *Jeremias* (Briefe, 3) spricht von den »zumeist die paulinischen Briefe abschließenden Mitteilungen persönlicher Art«.

145 Das hebt auch, wenngleich mit anderer Intention, zu Recht *Gaechter* (Petrus, 342.343–348) hervor. Vgl. auch o. S. 120.

146 Das gilt in besonderem Maße für Timotheus: 1Thess 3,2ff ; 1Kor 4,17 ; 16,10f ; Phil 2,19ff ; vgl. 2Kor 1,19 ; ebenso für Titus: 2Kor 7,5ff ; 8,16ff ; 12,17f ; für Apollos: 1Kor 3,5ff ; 16,12 ; für Aquila und Prisca: 1Kor 16,19 ; Röm 16,3f.

147 Vgl. *Dibelius* (Philipper, 65) : »eine Art Empfehlungsbrief« ; aufgenommen von *Gnilka,* Philipperbrief, 157.

148 Belege werden von *Deißmann* (Licht, 136–139 ; 163–166 ; 199 Anm. 5) und *Windisch* (Korintherbrief, 103f) genannt.

149 Vgl. *Georgi,* Gegner, 241–246.

150 Zu 2Kor 12,10 vgl. besonders *Betz,* Christusaretalogie, 288–305.

151 Röm 16,1f enthält folgende Elemente: Empfehlung (συνίστημι ; vgl. *Deißmann,* Licht, 199 Anm. 5), Namensnennung, nähere Kennzeichnung der Person, Bitte um Aufnahme und Unterstützung, besonders lobenswerte Vorzüge, Eigenschaften oder Taten der Person.

152 Vgl. *Bjerkelund,* Parakalo, 120–124.

Die lobenden Äußerungen des Paulus über seine Mitarbeiter stellen aber keine Empfehlungen im eigentlichen Sinne dar, weil sie in der Regel nicht an fremde Gemeinden gerichtet und die Gelobten oft auch gar nicht die Überbringer des Briefes an die Gemeinden sind (vgl. 1Kor 16,15–18; Röm 16,3–5; Kol 1,7f; 4,12f). Eine Empfehlungsformel fehlt ihnen deshalb. Was die Gemeinden vielmehr erfahren sollen, ist, ob und wie sich ihre Leute in der Arbeit bei Paulus bewährt haben bzw. welche wichtige Funktion die Mitarbeiter für sie ausfüllen. Im Mittelpunkt des Lobes steht deshalb durchgängig der Hinweis auf die ›Arbeit am Evangelium‹.

Einige Beispiele sollen abschließend die vorgetragenen Beobachtungen verdeutlichen.

Von Prisca und Aquila heißt es in Röm 16,3f:

». . . Meine Mitarbeiter in Christus Jesus, die für mein Leben ihren eigenen Hals hingehalten haben, denen nicht allein ich danke, sondern alle heidenchristlichen Gemeinden . . .«

Es ist interessant, sich klarzumachen, was Paulus hier im einzelnen betont. Es sind vier Gesichtspunkte, die er lobend konstatiert: (1) der Hinweis auf ihre Arbeit »in Christus«; (2) ihre Bewährung bzw. Auszeichnung in einer konkreten Situation; (3) ihre enge Beziehung zu Paulus; (4) ihre Bedeutung für die Gemeinden.

Die gleichen Strukturelemente zeigen die Bemerkungen des Paulus über Epaphroditos (Phil 2,25–30):

». . . unseren Bruder und Mitarbeiter und Kampfgenossen, euren Abgesandten und Übermittler dessen, was ich brauche . . . Er sehnt sich sehr nach euch allen und ist in Sorge . . . Nehmt ihn also auf im Herrn in aller Freude und haltet solche Leute in Ehren, denn um des Werkes Christi willen ist er dem Tode nahegekommen. Sein Leben setzte er aufs Spiel um das zu tun, was eurer Dienstleistung für mich noch fehlte.«

Vor dem Werk des Epaphroditos und seiner Bedeutung für die Gemeinde tritt die persönliche Beziehung zu Paulus in den Hintergrund. Seine Bewährung geschah gegenüber dem ›Werk Christi‹, und darin wurzelt die Aufforderung, solche Leute zu ehren.

Weitere Beispiele für ausführliche Belobigungen der Mitarbeiter lassen sich noch ohne Mühe zusammentragen[153]. Bei aller konkreten Einmaligkeit und Andersartigkeit der entsprechenden Notizen ist es überraschend, daß häufig alle vier genannten Komponenten des Lobes Erwähnung finden[154], wenigstens aber einige von ihnen, in der Regel die erste und vierte[155].

Paulus beschränkte sich also auf gewisse Gesichtspunkte, wenn er die Mitarbeiter lobte. Damit wird deutlich, daß aus seinen Bemerkungen nicht rückgeschlossen werden kann, was er alles über sie dachte, sondern nur, was

153 Vgl. Anm. 138 und 146.
154 Insbesondere vergleiche man etwa 1Kor 4,17 (Timotheus); 2Kor 8,16f (Titus); Kol 1,7f (Epaphras); 1Kor 16,15–18 (Stephanas und seine Leute).
155 Vgl. etwa 1Kor 3,9 (Apollos); 2Kor 8,18f (unbekannter Mitarbeiter).

er an seinen Mitarbeitern gegenüber den Gemeinden hervorheben wollte. Von seinem eigenen Verhältnis zu ihnen spricht er allein unter dem Gesichtspunkt der gemeinsamen Arbeit. Für persönliche Urteile ist daneben kein Platz.

6.4.2
Kritik an den Mitarbeitern (Phil 1,14–18; 2,20f)

Nach dem bisher Besprochenen scheint sich nahezulegen, Paulus hätte überhaupt – wenigstens vor seinen Gemeinden – nie anders als positiv und lobend über seine Mitarbeiter gesprochen. Aber sind nie Spannungen zwischen ihnen aufgekommen, lief alles immer harmonisch ab? Und hat er niemals Kritik geäußert, ist sein Urteil über sie nirgends negativ ausgefallen? Diese Fragen sollen nicht psychologisch verstanden sein, nicht die ›Atmosphäre‹, den ›Teamgeist‹ zwischen ihnen betreffen. Vielmehr drängen sie sich dem auf, der erwägt, in wie viele Auseinandersetzungen Paulus mit seinen Gemeinden und in sie zugereisten Verkündigern verwickelt gewesen ist und daß die von ihnen vertretenen Vorstellungen, wenn sie in den Gemeinden guten Nährboden fanden, doch auf ihre Mitarbeiter nicht gänzlich ohne Wirkung geblieben sein mochten.

Nur in einem seiner uns bekannten Schreiben äußert sich Paulus auch kritisch über seine Mitarbeiter. Sie tritt deshalb um so auffälliger ins Licht, wenn ihr gewöhnlich auch kaum viel Aufmerksamkeit geschenkt wird. Mitten während einer umfangreichen Laudatio, vielleicht der persönlichsten und überschwenglichsten überhaupt, für seinen engsten Mitarbeiter Timotheus heißt es (Phil 2,20f): »Denn niemanden habe ich, mit dem ich so eins bin, der sich so redlich um eure Belange kümmerte. Sie alle verfolgen ja ihre eigenen Interessen, nicht die Christi Jesu.«

An dieser Bemerkung entzünden sich viele Fragen. Von wem redet Paulus hier? Er bezieht sich auf eine konkrete Gruppe, sonst könnte er sie nicht als οἱ πάντες (»sie alle«) bezeichnen. Weiter spricht alles dafür, daß Paulus seine Mitarbeiter im Blick hat[156]. Das folgt einerseits daraus, daß er ihnen Timotheus gegenüberstellt, andererseits daraus, daß er unter ihnen keinen gefunden hat, den er nach Philippi hätte schicken können, da er Timotheus doch noch gern bei sich behalten hätte (v 23).

Aber spricht Paulus damit ein globales Verdikt über den gesamten Kreis seiner Mitarbeiter aus? Das stünde im Widerspruch zu allem, was er sonst über sie schrieb.

Ruft man sich in Erinnerung, wer zu dieser Zeit, während seiner Gefangenschaft in Ephesus, bei ihm ist[157], so ist die Schar der Mitarbeiter nicht gerade klein. Sollen sie alle hier so herb kritisiert werden? Sollte Paulus auch jene Mitarbeiter im Sinn haben, die er in etwa zur gleichen

---

156 So richtig *Gnilka*, Philipperbrief, 159; ebenso *Michaelis*, Philipper, 50.
157 S. o. S. 58–61.

Zeit im Phlm (23f) Grüße bestellen läßt (vgl. Kol 4,7–14)[158]? Epaphroditos, den er gleich anschließend vor seiner Heimatgemeinde lobt, gehört offensichtlich nicht zu ihnen. Als Mitarbeiter sind in dieser Zeit weiterhin wahrscheinlich Prisca und Aquila bei ihm, über die er nicht viel später die höchsten Lobesworte ausspricht (Röm 16,3f), ebenso – falls er nicht auf Reisen war – Titus sowie Tychikos (2Kor 8,16ff; Kol 4,7f). Angesichts der sonstigen Äußerungen über sie können sie kaum unter das Verdikt von Phil 2,21 fallen.

Es müssen hier also wohl Ausnahmen gemacht werden. Wie ist dann das »sie alle« gemeint? Diese Bemerkung kann sich nicht einfach auf sämtliche Mitarbeiter des Paulus beziehen. Vielmehr nimmt Paulus eine bestimmte Gruppe von ihnen in den Blick, die – wenigstens – jene Mitarbeiter umfaßte, welche er theoretisch hätte nach Philippi entsenden können oder wollen[159].

Das bedeutet also, daß während der Zeit der ephesinischen Gefangenschaft des Paulus zwischen ihm und einer Reihe seiner Mitarbeiter – unter ihnen offensichtlich gerade die, welche er für befähigt hielt, Aufgaben wie die Timotheus übertragene Reise nach Philippi zu übernehmen – Unstimmigkeiten von nicht ganz geringen Ausmaßen aufgekommen sind. Woher sie rührten, sagt Paulus nicht[160]. Timotheus jedenfalls stand unbeirrt zu Paulus.

Unser Erklärungsversuch findet dann eine weitere Unterstützung und Aufhellung, wenn man einen Text aus dem gleichen Brief an die Philipper[161] mit der hier behandelten Stelle in Zusammenhang bringen kann[162], nämlich Phil 1,14–18.

Paulus wird, so berichtet er, während er im Gefängnis liegt, von einer Gruppe christlicher Verkündiger angefeindet, die sich ebenfalls in Ephesus aufhält und neben, aber nicht unabhängig von ihm Mission treibt. Daß es sich um Missionare handelt, geht eindeutig aus v15.17.18 hervor[163]; sie

158 Allerdings könnte der Phil, demzufolge sich die Gefangenschaft des Paulus inzwischen offenbar zur Entscheidung zugespitzt hat (2,24; 1,7.13.20–22), etliche Zeit nach dem Phlm geschrieben und die Phil 2,21 angedeuteten Spannungen erst danach zum Ausbruch gekommen sein.

159 Das οἱ πάντες besitzt dann nicht grundsätzlichen Sinn (= sämtliche von meinen Mitarbeitern), sondern konkret-demonstrativen: alle diejenigen, die ich hätte zu euch schicken können.

160 Lohmeyer (Philipper, 117) glaubt, es sei »die Furcht vor dem Leiden« gewesen, was jene Gruppe »das Ihre suchen« ließ. Aber davon steht nichts da; ebensowenig davon, sie dächten an »ihren Vorteil und ihren Ruhm« (Friedrich, Philipper, 114).

161 Zur Aufteilung des Phil s. o. Kap. 2 Anm. 116.

162 Das ist, allerdings unter anderer Einschätzung der »Gegner« des Paulus, schon gelegentlich versucht worden, vgl. Michael, Philippians, 41.115; Jewett (Movements, 365.369), wird jedoch in der Regel abgelehnt (Michaelis, Philipper, 19.50; Gnilka, Philipperbrief, 159) und meist überhaupt nicht näher zur Frage gemacht; vgl. Dibelius, Philipper; Lohmeyer, Philipper; Friedrich, Philipper, jeweils z. St.

163 Das betont auch Michaelis (Philipper, 20). Die engeren Mitarbeiter des Paulus könnten aber (trotz 2,21) nicht gemeint sein, denn »in ihren Reihen dürften sich . . . kaum die in 1,15ff charakterisierten Mißgünstigen befunden haben« (19). Um welche »Missionare« es sich handelt, bleibt ungeklärt.

gehören alle zusammen zu den »Brüdern« um Paulus, die mit ihm das Wort verkündigen (v 14) und – positiv oder negativ – lebhaften Anteil am Geschick und Verlauf seiner Gefangenschaft nehmen (v 14.16f). Zwei Gruppen stehen sich gegenüber. Paulus unterscheidet zwischen denen (τινὲς μέν bzw. οἱ μέν), die »aus Liebe«, und denen (τινὲς δέ bzw. οἱ δέ), die »aus Rivalität« »den Christus verkündigen« (v 16.17a)[164]. Nichts deutet in unserem Text darauf hin, daß es sich bei jenen Christusverkündigern um eine Gruppe handelt, die von außen in die Gemeinde eingedrungen wäre[165], der

164 V 15a und v 15b einerseits, v 16 und v 17 andererseits sind jeweils in sich völlig parallel, zueinander chiastisch gebaut. Paulus führt den Vergleich zwischen beiden Gruppen mit beachtlicher Akribie durch (vgl. noch v 18!, ebenfalls 2,20f). Daß er von seinen Freunden nur kurz, von seinen Gegnern ausführlich rede, wie die Kommentare einmütig wiederholen (vgl. z. B. *Lohmeyer*, Philipper, 46; *Friedrich*, Philipper, 102; *Gnilka*, Philipperbrief, 60), stimmt nicht (angesichts v 14 ohnehin nicht).

165 Ältere Ausleger (*Ewald, Klöpper, Meyer, Lightfoot*; aufgeführt und belegt bei *Jewett*, Movements, 365 Anm. 2) sahen in den »Gegnern« des Paulus »Judaisten«, doch ohne irgendeinen Anhalt am vorliegenden Text. Ebenso denkt *Lohmeyer* (Philipper, 46f) an eine judaisierende Richtung und begründet den merkwürdigen Sachverhalt, daß Paulus hier über ihr Treiben »von hoher Warte hinwegsieht«, während er es sonst leidenschaftlich bekämpft, zum einen damit, daß Paulus »nicht mehr im Kampf um sein Evangelium« stehe, sondern »durch sein Martyrium . . . dem Ringen um die ›Frucht der Arbeit‹ (1,22) entnommen und wie in einen geheiligten Bezirk eingetreten« sei (47), zum andern unter Stützung auf seine Hypothese, der Phil sei aus Caesarea geschrieben, mit der Annahme, Paulus besitze in der nicht von ihm gegründeten Gemeinde »kein unmittelbares Recht«, so daß er »nur die Distanz eines Zuschauers wahren« könne (ebd.). – Beide Argumente widersprechen sich im Grunde; außerdem vermag weder die Märtyrer-Deutung noch die Caesarea-Hypothese *Lohmeyers* zu überzeugen (vgl. dazu bes. *Gnilka*, Philipperbrief, 18–25 et passim; *Suhl*, Paulus, 145–148). Eine reine, am Text nicht aufgewiesene Vermutung ist auch die von *Friedrich* vertretene Annahme, die »Gegner« des Paulus seien »hellenistische Judenchristen aus dem Kreise um Stephanus« gewesen, »die in Paulus einen sie überflügelnden Konkurrenten sahen«, sich »über die Erfolge des Apostels geärgert« und die Gelegenheit seiner Inhaftierung ausgenutzt hätten, um »wieder zu Ansehen zu kommen und Menschen an sich zu ketten« (Philipper, 102). Phil 1,12ff zeigt aber keine Wettbewerbssituation, sondern eine verschiedene Einschätzung der Lage des Paulus (s. u.). – Eine neue These hat *Jewett* versucht. Er greift die von *Georgi* (Gegner) u. a. versuchte Beschreibung der Gegner im 2Kor als θεῖοι ἄνδρες auf und möchte zeigen, daß »the opponents in Ephesus were intinerant Christians missionaries with a divine-man theology similar to that which appears in II Corinthians. They held that the humiliating imprisonment proved the inadequacy of Paul's apostolic claims, and that since it did not reveal the triumphant power of Christ, it hindered the progress of the gospel« (Movements, 371). Er begründet das im einzelnen damit, die Gegnerschaft gegen Paulus habe sich Phil 1,12ff gegen seine Gefangenschaft gerichtet, und zwar habe man ihr abgesprochen, daß sie »in Christus« (v 13), nämlich als »a manifestation of Christ's saving activity« (367) geschähe. Weiter übernimmt *Jewett* (obgleich für ihn der Phil aus Ephesus geschrieben ist) z. T. *Lohmeyers* These: Paulus seien die Hände gebunden gewesen, gegen seine Widersacher vorzugehen, da er in Ephesus nicht der erste Missionar gewesen sei (366). Schließlich entsprächen sich die Vorwürfe gegen die Gegner in Phil 1,15.17f; 2,20f und 2Kor, insbesondere 2Kor 12,20 (368–371). – Aber 2Kor 12,20 wie Phil 1,15ff ist allgemeine Sprache der Lasterkataloge (s. u.), und alle übrigen Vergleichsmomente sind vage und in den Phil-Text hineingelesen. Weiter ist nicht denkbar, daß Paulus, der seine Gegner im 2Kor mit allen Mitteln bekämpfte (vgl. auch 2Kor 11,4!), hier gar keinen Ansatz dazu unternimmt (die These, Paulus hätte nicht gegen sie vorgehen können, stammt nicht aus dem Text; 1Kor 3,10f und der Kol sprechen gegen sie). Über eine θεῖος-ἀνήρ-Verkündigung hätte Paulus sich kaum gefreut (v 18f). Der Streitpunkt lag nicht in der Christologie (s. u.). –

Streit spielt sich vielmehr innerhalb der Gemeinde ab. Das gibt v 14 deutlich zu erkennen: Die Auseinandersetzung findet im Kreis der Brüder statt, und zwar in einem Kreis, der schon länger zusammenarbeitet und dessen einer Teil durch die inzwischen erfolgte günstige Entwicklung der Lage (v 12f) noch mehr Mut zur Verkündigung bekommen hat. Alle diese Beobachtungen lassen nur den Schluß zu, daß sich die Phil 1,14–18 erwähnte Kontroverse im Kreis der Mitarbeiter des Paulus abgespielt hat[166] und folglich dieselbe Lage betrifft, auf die auch 2,21 anspielt.

Das »sie alle« von 2,21 findet dann hier einen breiteren Hintergrund. Paulus konnte sich dort so global äußern, weil er hier bereits davon berichtet hatte und die Philipper wußten, wen er im Blick hatte. Allzu groß scheint der Einfluß der Gruppe allerdings nicht gewesen zu sein[167]. Paulus berichtet, daß »die meisten von den Brüdern« seine Gefangenschaft zum Anlaß nahmen, sich noch eifriger der Verkündigung des Wortes zu widmen (v 14). Aber der Abschnitt zeigt doch insgesamt, daß zwischen Paulus und etlichen von seinen Mitarbeitern – unter ihnen nicht die unbedeutendsten – erhebliche Auseinandersetzungen stattgefunden haben.

Wie kam es zu diesen Streitigkeiten unter den Mitarbeitern, welches waren die Motive jener Gruppe, die gegen Paulus arbeitete, worin lagen ihre »eigenen Interessen« (2,21), wie Paulus formuliert[168]?

Dibelius (Philipper, 56) sieht in v 15ff eine allgemeine Missionserfahrung des Paulus beschrieben (ähnlich *Eichholz*, Bewahren, 94, der von Paulus meint: »Er muß es hinnehmen, daß er . . . als unbequemer Mann gilt«). Es werde gar keine Sondergruppe charakterisiert. Dagegen steht aber die schon v 14 (πλείονες) getroffene und in v 15 ausgeführte Unterscheidung sowie die Parallelität von v 14 und v 17b. *Dibelius* versucht folgerichtig keine Identifizierung der Opponenten (ähnlich *Vincent* und *Michel*, belegt bei *Jewett*, Movements, 369 Anm. 3). Ebenfalls verzichtet *Gnilka* darauf und meint nur – seltsamerweise ohne eine Begründung –, »daß sie dem engeren Mitarbeiterkreis zugehören, dürfte . . . unwahrscheinlich sei« (Philipperbrief, 59). Infolgedessen bestreitet er die Beziehung von 1,14ff zu 2,21 (ebd., 159).

166   Diese Erklärung ist m. W. bisher noch nicht versucht worden. Die jüngst von *Suhl* (Paulus, 168–175) versuchte Deutung, wonach die Phil 1,15–17 erwähnten Personen zwei Gruppen seien, »die außer den Brüdern der christlichen Gemeinde v 14 jetzt auch noch tätig werden« (169), wobei es sich bei ihnen »nicht um konkurrierende christliche Prediger, sondern um Juden handelt« (171), stellt m. E. den Text auf den Kopf. Daß sie Christusverkündiger sind, geht aus v 15.17.18 eindeutig hervor. Die Gruppen (v 15ff) nicht auf die Brüder (v 14) zu beziehen, geht gegen den Textsinn, nach dem v 14 durch v 15 erläutert wird. Abwegig erscheint mir *Suhls* Interpretation (172), die »Christusverkündigung« jener gegen Paulus arbeitenden Gruppe habe darin bestanden, daß sie Paulus vor der Behörde als Christen (d. h.: nicht als staatlich privilegierten Juden) hinstellen wollten.

167   Damit wohl auch ihr zahlenmäßiger Umfang.

168   Mehr als Andeutungen lassen die Texte nicht erkennen. Daß der Phil überhaupt so ausführlich auf eine konkrete Situation des Paulus am Ort seiner missionarischen Tätigkeit eingeht, hat in den übrigen Paulusbriefen keine ähnliche Parallele und gibt dem Phil einen singulären Platz unter ihnen. Zwar mögen die Philipper hinsichtlich der Gefangenschaft und der Entwicklung der Lage angefragt haben (1,12); sie war ihnen offenbar schon bekannt, und Paulus wußte um ihre Anteilnahme an seinem Schicksal (1,7). Aber die gegebene Schilderung zeigt doch zugleich ein besonderes Vertrauensverhältnis an (vgl. die überschwengliche Danksagung v 3–11). Paulus geht davon aus, daß die Philipper hinter ihm stehen.

»Sie verfolgen ihre eigenen Interessen, nicht die Jesu Christi«, sagt Paulus (2,21). Welche Interessen sie positiv besitzen, bleibt hier offen. Ihre Intention ist jedenfalls falsch[169]. Während Paulus 1,15–18 die Motive (v 18a) der beiden Gruppen nach der positiven und negativen Seite hin beschreibt, charakterisiert er die der gegen ihn arbeitenden Gruppe in 2,20f lediglich aus dem Gegensatz zu dem Verhalten des Timotheus, wodurch aber eine noch größere Schärfe entsteht. Im Vergleich der Personen bricht die emotionale Betroffenheit des Paulus stärker durch, doch er spricht seinen Kontrahenten auch hier nicht ab, daß sie Christus verkündigen. Aber die Art, wie sie es tun, entspricht nicht der Sache Christi. Nur Timotheus bildet die vorbildliche Ausnahme. In 1,15–18 hingegen liegt ihm alles daran, den Konflikt zu entpersonalisieren.

So gewinnt er hier eine sachliche Ebene der Auseinandersetzung, die ihn über den persönlichen Zwist hinwegsehen läßt und auf der ihm andererseits eine Zusammenarbeit mit ihnen möglich bleibt. Denn das ist nun das Erstaunliche: Obgleich Paulus ihnen unlautere Motive vorwirft – sie predigen Christus »aus Neid und Streitsucht« (v 15), »aus Rivalität« und »nicht lauter« (v 17) –, erkennt er ihnen doch zu, daß sie »Christus verkündigen« (v 15.17.18). Auch Paulus selber charakterisiert seine Missionsarbeit anderwärts mit dieser Formulierung[170], präzisierte sie allerdings im konkreten Fall entscheidend (1Kor 1,18). Doch sah er in der vorliegenden Situation an *dieser* Stelle keinen Gegensatz[171], ohne daß damit Näheres über die Christusverkündigung seiner Widersacher ausgesagt wäre.

Wenn er ihnen aber uneingeschränkt bescheinigt, daß sie Christus verkündigten – was waren dann, so frage ich nochmals, eigentlich die Motive der mit Paulus in Streit geratenen Mitarbeiter, wogegen wandten sie sich, wenn sie Paulus angriffen, und wie war es überhaupt zu den Auseinandersetzungen gekommen?

Aus den gegen sie erhobenen Vorwürfen gelingt es kaum, ein genaueres Bild zu gewinnen[172]. In dieser Hinsicht etikettiert Paulus sie lediglich mit gebräuchlichen Topoi der Lasterkataloge[173]: Mißgunst, Streitsucht, Zwistigkeiten, Unlauterkeit. Allerdings wird man wohl aus der Wahl gerade dieser Begriffe und ihrer Kontrastierung mit dem Verhalten der anderen

---

169 Gemäß der Parallelität der Formulierungen in 2,20b.21: τὰ περὶ ὑμῶν μεριμνήσει – τὰ ἑαυτῶν ζητοῦσιν – τὰ Ἰησοῦ Χριστοῦ (ζητοῦσιν) interpretieren sich die erste und letzte Aussage und stellen deshalb das rechtschaffene »Sorgen« des Timotheus (v 20b) als das »die-Sache-Jesu-Christi-Betreiben« (vgl. *Gnilka*, Philipperbrief, 158) in Kontrast zum Verfolgen eigener Interessen; der Ton liegt (μεριμνᾶν, ζητεῖν!) also auf der in ihrer Handlungsweise sich offenbarenden Intention und Motivation (*Gnilka*, ebd.), während die Handlung selbst (nach 1,15–18 das Verkündigen Christi) inhaltlich nicht genannt wird.
170 1Kor 15,12; 2Kor 1,19; 4,5.
171 Dies spricht entscheidend gegen die These *Jewetts*, s. Anm. 165.
172 Das ist immer wieder versucht worden, zuletzt von *Jewett*, Movements, 369–371.
173 Den Nachweis dazu hat *Gnilka* (Philipperbrief, 60f) im einzelnen geführt; vgl. aber auch schon *Lohmeyer*, Philipper, 44f.

Gruppe (Wohlwollen, Liebe)[174] schließen dürfen, daß ein wesentlicher Vorwurf gegen sie darin lag, sie hätten ihrerseits Spannungen und Rivalitäten in die Gemeinde getragen und die gegenseitige Solidarität der Verkündiger untereinander vermissen lassen[175]. Aber damit ist noch nicht viel gesagt.

Immerhin finden sich daneben nun auch noch einige auf die konkrete Lage des Paulus bezogene Bemerkungen, die einen Anhalt geben können, aus welcher Richtung man die Anfeindungen gegen ihn inszenierte. (Das Folgende versteht sich lediglich als Rekonstruktionsversuch.) Von denen, die Christus »aus Liebe« verkündigen, sagt Paulus: »Sie haben erkannt, daß ich wegen der Verteidigung des Evangeliums gefangenliege« (v 16), während er der anderen Gruppe nachsagt: »Sie glauben mir damit in meiner Gefangenschaft Kummer zu bereiten« (v 17). Die Auseinandersetzung steht also im Zusammenhang mit der Gefangenschaft des Paulus, genauer: mit ihrer positiven oder negativen Einschätzung für den Fortgang der Evangeliumsverkündigung. Darauf verweisen v 12f sowie insbesondere v 14, die erste Erwähnung des Paulus zu den Spannungen im Mitarbeiterkreis: »Die Mehrzahl der Brüder hat im Herrn Vertrauen gewonnen durch meine Fesseln, mit gesteigertem Mut furchtlos das Evangelium zu verkünden.« Paulus kann den Philippern berichten, daß in seiner Lage eine Veränderung eingetreten ist[176]: Seine Gefangenschaft ist innerhalb des ganzen Prätoriums und sogar darüber hinaus bekanntgeworden, sie hat Aufsehen erregt[177]. Man hat erkannt, daß er sie um Christi willen erlitten (v 13)[178]. In einer Ver-

---

174 Zu Recht hebt *Gnilka* (Philipperbrief, 61) hervor, daß in dem Wort εὐδοκία (v 15) das Moment der Zuneigung und des Wohlwollens enthalten sei (Röm 10,1), nicht nur das guter Gesinnung. Ähnliches gilt auch für die ἀγάπη (v 16). Auch die Liebe erscheint als Topos der Tugendkataloge (vgl. Gal 5,22; 2Kor 6,6; 1Tim 4,12; 6,11; 2Tim 3,10) und darf hier wohl nur mit Vorsicht inhaltlich ausgelegt werden.

175 *Gnilka*, ebd., 62.

176 Vgl. *Michaelis*, Philipper, 19.

177 *Linton* (Situation) betont, die Pointe der Situationsbeschreibung des Paulus liege nicht darin, daß er gefangen sitze, sondern: »Paulus ringt um Anerkennung dessen, daß er als Christ gefangen sitzt« (10). Seine Opponenten seien der Meinung gewesen, »daß Paulus nicht als Christ gefangen sitzt, sondern allein für sich zu verantworten hat, d. h. sie unterscheiden zwischen der Sache des Paulus und der Sache des Evangeliums«. Denn »ist ein Christ gefangen gesetzt worden, muß die Frage entstehen, ob als Christ oder ob als Verbrecher« (11). Letzteres konnte aber doch im Kreis der Missionare um Paulus kaum strittig sein. Die Unterscheidung zwischen Person und Sache ist viel zu modern und akademisch gedacht. So hat *Linton* auch Schwierigkeiten, jenseits allgemeiner aus Apg 21ff entnommener Erwägungen über die Haft des Paulus als Christ konkret zu sagen, wie es zu dem *gegen Paulus* gerichteten Verhalten am Ort seines Wirkens gekommen ist (ebd., 15f). So sucht er die Absicht (οἰόμενοι), Paulus Kummer zuzufügen (v 17), als dessen Interpretation darzustellen; doch ist nicht einzusehen, wieso die von Paulus ausdrücklich als Christusverkündiger bestätigten Gegenspieler ein Interesse daran besitzen sollten, die auch für ihre Mission günstigere öffentliche Einschätzung der Haft des Paulus als einer, die um Christi willen geschah, zu hintertreiben.

178 Das ist der Sinn des φανεροὺς γενέσθαι (v 13; mit*Gnilka*, Philipperbrief, 56f). Undeutlich spricht *Lohmeyer* vom öffentlichen Bekanntwerden der Haft des Paulus als »Offenbarung in Christus« (Philipper, 38–40).

handlung hatte er anscheinend schon Gelegenheit bekommen, es unter Beweis zu stellen (v 7). Dieses Bekanntwerden seines Falles und die gelungene gerichtliche Verhandlung des Paulus, in der er das Gericht von seinen Motiven zu überzeugen vermochte[179], hat die Verkündigung der Mehrzahl der Brüder beflügelt, um so mehr, als jetzt zu hoffen war, daß die Behinderung der Evangeliumsverkündigung nun bald ihr Ende finden würde[180]. Mit dieser Entwicklung bestätigte sich für Paulus, daß seine Gefangenschaft der Sache des Evangeliums diente (v 14), »in Christus« geschah (v 13), daß es in ihr allein um die Verteidigung des Evangeliums (v 16) ging. Seine Kontrahenten schätzten demnach die Lage entgegengesetzt ein: die Gefangenschaft, gleich, ob die Motive für sie nun von allen verstanden würden oder nicht, schade nur der Verkündigung – eine Meinung, die sie öffentlich propagierten und auch vor Paulus keineswegs zurückhielten, um ihm in seiner Haft »Kummer zu bereiten« (v 12), d. h. vielleicht: ihm immer wieder die Beurteilung seiner Gefangenschaft als falsch vorzuhalten.

Wenn der Streit also um den Sinn und Wert der Einkerkerung für die Verkündigung ging, so muß man Paulus bestritten haben, daß es die Sache des Evangeliums war, deretwegen er in Gefangenschaft geriet[181], oder man hat im Intereresse des Evangeliums den Anlaß der Inhaftierung für vermeidbar gehalten[182] und sich in dieser negativen Beurteilung durch die ungünstige Entwicklung des Falles bestärkt gesehen. Vielleicht warf man ihm vor, er habe sich unnötig nach dem Leiden gedrängt und sich in Lebensgefahr ge-

---

179 Das betont *Suhl* (Paulus, 162f): Paulus habe einen für ihn erfolgreichen Termin hinter sich, »so daß er in der nächsten Verhandlung zuversichtlich einen Freispruch erwartet«. Daraufhin kündige Paulus seinen Besuch an (2,24). Allerdings ist es nach Phil 1,19ff für Paulus noch keineswegs ausgemacht, daß seine Gefangenschaft nicht zum Tode führen wird (vgl. auch die offene Beurteilung der Lage in 2,23).

180 Mit Paulus waren ja auch einzelne Mitarbeiter verhaftet worden (Phlm 23; Kol 4,10). – *Suhl* (Paulus, 167) will aus 1,14 schließen, es sei »mit der Inhaftierung des Paulus jegliche Missionstätigkeit überhaupt zum Erliegen« gekommen. Dagegen spricht jedoch die Bemerkung über Epaphroditos, der während der Missionsarbeit krank wurde (2,26–30), weiter die Fülle der Grüße, die die Mitarbeiter des gefangenen Paulus aus Ephesus entsenden (Phil 4,21; Phlm 23f; Kol 4,7ff), sowie die obige Analyse, nach der der in Phil 1,12ff; 2,21 angedeutete Streit im Kreis der Mitarbeiter stattfand.

181 Daß es die Sache des Evangeliums ist, derentwegen Paulus im Gefängnis liegt, betont er nicht nur im Phil. Diesen Punkt streicht er auch Phlm 1.9 (»Gefangener Jesu Christi«) besonders heraus. Gleiches gilt auch und noch stärker für den Kol: »Jetzt freue ich mich in meinen Leiden, die ich um euretwillen auf mich nehme, und fülle an meinem Körper das noch nicht volle Maß der Christusleiden auf: für seinen Leib, die Kirche, deren Verkündiger ich geworden bin . . .« (1,24f). So wird auch Kol 4,3 die Gemeinde zur Fürbitte für den gefangenen Apostel aufgerufen (vgl. 4,18!): »damit Gott uns eine Tür für die Verkündigung des Geheimnisses Gottes öffne, *um dessentwillen ich gefesselt liege*, damit ich es öffentlich mache (!; vgl. Phil 1,13!), wie ich es verkündigen muß.« – Zu diesen Beziehungen zwischen Phil, Phlm und Kol vgl. noch Kap. 4 Anm. 39 und Kap. 7 Anm. 108.

182 Ob Apg 19,30 dafür womöglich eine historische Reminiszenz bietet? Vgl. dazu o. Kap. 2 Anm. 216 und 217.

bracht[183] – eine Gefahr, die nach 1,19–26; 2,23 noch immer nicht behoben war[184] – und damit, abgesehen davon, daß er für die Arbeit am Ort weitgehend ausfiel, auch den Fortgang der Missionsarbeit überhaupt in Frage gestellt. Paulus seinerseits war darüber anderer Ansicht. Das Verhältnis von Aposteldienst und Leiden, das Paulus im Zusammenhang seiner Peristasenkataloge immer wieder darlegt (vgl. 1Kor 4,9ff; 2Kor passim), kann für seine Entscheidung nicht ohne Bedeutung gewesen sein[185]. Jedenfalls war er sich seiner Sache vollkommen sicher und verstand die Agitation seiner Opponenten als nicht der Sache Christi dienendes Entfachen von Streitereien.

»Was tut's? Wenn nur überall, sei es in unredlicher Absicht oder ehrlicher Gesinnung, Christus verkündigt wird! Und darüber freue ich mich!« (v 18). So beschließt Paulus die Erörterung in der Einsicht, daß man über den Konflikt geteilter Meinung bleiben wird – und sein kann, ohne damit als christlicher Verkündiger untragbar zu werden. Die Sache des Evangeliums ließ verschiedene Aspekte und unterschiedliche persönliche Standpunkte zu[186]. Wenn Paulus auch in anderen Fällen, wie die Konflikte mit seinen Gegnern zeigen, ganz anders urteilte[187] – hier kündigte er die Gemeinschaft am Evangelium nicht auf (wie er aber auch seinen von Gegnern verwirrten oder gar verhetzten Gemeinden selber die Gemeinschaft nie aufkündigte!), hier arbeitete man weiter zusammen – wenn auch mit unterschiedlichen Intentionen. Diese Gruppe blieb doch weiter ein Teil seines Mitarbeiterkreises. Das Kriterium des Χριστὸν κηρύσσειν, nach dem Paulus die Mitarbeiterschaft beurteilte, blieb für ihn bindend – bei aller persönlichen Betroffenheit, wie sie aus 2,20f noch spürbar wird.

So blieb er in einem entscheidenden Prüfungsfall seinen in 1Kor 3,5–15 formulierten Maßstäben treu und unterstellte sich als Apostel ihnen ebenso wie jeden anderen Mitarbeiter; in dieser Hinsicht als Mitarbeiter unter Mitarbeitern.

---

183 Über nähere Einzelheiten läßt sich nur spekulieren. Gegen die Mutmaßung *Suhls* (Paulus, 171ff), Paulus sei von den Juden des Aufruhrs verdächtigt worden, weil er die Religionsfreiheit der Juden gefährdete, vgl. o. Anm. 166.

184 Die Rivalitäten dauern noch an. Auch das spricht gegen *Lintons* These (vgl. Anm. 177).

185 Insoweit wird man auch *Jewett* (vgl. Anm. 165) zustimmen dürfen, dessen Beobachtungen aber vor allem daran scheitern, daß er die Widersacher des Paulus in die vereinheitlichende Front seiner sonstigen Gegner stellen möchte.

186 Die »frappierende Sachlichkeit« und »vorbildliche Ressentimentlosigkeit« des Paulus (*Eichholz*, Bewahren, 94) rührt deshalb kaum daher, daß seine Gegnerschaft »nur vordergründigen Charakter« besaß, »der letzten Begründung« entbehrte, so daß Paulus »damit fertig werden« konnte (ebd.). Weder die Haltung seiner Widersacher noch seine eigene dürften so »vordergründig« einzuschätzen sein.

187 Vgl. speziell Gal 1,6–9; 2Kor 10–13; Phil 3,2f.18f.

6.5
Ergebnisse

Ich stelle abschließend die wichtigsten Ergebnisse dieses Kapitels zusammen. Ich fragte nach der Basis, nach dem theologischen Kriterium der Zusammenarbeit zwischen Paulus und seinen Mitarbeitern. Die Grundlage ihrer Zusammenarbeit bildet das vom Apostel verkündigte, der Gemeinde zum ›Fundament‹ gemachte Evangelium von Jesus Christus (1Kor 3,10f) und darüber hinaus sonst nichts. Dieses Evangelium setzt ihnen allen, auch Paulus selbst, in gleicher Weise die Maße. Es allein bestimmt die Kriterien der Mitarbeiterschaft. Weil dieses Evangelium Paulus in seiner Berufung zum Heidenapostel anvertraut wurde, ist es zugleich »sein« Evangelium, ist es unauflöslich an seinen Apostolat und ihn als Person gebunden, und er ist unvertretbar für es verantwortlich (1Kor 9,16). Als Apostel ist er ›Fundamentsetzer‹. Darum wird seine Verkündigung und sein Wirken in der Gemeinde allen Mitarbeitern zum Maßstab. Insofern forderte Paulus Gehorsam und beanspruchte Autorität, und zwar unbedingte, nicht für sich, sondern für das Evangelium, d. h. für Christus selber. Insofern verstand er sich auch als Vater der von ihm Bekehrten, mit dem Recht, sie zu ermahnen, zurechtzuweisen, selbst zu strafen (1Kor 4,21; 2Kor 13,10 u. a.), und stellte sich selbst ihnen als Vorbild hin.

Wo man aber auf der gemeinsamen Basis des Evangeliums stand, behauptete Paulus keinerlei private Vorrechte oder persönliche Vormachtstellungen, vielmehr lag ihm alles daran, das Verhältnis zu seinen Mitarbeitern partnerschaftlich zu gestalten. Das findet seinen Ausdruck darin, wie er seine ›Vaterschaft‹ im familiär-fürsorglichen Sinne auszulegen suchte oder wie er, wann immer er von seinen Mitarbeitern redete, vor allem ihre eigenständige, in Christus gründende Arbeitsfunktion betonte. Speziell in der Erwähnung einzelner (oder auch einmal aller) Mitarbeiter in den Präskripten der paulinischen Briefe findet ihre mündige, die paulinische Arbeit mitverantwortende Rolle einen deutlichen Ausdruck. Etliches spricht auch dafür, daß sie an der Abfassung der Schreiben mitbeteiligt waren, so daß die Briefe des Paulus stärker aus dem Kontext der in seinem Mitarbeiterkreis lebendigen theologischen Anschauungen verstanden werden müßten, was allerdings erst durch umfänglichere Untersuchungen genauer nachzuweisen wäre. Jedenfalls hebt Paulus immer wieder die Eigenständigkeit seiner Mitarbeiter hervor und stellt sich nicht über, sondern neben sie. Er suchte sie nicht an sich zu binden, zu gehorsamen und willfährigen Ausführungsorganen seiner weltgeschichtlichen Initiativen zu degradieren. Alle Versuche, über die apostolische Vorrangstellung hinaus ihr Verhältnis in amtlichen oder hierarchischen Kategorien zu fassen, sind verfehlt. Nicht seine persönlichen Maßstäbe machten sie zu seinen Mitarbeitern.

Das gilt auch noch dort, wo er mit ihnen in Spannung gerät, ja, wo man gegen ihn polemisiert (Phil 1,14ff; 2,20f). Gerade hier, in der extremsten Situation, bewährt er seine Kriterien der Zusammenarbeit. Nicht er ist der

Angelpunkt seines Mitarbeiterkreises, der ihn zusammenhält, sondern das von ihm wie von ihnen (wenn auch z. T. mit fragwürdigen Motiven) gleichermaßen zum Maß gesetzte und verkündigte Evangelium, die Arbeit am gleichen Werk. Von einem gleichmäßig harmonischen Zusammenwirken des Paulus mit seinen Mitarbeitern wird man nicht ausgehen dürfen. In dieser Hinsicht bildete sein Verhältnis zu seinen Mitarbeitern gegenüber dem zu seinen Gemeinden durchaus keine Ausnahme. Aber es gelang Paulus, diese Konflikte trotz starker persönlicher Betroffenheit zu entpersonalisieren. Wie er gegen Missionare, die das Fundament versetzten (2Kor 11,4), mit leidenschaftlicher Schärfe angehen konnte, so war es ihm möglich, einen Streit, der der Verkündigung des Evangeliums nicht entgegenstand, geradezu zu übergehen (Phil 1,18).

7
Die Mitarbeiter als eigenständige Theologen

Waren die Mitarbeiter nicht bloß »Gefährten« und »Gehilfen« des Paulus, standen sie in partnerschaftlicher Verbindung zu ihm und arbeiteten sie verantwortlich und mündig in der Missionsarbeit mit, dann waren sie auch eigenständig denkende Theologen.

Damit ist, nachdem wir das Verhältnis der Mitarbeiter sowohl zu ihren Gemeinden als auch zu Paulus eingehend beleuchtet haben, das Thema des letzten Kapitels bezeichnet. Ins Licht treten die Mitarbeiter in ihrer theologischen Bedeutung neben Paulus.

Daß sie *Theologen* waren, wird man nach der bisherigen Lektüre für keine allzu gewagte Aussage halten, um so weniger, wenn man sich an ihre aktive Rolle in der Mission erinnert, wenn man z. B. daran denkt, wie durch sie eine rege Umlandmission einsetzte oder wie etwa Timotheus nach Korinth entsandt wurde, damit er dort in Erinnerung brächte, was Paulus allenthalben in jeder Gemeinde lehrte (1Kor 4,17). Nicht darauf soll hier also der Ton liegen, sondern auf dem Tatbestand, daß sie *eigenständige* Theologen waren.

Neben Paulus stellt die Forschung meist nur solche theologischen Denkbewegungen in Rechnung, gegen die Paulus anging, die er bekämpfte. Was seine Gegner anging, hat man schon viel Mühe aufgewandt, ihre Positionen darzustellen. Was seine Mitarbeiter anbetrifft, werden sie an der Seite des autoritativen Apostels und überragenden Theologen Paulus meist gänzlich übersehen und vergessen – Eckensteher ohne Bedeutung an den Wegen paulinischen Wirkens.

Daß sie jedoch – als Evangeliumsverkündiger – durchaus ihre eigenen Ansichten besaßen, daß sie sie nicht nur vertraten, sondern teilweise auch gegen Paulus durchzusetzen versuchten, haben die Beobachtungen über den Streit zwischen Paulus und seinen Mitarbeitern in Ephesus (Phil 1,12–18; 2,20f) deutlich machen können. Es ging dabei – soviel wenigstens läßt sich sagen – nicht bloß um eine persönliche Zänkerei, es ging um die Frage der Förderung und Behinderung des Evangeliums, also um eine sachlich-theologische Frage. Wenn Paulus ihnen die Gemeinschaft nicht aufkündigte, weil er offenbar die allen gesetzte Basis und Grenze nicht überschritten sah, so wird daran schlaglichtartig sichtbar, daß diesseits der Grenze durchaus nicht alles übereinklang. Sowenig Paulus, wie wir zeigten, aus seinem Mitarbeiterkreis eine uniforme Truppe machte, sowenig scharte sich eine unisone Gruppe um ihn, deren theologische Einsichten und Anschauungen – wenn man überhaupt einmal den Blick auf sie wirft – man schlichtweg und selbstverständlich mit den seinen gleichsetzen dürfte.

Dafür lassen sich noch weitere Gesichtspunkte anführen. Die Mitarbeiterschar des Paulus bestand, wie gezeigt, nicht bloß aus Männern und Frauen, die aus seinen eigenen Gemeinden stammten, vielmehr zählte er auch Missionare zu ihr, die selbständig neben ihm arbeiteten. Es legt sich von vornherein nahe, daß im Vergleich zu ihnen am ehesten theologische Verschiedenheiten in Erscheinung getreten sind. Sie verdankten ihr Christentum nicht oder nicht nur Paulus, sondern auch sonstigen Persönlichkeiten und Gruppen des urchristlichen Missionsfeldes – jenseits des begrenzten Ausschnittes, den die Paulusbriefe bieten –, und sie wußten sich neben Paulus weiterhin eigenen oder anderen Missionsvorstellungen verpflichtet (vgl. etwa Gal 2,13; 1Kor 16,12; 2Kor 8,16f). Darauf ist noch zurückzukommen.

Ein eigenständiges, wenngleich mit Paulus einmütiges theologisches Interesse bestimmte und beflügelte Titus in seinen Bemühungen um das Kollektenwerk in den paulinischen Gemeinden. Ausdrücklich attestierte Paulus ihm seine Eigenständigkeit (2Kor 8,16). Daß Titus sich darin als selbständiger Theologe beweist, wurde oben zu zeigen versucht[1].

Auch die übrigen Mitarbeiter, die aus den von Paulus selbst gegründeten Gemeinden kamen und von ihm bekehrt wurden, dürfen keineswegs nur als – etwas blassere – Abbilder ihres Meisters betrachtet werden. Die Briefe des Paulus spiegeln ja in umfänglicher Weise die zahlreichen theologischen und religiösen Einflüsse wider, denen seine Gemeinden fast ohne Ausnahme ausgesetzt waren und mit denen Paulus sich genötigt sah, in Auseinandersetzung zu treten. Als Gliedern ihrer Gemeinden gilt für die Mitarbeiter nicht weniger, was für diese selbst gilt. Man wird vielmehr sagen dürfen, daß sich die theologischen Tendenzen und Vorstellungen innerhalb der paulinischen Gemeinden sozusagen immer wieder im Mitarbeiterkreis um Paulus ballten.

Einen Nachhall der von Anfang an in seinen Gemeinden vorhandenen Vielfalt theologischer Strömungen wird man schließlich auch noch in der im Einflußbereich der nachpaulinischen Gemeinden entstandenen Briefliteratur erkennen dürfen[2]. Trotz aller zum Teil sogar programmatischen Bindung an Paulus (Pastoralbriefe) kann doch durchaus nicht von einem insularen Charakter der Paulus-Gemeinden gesprochen werden. Vielmehr muß man staunen, in welchem Maße sie sich in die kirchliche Entwicklung des ausgehenden ersten Jahrhunderts eingliederten.

Weder den Gemeinden des Paulus noch seinen Mitarbeitern wird eine Vorstellung gerecht, die die Vielfalt des theologisch unter ihnen Möglichen und Lebendigen unterschätzt. Die Arbeitsgenossen des Apostels müssen aus der ihnen unangemessenen subalternen Winkel-Rolle befreit werden. Betrachtet man sie mit unvoreingenommenen, nicht durch die beherrschende Figur des Paulus geblendeten Augen, so erscheinen sie keineswegs als eine

---

1 S. o. S. 33–37.
2 Man denke an Kol, Eph, 2Thess, 1Petr, Hebr, Offb, Apg, Past; außerdem 1Klem, Ignatius und Polycarp.

Gruppe lediglich nebenrangiger Denker, und auch nicht als eine Ansammlung Gleichdenkender, nämlich wie Paulus Denkender – sowenig das für die überwiegende Mehrzahl von ihnen auch genauer nachweisbar ist und sowenig etwa umgekehrt in vergröbernder Verallgemeinerung ihre Bedeutung überschätzt werden dürfte. Aber es besteht, generell betrachtet, kein Anlaß, in ihnen weniger profilierte Theologen zu erblicken als in den Gegnern des Paulus, mögen sich auch speziellerem Hinsehen wieder nur einige Bedeutendere zu erkennen geben, neben denen die große Zahl derer steht, über die man nichts weiß.

Im folgenden werden nun die wenigen Fälle, in denen die Quellen es vielleicht zulassen, etwas über das gegenüber Paulus selbständige theologische Denken seiner Mitarbeiter auszusagen – abgesehen von dem oben besprochenen Text Phil 1,12–18; 2,20f –, kurz untersucht. Man erwarte nun nicht, daß es gelingen könnte, *die* Theologie eines Mitarbeiters dingfest zu machen. Das wäre ein illusionäres Unternehmen, da oder sofern wir keine eigenen Äußerungen der Mitarbeiter besitzen. Vielmehr muß man sich auf die mehr oder weniger zufälligen Bemerkungen des Paulus stützen, dessen jeweilige Perspektiven und speziellen Interessen zudem durchaus kein objektives Bild entstehen lassen. Methodisch ist somit äußerste Vorsicht geboten. Was sich in Erfahrung bringen läßt, ist allenfalls, wie sich ein theologischer Standpunkt eines seiner Mitarbeiter in der Sicht und Beurteilung des Paulus, gebrochen im Spiegel seiner jeweiligen Aussageabsicht, darstellt. Aber wenn damit auch *die* theologische Anschauung eines Mitarbeiters in undeutlichen Konturen bleibt, so kann dieser sich darin doch noch *als* neben Paulus *selbständiger Theologe* vorstellen; und eben danach zu fragen soll das primäre Ziel der folgenden Ausführungen sein.

Das Blatt würde sich allerdings wenden, wenn wir doch Texte besäßen, an deren Abfassung die Mitarbeiter beteiligt waren oder die etwa ganz von ihnen stammten. Dafür, daß dieser Gedanke nicht einfach als gänzlich abenteuerlich abgetan werden kann, wurden oben[3] einige Argumente angeführt. Immerhin: mit den bislang gemachten Beobachtungen läßt sich darüber nichts Sicheres sagen; diese Einschätzung kann hier nicht anders lauten als oben. Dennoch wird abschließend noch einmal von ganz anderer Seite ein Anlauf zu nehmen sein, der vielleicht zum Sprung über den Zaun und in das nachbarliche theologische Gefilde eines Mitarbeiters tragen kann.

3 S. o. S. 187ff.

7.1
Die Angaben der paulinischen Briefe

7.1.1
Gal 2,11–21: Barnabas

Theologische Differenzen führten die alten Missionsgenossen und Kampf-
gefährten Barnabas und Paulus auseinander. Hatten sie auf dem Apostelkonvent gemeinsam das Recht der einschränkungslos gesetzesfreien Heidenmission behauptet und sich damit ohne Auflagen durchgesetzt (Gal
2,1–10), so fand diese Einigkeit in der Auseinandersetzung von Antiochia
ihr Ende (2,11ff). Zwar ließ sich Barnabas nach Aussage des Paulus von Petrus und den übrigen Judenchristen »mitziehen« (v13), aber auch ihm warf
Paulus öffentlich vor, er habe »geheuchelt« und nicht den geraden Weg der
Wahrheit des Evangeliums eingehalten (v14). Der Streitpunkt besaß für
Paulus prinzipielle Bedeutung[4], und falls er sie für die anderen Gemeindeglieder nicht besessen hatte, bekam er sie doch im Verlauf der Auseinandersetzung. Wenn Paulus sich innerhalb seiner Briefe später auch weder über
Petrus noch über Barnabas negativ äußerte und sich mit letzterem immer
noch in gewissen Missionsgrundsätzen einig wußte (1Kor 9,5f), muß man
doch in den Ereignissen von Antiochia den Grund sehen, daß er sich von
seinem alten Mitarbeiter und zugleich von der antiochenischen Gemeinde
trennte und eigene Wege ging[5].
Worin lagen ihre Differenzen? Läßt sich die Position des Barnabas aus den
Ausführungen des Paulus in 2,11–21 noch fassen? Diese uns speziell inter-
essierenden Fragen führen vor methodische Probleme. Insbesondere stellen
sich drei Fragen.
Der Gesprächspartner des Paulus in 2,11ff ist Petrus, nicht Barnabas (vgl.
v11f.14b). Aber dem Verhalten des Petrus schlossen sich die anderen an
(v13), und das heißt, daß seine Haltung für die aller steht, wie Paulus auch
zwischen ihnen nicht differenziert. Die Konstellation war eindeutig: Auf
der einen Seite standen Paulus und vielleicht der heidenchristliche Teil der
Gemeinde; auf der anderen Seite Petrus, die übrigen Judenchristen und sogar Barnabas. In Petrus kritisiert Paulus also auch Barnabas.
Wichtiger ist deshalb das zweite Problem. In v14 setzt Paulus zur Rede gegen Petrus an, aber schon ab v15 ist das dialogische »Du« verlassen. Wie
weit reicht also das Referat der Rede des Paulus[6]? Wie weit darf man

---

4 *Bornkamm*, Paulus, 66.
5 S. o. S. 16f.20.45f. Ebenso auch *Haenchen*, Petrus-Probleme, 196; *Georgi*, Kollekte, 31;
Conzelmann, Geschichte, 73; *Bornkamm*, Paulus, 68; *Eckert*, Verkündigung, 227; *Mußner*,
Galaterbrief, 187.
6 Diese Frage ist in der Forschung sehr verschieden beantwortet worden. Es wurden hauptsächlich vier Vorschläge gemacht: die Rede reiche a) bis v14; b) bis v16; c) bis v17; d) bis v21.
Eine breite Erörterung dazu gibt *Bauernfeind* (Schluß, 64–73) mit entsprechenden Literaturhinweisen. Die neuere Forschung urteilt meist, Paulus behalte zwar »die Form der Ansprache

v 15–21 noch für die Frage nach den theologischen Motiven des damaligen Streitfalls auswerten? – Es ist zunächst zu beachten, daß die Darlegungen des Paulus grundsätzlichen Charakter tragen und schon – wie aber ebenso auch die historischen Berichte in Gal 1f insgesamt![7] – die Situation in Galatien im Blick haben, für die sie den thetischen Grund legen[8]. Und in der Fortführung (3,1–5) knüpft Paulus direkt an den vorangehenden Abschnitt an[9]. Doch entfaltet er die anschließende Auseinandersetzung (3,6ff) nicht aus diesen Ansätzen, sondern beginnt einen eigenständigen Argumentationsgang, so daß 3,1–5, unterstrichen durch die direkte Anrede v 1, als die eigentliche Überleitung zur galatischen Situation gelten muß. Im übrigen ist aber für 2,15–21 festzustellen, daß Paulus sein konkretes Gegenüber durchaus nicht aus den Augen verloren hat. So bezieht sich v 18 eindeutig auf v 14 zurück, nämlich auf das Hin und Her in der Haltung des Petrus und seiner Gesinnungsgenossen[10]. Das einleitende »Wir« in v 15 umgreift die Judenchristen – und nur von ihnen handelt v 11–14 – samt Paulus[11] und trägt deshalb durchaus konkreten Charakter. Es setzt sich dann in v 16 durch εἰδότες und καὶ ἡμεῖς fort, wird weiter durch καὶ αὐτοὶ aufgenommen (v 17)[12] und ab v 18 mit Grund[13] antithetisch in das generalisierende »Ich« transponiert. Wir- und Ich-Passagen tragen also keinen schriftstellerischen Charakter, sondern sind durch die jeweilige Aussageabsicht bedingt. Wei-

an Petrus« bei (*Lietzmann*, Galater, 15), aber seine Sätze böten »sicher nicht eine stenographisch getreue Wiedergabe; unmerklich gehen sie, den Vorgang für die Galater aktualisierend, in Aussagen über, die keine direkte Beziehung zur Antiochenischen Situation mehr haben« (*Bornkamm*, Paulus, 66), so daß man von den »eigentlichen Vorgängen in Antiochien . . . nur innerhalb einer sehr gezielten Berichterstattung« erführe (*Schmithals*, Paulus, 51); vgl. ähnlich noch *Schlier* (Galater, 87); *Klein* (Individualgeschichte, 180f; er legt v 15ff allerdings de facto ohne Bezug auf v 11–14 aus: 181–202); *Oepke* (Galater, 56); *Mußner* (Galaterbrief, 145f.167); vgl. außerdem noch *Sanders* (Statements, 335–343, spez. 343). – Nach *Beyer* (Galater, 22) und *Feld* (Diener, 119–131, spez. 120f) reicht das Redereferat des Paulus bis v 21.

7 *Schlier*, Galater, 87 Anm. 2.

8 Das hat *Eckert* (Verkündigung), der in seiner umfänglichen Monographie zum Galaterbrief merkwürdigerweise Gal 2,15–21 als einzigen Abschnitt des Briefes fast gar nicht berücksichtigt, übersehen. – *Feld* (Diener, 120) stört sich daran, daß 2,15–21 – falls der Abschnitt sich schon an die Galater wende – angesichts der ausführlichen Darstellung in Gal 3f »wenig Sinn« habe und »überflüssig« sei. Er versteht ihn deshalb als eine »mit Petrus vor der ganzen Gemeinde . . . geführte Grundsatzdebatte über die Hauptsache des christlichen Glaubens«. Vgl. dagegen die folgenden Ausführungen. Zu Recht betont *Schlier* (Galater, 88), daß v 15ff »den in Kap. 3 und 4 entwickelten Grundgedanken programmatisch voraus(nehmen)«.

9 Der Hinweis auf den gekreuzigten Christus (3,1) knüpft an 2,19–21 an; die Antithese Gesetzeswerke – Glauben (3,2.5) bezieht sich auf 2,16 zurück.

10 Das hat *Klein* (Individualgeschichte, 195) vergeblich zu bestreiten versucht (S. 196 setzt er es doch voraus), wie *Mußner* (Galaterbrief, 177f) nachweist.

11 So fast alle Kommentatoren; vgl. *Schmithals*, Paulus, 60.

12 Das wird mit Recht auch von *Klein* (Individualgeschichte, 190) hervorgehoben.

13 Gut erläutert dazu *Mußner* (Galaterbrief, 178): »Das Ich des v 18 visiert noch einmal Petrus an, das betonte ἐγώ des v 19 dagegen Paulus; beide aber sind dabei exemplarische Repräsentanten oder Typen eines bestimmten Tuns bzw. Erleidens und insofern überindividuell zu begreifen. So ist der Wechsel der Personen in dem Abschnitt 2,14b–21 mehr als ein bloßes Stilmittel.« (Vgl. auch 179 zu v 19.)

tere Indizien dafür, daß Paulus bis 2,21 noch die ursprüngliche Redesituation vorschwebt, werden sich aus der Analyse ergeben.
Ein letztes Problem ergibt sich aus dem Gesagten und läßt sich nicht auflösen. Wenn Paulus auch v15–21 noch die ursprüngliche Redesituation im
Blick hat, so entfaltet er doch nur seine eigene Perspektive, wie sie sich ihm
später noch darstellte. Was sich über die Haltung und Anschauung seiner
Kontrahenten erheben läßt, ist sämtlich seinen Antithesen und Urteilen unterworfen. – Muß deshalb die Rekonstruktion der Positionen auch in Kauf
nehmen, fragmentarisch und tendenziös zu bleiben, so kann sie doch andererseits um so genauer erfahren, worin Paulus – nach einem gewissen Abstand – den Kernpunkt der Sache und den eigentlichen Gegensatz gesehen
hat[14].
Worum also ging es in der Auseinandersetzung[15]? Zunächst ist festzustellen: Es ging um eine andere Frage als auf dem Apostelkonvent. Dort stand
das Evangelium von der beschneidungs- und gesetzesfreien *Heidenmission*
als Ganzes zur Frage. Es wurde von den maßgebenden judenchristlichen
Autoritäten in Jerusalem, indem sie sahen, daß Paulus Evangelium und
Apostelamt für die Unbeschnittenen anvertraut war (2,7–9), einschränkungslos (v6) anerkannt. In offizieller Abmachung sanktionierte man die
bisher übliche Praxis: Wir zu den Heiden, sie zu den Juden (v9), um judai-
stische Übergriffe (v4f) in Zukunft zu vermeiden[16]. Durch die Trennung
der Missionsbereiche bewahrte man die grundsätzliche Einheit.
In der Auseinandersetzung in Antiochia ging es ausschließlich um die *Judenchristen* und ihr Zusammenleben mit den Heidenchristen. Die auf dem
Konvent beschlossene Teilung der Missionsbereiche ließ für juden- und
heidenchristlich gemischte Gemeinden Fragen offen; zwar nicht für die Antiochener – die dortigen Judenchristen hatten selbstverständlich volle Gemeinschaft mit den Heidenchristen und hielten sich nicht mehr an die jüdischen Reinheitsvorschriften (2,12a)[17] –, wohl aber für solche Judenchri-

---

14   Ähnlich *Bornkamm*, Paulus, 66.
15   Die Literatur über Gal 2,1–10 und 11–21 ist unübersehbar. Zur Auslegungsgeschichte
vgl. *Overbeck* (Auffassung); *Holl* (Streit); *Lönning* (Paulus); *Feld* (Lutherus); *Mußner* (Galaterbrief, 99–204), bei letzterem wird auch die neueste Literatur besprochen; vgl. außerdem
noch *Georgi* (Kollekte, 13–33); *Klein* (Galater 2,6–9); *Stuhlmacher* (Evangelium, 85–107);
Eckert (Verkündigung, 183–219), jeweils mit umfänglicher Literatur; *Barth* (Justification,
154–157).
16   *Mußner*, Galaterbrief, 123.
17   Die Tischgemeinschaft von Juden mit Nichtjuden galt dem strengen Juden als Greuel, vgl.
Ez 4,13; Hos 9,3f; weil er z. B. Götzenopferfleisch hätte essen müssen (Ex 34,15; vgl. 1Kor
10,28f) oder Fleisch, das von unreinen Tieren stammen könnte (Lev 11,1–4; Dtn 14,3–21)
oder unkoscher (Ex 23,19 u. a.) zubereitet wurde; vgl. 3Makk 3,4; Tob 1,10–12; Dan 1,8; Jub
22,16; Jos. u. As. 7,1; Apg 10,14; 11,3; Joh 4,9 u. a. Zum Ganzen vgl. *Billerbeck*, Kommentar,
3,127f.421f; 4,374–378. Unter Beachtung strenger Einschränkungen war es allerdings den
Juden erlaubt, einer heidnischen Essenseinladung zu folgen. Vgl. noch *Schmithals* (Paulus,
52); *Mußner* (Galaterbrief, 140f), dort weitere Literatur. – Sofern sich Gal 2,12 auf das gemeinsame *Herren*mahl bezöge (so *Lietzmann*, Galater, 14; *Schlier*, Galater, 83f; *Bornkamm*,
Paulus, 66; weitere Literaturhinweise bei *Eckert*, Verkündigung, 195 Anm. 3), würde die

sten, die die Jerusalemer Abmachung streng auslegten (v 12b): Den Heidenchristen dürfe zwar das Gesetz nicht auferlegt werden, aber für die Judenchristen verliere es deshalb nicht seine Geltung. Diese Haltung mache es dann notwendig, sich in gewissen Bereichen zu trennen.

Petrus und die übrigen Judenchristen hatten sich jedoch zunächst »heidnisch verhalten« (v 14) und die jüdischen Speisegebote nicht beachtet – bis jene Leute von Jakobus kamen (v 12), und sie aus Furcht wieder »jüdisch zu leben« begannen. Diese Inkonsequenz und Schaukelpolitik nimmt Paulus zum Anknüpfungspunkt[18] seiner öffentlichen Anklage, sie deklariert er als »Heuchelei« (v 13), nämlich als Abweichen vom geraden Weg des Evangeliums (v 14)[19]. Mit ihr verstoßen die Judenchristen gegen ihr eigenes Glaubenswissen (εἰδότες, v 16).

Wie argumentiert Paulus im einzelnen? Zunächst nimmt er den orthodoxen Standpunkt des Juden(christen) ein[20], für den die Heiden als solche, die ohne das Gesetz leben, »Sünder« sind (v 15)[21]: »Wir sind (zwar) von Natur aus Juden und nicht Heiden und Sünder« – aber nur, um ihn als Standpunkt des *Christen* als vergangen und unmöglich zu bezeichnen: Mit dem Glauben, den wir, die Judenchristen, angenommen *haben*, haben wir akzeptiert und *wissen* wir, daß der Mensch, sei er Heide oder Jude, ausschließlich nur durch den Glauben an Jesus Christus gerechtfertigt wird, und das schließt die Rechtfertigung auf Grund der Werke aus (v 16). Das εἰδότες δέ ist also adversativ zu übersetzen: »dennoch wissen wir«[22]. Aller Ton liegt deshalb auf dem »auch wir«: Auch wir Judenchristen werden allein durch den Glau-

---

Grundsätzlichkeit des Widerspruchs des Paulus noch verständlicher: Die Einheit des Leibes Christi stand zur Frage (vgl. Gal 3,26–29).

18 *Schmithals* (Paulus, 53–60, spez. 57) sieht in der Inkonsequenz des Petrus selbst den eigentlichen Kritikpunkt des Paulus. Hätte Petrus sich konsequent jüdisch verhalten, wäre demnach kein Grund zur Kritik vorhanden gewesen (57–59; ebenso *Mußner*, Galaterbrief, 142f). Aber erstens ging es in Antiochia nicht bloß um die Frage, ob die Judenchristen an sich gesetzestreu leben sollten, sondern ob ihre Gesetzesobservanz das Zusammenleben mit den Heidenchristen zerstörte; zweitens bedeutet die Position, die Paulus 2,14ff entwickelt, den Angriff auf den Gesetzesgehorsam überhaupt.

19 V 14 erläutert, worin Paulus die Heuchelei der Judenchristen sieht: Sie »hinken auf beiden Seiten« (1Kön 18,21), indem sie wider besseres Wissen, d. h. wider die Einsicht, daß allein der Glaube rechtfertigt (v 16), neben dem Evangelium die Geltung der Gesetzeswerke behaupten (vgl. *Wilckens*, Art. ὑποκρίνομαι κτλ., 568).

20 Weder v 15 noch v 17 kann als Zitat des Petrus verstanden werden, wie *Feld* (Diener, 121 et passim) es versucht, der damit seine z. T. guten Beobachtungen mit einer unwahrscheinlichen These belastet. Aber 1) hätte Paulus, da er sein Referat mit εἶπον (v 14) einleitet, die »Zitate« jedenfalls kenntlich machen müssen; 2) umschließt, wie Sinn und Satzlogik (εἰδότες – καὶ ἡμεῖς v 16) fordern, ἡμεῖς v 15 Paulus mit ein; 3) antwortet μὴ γένοιτο (v 17) sonst stets im Diatribenstil auf selbstformulierte Einwände des Paulus (vgl. ebenso *Mußner*, Galaterbrief, 187 Anm. 90). – V 15.17 sind allerdings als Einwände der Judenchristen (von Paulus) formuliert.

21 Vgl. Röm 2,17–19; 3,2; 9,4f; Phil 3,5f. Zur Identifizierung der Heiden als Sünder vgl. *Rengstorf*, Art. ἁμαρτωλός κτλ., 329f.

22 Damit bekommt, wie *Mußner* (Galaterbrief, 167f) richtig sieht, v 15 konditionalen Sinn.

ben gerechtfertigt! Damit hat eo ipso das Gesetz keine Geltung mehr; gerade auch nicht mehr für Judenchristen.
Eben dagegen erhebt sich jedoch der schärfste Protest der Judenchristen. Er findet in v 17 seinen Ausdruck. Dieser Satz hat schon die vielfältigsten Auslegungen erfahren, und von seiner richtigen Interpretation hängt das Verständnis des Abschnitts nicht unwesentlich ab[23].
Deutlich ist zunächst, daß v 17 einen Einwand formulieren will, den Paulus seinerseits heftig zurückweist. Dieser Einwand kann nur der Einspruch der Judenchristen sein, auf deren Standpunkt Paulus sich abermals einen Moment lang stellt. Gewiß, die Judenchristen suchen die Rechtfertigung »in Christus« und nicht im Gesetz. Soweit besteht Einigkeit[24]. Wenn nun aber, lautet der Einspruch, auch selbst die Judenchristen[25], die das Gesetz besitzen und deshalb nicht Sünder wie die Heiden sind, sich als Sünder erweisen?
– Aber inwiefern erweisen sich die Judenchristen als Sünder? Sowohl der Bezug zu v 15 (»Sünder aus den Heiden«[26]) als auch die konkretisierende Kennzeichnung (»Übertreter«[27]) in v 18 beantworten diese Frage eindeutig: Der Judenchrist steht – ungeachtet dessen, daß er die Rechtfertigung »in Christus« sucht[28] – seiner Meinung nach als Sünder da, sofern er *das Gesetz übertritt*. Genau das nämlich ist die Konsequenz, die er aus den Ausführungen des Paulus ziehen müßte: Verleitung zur Gesetzesübertretung, und das heißt: zur Sünde. Und nun kommt das Hauptargument, der Schluß des Beweises: Wenn der Judenchrist, in der Meinung, das Gesetz habe für ihn *als Christen* keine Geltung mehr, das Gesetz übertritt[29], dann wird er nicht nur

---

23 *Klein* (Individualgeschichte, 185–194) bespricht die verschiedenen Ansichten; vgl. noch *Feld* (Diener, 125–131); *Schmithals* (Paulus, 61–63). – Eine explizite Diskussion der Meinungen kann hier nicht gegeben werden.
24 Nach *Feld* (Diener, 127 Anm. 24; 129.131) war für Petrus und seine Gefolgsmänner »das Gesetz doch Maßstab der Gerechtigkeit« (131; 127 Anm. 24 undeutlich eingeschränkt: ». . . *auch* ein, wenn nicht *der* Maßstab«; vom Verfasser selbst kursiv), worin sich der normale judenchristliche Standpunkt äußere (129). Sofern damit jedoch gemeint ist, daß Petrus und die ihm folgenden Judenchristen ihre *Rechtfertigung* im Gesetz suchten, steht dem 1. v 16 (εἰδότες) sowie v 17a entgegen; 2. darf man nicht die Konsequenzen, die Paulus den Judenchristen vorhält, als deren eigentliche Absicht interpretieren; 3. ist ein solcher Standpunkt nicht judenchristlich, sondern jüdisch, und es wäre unerklärbar, inwiefern Petrus, die übrigen Judenchristen und sogar Barnabas ihm gefolgt wären.
25 καὶ αὐτοί (v 17) nimmt καὶ ἡμεῖς v 16b auf, nur die Perspektive ist vertauscht: dort die christliche, hier die jüdische. Aber jeweils sind die Judenchristen im Blick.
26 Nämlich aus der Perspektive des Gesetzes!
27 Vgl. Röm 2,25.27. »παραβάτης ist von dem gesagt, der ein konkretes Gebot verletzt« (*Schlier*, Galater, 98 Anm. 2).
28 Der Ausdruck »gerechtfertigt zu werden suchen« ist singulär bei Paulus und sicher nicht zufällig gewählt. Er gibt dem subjektiven rechtschaffenen Streben der antiochenischen Judenchristen Raum, das Paulus jedoch objektiv als dem Glauben zuwider brandmarkt.
29 Die Streitfrage, ob v 17a als Realis (so *Zahn*, Galater, 127f; *Oepke*, Galater, 60f; *Schlier*, Galater, 95 u. a.) oder Irrealis (*Lietzmann*, Galater, 14; *Bultmann*, Auslegung, 396f; *Mußner*, Galaterbrief, 176f u. a.) zu verstehen sei, ist kaum alternativ zu entscheiden. Sie muß vom Standpunkt des Judenchristen aus irreal formuliert werden, denn er will dem Urteil, als Sünder dazustehen, ja gerade entgehen. Aus der Sicht des Paulus ist dieser Standpunkt illusionär, der Judenchrist *ist* Sünder ebenso wie der Heide (s. u.); so wäre der Satz als Realis zu verstehen.

(von Gott) als Sünder ertappt, dann macht er ja Christus selbst zum Anwalt und Helfershelfer der Sünde[30]. Diese Konsequenz war vielleicht das Argument, mit dem man unter den Judenchristen Antiochias so durchschlagenden Erfolg hatte (v 13)[31]. Muß nicht der Judenchrist, der doch das Gesetz kennt, gerade als Christ das Gesetz halten, damit er nicht sein Christsein als Aufforderung zum Sündigen[32] mißversteht[33] und damit eben Christus selbst ins Zwielicht bringt, ja, zum ›Steigbügelhalter‹ und Verkündiger der Sünde macht?!

Die vorgetragene Interpretation von v 17 bestätigt v 18. Paulus weist die ihm vorgehaltene Konsequenz weit von sich und dreht den Spieß um. Nicht *Christus* verhilft hier zum Sündigen; sondern »*ich selbst*«, der Judenchrist, sagt Paulus, stelle mich als »Übertreter« und Sünder hin[34], nämlich wenn ich – und ebendies haben die antiochenischen Judenchristen getan – erst, als Christ, die Geltung des Gesetzes aufgelöst habe und sie dann wieder in Kraft setze.

Zum Übertreter wird der Judenchrist zuerst aus seiner eigenen Perspektive geurteilt, weil er nun wieder am Maße des Gesetzes gemessen werden will, und das verklagt ihn eben wegen seines vorherigen gesetzlosen Verhaltens als Christ. Als Fehltreter erweist sich der rückfällige Judenchrist aber vor allem aus der Perspektive des Glaubens geurteilt, und diese entfaltet Paulus in v 19f[35]. Denn das Gesetz hat ja für ihn als Christen keine Geltung mehr. Er ist tot für das Gesetz, und das Gesetz ist für ihn tot[36], denn es kann nicht zum Leben führen (v 19)[37]. Das Leben für Gott findet der Christ allein, weil und sofern er mit Christus mitgekreuzigt wurde (v 19b). Es ist nicht mehr er selbst, der lebt, es hat sich vielmehr ein Herrschaftswechsel vollzogen: Christus lebt in ihm, und *nur* Christus, darauf liegt der Ton (v 20a)[38]. Jeder

---

30 *Bultmann* (Auslegung, 395f) weist – zu Recht, wie weiter unten noch deutlicher wird – auf die Parallelität von v 17 und v 21 hin und will deshalb v 17b wie 21b als Aussagesatz verstehen (ἄρα statt ἆρα), was, obgleich μὴ γένοιτο sonst bei Paulus stets auf einen Fragesatz antwortet, ebensogut möglich ist. Der Sinn ist jedenfalls der gleiche. Nicht möglich ist jedoch, in v 17 die gleiche Aussage wie in v 21 ausgesagt zu finden (395); s. u. Anm. 39.

31 *Feld*, Diener, 130.

32 Man hat sie Paulus offenbar öfter vorgehalten: Röm 3,8; 6,1; vgl. Gal 5,13.

33 Das wäre nichts anderes als eine Mißachtung der in Christus geschenkten Gnade Gottes; vielleicht hatte man dies Paulus ebenfalls vorgeworfen, und möglicherweise wehrt er diese Konsequenz in v 21a ab (s. u.).

34 V 17b entspricht v 18b, die Subjekte sind vertauscht: nicht Christus, sondern ›ich selbst« (zur Ich-Form s. o. Anm. 13); deshalb ist das ἐμαυτόν stark betont.

35 Man beachte die zweifach begründende Verklammerung (γάρ v 18a.19a) von v 18. *Van Dülmen* (Theologie, 21 Anm. 28) diskutiert beide Möglichkeiten und entscheidet sich für letztere.

36 *Mußner*, Galaterbrief, 179.

37 Der Sinn dieser für jüdische Ohren kaum einleuchtenden, ja, blasphemischen Bemerkungen wird aus dieser Stelle allein nicht deutlich; vgl. Röm 7,1–24 als Kommentar; vgl. spez. 7,4.6, außerdem Gal 3,10–12.21–23.

38 Gal 2,19f berührt sich eng mit paulinischen Taufaussagen (Röm 6,3–9!), vgl. dazu *Feld* (Diener, 131 Anm. 42); *Mußner* (Galaterbrief, 180–183).

andere Inhalt und Maßstab des Lebens – damit auch das Gesetz – ist vergangen. Alles ist ausgefüllt und umgriffen vom Leben im Glauben an den für uns dahingegebenen Sohn Gottes (v20b).
Es sind Thesen, die Paulus hier wie Felsblöcke aufwirft, ohne sie fein zu bearbeiten und ineinanderzufügen. Ohne den sonstigen Kontext seiner Briefe wären sie kaum verständlich. Was er im Zuge seiner Ausführungen vor allem zeigen will, ist jedoch deutlich: Für den Christen gilt nur noch eins: daß der gekreuzigte und für ihn dahingegebene Gottessohn sein weiteres Leben in alleiniger Herrschaft bestimmt. Deshalb ist das Gesetz für ihn tot. Damit hat er den Kernpunkt der Argumentation seiner Kontrahenten von der Christologie her – nicht von der Gesetzesproblematik, etwa seiner Unerfüllbarkeit her! – zu widerlegen versucht. Insofern gilt im vollsten Sinne: »Christus ist das Ende des Gesetzes« (Röm 10,4).
So holt Paulus zum letzten Schlag aus und zieht seinerseits die Konsequenz aus seinen Überlegungen für die Haltung der Judenchristen. Nicht nur die formale, sondern noch mehr die inhaltliche Parallelität zwischen v17 und v21b.c[39], dazu die effektvolle Plazierung als Abschluß der Ausführungen legen nahe, daß er hier seine bündige Gegenthese formuliert[40]. Sie ist zweiteilig. »Ich verwerfe nicht die Gnade Gottes!« (v21a). – Das tun aber alle diejenigen, die an Stelle des eben beschriebenen Gnadengeschehens in Christus (v20)[41] das Gesetz weiter in Geltung stellen wollen (vgl. 5,4)[42]. Aber zwischen Gnade und Gesetz gibt es keine Vermittlung, sondern nur eine absolute Alternative. In dieser Antithese gipfeln schließlich alle Argumente des Paulus: »Käme die Rechtfertigung vermittels des Gesetzes, dann wäre Christus vergebens gestorben!« (v21b.c). Das ist die Konsequenz, die Paulus seinerseits den Judenchristen in Antiochia entgegenschleudert. Ihr Verhalten und ihre Argumente, mit denen sie die Weitergeltung des Gesetzes auch für den Christen behaupten, heben die Geltung Christi auf und zerstören die Basis, auf der sie als Christen stehen. Sie haben noch nicht begriffen, daß der Tod Christi einen totalen Herrschaftswechsel bedeutet und ein für allemal die bisherigen Maßstäbe umgesetzt hat: das Gesetz auf die Seite des Todes, Leben allein auf die Seite Christi (vgl. 3,21).
Ob Paulus sich mit seinen Argumenten behaupten konnte oder ob Petrus,

39 Der formale Aufbau der Sätze (v17a.b/v21b.c) ist gleich (s. o. Anm. 30). – V21b greift noch einmal auf die Frage der Rechtfertigung zurück; daß ihre Erlangung das erstrebenswerte Ziel ist (v17a), setzt auch v21b voraus. V17 suchte die unlösliche Verbindung von Rechtfertigung und Gesetzestreue zu behaupten; v21 will sie einschränkungslos zerschlagen. Beide Male ist als eigentlich durchschlagendes Argument die Konsequenz für die Christologie abschließend ans Ende gesetzt; sie hat hier wie dort gewissermaßen programmatischen Charakter und ist einprägsam formuliert.
40 Ähnlich *Feld*, Diener, 131.
41 χάρις dürfte sich auf v20b, die Liebe und Hingabe des Sohnes Gottes »für mich« beziehen; mit *Mußner*, Galaterbrief, 184.
42 Vielleicht setzt sich Paulus damit gegen einen Vorwurf zur Wehr (s. o. Anm. 33), wobei der Kontext (v21b) auf die antiochenische Situation verweist (*Schlier*, Galater, 104, vermutet, es sei ein Vorwurf, der von den Gegnern des Paulus in Galatien gegen ihn erhoben worden sein).

Barnabas und die übrigen Judenchristen an ihrer Meinung festhielten, läßt sich dem Text nicht entnehmen[43]. Die Zusammenarbeit mit Barnabas fand jedenfalls keine Fortsetzung: Die Gesetzesfrage erwies sich sogar zwischen ihnen als trennender Faktor – inwiefern, das sei abschließend und zusammenfassend noch gegeneinanderzustellen versucht[44].

Wenn auch Barnabas nicht (ebensowenig wie ja auch Petrus) zu den Exponenten judenchristlicher Gesetzesobservanz gerechnet werden kann, besaß für ihn als Juden die Argumentation der von Jakobus kommenden Leute (2,12) doch so viel Anziehungskraft, daß er seine bisherige Verhaltensweise änderte. Dies bedeutete natürlich nicht einen Abfall von der Überzeugung, daß die Rechtfertigung nur »in Christus« zu erlangen sei (v 17) und auch keine Preisgabe der konsequent gesetzesfreien Heidenmission, um die er auf dem Konvent mitgekämpft hatte. Vielmehr ging es einzig und allein um die *Frage der Weitergeltung des Gesetzes für die Judenchristen*, sofern sie zum trennenden Faktor zwischen Juden- und Heidenchristen wurde.

Die Ausführungen des Paulus in 2,14ff zeigen eindeutig, daß er, wenn er vom Gesetz oder von den »Werken des Gesetzes« spricht, nicht etwa nur die Ritualgebote im Blick hat, sondern die Gesamtheit der Thoraforderung (vgl. 5,3)[45], die als solche auch in den Speisegesetzen, welche in Antiochia den äußeren Anstoß gaben, auf den Plan tritt. Deswegen bestreitet er prinzipiell die Geltung des Gesetzes (v 16.19). Daß seine Kontrahenten das gleiche Verständnis besaßen, dürfte aus der Grundsätzlichkeit ihrer These (v 17b) hervorgehen.

Dennoch verstanden sie sich als Christen. Worin lag dann für sie die Begründung für die Weitergeltung des Gesetzes, worin andererseits die Bedeutung Christi? Es versteht sich, daß diese Fragen, die der Text zwar voraussetzt, aber nicht entfaltet, nicht mit Sicherheit zu beantworten sind. – Wenn der Judenchrist sich das (selbst von Paulus im Römerbrief so apostrophierte) heilige und geistliche Gesetz (vgl. Röm 7,12.14) als Bollwerk gegen die Sünde gegeben wußte, dann wußte er doch zugleich[46], daß er hinter den Gesetzesforderungen zurückbleiben und Rechtfertigung nur »in Christus« finden werde. Die grundsätzliche Unerfüllbarkeit des Gesetzes verwies ihn auf die in Christus erschienene Gnade Gottes. Sie hob für ihn jedoch nicht die unerschütterliche Tatsache auf, daß Gott im Gesetz seinen Willen kund-

---

43 Zur Diskussion der Frage vgl. *Mußner*, Galaterbrief, 186f.
44 Natürlich kann die Gesetzesproblematik hier nicht näher entfaltet werden. Die allgemein übliche Sicht, die diese Frage vorwiegend aus der Perspektive des Paulus beurteilt und ihn dabei gegen ein depraviertes Gesetzesverständnis des Frühjudentums angehen läßt (vgl. dazu die bei *Eckert*, Verkündigung, 188 Anm. 1, aufgeführte Literatur; vgl. noch *Bornkamm*, Wandlungen, 71–119), erfährt in letzter Zeit einen anwachsenden Widerspruch, der die positive Bedeutung des Gesetzes stärker zur Geltung zu bringen sucht (vgl. *Eckert*, ebd., 106–130; *Limbeck*, Ordnung; *ders.*, Ohnmacht; *Mußner*, Galaterbrief, 188–204; jeweils mit weiterer Literatur). Vgl. außerdem *van Dülmen*, Theologie; *Stuhlmacher*, Gerechtigkeit; *Kertelge*, Rechtfertigung; *Gyllenberg*, Rechtfertigung.
45 *Mußner*, Galaterbrief, 169f.
46 εἰδότες, Gal 2,16; vgl. v 17a!

getan hatte und jede Abweichung davon Sünde sei. Sie befreite ihn deshalb nicht von der Pflicht zur Erfüllung der im Gesetz gegebenen Gebote Gottes. Sonst hätte er Heide und Sünder werden müssen (Gal 2,15), um Christ sein zu können. – Diesen Standpunkt betrachtete Paulus in zweierlei Hinsicht als illusionär. Zum einen, weil der Versuch, das Gesetz – und sei es nur teilweise – erfüllen zu wollen, von der falschen Voraussetzung ausgeht, der Mensch sei dazu überhaupt in der Lage; faktisch erweist er sich jedoch ohne Einschränkung als Sünder (Gal 3,10–12; Röm 1,18–3,20; 7,7–24). Wieweit das Gesetz erfüllbar ist, ist darum eine unrealistische Frage: Es *wird* von ihm nicht erfüllt. Seine Gesetzesobservanz versklavt ihn nur noch mehr unter die Sünde[47]. Zweitens aber, und das ist das Entscheidende, wird das Leben des Christen nur noch von Christus bestimmt, er lebt allein aus der Gnade (Gal 2,20f). Neben ihr kann es keine andere Lebensordnung mehr geben – oder die der Gnade, auf der seine Rechtfertigung gründet, würde wieder außer Kraft gesetzt[48].

Die Standpunkte waren unvereinbar – und das zwischen solchen, die vermutlich über lange Jahre zusammenarbeiteten und deren Kampfgenossenschaft sich in Jerusalem bewährt hatte! Hier war offenbar die Basis der Zusammenarbeit, die Paulus andernorts trotz heftiger Konflikte nicht zerbrochen sah, nicht mehr vorhanden. Die Gesetzesproblematik, Kernproblem der Urchristenheit, trennte die alten Mitarbeiter. Sie machte auch später vor seinem Mitarbeiterkreis nicht halt. Nur wenige Judenchristen vermochten die radikalen und umstürzenden Konsequenzen, die Paulus aus dem Christusglauben zog, mitzuvollziehen (vgl. Kol 4,11). Für viele blieb sein

47 Deshalb ist es für Paulus nicht nur so, daß der Mensch lediglich darum seine Gerechtigkeit nicht im Gesetz zu finden vermag, weil dieses für ihn grundsätzlich unerfüllbar ist und er immer als Sünder dasteht. Diese Sicht vertritt *Wilckens* (Paulus, 72f): »Ziehen wir das Fazit. Durchweg ist es faktische Sünde, die eine Gerechtigkeit aus Werken des Gesetzes unmöglich macht. Der Mensch als durch das Gesetz festgelegter Sünder kann nicht durch eigene Gesetzeserfüllung, seine Sünde gleichsam kompensierend, gerecht werden. Das ist der Sinn des Satzes ›aus Werken des Gesetzes wird kein Mensch gerecht‹. Paulus setzt darin voraus, daß alle Menschen faktisch Sünder sind.« Das ist zwar richtig, trifft aber nicht das Ganze. Denn aus Gesetzeswerken wird »kein Fleisch« gerecht, »nicht nur der, dem sie fehlen, sondern auch der, der sie vorweist« (*Bornkamm*, Teufelskunst, 147), vgl. Phil 3,4b–14; Röm 10,1–3. Richtig urteilt *Limbeck* (Ohnmacht, 101f): »Wenn Paulus die eigene Gerechtigkeit aus Gesetzeswerken ablehnt (vgl. Röm 3,20.27; 4,4ff; Gal 2,16), dann trägt er damit zwar keineswegs nur der menschlichen Schwäche Rechnung, die das Gesetz eben *nicht* erfüllen *kann*, doch richtet er sich damit auch nicht einfach nur gegen die menschliche Selbstsicherung und Selbstbehauptung vor Gott, als ob sie unausweichlich mit der Erfüllung des Gesetzes verbunden sein müßte. Paulus lehnt diesen Weg vielmehr deshalb ab, weil dort, wo der Mensch in seiner Frömmigkeit an den Weisungen des Gesetzes *festhält*, er sich im Grunde selbst unfähig macht, sich ungeteilt und vorurteilslos auf den Gott auszurichten und bedenkenlos auf den Gott zuzugehen, der ihm in Jesus Christus das Heil eröffnet und angeboten hat« (Hervorhebungen beim Verfasser).
48 Zutreffend formuliert *van Dülmen* (Theologie, 7): »Allein von der Tatsache aus, daß in Christus das einzige und ganze Heil gekommen ist, kann die paulinische Beurteilung des Gesetzes verständlich werden: die Frage des Gesetzes ist ein ausschließlich christologisches Problem« (vgl. 185–230); ebenso *Mußner*, Galaterbrief, 185.

Standpunkt unannehmbar; kein Wunder, daß er sich immer wieder judenchristlichen Vorwürfen und Agitationen ausgesetzt sah (vgl. Röm 3,8; 6,1;
7,7).

7.1.2
1Kor 1–4: Apollos

Die Gruppenbildungen in Korinth, die Paulus 1Kor 1–4 bekämpft, führt
man des öfteren auf die dortige Verkündigungstätigkeit des Apollos zurück[49], dessen in der Gemeinde ausgesäte Weisheitstheologie angegangen
und unerwartet wild ins Unkraut geschossen sei. Sind solche Vermutungen
berechtigt? Kann man dann eventuell dem 1. Korintherbrief etwas über Art
und Inhalt der Verkündigung des Apollos entnehmen?
Die Möglichkeit solcher Zusammenhänge und Einsichten kann zwar nicht
von vornherein abgewiesen werden; doch stößt sie auf erhebliche methodische Skepsis. Denn 1Kor 1–4 und dem 1. Korintherbrief insgesamt fehlen
alle direkten Hinweise darauf, daß die Schwierigkeiten in Korinth auf Apollos zurückgingen. Vielmehr bezeichnet Paulus ihn als seinen Mitarbeiter
(3,9) und wollte ihn sogar dazu bewegen, ein zweites Mal nach Korinth zu
gehen (16,12). Hinzu kommt, daß die Ausführungen des Paulus die Sach-
lage in Korinth nur insoweit und so genau zu erkennen geben, als sie ihm
übermittelt worden ist bzw. bekannt war und als er seinerseits – nicht refe-
rierend, sondern in konkreter Auseinandersetzung – auf sie eingeht.
Schließlich darf von der Art der korinthischen Theologie, selbst wenn sich
dafür Hinweise fänden, daß sie von Apollos beeinflußt wurde, nicht einfach
auf dessen Verkündigungstätigkeit rückgeschlossen werden, da erstens
auch andere Einflüsse in Korinth wirksam geworden sein können (1,12: die
Petrus-Gruppe) und da zweitens ungewiß ist, in welchem Maße man Apollos in Korinth überhaupt zutreffend interpretierte und nicht mißverstanden
hat.
Trotz dieser vorgängigen Bedenken erfordert es doch unsere Fragestellung,
dem aufgeworfenen Problem genauer nachzugehen, denn es liegt umgekehrt angesichts der sich auf Apollos berufenden korinthischen Gruppe
(1,12; 3,4.22) wenigstens nahe, daß seine Wirksamkeit in Korinth in ir-
gendeiner Weise die dortigen Spannungen mitverursacht hat. Sollte es auch
nicht gelingen, die Art seines theologischen Einflusses in Korinth spezieller
zu beschreiben, so wäre doch dessen allgemeine Kennzeichnung bereits ein
Ergebnis, das Thema und These dieses Kapitels – die theologische Eigenständigkeit der Mitarbeiter neben Paulus – weiter illustrieren und stützen
könnte.
Folgende Gesichtspunkte unterstreichen die Vermutung, Apollos sei für die

---

49 Unter den neueren Arbeiten vgl. *Haenchen*, Apostelgeschichte, 490f; *Barrett*, Christianity, 272f.283; vgl. ähnlich *Maly*, Gemeinde, 19.26f.

Gruppenbildung in Korinth – in welcher Form, muß zunächst offenbleiben
– verantwortlich.

1. Obgleich Paulus 1Kor 1,12 von drei, nach vielen Forschern sogar von
vier[50] Gruppen in Korinth redet (vgl. 3,22), handelt er im Folgenden ausschließlich von Apollos und sich (3,4ff; 4,1ff). Dieser Tatbestand, so auffällig er ist, findet doch im allgemeinen nicht viel Beachtung. Die Hypothese,
nach 4,6 seien gar nicht Paulus und Apollos gemeint, sondern eigentlich die
Christusgruppe[51], hat keinerlei Wahrscheinlichkeit für sich[52]. Daß Paulus
allein und in solcher Ausführlichkeit (3,5–15; 4,1–6) speziell von seiner
und des Apollos Verkündigungstätigkeit handelt, deutet vielmehr darauf
hin, daß er darin das Kernproblem gesehen hat[53].

2. Oft wird insbesondere in 3,10–15 ein Hinweis darauf gefunden, daß
Paulus der Verkündigung des Apollos »mit erheblicher Reserve« gegen-
übergestanden und in ihr »ein trennendes Element gefunden« habe, »das
ihm eher als Spreu denn als Gold« erschienen sei[54]. Diese Einschätzungen
versuchen, den ἄλλος von 1Kor 3,10 mit Apollos zu identifizieren, und verstehen v10–17 als gegen ihn gesprochen[55]. Zweifellos war Apollos einer
derjenigen, die in Korinth »weitergebaut« haben, ja, vielleicht der einzige[56]. Doch ist zugleich zu beachten, daß Paulus in v5–9 gerade seine Einigkeit mit ihm hervorheben will und ihn betont als Mitarbeiter bezeichnet.
Vor allem aber formuliert Paulus in v10ff offenbar bewußt generell, und
nur insofern er *alle* Weiterbauenden meint, will er, daß man seine Worte
auch auf Apollos beziehe. Es will allerdings weiter beachtet werden, daß
Paulus überhaupt, nachdem ihm doch v5–9 alles daran lag, die Einheit zwischen sich und Apollos zu betonen, noch auf die Unterschiede zwischen den
Verkündigern eingeht. Warum dieser Abschnitt? Soweit er dabei seine
apostolische Funktion von aller übrigen Weiterarbeit differenziert (v10f),
bleibt er durchaus im Rahmen dessen, was v5f schon andeutete, und es ist
der Gedanke der Einigkeit nicht verlassen. Doch ließ schon v8a anklingen,
was in v10c aufgegriffen und ab v12 sogar zum Thema gemacht wird: Paulus gibt zu erkennen, daß zwischen den Verkündigern hinsichtlich des Cha-
rakters ihrer Arbeit durchaus Unterschiede bestehen und daß einer Arbeit,
die die Maße des Fundaments nicht einhält, das Strafgericht unausweichlich

50 Zur Problematik der »Christus-Gruppe« s. o. Kap. 6 Anm. 4.
51 *Schmithals*, Gnosis, 191–193, unter Rückgriff und Hinweis auf *Lütgert*.
52 Vgl. o. Kap. 6 Anm. 12.
53 Mit *Maly*, Gemeinde, 16.26.
54 *Haenchen*, Apostelgeschichte, 491.
55 So *Weiß*, Korintherbrief, XXXIV–XXXVI, und ihm folgend *Vielhauer*, Oikodome, 182 =
Anm. II,6. *Weiß* befremdet dann »der ungeheuer schroffe Wechsel des Tones 3,9b–15, vollends in 3,16ff« (XXXIV), deshalb meint er, diesen Abschnitt nicht mehr auf Apollos beziehen
zu können, sondern glaubt, in diesem »Zwischenstück« werde »auf den (oder die) Führer der
Kephas-Partei gezielt« (ebd.). Damit ist der Charakter von 3,10ff verkannt (s. u. und vgl. auch
o. Kap. 6 Anm. 12 und 16).
56 Denn die missionarische Wirksamkeit sowohl des Petrus in Korinth als auch solcher Männer, die sich auf ihn beriefen, ist nicht gewiß, s. o. Kap. 6 Anm. 3.

bevorsteht (v 12–15). Auch hier bleibt Paulus generell und überläßt es jedem, sich selbst zu prüfen. Aber seine Thematik als solche – die Arbeit der
Verkündiger auf dem gelegten Fundament –, und zwar im unmittelbaren
Anschluß an die Erörterung seines Verhältnisses zu Apollos, sowie schließlich vor allem die kurze Behandlung dieses Gedankens bereits in v 8b (!), geben zu erkennen, daß Paulus Anlaß sah, seine Warnung hinsichtlich des
Weiterbauens (v 10c) gerade auch im Bezug auf die Arbeit des Apollos auszusprechen. Aber nicht er selber will hier ein Urteil fällen, genausowenig
wie die Gemeinde Recht dazu besitzt (vgl. 4,1–8). Deshalb nennt er (vor
v 12ff) zuerst den Maßstab (v 10f), an dem *jede* Arbeit gemessen wird, und
formuliert im übrigen durchgängig generell.

3.   Ein letztes Indiz fördert 3,18–23 sowie der gesamte Zusammenhang in
1Kor 1–4 zutage. Zwischen die beiden Abschnitte über die Gemeindeverkündiger (3,5–17; 4,1–16) schiebt Paulus einen Passus, in dem er sprachlich
und inhaltlich auf die Ausführungen über Weisheit und Torheit in 1,18ff;
2,1ff zurückgreift (vgl. außerdem 4,10!), andererseits aber die Warnung
von v 16f und v 10c sowie den generellen Stil des vorangehenden Abschnitts
(zunächst) beibehält. Hier werden also die beiden Themen Weisheit – Torheit und Gemeindeverkündiger sichtbar und eindeutig miteinander verbunden[57]. Vor dem Weisheitsdenken sah Paulus in diesem Zusammenhang
besonderen Anlaß zu warnen. Dabei muß beachtet werden, daß mit v 16f
wieder die Gemeinde in den Blick tritt, und v 18ff sowohl von den Parallelen
(1,18–2,16) als auch von V 21 (ὑμῶν) her die Situation in der Gemeinde anvisieren. Diese Sicht wird mit 4,1–4 zwar nochmals unterbrochen, setzt sich
dann jedoch bis zum Ende fort. Die Weisheitstheologie bekämpft Paulus
also (nur) als einen in der korinthischen Gemeinde grassierenden Mißstand,
und das betrifft alle Stellen, an denen er davon spricht[58]. Aber weil er diesen
Tatbestand in v 18–23 in einen solchen Kontext stellt und mit der Warnung
vor einer nicht fundamentgemäßen Arbeit sozusagen in einem Atem nennt,
und weil außerdem (wie gezeigt) diese Warnung sowie die Aufforderung
zur Selbstprüfung speziell auch der Arbeit des Apollos gilt, kann eine Verbindung der Weisheitstheologie der Korinther und der Verkündigung des
Apollos kaum bestritten werden. Diese Beziehung darf nach 3,5–9 allerdings nicht so gesehen werden, daß Apollos etwa selber die Gruppenbildung
angezettelt, die Gemeinde teilweise gegen Paulus aufgebracht oder die enthusiastische Vollkommenheitstheologie in die Gemeinde getragen hätte.
Sonst würde sich Paulus schwerlich darum bemüht haben, ihn zur erneuten
Reise nach Korinth zu bewegen (16,12). Er selber wußte sich sehr wohl mit
Apollos einig. Vielmehr gilt die Kritik des Paulus den Korinthern und der
Art, wie sie ihre Gemeindeverkündiger gegeneinander ausspielten und sich

57   Vgl. *Wilckens*, Weisheit, 7. Diese verzahnte Struktur durchzieht die gesamten vier Kapitel, wie gezeigt (Kap. 6 Anm. 5). In ihr kommt zum Ausdruck, daß beide Fragen, die theologische und die nach den Verkündigern, untrennbar zusammengehören.
58   Das betont auch *Maly* (Gemeinde, 20), der allerdings die Besonderheit von 3,10ff nicht
erkennt.

ihrer Weisheit brüsteten (3,18–23; 4,6). Die Korinther waren es, die aus
der Predigt des Apollos mehr und anderes heraushörten, als dieser jedenfalls
intendierte[59]. Die Stichworte ›Weisheit‹ und ›Vollkommenheit‹ *könnten*
dabei durchaus von Apollos stammen[60]. Gerade wenn die Gemeinde die
Verkündigung des Apollos mißinterpretierte und gegen die paulinische ausspielte (2,1–5; 4,6.15f), wird erklärlich, weshalb Paulus daran lag, Apollos
zur erneuten Reise nach Korinth zu bewegen: Er hätte die absurden Folgerungen, die man in Korinth aus seiner Arbeit gezogen hatte, am besten zu-
rechtrücken können[61].

Gruppenbildung und theologische Vorstellungen in Korinth, gegen die
Paulus 1Kor 1–4 angeht, sind also (ohne daß auch andere Einflüsse ausgeschlossen werden könnten) unbeabsichtigte Folgeerscheinungen der dortigen missionarischen Wirksamkeit des Apollos gewesen; doch läßt es das
Quellenmaterial nicht zu, die Art der Verkündigung des Apollos näher zu
bestimmen. Insofern sind die anfänglich geäußerten Vorbehalte zu beachten. Deshalb führt es hier nicht weiter, die Weisheitstheologie der Korinther eingehender zu beleuchten. Für die Verkündigung des Apollos kann sie
nicht direkt ausgewertet werden. Mehr als daß diese Verkündigung nach
Form (vgl. 2,1–5! u. a.) und Inhalt sich von der paulinischen so weit unterschied und so andersartig war, daß man den einen gegen den anderen Prediger auszuspielen begann (4,6) und sich sogar, unter Gruppenparolen gesammelt (1,12), in Fraktionen aufspaltete, läßt sich nicht sicher sagen.

Das Erstaunliche und im Rahmen unserer Fragestellung besonders Hervor-
zuhebende liegt aber darin, daß Paulus, so anders Theologie und Verkündigungsform des Apollos gewesen sein mögen, diesen dennoch pointiert als
seinen Mitarbeiter bezeichnet (3,9). Damit wird erneut sichtbar, daß inner-

---

59   Vgl. *Weiß*, Korintherbrief, XXXIII; *Lietzmann*, Korinther, 7; *Baumann*, Mitte, 17 (mit
Lit.); *Maly*, Gemeinde, 15–28. *Maly* vermutet (19), »daß das Auftreten des Apollos in Korinth für die Gemeinde zum Anlaß der Gruppenbildung wurde, weil sie seine Verkündigung als
›Weisheitslehre‹ *mißverstand*« (Hervorhebung beim Verfasser). Anders *Munck*, Heilsgeschichte, 135–137; *Dahl*, Paul, 323–325.329.
60   Die Ausdrücke σοφία, σοφός erscheinen außer in der wohl vorpaulinischen Doxologie
Röm 11,33, in dem nachpaulinischen Stück 16,19 sowie an den vielleicht die vergangenen korinthischen Erfahrungen aufnehmenden Stellen 2Kor 1,12 und Röm 1,14.22 ausschließlich in
1Kor. Dabei sind 1Kor 3,10 und 6,5 vielleicht bloß »traditioneller anthropologischer Sprachgebrauch« (*Wilckens*, Art. σοφία κτλ., 518). Im übrigen ist Paulus das Stichwort offensichtlich
aus der korinthischen Auseinandersetzung zugeflossen. Ähnlich verhält es sich vielleicht mit
dem Ausdruck τέλειος; Paulus gebraucht den Wortstamm sonst nur Phil 3,12.15 in der Auseinandersetzung, außerdem einmal in Röm 12,3. Dabei *kann* Paulus die Stichworte auch positiv aufnehmen (1Kor 2,6 u. a.), um ihnen dann seine spezifische Interpretation unterzulegen
(*Lührmann*, Offenbarungsverständnis, 114.134–140). Richtig verstanden, waren sie nicht
einfach unmöglich neben Paulus.
61   Im übrigen haben die Korinther nicht nur Apollos, sondern (und im Verlaufe ihrer Grup-
penpolarisierungen in steigendem Maße) auch Paulus mißverstanden! Vgl. etwa 1,14–16;
2,1–5; 4,14f und 11,1 (woraus die Entstehung der Parole 1,12 verständlich werden kann);
9,1ff; 15,8–16 (vgl. Kap. 6 Anm. 9); auch 5,9–13.

halb des paulinischen Mitarbeiterkreises ein weiter Fächer von Paulus sich unterscheidenden theologischen Denkens möglich war[62].

7.2
Der Kolosserbrief

Was die Quellen über die theologische Eigenständigkeit der Mitarbeiter des Paulus zu erkennen geben, ist insgesamt sehr begrenzt. Immerhin fand sich doch, nimmt man auch die Beobachtungen aus Phil 1 hinzu, eine Reihe von Hinweisen, welche die eingangs des Kapitels vorgestellten Erwägungen zu illustrieren vermochten.

Nun lassen sich diese Beobachtungen aber noch wesentlich erweitern und vertiefen, sofern die unter ganz anderem Blickwinkel angestellten und in Exkurs 1 zum Kolosserbrief vorgetragenen Überlegungen zutreffen, daß dieses Schreiben aus der ephesinischen Gefangenschaft des Paulus stammt und von einem mit Paulus eng verbundenen Mitarbeiter, wahrscheinlich Timotheus, verfaßt wurde. Auch für den, der solchen Folgerungen nicht meint zustimmen zu können, kann die Behandlung dieses Briefes in unserem Zusammenhang im übrigen nicht ohne Sinn sein. Denn auch er wird im Kolosserbrief ein Dokument sehen, das aus dem Kreis derjenigen Personen stammt, die Paulus besonders nahestanden und deren »Paulinismus« noch nicht literarisch vermittelt ist, sondern kraftvoll und lebendig in selbständiger Weise zum Ausdruck kommt[63].

7.2.1
Der Kolosserbrief als Brief eines Mitarbeiters des Paulus

Ehe ich versuche , die Art dieses ›Paulinismus‹ etwas genauer zu beschreiben, muß aber noch ein naheliegender Einwand von seiten derer pariert werden, die gerade wegen des Abstandes des Kolosserbriefes zu den Paulusbriefen in ersterem nicht Paulus sprechen hören. Kann man nun einem engen Mitarbeiter des Paulus zutrauen, daß er theologisch so anders denkt als Paulus?

Hinter dieser Anfrage steht zunächst eine Gleichsetzung, die nahezu[64] ausnahmslos von allen Echtheitsbestreitern des Kolosserbriefes vorgenommen

---

62 Paulus selber scheut sich ja keineswegs, im 1Kor die Sprache der Korinther zu sprechen und ihre Vorstellungen zu übernehmen (2,6–16!; 3,1–4!; vgl. ebenso 6,12; 10,23; 14,1ff), um sie dann in seiner spezifischen Weise zurechtzurücken oder in einen ganz anderen Kontext, unter ein ganz anderes Oberthema zu stellen – eine Methode, die sich zahlreich überall dort beobachten läßt, wo Paulus überkommene Vorstellungen aufgreift.

63 Ebenso *Lohse*, Kolosser, 256.

64 Abgesehen von einigen komplizierten Erklärungsversuchen: *Holtzmann* (Kritik, spez. 130f.148–199), der die These vertrat, der Kol sei in seinem Grundbestand authentisch, dann jedoch vielfach vom Autor des Eph überarbeitet; ebenso, aber im einzelnen anders, *Harrison* (Onesimos, 281f) und *Masson* (Colossiens, passim). *Benoit* (Rapports, 21f) meint, der Kol sei durch einen »Sekretär« des Paulus verfaßt.

wird: Sie versuchen, die *sachliche* Differenz zwischen dem Kolosserbrief und den Paulusbriefen als eine *zeitliche* verständlich zu machen[65]. Aber weder von seinen Abfassungsverhältnissen[66] noch von seinen theologischen Vorstellungen aus (wie unten weiter gezeigt wird)[67] bietet der Kolosserbrief wirklichen Anhalt, in ihm eine kirchengeschichtlich fortentwickelte Situation beschrieben zu finden. Was die sachliche Differenz des Briefes zu den Schreiben des Paulus angeht, so darf sie ebensowenig verharmlost wie übertrieben[68] werden. Der Kolosserbrief steht unter allen Deuteropaulinen Paulus theologisch zweifellos am nächsten[69]. Geht man von seiner *nicht*-paulinischen Verfasserschaft aus, so fällt nicht seine Differenz, sondern zuallererst seine Nähe zu Paulus ins Licht. *Sie* bedarf, zusammen mit der konkreten Abfassungssituation des Briefs, der Erklärung[70].

Die an die Echtheitsvertreter des Kolosserbriefs gerichtete und dort auch nicht unberechtigte Frage, ob man Paulus selbst ein solches Maß an theologischer Abweichung von seinen übrigen Briefen zumuten dürfe[71], läßt sich

65 Vgl. Kap. 9 Anm. 1. Selbst *Lähnemann* (Kolosserbrief, bes. 177–182), der sich so sehr um die Aufhellung der konkreten Abfassungssituation bemüht, kann sich von dieser Alternative nicht lösen und steuert deshalb seine Überlegungen zur Verfasserfrage in eine (ehrliche und bezeichnende!) völlige Aporie und »Ratlosigkeit« (182).
66 Vgl. Exkurs 1 insgesamt.
67 Vgl. Exkurs 1, Punkt 3f und Kap. 9 Anm. 15 und 20 sowie u. S. 222ff.
68 Es stellt z. B. eine Übertreibung dar, wenn *Lührmann* (Rechtfertigung, 448) fragt: »Wie konnte man dazu kommen, im Namen des Paulus *ein solches anderes Evangelium* zu verkündigen?« (Hervorhebung von mir). Ähnlich auch *Stuhlmacher* (Verantwortung, 180). Solche Urteile erwachsen einerseits aus einer Atomisierung einzelner Aussagen des Kol, andererseits aus einer Verabsolutierung bestimmter paulinischer Gedanken; vgl. *Stuhlmacher* (185): »Nur wenn wir . . . die Thesen des Kolosserbriefes fest und kritisch an Paulus binden«, meint er, könne man sich auf dessen theologisches »Experiment« (180) einlassen.
69 *Käsemann* (Art. Kolosserbrief, Sp. 1728): »Die Datierung des Briefes steht unter der Alternative: Wenn echt, um des Inhaltes und Stiles willen so spät wie möglich, wenn unecht, so früh wie denkbar.« Vgl. außerdem *Lähnemann*, Kolosserbrief, 155–182, spez. 176.181.
70 Der hier vorgetragene Erklärungsversuch weiß sich in doppelter Hinsicht im Vorteil: Er ist von der Not, die *theologischen* Vorstellungen des Kol gerade noch als paulinisch erweisen zu müssen ebenso unbelastet wie von der Mühe, die *historischen* Briefangaben in nachpaulinische Zeit transponieren und ihnen Blaßheit, legendarische oder literarische Tendenzen anhängen zu müssen. Er steht weder im apologetischen Interesse der »Echtheit«, noch sucht er seine besonders kritische Einstellung gegenüber den Echtheitsfragen im Corpus Paulinum durch möglichst krasse Gegenüberstellungen unter Beweis zu stellen. Beide Verfahren sind tendenziös. Was zählt, sind allein die unvoreingenommenen, alle Aspekte gleichermaßen berücksichtigenden Beobachtungen.
71 Unausgeglichenheiten und Unebenheiten finden sich allerdings, was im Vergleich zum Kol gern unterschlagen wird, auch *innerhalb* der Paulusbriefe und zwischen seinen einzelnen Briefen; um nur einige Beispiele zu nennen: Die Rechtfertigungslehre – die im 1Thess, in den beiden Korintherbriefen (von gewissen Spuren, z. B. 1Kor 1,31, abgesehen, dort aber wohl in traditioneller Formulierung und gerade anders als für Paulus typisch!), im Phil (abgesehen von dem vermutlichen Einzelteil Phil 3) und im Phlm bekanntermaßen nicht erwähnt wird (!) – in ihrem Verhältnis zu anderen theologischen Ansätzen bei Paulus (z. B. Adam-Christus-Typo-

auf seine Mitarbeiter nicht einfach übertragen. Es ist vielmehr oben gezeigt worden, daß eine Vorstellung, die den Spielraum des im Mitarbeiterkreis um Paulus sich Ausdruck verschaffenden theologischen Denkens zu klein faßt, der historischen Lage nicht gerecht zu werden vermag. Weder was seine Gemeinde betrifft noch was seine Mitarbeiter anbelangt, dürfen ihre Sprachwelt, ihre Vorstellungen und ihre Einsichten schlankweg an der theologischen Elle des Apostels gemessen werden[72]. Wer unter ihnen stets nur die scharfkantigen (unter der Lupe des Exegeten bisweilen überdimensional vergrößerten und alles andere aus dem Gesichtsfeld drängenden) Profile des paulinischen Denkens erwartet, kann die Vielfalt des neben Paulus Vorhandenen nicht erfassen und überträgt der paulinischen Missionsarbeit einen insularen Charakter, den sie nicht besessen hat[73].

Weisen aber nicht die theologischen Differenzen zwischen Kolosserbrief und Paulusbriefen eindeutig in eine spätere, nachpaulinische Zeit? Spricht sich nicht speziell in Kol 1,23d–2,5 ein Traditionsdenken aus, das in der Bewertung des paulinischen Apostelamts bereits Abstand zum Wirken des Paulus erkennen läßt? An dieser am stärksten für die nachpaulinische Abfassung des Kolosserbriefes reklamierten Passage[74] soll noch einmal die hier vertretene Abfassungsthese überprüft werden. Zugleich kann sie Auskunft geben über die Bewertung der apostolischen Autorität des Paulus durch den Verfasser des Kolosserbriefes und damit meine Ausgangsfrage nach der Eigenständigkeit des theologischen Denkens seiner Mitarbeiter weiterverfolgen.

---

logie; Versöhnungslehre; Vorstellung vom Mitsterben und -leben etc.); die verschiedenen christologischen (Davidssohnschaft; Gottessohnschaft, Kyrios und Christus etc.) und ekklesiologischen Vorstellungen (Gottesvolk, Gemeinde der Heiligen, Gemeinde als Bau, als Leib Christi) u. a. m. Damit soll natürlich nicht gesagt werden, daß solche Unebenheiten denen, die zwischen den Paulusbriefen und dem Kol bestehen, in jeder Hinsicht gleichgeartet sind. Aber sie warnen vor einer Atomisierung der Einzelvergleiche und einer Verabsolutierung paulinischer Gedanken.

72 Vgl. dazu die Überlegungen zur Verkündigungstätigkeit des Apollos in Korinth, s. S. 217f.

73 In solcher Perspektive beurteilt *Käsemann* (Frühkatholizismus) die Nachwirkung des Paulus: »Schon die Paulusschüler haben sie (die Rechtfertigungs- und Kreuzestheologie) . . . ihrer Härte entkleidet oder wie im Epheserbrief . . . paralysiert« (242). »Direkt und dauerhaft hat Paulus als Missionar wie als Theologe die folgende Entwicklung nur wenig bestimmt, obgleich das in schreiendem Mißverständnis zu dem von ihm selbst erhobenen Anspruch steht. Er war und blieb doch wohl ein Einzelgänger . . .« (251). Und so beurteilt *Käsemann* auch schon die Wirkung des Paulus auf seine Zeitgenossen. Denn es habe »unabhängig von ihm bedeutende Heidenmissionare gegeben . . ., und die von ihm genannten Rivalen in Galatien, Korinth, Philippi dürfen ebenfalls von uns nicht unterschlagen werden, denn den Gestalten seiner Grußlisten ganz zu schweigen«. Deshalb fragt *Käsemann*: »Ist es nicht ein völlig offenes Problem, wie lange die von Paulus gegründeten Gemeinden ihm treu geblieben sind und seine Tradition bewahrt haben?« (beide Zitate 241). – Aber: Waren »seine« Gemeinden Paulus je in der Weise »treu«, daß sie ohne Einschränkung am theologischen Maßstab seiner Briefe vermessen werden könnten?

74 Vgl. bes. *Marxsen*, Einleitung, 156f.160; *Lohse*, Kolosser, 111f.115–118.122f.132.251f.

7.2.2
Das paulinische Apostelamt nach Kol 1,23d–2,5

Man hat aus der Tatsache, daß in Kol 1,23d–2,5 an so exponierter Stelle vom Apostolat des Paulus geredet wird, geschlossen, es werde hier, »bezeichnend für die zweite Generation«, »die Autorität des Apostels in den Dienst der Bekämpfung der Irrlehre gestellt«[75]: »Die Gemeinde wird nicht nur an ihr Bekenntnis, sondern zugleich an das apostolische Amt als Hüterin der Wahrheit gebunden.«[76] Umgekehrt wie in den Paulusbriefen werde hier (1,23) »betont, daß dem Evangelium durch seinen apostolischen Charakter verbindliche Gültigkeit zukommt«[77]. In 1,24ff werde »die Basis . . . gelegt: das Christusbekenntnis und seine Auslegung durch den Apostel. Damit sind Kriterien für die Unterscheidung von wahr und falsch gegeben«[78].

Daß 1,23ff der apostolische Auftrag des Paulus zum Thema gemacht wird, ist auffällig und erklärungsbedürftig. Vergegenwärtigt man sich Gedankengang und Struktur des Kolosserbriefs, so wirkt dieser Teil zunächst wie ein langer Einschub. Die Absprungbasis zur Bekämpfung der Irrlehre war mit 1,20 bzw. 1,23 erreicht; 2,6f summiert darum nochmals und knüpft an 1,23 an[79]. Andererseits kommt dem Abschnitt gerade durch die Stellung Gewicht zu[80].

Welches ist seine Funktion? Er entfaltet Inhalt und Ziel des Paulus übertragenen Auftrags. Betrachten wir die einzelnen Aussagen näher. Mit 1,21–23 hatte der Verfasser den zitierten Hymnus konkret auf die Gemeinde angewandt, nicht so, daß er lediglich seine Geltung für sie behauptete, sondern so, daß er mit dem Hymnus ihrem Bekenntnis und der sie bestimmenden Wirklichkeit Ausdruck gab und die Basis beschrieb, die sie als die ihre übernommen *hat*, auf der sie steht[81]. Das ist das Evangelium, das sie gehört hat und an dem sie festhalten soll, das in der ganzen Welt verkündigt wird (1,23)[82]. Dessen Verkündiger (διάκονος) ist auch[83] Paulus geworden. Die Einmaligkeit des Verkündigungsdienstes, die anschließend näher ent-

75 *Marxsen*, Einleitung, 160 (beide Zitate).
76 *Käsemann*, Taufliturgie, 49.
77 *Lohse*, Kolosser, 111; vgl. 112 Anm. 1.
78 *Conzelmann*, Kolosser, 143.
79 So auch *Lähnemann* (Kolosserbrief, 49): »ein Summarium des ersten Briefteils«.
80 Es ist ein besonderes Verdienst der Arbeit von *Lähnemann*, die durchdachte und wohlstrukturierte Komposition des Kol klar herausgearbeitet zu haben (Kolosserbrief, 44.49.53–55.60 und die Aufstellung in 61f). *Conzelmann* (Kolosser, 142f) versteht z. B. 2,1–15 unrichtig als einen zusammengehörenden Abschnitt.
81 Er (Gott) hat versöhnt (Aor.); sie sollen sich nicht abbringen lassen von der Hoffnung des Evangeliums, bei dem sie im Glauben »fest gegründet und unerschütterlich« beharren sollen (1,22f).
82 Die hier zum Ausdruck kommende globale Missionsperspektive hat (trotz Röm 15,19) bei Paulus keine direkte Entsprechung. Charakteristisch ist, daß sie über den Rahmen der paulinischen Mission hinausdenkt (vgl. Anm. 91).

faltet wird, ist schon hier durch das betonte »Ich« des Paulus herausgestellt; aber sowohl durch die Wortwahl (διάκονος)[84] als auch durch die syntaktische Verknüpfung[85] sowie schließlich durch die Parallelität von 1,23 zu 1,4–8[86] ist eindeutig, daß nicht etwa der apostolische Charakter des paulinischen Auftrags dem Evangelium seine Gültigkeit verleiht[87], sondern umgekehrt: Wie der Gemeinde (v21–23) ist auch Paulus das Evangelium vorgegeben.

Sein Verkündigungsdienst wird in zweierlei Hinsicht beschrieben. Zunächst heißt es unter Bezugnahme auf die konkrete Gefangenschaftssituation des Paulus[88], er fülle durch seine körperlichen Leiden das auf, was den »Trübsalen Christi« noch fehle (1,24). Hinter diesem schwierigen[89] und im Neuen Testament singulären Gedanken steht wohl »die apokalyptische Vorstellung von den endzeitlichen Trübsalen als Wehen des Messias«[90]. Gerade im Leiden verwirklicht sich also der Auftrag des Paulus, und seinem Leiden kommt dem Kolosserbrief gemäß offensichtlich ganz besondere Be-

---

83 S. u. S. 225f.

84 Der διάκονος ist der in Gottes Dienst stehende Verkündiger (s. o. S. 73f), ein Titel, den Paulus – ebenso wie der Kol (1,7; 4,7!) – keineswegs nur sich selbst vorbehält (1Kor 3,5; vgl. Phil 1,1; Röm 16,1; 1Kor 16,15 und 2Kor 11,15.23), mit dem er aber des öfteren sein Verkündigungsamt beschreibt (2Kor 3–6 u. a.). *Merklein* (Amt, 337) kommt zum Ergebnis, daß schon in den Homologoumena »die Stellen mit Verkündigungszusammenhang in der Überzahl« seien, im Kol (und Eph) komme das Wort dann »nur im Verkündigungszusammenhang vor«.

85 Das Evangelium wird zunächst zweifach charakterisiert: Die Kolosser haben es bereits (ohne Paulus) »gehört«, und es ist in der ganzen Welt unter dem Himmel verkündet worden – in dessen Auftrag steht auch Paulus.

86 Eine Synopse würde die Parallelität am besten verdeutlichen. Ausgangspunkt ist beide Male der Glaube (v4b außerdem die Liebe, vgl. 2,2) der Gemeinde, den sie an Christus hat bzw. auf den sie gegründet ist (v4a/v23a); er basiert seinerseits auf der – in den Himmeln bereitstehenden – Hoffnung (v5.23b) des Evangeliums (v23b) bzw. findet im Wort des Evangeliums Ausdruck (v5b). Dieses »Wort der Wahrheit des Evangeliums« (v5b) bzw. dieses Evangelium (v23b) hat die Gemeinde gehört (v5b.6c.23b), es ist unter ihnen gegenwärtig (v6a; vgl. v23a). Es hat wie in der ganzen Welt so auch bei ihnen Fuß gefaßt und Frucht geschaffen (v6b), bzw. es ist »in der ganzen Schöpfung unter dem Himmel verkündigt worden« (v23c). Die Kolosser haben dies Evangelium »gehört«, wird nochmals betont (v6c; vgl. 23b), und die »Gnade Gottes in Wahrheit erkannt« (v6c; vgl. v22.23a). Sie haben es gehört und gelernt von Epaphras (v7a), der ein διάκονος Christi ist (v7b); und in gleicher Weise ist auch Paulus ein διάκονος des weltweit verkündigten Evangeliums (v23d). Funktion und Tätigkeit für die Gemeinde sind für beide im Blick auf das Evangelium vollkommen gleich; völlig parallel hat sie der Kol beschrieben.

87 *Lohse*, Kolosser, 111; s. o. Anm. 77.

88 Gegen die natürliche Erklärung und die übliche Auslegung der Kommentare meint *Lohse* (ebd., 112 Anm. 4; 116), in v24 werde nicht die konkrete Gefangenschaftssituation des Paulus betrachtet, welche erst 4,3 in den Blick komme. Aber das ist zu formal gedacht, und das Argument kehrt sich um. 1,23ff und 4,3ff bilden die beiden Ich-Passagen des Briefs, die jeweils die Gefangenschaftssituation des Paulus betonen. Das νῦν von 1,24 hat deshalb nicht (wie in 1,22) eschatologische, sondern temporale Bedeutung.

89 Zur Auslegungsgeschichte vgl. *Kremer*, Leiden; weitere Literatur gibt *Lohse* (Kolosser, 112 Anm. 3 und 113–117) an.

90 *Lohse*, ebd., 114.

deutung zu; es hilft, das »Maß«[91] voll zu machen. Aber hier zeichnet sich nicht die zweite Generation ein Bild vom leidenden Apostel[92], sondern sein Leiden gilt der Kirche und steht in ihrem Dienst (ὑπὲρ τοῦ σώματος)[93]. Doch nicht das Leiden steht im Mittelpunkt des Abschnittes. Es ist die eine Weise, wie sich der apostolische Dienst des Paulus äußert. Die andere, von der nun nur noch die Rede ist, ist sein Verkündigungsauftrag im Dienste der Gemeinde[94]. Wie hinsichtlich des apostolischen Leidens so ist auch bezüglich des apostolischen Verkündigungsauftrages *ein* Gesichtspunkt strikt betont, und mit ihm wird *das eigentliche Ziel des Abschnitts* bezeichnet: die grundsätzliche Bezogenheit des Apostelamtes auf die Kirche[95]; und zwar nicht bloß in allgemeinem Sinne, sondern konkret in bezug auf die angeschriebene Gemeinde in Kolossä. Dies zeigt sich durchgehend an dem gesamten Abschnitt 1,24–2,5 sowohl darin, daß die Gemeinde direkt angesprochen wird, als auch in der auffallend häufigen Erwähnung, daß sein Dienst um ihretwillen geschehe, sowie schließlich durch die finalen Bestimmungen, die die Gemeinde als Adressaten der paulinischen Verkündigung angeben[96]. Es findet endlich vor allem darin seinen Ausdruck, daß der ganze Abschnitt auf ebendiese Konkretisierung zusteuert (2,1–5): Paulus ist in jeder Hinsicht um die Belange der Kolosser (und Laodizener; 2,1), die ihn persönlich nicht kennen, besorgt. Ihnen gilt nicht nur allgemein sein Auftrag, sondern sie werden seines ganz besonderen Interesses und seiner Fürsorge versichert[97].

So wird in 1,24–2,5 nicht einfach deskriptiv vom Amt des Apostels gehandelt[98], sondern sein Auftrag wird applikativ entfaltet. Es wird auch nicht

91   Ebd., 115.
92   Ebd., 116.
93   Man darf also den Hinweis auf die Leiden des Paulus nicht gänzlich ihres historischen und konkret-gemeindebezogenen Kontextes entkleiden und dann allgemeine Reflektionen über die Leidensnotwendigkeit des Apostels daraus machen.
94   Auffallend ist das dreimalige ἐγενόμην (v 23d.25a), das, wie v 25 zeigt, auf die Berufung und Beauftragung des Paulus zur Evangeliumsverkündigung hinweist. Er *ist* nicht (zeitlos und allgemein) Apostel, sondern *ist es* – durch seine Beauftragung – *geworden* (anders etwa Eph 3,5; 4,11; 1Tim 2,7; 2Tim 1,11).
95   Das hat *Lähnemann* (Kolosserbrief, 43–48 u. ö.) zu Recht besonders hervorgehoben. Vgl. auch *Dibelius*, Kolosser, 22.
96   Die Leiden des Paulus geschehen für die Kolosser (ὑπὲρ ὑμῶν), weshalb sie ihm Anlaß zur Freude geben; er erfährt sie um des Christusleibes willen (ὑπέρ; v 24). Sein Auftrag bezieht sich auf die Kolosser (εἰς ὑμᾶς; v 25); der Inhalt seiner Verkündigung ist Christus in euch (ἐν ὑμῖν; v 27); er richtet sie aus, damit (ἵνα) er jeden in Christus als vollkommen darstellt (v 28). Sein ungeteilter Arbeitseinsatz geschieht für sie (ὑπὲρ ὑμῶν) und die Laodizener (2,1), damit (ἵνα) sie Stärkung erfahren durch die Erkenntnis des Gottesgeheimnisses (v 2f). Das sagt er, damit (ἵνα) keiner sie verwirre. Auch in seiner Abwesenheit (vgl. v 1) ist er bei ihnen (σὺν ὑμῖν εἰμι) und freut sich (vgl. 1,24) über ihre Glaubensfestigkeit.
97   ἀγών in 2,1 nimmt 1,29 auf und wird von κοπιῶ her erklärt; es handelt sich nicht um den Leidenskampf = das Martyrium des Paulus (*Lohmeyer*, Kolosser, 89f), sondern um seinen Arbeitskampf und -einsatz.
98   Diesen Eindruck vermittelt *Lohse* in seiner Exegese dieses Abschnittes (Kolosser, 111–132).

bloß »die Zuständigkeit« des Paulus »für die ihm unbekannten Briefempfänger« nachgewiesen[99], sondern seine intensive und unaufhörliche Anteilnahme an ihnen betont (vgl. 2,1f.5!).
Dies ist der Rahmen, innerhalb dessen der Apostelauftrag des Paulus der Gemeinde vorgestellt und auch nach seiner inhaltlichen Seite entfaltet wird. Dieser ist ihm als »Amt Gottes«[100] übertragen worden (1,25). Eigens wird begründet, daß die Funktion des Paulus für die Kirche und speziell für die Kolosser aus seinem *Auftrag* herrührt (vgl. 1,29)[101]. Inhalt dieses Auftrags ist nur eins: die ganze Fülle des Wortes zu verkündigen. Damit ist hier nicht nur eine quantitative Kategorie ausgesprochen[102], sondern, wie die Fortführung zeigt, eine qualitative[103]. Das ehedem verborgene, jetzt offenbarte »Geheimnis Gottes«[104] muß verkündigt werden (1,26.27; 2,3; 4,3). Gemeint sind nicht Geheimlehren: *Allen* Gläubigen ist Gottes Geheimnis zugänglich (1,26.28; 4,4), nicht bloß einer esoterischen Gruppe[105]. Gemeint ist, wie sogleich (1,27) und nachdrücklich wiederholend (2,2) expliziert wird, allein »*Christus in euch*«, »in dem alle Schätze der Weisheit und Erkenntnis verborgen sind« (2,3)[106].
In der Verkündigung dieses Gottesgeheimnisses steht Paulus nach 4,4 unter dem »Muß« seines Auftrags[107]. Um seinetwillen erleidet er auch seine Gefangenschaft (4,3). Daß das betont wird, wird seinen Grund in der Abfassungssituation haben[108]. In der Wahrnehmung dieses Auftrags, dem Wort

99 *Lähnemann*, Kolosserbrief, 48.
100 οἰκονομία τοῦ θεοῦ; Paulus sagt stattdessen χάρις (Gal 2,9; 1Kor 3,10; 15,10; Röm 12,3; 15,15 u. a.). Doch kennt er auch die hier gebrauchte Vorstellung (1Kor 4,1). Sprachlich different, wird inhaltlich der gleiche Gedanke ausgesprochen.
101 Vgl. Röm 1,1–15; 12,3; 15,14–24!
102 Im Sinne von Röm 15,19f.
103 Vielleicht enthält die Formulierung (πληρῶσαι τ.λ.; vgl. schon v 24) zugleich eine Polemik gegen die Irrlehre, wie *Kremer* (Leiden, 162) und *Lähnemann (* (Kolosserbrief, 46 Anm. 78; 78f) unter Hinweis auf die zentrale Bedeutung des Begriffs in der Auseinandersetzung annehmen (vgl. 1,19; 2,9).
104 Zu dem hier aufgenommenen, von *Lührmann* im Anschluß an *Dahl* so genannten Revelationsschema vgl. *ders.*, Offenbarungsverständnis, 113–140, spez. 124–133, mit Literatur; *Lähnemann*, Kolosserbrief, 47f.
105 *Lührmann*, ebd., 117.126–128.
106 Diese Begriffe verwendet der Kol erheblich freimütiger und positiver als Paulus (vgl. auch 1,9–11).
107 Vgl. 1Kor 9,16!
108 Sofern das Schreiben während der ephesinischen Gefangenschaft des Paulus entstand, fällt (abgesehen von den sonstigen Situationsangaben) auf den Hintergrund von Phil 1 (s. o. S. 193ff und Kap. 6 Anm. 181!) ins Auge, daß sowohl Kol 4,3 als auch 1,24 die Gefangenschaft des Paulus zu seinem Apostel- und Verkündigungsauftrag in besondere Beziehung gesetzt bzw. in 4,3 besonders betont wird, daß er »um des Evangeliums willen« gefangen liegt (wie in Phlm; s. Kap. 4 Anm. 39). Wie Phil 1,7.12ff wird Kol 4,3 die Gemeinde eng mit der Situation des Paulus verbunden. Beachtlich ist auch, daß das Phil 1,1–3,1; 4,4–7 durchziehende Motiv der Freude in Kol 1,24; 2,5 ebenfalls stark betont wird.

überall die Türen zu öffnen (4,3)[109] und »jeden Menschen«[110] in Christus »vollkommen«[111] hinzustellen (1,28), steht Paulus nicht allein. Es wird kaum ein Zufall sein, daß der Kolosserbrief, der sonst das für Paulus typische Pendeln zwischen 1. Pers. Singular und 1. Pers. Plural nicht kennt, speziell in 1,28 und 4,3 in den Plural wechselt[112]. Die Verkündigungstätigkeit wird nicht auf den Apostel beschränkt; in ihrem Dienst steht mit ihm Timotheus, der als Mitabfasser des Briefs genannt ist (1,1).

Ermahnen, Zurechtweisen einerseits, Lehren andererseits sind die Inhalte, die nach 1,28 die Verkündigung bestimmen (vgl. 2,2), ebenso die des Paulus wie die des Timotheus sowie schließlich die eines jeden Gemeindeglieds überhaupt (3,16). In Lehre und Ermahnung gliedert sich der Kolosserbrief insgesamt (Kap. 1f/3f), mit ihnen wird die Gesamtheit der Verkündigungstätigkeit bezeichnet. Sie ist keineswegs allein an das apostolische Amt gebunden. Nicht das Apostelamt als solches ist ihr Maßstab, sondern die Christusverkündigung (1,27f; 3,16)[113]. Dieser Sachverhalt findet einerseits im Fehlen jedes Hinweises auf Ämter innerhalb der kolossischen Gemeinde[114], andererseits in der Aufforderung an alle Gemeindeglieder, sich gegenseitig zu lehren und zu ermahnen (3,16), einen klaren Ausdruck.

109   Der Ausdruck ist für Paulus typisch: 1Kor 16,9; 2Kor 2,12.

110   Die Einbeziehung jedes Menschen in die Heilsverkündigung ist stark hervorgehoben (zweifache Wiederholung).

111   Nach *Lohse* (Kolosser, 124) kann auch dieser Begriff eine polemische Spitze gegen die Irrlehrer besitzen.

112   Der Kol enthält folgende Wir-Passagen: 1,3–12a.12b–20.28; 2,13c–15; 4,3.8. Ich-Passagen sind: 1,23d–25(–27).29f; (2,2f); 2,4f; 4,3d.4.7–14.18; dabei sind 1,26f; 2,2f neutral formuliert. Die übrigen Abschnitte: 1,21–23c; 2,6–13b; 2,16–4,2.5f.15–17 stehen in der 2. Pers. Plural. – Betrachtet man diese Lage genauer, gewinnt sie schnell einen ganz durchsichtigen Charakter. In den beiden Wir-Passagen 1,12b–20 und 2,13c–15 kommt das bekennende Gemeinde-Wir zu Wort (ein eindeutiges Indiz, daß hier wirklich Gemeindebekenntnisse aufgenommen sind). Unterbrochen lediglich von dem von Paulus handelnden Ich-Abschnitt 1,23d–2,5 und dem Bekenntnisabschnitt 2,13c–15 fließt das Schreiben im Anschluß an 1,12–20 (Bekenntnis und Hymnus) durchgehend in der belehrenden 2. Pers. Plural dahin (während Paulus viel dialogisch-flexibler schreibt!). In den brieflichen Schlußmitteilungen meldet sich dann wieder das Ich des Paulus, zunächst mit der Bitte um Fürbitte (4,3f), die dann noch einmal durch eine Schlußermahnung unterbrochen wird (4,5f), anschließend in den Mitteilungen und Grüßen an die Gemeinde (4,7–14), abermals durch konkrete Gemeindeanweisungen unterbrochen (4,15–17), und im Schlußgruß (4,18). – Nur dreimal ändert sich dieser gleichförmige Stil, zunächst in 1,3–12a (der Danksagung), sodann in 1,28, schließlich in 4,3, und jeweils aus dem gleichen ersichtlichen Grund: Jedesmal handelt es sich um ein echtes Wir, das beide Briefabsender (bzw. auch weitere Mitarbeiter am Ort) zusammenschließt. Sie beide (oder alle) danken Gott für die Kolosser (1,3ff); und sie stehen gemeinsam im Verkündigungsdienst (1,28) und erbitten dafür die Fürbitte der Gemeinde (4,3). Der Wechsel von Ich- und Wir-Passagen im Kol ist also aus der Abfassungssituation zu erklären. – Die hier aufgezählten stilistischen Beobachtungen sind *Bujard* (Untersuchungen) übrigens entgangen.

113   Der Gedanke des Wachsens der Gemeinde in der Erkenntnis wird 1,5f.9–11 auch völlig unabhängig vom Apostelamt ausgesprochen.

114   Es erscheinen: διάκονος (so werden zugleich Epaphras, Paulus und Tychikos betitelt: 1,7.23.25; 4,7; vgl. 4,17) zusammen mit σύνδουλος (1,7; 4,7); δοῦλος (4,12); συνεργός (4,11) und ἀδελφός (1,2; 4,7.9.15); zu diesen Begriffen s. o. Kap. 3. – Die kolossische Gemeinde besteht aus ἅγιοι καὶ πιστοὶ ἀδελφοί (1,2); vgl. 4,15 ἐκκλησία als Hausgemeinde.

Wenn die Gemeinde in 2,16f, zu Beginn der Auseinandersetzung mit der Irrlehre, auf das verwiesen wird, was sie empfangen bzw. überliefert bekommen und was sie gelernt hat, so sind das nicht die speziellen apostolischen Lehrüberlieferungen[115], sondern es ist »Jesus Christus als der Herr« (3,16), wie er im Hymnus, auf den mit 2,9ff weiter Bezug genommen wird, der Gemeinde vorgestellt wurde – als der, der sie versöhnt hat (1,21f) und ihnen seit ihrer Bekehrung Inhalt des Glaubens ist (1,4ff). Ebendieser Christus wird in der ganzen Welt verkündigt (1.6.23); es ist der gleiche, der auch in der Verkündigung des Paulus (und Timotheus) zu Wort kommt.

Dafür, daß in 1,23–2,5 die Gemeinde »nicht nur an ihr Bekenntnis, sondern zugleich an das apostolische Amt als Hüterin der Wahrheit gebunden« werde[116], ließen sich nach alledem durchaus keine Hinweise finden, ebensowenig dafür, daß sich in unserem Abschnitt »die zweite Generation« zu Wort melde[117]. Eine ganze Anzahl von Eigentümlichkeiten ließen die nichtpaulinische Verfasserschaft erkennen, in nicht wenigen (hier nicht sämlich vermerkten) Fällen liegt die Nähe zu Paulus auf der Hand.

7.2.3
Das Verhältnis des Kolosserbriefs zu der von ihm aufgenommenen Tradition

Ein letzter Aspekt, den ich nun noch kurz streifen will, betrifft das Verhältnis des Kolosserbriefs zu der von ihm aufgenommenen Tradition. Dieser Gesichtspunkt wird von denen, die den Kolosserbrief für unpaulinisch halten, durchweg zur Beschreibung oder Erklärung seiner Beziehung zu Paulus herangezogen. Er ist außerdem für das Verhältnis der theologischen Leistung des Kolosserbriefs neben Paulus von besonderer Bedeutung und kann – abschließend – die Frage nach dem theologischen Verhältnis der Mitarbeiter zu Paulus, der ersten zur zweiten Generation, überhaupt zum Thema werden lassen.

In der Forschung, welche den Kolosserbrief für unpaulinisch hält, spricht man, um den Verfasser des Briefes zu kennzeichnen, durchweg von ihm als einem »Paulusschüler«[118]. Neuerdings ist der Versuch gemacht worden, diese allgemeine Bestimmung zu konkretisieren[119]. Der Verfasser stehe in der »paulinischen Schultradition« und sei dabei »mit den Grundthemen der paulinischen Theologie wohlvertraut«[120]. Diese Vertrautheit habe er

---

115 So ähnlich *Marxsen* (Einleitung, 157); doch vgl. auch *Lohse* (Kolosser, 141f) und zum Ganzen *Wegenast* (Verständnis, 121f.126–130).

116 *Käsemann*, Taufliturgie, 49; s. o. Anm. 76.

117 Wie *Marxsen* (Einleitung, 160) meint.

118 Vgl. etwa *Käsemann*, Frühkatholizismus, 242; *Bornkamm*, Paulus, 102; *Conzelmann*, Geschichte, 62; *Schweizer*, Gemeinde, 163; *Stuhlmacher*, Verantwortung, 174; u. v. a.

119 Unter Anknüpfung an *Conzelmann* (Weisheit) bündelt *Lohse* (Kolosser, 249–257) mit diesen Gedanken die Ergebnisse seiner Exegese des Kol.

120 *Lohse*, ebd., 256.

»durch das gründliche Studium der paulinischen Schultradition erworben«[121]. Die Frage, was die »paulinische Schultradition« ist und wie man sich ihr »Studium« vorstellen darf, wird so beantwortet: Dem Verfasser des Kolosserbriefs seien die Briefe des Paulus »zweifellos bekannt« und speziell zum Philemonbrief bestehe dabei »sicherlich ein Verhältnis literarischer Abhängigkeit«[122]. Es liege »in den Briefen . . . das Vermächtnis des Apostels vor, das im Kreis seiner Schüler bewahrt und sorgfältig studiert wurde«[123]. Die »paulinische Schultradition« habe »in Ephesus als dem Mittelpunkt der paulinischen Mission in Kleinasien ihren Ort gehabt« und sei »im Kreise der Schüler des Apostels gepflegt und weiterentwickelt worden«[124].

Diese zuletzt zitierte Meinung wurde oben schon besprochen und abgewiesen[125]. Aber auch die übrigen Erwägungen zur Art der »paulinischen Schultradition« können – für den Kolosserbrief – nicht befriedigen. Eine literarische Abhängigkeit des Kolosserbriefs von den Paulusbriefen läßt sich nicht nachweisen[126], auch nicht zum Philemonbrief[127] (wohl aber kennt der Verfasser die paulinischen Briefgepflogenheiten). Das »Studium der Paulusbriefe« setzt bereits ihre Sammlung voraus; doch ist eine solche in so früher Zeit[128] ganz unwahrscheinlich und nicht bezeugt[129]. Außerdem wird diese Einschätzung der theologischen Eigenständigkeit und dem Format des Kolosserbriefes nicht gerecht. Will man überhaupt von einem »Studium« paulinischer »Schultraditionen« reden, dann nur im Sinne der Weitergabe und Verarbeitung _mündlicher_ Überlieferungen.

Aber um welche Art von aufgenommenen ›Traditionen‹ handelt es sich dabei eigentlich? Versteht man darunter vorgeprägte, bereits ausformulierte, also formal verfestigte Texte und Wendungen, so ist (abgesehen von wenigen alttestamentlichen Anklängen) nach allgemeinem Forscherkonsens auf folgende Stücke hinzuweisen: 1,12–14 (Anklang an die Taufverkündigung); 1,15–20 (Christushymnus); 2,13b–15 (Bekenntnisfragment); 3,5f.8.12 (Laster- und Tugendkataloge); 3,18–4,1 (Haustafel). Diese Stücke sind dem Kolosserbrief vermutlich in der Hauptsache aus der hellenistischen Gemeinde zugeflossen, z. T. ursprünglich aus popularphiloso-

121 Ebd.
122 Ebd.
123 Ebd., 254.
124 Ebd., im Anschluß an _Conzelmann_, Weisheit, 233f.
125 S. o. S. 115–118.
126 _Lohse_ (Kolosser, 256) schränkt selber ein: Der Verfasser »schreibt (aber) nicht unter ständiger Benützung der anderen Briefe«. Gegen _Sanders_, Dependence, 28–45.
127 S. u. Kap. 9 Anm. 14.
128 Vgl. Anm. 69. _Lohse_ selbst meint (Kolosser, 256 Anm. 2), der Brief sei »um 80 n. Chr.« geschrieben; an anderer Stelle spricht er sogar davon, der Kol setze eine Situation voraus, die »bald nach dem Tode des Apostels« bestand (Mitarbeiter, 193).
129 Sie ist zuerst durch Ign Eph 12,2 belegt. Damit zerbricht eine wichtige Stütze in _Lohses_ Konzept. Die Lebendigkeit des im Kol lautwerdenden Paulinismus ist, je später der Brief geschrieben wurde, um so schwieriger zu erklären.

phischen Vorstellungen, z. T. aus der hellenistischen Synagoge entstammend[130], ohne daß dem hier genauer nachgegangen werden müßte. Mit meist nur geringen Überarbeitungen (vgl. 1,18a; 1,20; 2,14; das stereotype »im Herrn« in 3,18ff) hat sie der Verfasser seiner Aussage dienstbar gemacht und weitergegeben.

Besonders beachtenswert ist dabei, daß alle diese Stücke nicht etwa den paulinischen Briefen entnommen sind, nicht Schulbeispiele der paulinischen Theologie darstellen, die sich seine Schüler angeeignet hätten, um sie für die speziellen Probleme ihrer Zeit zu aktualisieren[131]. Nirgendwo ist paulinisches Denken selber Gegenstand der Tradition, auf die sich der Kolosserbrief beriefe. Es kennzeichnet ihn vielmehr, daß alle von ihm aufgenommenen Traditionsstücke »unpaulinischen« Charakter tragen.

In der Aufnahme solcher Stücke geht er durchaus mit Paulus konform. Vor allem hinsichtlich der glossierenden Interpretation seiner Traditionen wendet der Kolosserbrief das gleiche Verfahren wie Paulus an[132]. Dabei ist die Entsprechung nicht bloß formal. An mehreren Stellen interpretiert er seine Vorlagen im Sinne der paulinischen Theologie; so, wenn er die Gemeinde in 1,18 mit dem Leibe Christi identifiziert (wenngleich er Christus als das Haupt unterscheidet) oder wenn er in 1,20 und 2,14 auf das Kreuz als den Ort der Versöhnung verweist. »Paulusschüler« und Überlieferer der »paulinischen Schultradition« ist der Verfasser des Kolosserbriefs also nur in dem Sinne, daß er in Übernahme und Verständnis vorgegebener Überlieferungen wie Paulus vorgeht.

---

130 Vgl. *Lohse*, Kolosser, 256 und passim.

131 *Lührmann* (Rechtfertigung, 437–452) möchte zeigen, daß Kol und Eph in der Aufnahme der Versöhnungsaussagen »auf verschieden geprägte Traditionen zurückgreifen« (444). Auch Paulus kenne sie und nehme sie auf, interpretiere sie jedoch durch die Rechtfertigungslehre als die für ihn »einzig legitime Auslegung des Kerygmas« (448) zur Bestimmung des »Heils«. Die Deuteropaulinen hingegen interpretierten das Heil als kosmische Friedensstiftung und drückten dies durch die Übernahme der Versöhnungstradition aus. Dabei werde die Rechtfertigungslehre bereits als Tradition aufgenommen und – umgekehrt wie bei Paulus – durch die Versöhnungslehre interpretiert (das läßt sich allerdings nur am Eph aufzeigen). So werde hier ein »anderes Evangelium« verkündigt (448). – Ein Manko in *Lührmanns* Ausführungen ist, daß er den Nachweis, daß es die von ihm postulierte »Versöhnungstradition« überhaupt gegeben hat, wo sie ihren »Sitz im Leben« gehabt hätte und welche ihre Überlieferungsgeschichte gewesen wäre, schuldig bleibt. So kann er nur den Zusammenhang verschiedener »Elemente« der Versöhnungstradition (440 u. a.) – die, wenigstens für den Kol, von ziemlich weit her zusammengeholt werden (1,14 zu 1,20!) – behaupten (443f). Mit den traditionsgeschichtlichen Beziehungen fallen die historischen bei ihm unter den Tisch, worin ein zweiter (auch methodischer) Mangel des Aufsatzes liegt. Kol und Eph werden nicht differenziert, die literarische (!) Abhängigkeit des letzteren vom ersteren nicht beachtet. Schließlich erscheint es gewagt, aus der Aufnahme von Versöhnungsaussagen im Zusammenhang vorgeprägter Stücke in Kol 1,14 und 1,20 zu schließen, hier sei, weil die Rechtfertigungslehre fehle, ein anderes Evangelium verkündet. Auch die Aussage, Paulus interpretiere die Versöhnungsaussagen »auf die Rechtfertigung hin« (445), ist als solche noch zu undifferenziert. Und gibt das etwa 2Kor 5,18–20 her? Darf man es so verabsolutieren?

132 Vgl. für Paulus etwa Phil 2,8 in 2,6–11; 1Kor 11,26 in 11,23–26; Röm 3,25.26 in 3,24–26. Vgl. auch *Schweizer*, Antilegomena, 313–316.

Aber es lassen sich auch deutliche Unterschiede des Kolosserbriefs gegenüber den Paulusbriefen konstatieren. Daran, wie er Taufbekenntnis und Hymnus (1,12–20) für die Auseinandersetzung mit der Häresie in Kolossä zur theologischen Basis macht, offenbart sich bereits eine ungleich dominantere Rolle der Tradition innerhalb seiner Theologie. So zeigt er sich, auch abgesehen von der Übernahme speziell vorgeformter Traditionsstükke, insgesamt stärker als Paulus hinsichtlich seiner Sprache und seiner Gedankenwelt in traditionellen Gemeindeüberlieferungen verwurzelt. In größerer Zahl finden sich Berührungen mit urchristlich verbreitetem Sprach- und Vorstellungsgut, mit Vorstellungen aus dem hellenistischen Judentum, der Popularphilosophie, der Apokalyptik sowie den Qumrantexten[133], ohne daß den Kolosserbrief dies allerdings prinzipiell von Paulus unterschiede[134]. Im Ganzen hat er jedoch gegenüber Paulus ein deutlich anderes Verhältnis zu der von ihm aufgenommenen Tradition. Er steht ihr weniger selbständig gegenüber. Das zeigt sich schließlich auch daran, wie selbstverständlich er von der schon geschehenen Auferstehung spricht (2,12; 3,1; vgl. 2Tim 2,18), obgleich auch er die Parusie in der Zukunft erwartet (3,4; vgl. 1,24). Ähnlich nimmt er etwa im Verständnis der Hoffnung als bereitstehendem Gut (1,5 u. a.) eine »geläufige Redeweise«[135] auf. Endlich legt der Hymnus nahe, daß auch die Haupt-Leib-Vorstellung (1,18; 2,10) aus der Gemeindeüberlieferung stammt[136].

Daß der Verfasser des Kolosserbriefs daneben auch in einer großen Zahl von Fällen sprachlicher wie vorstellungsmäßiger Art – man denke etwa an die christologisch-soteriologische Orientierung seiner Theologie (Kol 1,12ff. 15ff.21ff; 2,8ff; 3,1ff u. a.), seine theologia crucis (1,20.24; 2,14), an die Begründung des Imperativs im Indikativ (3,1ff), an das Schon und Noch-Nicht des Christenlebens (3,3f), an die Gegenüberstellung von altem und neuem Menschen (3,9f), an die Aufhebung aller Unterschiede in Christus (3,11), an die Orientierung der Gemeinde an ihrer Anfangsverkündigung und ihrem Bekenntnis (1,4ff.9ff.21ff; 2,8ff.16ff.20ff u. a.), schließlich an die unmittelbare, zupackende Art der Auseinandersetzung mit den Häretikern, an der die Gemeinde selber beteiligt wird (2,8ff) – sich als ›paulinischer‹ Theologe erweist, soll, wenngleich nicht näher entfaltet, so doch nicht unterschlagen werden.

Nach Lage der Dinge wird man also im Blick auf den Kolosserbrief vorsichtiger von der »paulinischen Schultradition« sprechen müssen. Sein Paulinismus entstammt jedenfalls nicht dem häufigen und gründlichen Studium der paulinischen Briefschaften[137]. Paulinische Gedanken und Vorstellungen

---

133 Vgl. etwa 1,4f.9–11.12–14.15–20.24.26f; 2,2f.12.13–15.17; 3,2.4.5f.8.10.12f. 14–17; 3,18–4,1.2.5f; und vgl. dazu die Kommentare, bes. *Lohse,* Kolosser.
134 Man vgl. z. B. 1Thess 4,13ff; 5,1ff; Phil 2,5ff; 4,8; 1Kor 2,6ff; 10,1ff; 2Kor 3,4ff; 5,1ff; Röm 1,18ff; 13,1ff u. a.
135 *Lohse,* Kolosser, 47, mit weiterer Literatur.
136 Auch Paulus war die Vorstellung vielleicht schon vorgegeben, s. o. Kap. 5 Anm. 145.
137 S. o. Anm. 123.

sind ihm noch nicht zum Gegenstand der Tradition geworden. Das geschieht erst später, zunächst im Epheserbrief, dann im 2. Thessalonicherbrief, deutlicher in den Pastoralbriefen, dem 1. Klemensbrief und den Ignatius-Briefen[138], in denen die paulinische Tradition z. T. die Funktion übernimmt, die vorher das Gemeindebekenntnis innehatte. Im Kolosserbrief meldet sich ein Theologe zu Wort, der, wenngleich den vorgegebenen Gemeindetraditionen aufgeschlossener, weniger selektiv gegenüberstehend als Paulus, in lebendigem, selbständigem und auch selbstverständlichem Gebrauch paulinisch denkt, nicht ein Mann der zweiten, nachpaulinischen Generation, sondern aus der umittelbaren Umgebung des Paulus kommend[139]. So hat ein enger – aller Wahrscheinlichkeit nach ja wohl der engste – Mitarbeiter neben Paulus gedacht und denken können. Was oben über die Mitarbeiter und ihr Verhältnis zu Paulus erarbeitet wurde, fügt sich mit dieser Einschätzung ohne Schwierigkeit zusammen.

Auch ein zweites Ergebnis der Untersuchung wird damit nochmals unterstrichen. Die Gestalt des Paulinismus im Kolosserbrief und die Art, wie er mit den von ihm aufgenommenen Traditionen umgeht, gibt keinen Anhalt für die Ansicht, es habe – in Ephesus – einen Schülerkreis gegeben, der nach dem Tode des Paulus dessen Erbe wahrte. Einen solchen isolierten ›Schülerkreis‹ gab es nicht, weder zu Lebzeiten des Paulus noch nach seinem Tode. Sein Mitarbeiterkreis fluktuierte unentwegt und bestand niemals an sich, sondern stets nur in seiner Relation zu den Gemeinden. Man pflegte in ihm nicht paulinische Traditionen, sondern arbeitete – stellvertretend für die Gemeinden – in der Mission mit. Auch dafür, daß sich *nach* dem Tode des Paulus irgendwo ein ›Schülerkreis‹ gebildet haben sollte, der die ›paulinische Schultradition‹ wachhielt und weitertradierte, zeigt sich kein Anhaltspunkt. Die späteren deuteropaulinischen Briefe als Produkte eines solchen Schülerkreises anzusehen, besteht kein Anhalt. Vielmehr entstammen sie den sich weiter als paulinisch verstehenden Gemeinden.

7.3
Ergebnisse

Ich ziehe das Fazit dieses Kapitels. Ich hatte mir die auf den ersten Blick vielleicht etwas waghalsig erscheinende Aufgabe gestellt, die eigenständige theologische Leistung der Mitarbeiter neben Paulus aufzuweisen. Daß Pau-

---

138 Sie alle kennzeichnet ein literarisches Verhältnis zu Paulus, neben dem allerdings die mündliche Tradition durchaus lebendig blieb.

139 Deshalb wäre die Frage nach der theologischen Abhängigkeit nun auch umgekehrt zu stellen und zu untersuchen, ob und wieweit nicht auch Vorstellungen des Kolosserbrief-Verfassers (oder ihm und Paulus gleicherweise vorgegebene Traditionen) *auf Paulus rückgewirkt* haben. Man denke etwa an die Beziehungen zwischen Kolosser- und Philipper-Hymnus, an das Revelationsschema, an Gebrauch und Verständnis der Begriffe ἐλπίς, σοφία, γνῶσις oder an die räumlichen Vorstellungen des Kol. Vgl. auch die von *Kümmel* (Einleitung, 299–304) allerdings im Dienste des Echtheitsnachweises zusammengetragene Fülle von inhaltlichen Verbindungslinien zwischen Kol und Paulusbriefen.

lus in seinen Mitarbeitern nicht etwa von einem Kreis bloß subalterner Geister oder (bestenfalls) Gleichdenkender, nämlich wie er Denkender, umgeben wurde, daß sie ihm vielmehr als Partner gegenüberstanden, fähig und auch willens zum Widerspruch, erbrachten schon die Analyse von Phil 1,12–18; 2,20f im vorangegangenen Kapitel sowie eine Reihe von weiteren Überlegungen (zu Titus, den unabhängigen Mitarbeitern, den anderen theologischen Einflüssen in den paulinischen Gemeinden u. a.). Es wurde dann versucht, diese Beobachtungen an den wenigen Stellen, an denen die Quellen es erlauben, zu illustrieren. Die theologischen Differenzen, aufgrund deren sich die alten Mitarbeiter Barnabas und Paulus trennten, habe ich anhand von Gal 2,11–21, ausgehend von der Beobachtung, daß Paulus ab 2,15 die ursprüngliche Redesituation noch nicht aus den Augen verloren hat, soweit es der Text zuläßt, deutlich zu machen versucht. Eine detaillierte Betrachtung von 1Kor 1–4 ließ es sodann als wahrscheinlich erscheinen, daß die theologischen Verirrungen in Korinth nicht ohne die – allerdings unbeabsichtigte – Verursachung des Paulus-Mitarbeiters Apollos entstanden sind. Eine nähere Charakterisierung von dessen jedenfalls andersartiger Theologie ließ sich jedoch den Texten nicht entnehmen.

Damit waren die paulinischen Belegstellen und mittelbaren Hinweise auf eine theologische Eigenständigkeit der Mitarbeiter erschöpft. Die Beobachtungen in Exkurs 1 zum Kolosserbrief, den ich vor allem aufgrund seiner konkret-situationsbezogenen Abfassungsverhältnisse als ein Schreiben zu identifizieren suchte, das zur Zeit der ephesinischen Gefangenschaft des Paulus von einem sehr engen Mitarbeiter, wohl Timotheus, verfaßt wurde, konnten nun für diesen Zusammenhang geprüft, bewährt und ausgewertet werden – womit sich also auch noch ein unmittelbarer, aus der engsten Umgebung des Paulus und der Mitte seiner Arbeit stammender und damit ganz einmaliger Beleg für die eigenständige theologische Leistung in seinem Mitarbeiterkreis fand. Hauptsächlich zwei Aspekte des Verhältnisses zwischen Paulus und dem Verfasser des Kolosserbriefs erörterte ich dann genauer. Einmal wurde anhand des für die nachpaulinische Abfassung des Kolosserbriefs meist als zentrale Belegstelle herangezogenen Textabschnitts Kol 1,23d–2,5 Verständnis und Bedeutung des paulinischen Apostelamts, wie der Kolosserbrief sie versteht, untersucht. Für eine nachpaulinische Abfassung des Briefs ergaben sich daraus keine Hinweise. Zum zweiten untersuchte ich – im Vergleich zu den Paulusbriefen – das Verhältnis, das der Kolosserbrief zu der von ihm aufgenommenen Tradition besitzt, und griff damit die Frage nach der ›paulinischen Schultradition‹ auf. Der Verfasser des Kolosserbriefes erweist sich als eigenständiger paulinischer Theologe, der wie Paulus verschiedenartige Traditionen übernimmt und kommentierend verarbeitet; doch ist er dabei viel stärker als Paulus in der Gemeindetradition verwurzelt und von ihr abhängig. Die paulinische Theologie selber ist für ihn noch nicht zum Gegenstand der Tradition geworden, vielmehr befindet er sich in selbständiger Durchdringung und Explizierung mitten in ihr.

Einen Schülerkreis des Paulus, der (etwa in Ephesus) die paulinische Schultradition pflegte, hat es nach diesen Untersuchungen nicht gegeben. Der Mitarbeiterkreis des Paulus begreift sich allein aus seiner missionarischen Funktion. Die späteren deuteropaulinischen Briefe sind allem Anschein nach nicht Produkte eines für sich existierenden paulinischen Schülerkreises, sondern der paulustreuen Gemeinden.

Mit der Befragung des Kolosserbriefes hat diese Untersuchung ihr Ziel erreicht und an eine quellenmäßig ziemlich exakte Grenze geführt. Alle nachfolgenden Deuteropaulinen kennzeichnet bereits ein wenigstens teilweise literarisch vermittelter Paulinismus, der sie in die zweite oder dritte Generation verweist[140].

---

140 Es wäre reizvoll und wünschenswert, das Bild der Mitarbeiter auch in die nachpaulinische Zeit hinein zu verfolgen. Zunächst gälte es, Deuteropaulinen, Pastoralbriefe und Apostelgeschichte zu untersuchen. Diese Schriften wurden in dieser Arbeit nur unter dem Aspekt befragt, was sie an historisch Zuverlässigem über die Mitarbeiter verraten, während die Frage nach ihrem Mitarbeiter*bild* nur gelegentlich gestreift wurde. Sodann wären auch die apokryphen Apostelakten und evtl. andere frühchristliche Schriften heranzuziehen. Es müßte dem Tatbestand nachgegangen werden, daß die Apostelgeschichte so auffallend geringes Interesse an den Mitarbeitern bekundet, während sich dann in den Pastoralbriefen, vollends in den apokryphen Apostelakten, die umgekehrte Tendenz abzeichnet.

8
Rückblick

Diese Arbeit verfolgte nicht das Ziel, eine bestimmte, vorher ins Auge gefaßte These zu verfechten. Sie ging auf Entdeckung. Lediglich *eine* heuristische Annahme bildete ihre Ausgangsbasis: Es könne, um der Frage nach den Mitarbeitern des Paulus auf die Spur zu kommen, nicht ausreichen, alles Wissensmögliche über die Einzelgestalten zusammenzutragen. Sondern es sei nach einer umfassenden Klärung und Erklärung des Mitarbeiterphänomens in seiner Gesamtheit zu suchen. Das hieß, nach seinen Entstehungsbedingungen, nach den mit ihm verbundenen Vorstellungen und nach seiner Bedeutung zu forschen. Daraus ergaben sich die Fragestellungen der Untersuchung, denen dann in den einzelnen Kapiteln in zunehmender Vertiefung, sozusagen von außen nach innen, nachgegangen wurde.
Eine unerwartete Fülle von neuen Ergebnissen war der Lohn des Entdeckerganges. Sie betreffen historische wie theologische Beobachtungen und reichen von einleitungswissenschaftlichen Fragen bis zu etlichen neuen Aspekten für die Auslegung einzelner Briefe, speziell des Philemon- und des Kolosserbriefes. Aus den einzelnen Teiluntersuchungen ist dabei ein relativ geschlossenes Bild über die Mitarbeiter entstanden. Am Ende eines jeden Kapitels wurden die wichtigsten Ergebnisse der Analysen schon vermerkt. Sie brauchen hier nicht im einzelnen wiederholt zu werden. Doch sei versucht, den Hauptertrag in vier Punkten festzuhalten.
1. Eine zentrale Entdeckung der Untersuchung war die Mitarbeitergruppe der Gemeindegesandten – zu welcher vermutlich die allermeisten Mitarbeiter des Paulus zählten – und damit die *grundlegende Relation zwischen den Mitarbeitern und ihren Gemeinden*. Funktion und Bedeutung der Mitarbeiter können nur dann richtig erfaßt werden, wenn sie nicht in eine Reihe von Einzelgestalten (von denen man manchmal mehr, oft sehr wenig weiß) atomisiert und nicht zu einer subalternen Gruppe um den ihnen allen weit überlegenen Apostel degradiert werden. Entscheidend ist für sie ihr Verhältnis zu ihren Gemeinden: Sie waren – von den engsten und den unabhängigen Mitarbeitern abgesehen – vermutlich in ihrer überwiegenden Mehrzahl *Gemeindegesandte*, Repräsentanten ihrer Heimatgemeinden, und in dieser Funktion als Missionare offiziell in die paulinische Missionsarbeit delegiert. Durch sie dokumentierten ihre Gemeinden ihre Mitverantwortung für das paulinische Missionswerk.
2. Damit eignet der von mir so genannten *Mitarbeitermission* des Paulus eine gleicherweise historisch wie theologisch weitreichende Bedeutung. *Historisch* gesehen, wird – in der Verbindung mit der paulinischen Zentrumsmission, die sozusagen das Pendant darstellt – von ihr aus die enorme Weite, Intensität und nicht zuletzt auch der Erfolg der Missionsarbeit des

Paulus verständlicher. *Theologisch* gesehen, wird einerseits erkennbar, daß Paulus seine Mission als Funktion der Kirche, und konkret: seiner Gemeinden, verstand, andererseits, daß und in welchem Maße seine Gemeinden ihrerseits ihre mündige Rolle in der Mission begriffen und wahrnahmen.

3. Wie in der Delegierung der Gemeindegesandten die theologische Mündigkeit der Gemeinden zum Ausdruck kam, so behandelte Paulus seine Mitarbeiter auch als mündige Partner. Selbständig arbeiteten sie in der Missionsverkündigung mit. Er unterstellte sie – wie sich selbst – allein dem ihm in seiner Apostelberufung anvertrauten Evangelium, und jenseits dieser Basis erhob er keinen Anspruch auf Autorität. Ihre Zusammenarbeit verlief, ohne daß es damit zum Bruch gekommen wäre, deshalb nicht in stets gleichbleibender Harmonie. Neben ihm, und sogar in seiner nächsten Nähe (Kolosserbrief), konnte zum Teil theologisch auch ganz anders gedacht werden. Wie seine Gemeinden so kennzeichnet auch den Mitarbeiterkreis des Paulus *eine große theologische Vielfalt und Lebendigkeit*, so daß eine Vorstellung, die sie lediglich als Abbilder der pointierten theologischen Gedanken des Paulus zu begreifen suchte, im Blick auf die Mitarbeiter ebenso wie auf die Gemeinden die historische Wirklichkeit verzeichnen müßte.

4. Die Relation der Mitarbeiter zu ihren Gemeinden blieb für sie konstitutiv. Der paulinische Mitarbeiterkreis wurde nicht zu einer fungiblen, bald hier, bald dort einsatzfähigen Truppe, und er verselbständigte sich nicht gegenüber den Gemeinden. Vielmehr blieb er an die einmalige historische Situation der paulinischen Mission im ägäischen Raum gebunden. Danach gab es ihn nicht mehr. Weder besaß er je einen institutionellen Charakter oder wurde er zum Ansatzpunkt sukzessioneller Praktiken, noch bildete sich Paulus in ihm einen Schülerkreis heran, der nach seinem Tode paulinisches Gedankengut bewahrt und weitertradiert hätte. Die Mitarbeiter stammten aus den Gemeinden, und ebenso kehrten sie nach meist nicht sehr langer Mitarbeit bei Paulus wieder in ihre Gemeinden zurück.

So hätte ich mit ebenso guten Gründen diese Arbeit auch ›Paulus und seine Gemeinden‹ betiteln können und damit Quell- und Zielort der Mitarbeitermission gleichermaßen getroffen.

9
Exkurse

9.1
Exkurs 1: Die Abfassungsverhältnisse des Kolosserbriefes

Die im folgenden vorgetragene These ist für Teile der vorstehenden Arbeit
nicht unwichtig. Sie vermag die historischen Daten über die Mitarbeiter des
Paulus zu vermehren und zu präzisieren, andererseits einen wesentlichen
Beitrag zur Frage nach dem theologischen Denken der Mitarbeiter zu leisten. Entscheidend für diese Untersuchung ist sie jedoch nicht. Denn wer
den Kolosserbrief mehr in die Nähe des Epheserbriefes meint rücken zu
müssen, wird dennoch unter seinen historischen Angaben auch ›gute Nachrichten‹ finden wollen und ihnen nicht durchweg mißtrauen; seine Theologie wird er zum anderen jedenfalls im Kreis der Paulus-Schüler ansiedeln. –
Das Problem der Abfassungsverhältnisse des Kolosserbriefes würde damit
m. E. allerdings verschüttet, die Aufhellung der historischen Situation des
Briefes, seines ›Sitzes im Leben‹, verlöre an Bedeutung und Interesse,
seine Theologie stünde in Gefahr, zu sehr unter dem Gesichtswinkel betrachtet zu werden, in welchem Maße und warum sie sich von Paulus entfernt hat.
Voraussetzung der folgenden Überlegungen ist der für den Kol allzuoft vernachlässigte methodische Grundsatz, daß, um den Brief verständlich zu machen, die Auslegung bei der Aufhellung der historischen Bedingungen seiner Entstehung einzusetzen habe, d. h. bei seinen Abfassungsverhältnissen.
Eine Erklärung des Briefes, die zugunsten einer ›theologischen‹ Interpretation diese historische Aufgabe überspringt oder auf sich beruhen läßt, steht
in der Gefahr, spekulativ zu werden. Es geht auch nicht an, den Beobachtungen zur Theologie des Briefes gegenüber denen zu seinen Abfassungsverhältnissen, sofern sie sich zu widersprechen scheinen, den Vorrang ein-
zuräumen. Übersprungene historische Probleme zeigen im Grunde theologische an! Vielmehr muß nach einem Briefverständnis gesucht werden, das
beiden gleichermaßen gerecht wird.
Der Kürze wegen wird im folgenden thesenartig formuliert:
1.   Der Kolosserbrief ist deutero-paulinischen Ursprungs[1]. Das zeigen

---

1   So entscheiden in neueren Arbeiten: *Bornkamm*, Häresie, 139 Anm. 1; *ders.*, Hoffnung,
206–213; *Käsemann*, Art. Kolosserbrief, Sp. 1727f; *Conzelmann*, Kolosser, 131f; *Schenke*,
Widerstreit, 391–403; *E. P. Sanders*, Dependence, 28–45; *Marxsen*, Einleitung, 153–161;
Stuhlmacher, Verantwortung, 174–181; *Schweizer*, Frage, 187; *Schnackenburg*, Aufnahme,
33f; *Lohse*, Kolosser, 249–257 et passim; *Dautzenberg*, Theologie, 105–112; *Vögtle*, Zukunft, 208–232; *Lähnemann*, Kolosserbrief (nicht eindeutig); *Bujard*, Untersuchungen; *Zeilinger*, Schöpfung; *Merklein*, Amt.

nicht nur seine gegenüber den echten Paulusbriefen auffallenden sprachlichen und stilistischen Besonderheiten[2], sondern vor allem die theologischen Differenzen zu den Paulusbriefen[3]: im protologischen und kosmologischen Aspekt der Christologie; im Bild von Christus als dem Haupt des Leibes, der Kirche, innerhalb einer ökumenisch verstandenen Ekklesiologie; in der vorwiegend präsentisch formulierten Eschatologie, in der die ›Hoffnung‹ als Hoffnungsgut verstanden wird und statt des zeitlichen räumliches Denken vorherrscht; im Verständnis der Taufe, die als bereits erfolgte Auferstehung zum neuen Leben beschrieben wird; schließlich in der gnoseologischen Sprache von der Offenbarung des Mysteriums und der Erfüllung in aller Weisheit und Erkenntnis.

2.   Der Kolosserbrief nimmt unter den Deuteropaulinen eine deutliche Sonderstellung ein. Er steht einerseits der paulinischen Theologie am nächsten[4]. Andererseits ist er eindeutig ein Gelegenheitsschreiben, ein echter Brief, der *aus einer konkreten Abfassungs-Situation für eine konkrete Gemeindesituation geschrieben* wurde[5]. Bereits diese Tatsache macht eine Abfassung in nachpaulinischer Zeit wenig wahrscheinlich[6]. Seine Abfassungsverhältnisse müssen ernst genommen werden, sowohl was die Absender- als auch was die Empfängersituation betrifft. Das unterscheidet den Kolosserbrief fundamental von allen anderen deuteropaulinischen Briefen, vor allem vom Epheserbrief[7]. Die Alternative echt – unecht ist also für ihn zu

---

2   Vgl. bes. *Bujard*, Untersuchungen; *Lohse*, Kolosser, 133–140; *Kümmel*, Einleitung, 299f.
3   Vgl. dazu die Anm. 1 genannte Lit., bes. *Lohse*, Kolosser, 249–257 (dagegen *Kümmel*, Einleitung, 300–305); ambivalent bleibt *Lähnemann*, Kolosserbrief, 155–176. Vgl. außerdem *Steinmetz*, Heilszuversicht (implizit) und *Lührmann*, Rechtfertigung, 437–452. Sonstige Literatur, besonders zum Hymnus, bietet in reichem Umfang *Kuss*, Paulus, 219–221 (= Anm. 3).
4   Das wird von fast allen Exegeten hervorgehoben. Vgl. *Käsemanns* Alternative (Art. Kolosserbrief, 1728): »Wenn echt, um des Inhaltes und Stiles willen so spät wie möglich; wenn unecht, so früh wie denkbar.« *Lohse* (Kolosser, 256 Anm. 2): »Seine Entstehungszeit ist daher nicht zu weit vom Lebensende des Paulus abzurücken.« Nach Tac Ann XIV 27; Oros Hist adv Pag VII 7,12 hat das Gebiet um Kolossä, speziell Laodizea, häufig unter heftigen Erschütterungen zu leiden gehabt, und es ist wahrscheinlich, daß Kolossä bei den schweren Erdbeben 60/61 n. Chr. wie Laodizea zerstört wurde. Das wäre ein terminus ad quem für die Abfassungszeit.
5   Diese entscheidende Erkenntnis findet vor allem in *Lähnemanns* Arbeit (Kolosserbrief) Beachtung.
6   Denn es kann nur als sehr unwahrscheinlich gelten, daß ein Autor in nachpaulinischer Zeit einer Gemeinde einen Brief schreibt, der auf ganz konkrete, in der Gemeinde entstandene Probleme antwortet (s. u. Punkt 4) und den Empfängern weismachen will, dies hätte Paulus schon ehedem geschrieben, ohne dabei wenigstens mit dem Stilmittel des vaticinium ex eventu zu arbeiten. Darüber hinaus fehlt dem Kol auch jeder Hinweis auf eine Erklärung oder Legitimierung des pseudepigraphischen Schreibens (s. u. Anm. 23.25). Mit den Augen eines damaligen Briefempfängers gesehen, wäre der Kol wegen seiner unmittelbar-konkreten Situationsangaben als Schreiben des bereits nicht mehr lebenden Apostels höchst suspekt.
7   Richtig *Kümmel*, Einleitung, 304.314–320; *Lohse*, Kolosser, 31 Anm. 1; *Lähnemann*, Kolosserbrief, 166.

eng[8]. Diese Sonderstellung des Kolosserbriefes wird allgemein zu wenig beachtet.

3. Das enge Verhältnis des Kolosserbriefes zum *Epheserbrief* erklärt sich daraus, daß der Epheserbrief vom Kolosserbrief literarisch abhängig ist[9] und dessen theologische Ansätze selbständig weiterdenkt. Der Kolosserbrief darf deshalb primär nicht vom Epheserbrief aus interpretiert werden[10]. Der Kolosserbrief steht andererseits in enger Beziehung zum *Philemonbrief*. Wie dort ist Paulus gefangen[11]. Als Absender werden dort wie hier Paulus und Timotheus genannt[12]. Acht der neun im Philemonbrief angeführten Namen erscheinen auch im Kolosserbrief[13]; es handelt sich ausschließlich um Mitarbeiter des Paulus. Aber das Verhältnis des Kolosserbriefes zum Philemonbrief ist nicht das literarischer Abhängigkeit[14].

8 »Echt« ist der Kol jedenfalls in bezug auf die nicht erst nachträglich konstruierte Briefsituation; »unecht«, sofern Paulus nicht sein Verfasser sein kann.
9 Die Gründe dazu sind von *Kümmel* (Einleitung, 304.310–323, bes. 316) zusammengetragen worden; vgl. *Lohse*, Kolosser, 31 Anm. 1; *ders.*, Entstehung, 58–60; *Lähnemann*, Kolosserbrief, 162; *Fischer*, Tendenz, 19. *Merklein*, Amt, 28–39. Hinzuweisen ist besonders auf Eph 1,7.10/Kol 1,14.20; Eph 4,16/Kol 2,19; Eph 6,21f/Kol 4,7f. Gegen *Coutts* (Relationship, 201–207), der die Abhängigkeit des Kol vom Eph annimmt. *Stuhlmacher* (Verantwortung, 179) spricht vom Eph als vom »Schwesterschreiben zum Kolosserbrief«, womit er ihre Unterschiede (nicht nur zu Lasten des Kol!) unzulässig einebnet.
10 Auch die traditionsgeschichtliche Fragestellung darf die literarische Abhängigkeit des Eph vom Kol nicht außer acht lassen und überspringen! Eine klarere Differenzierung wünschte man sich z.B. bei *Lührmann*, Rechtfertigung; *Bultmann*, Theologie, 526–530; *Käsemann*, Art. Kolosserbrief, 1728; *ders.*, Leib, 139; *Strecker*, Paulus, 210, und vielen anderen, die Kol und Eph in einem Atem zu nennen pflegen.
11 Kol 4,3.10.18; Phlm 1,9.10.13.23.
12 Kol 1,1; Phlm 1; sonst nur noch Phil 1,1 und 2Kor 1,1. Phlm und Phil setzen ebenfalls eine Gefangenschaft des Paulus voraus (vgl. 2Kor 1,8–11). Die beiden Briefe entstanden vermutlich während der Ephesusmission des Paulus.
13 Ausnahme ist Tychikos, der aber nach Kol 4,7f als Briefüberbringer fungierte. Die naheliegende Konjektur in Phlm 23 (Jesus, nämlich Justus, wie in Kol 4,11; so zuerst *Zahn*, Einleitung, 321) hat mit Recht weitgehend Zustimmung gefunden; vgl. *Lohse*, Kolosser, 242.288; *Foerster*, Art. Ἰησοῦς, 286 Anm. 18.
14 Die Abhängigkeit des Kol vom Phlm hat *Lohse* (Kolosser, 246–248; *ders.*, Mitarbeiter, 189–194) unter Hinweis auf die Grußlisten im Phlm und Kol nachzuweisen versucht. *Lohse* stellt seinen Ausführungen folgende Überlegung voran: »Da in beiden Grußlisten so weitgehende Übereinstimmungen vorliegen, müssen zwischen beiden Briefen nahe Beziehungen bestehen. Diese wären rasch erklärt, wenn beide Schreiben zur selben Zeit entstanden sind. Doch während der Philemonbrief ohne Zweifel von Paulus geschrieben worden ist, erheben sich starke Bedenken, Paulus auch für den Autor des Kolosserbriefes zu halten. Wenn daher der Kolosserbrief von einem Paulusschüler abgefaßt worden ist, dann muß dieser den Philemonbrief gekannt und benutzt haben« (Kolosserbrief, 247). *Lohse* versucht dann, die Grußliste des Kol als anschauliche Ausgestaltung des Phlm verständlich zu machen (247f). – An diesen Überlegungen läßt sich ein allgemeiner Mangel der Diskussion um den Kol aufzeigen. Die Briefsituation des Kol wird nicht zuerst unter historischem Blickwinkel analysiert und zu verstehen gesucht, sondern von vornherein der theologischen Analyse des Briefes (»unpaulinisch«) zum Opfer gebracht. Die Ausführungen zur Grußliste sollen das bereits gefällte Urteil bloß illustrieren und ihm nicht im Wege stehen. Sie werden nicht zur Kontrolle, sondern als Bestätigung untersucht. Weiter nimmt *Lohse* bei seinen Ausführungen eine selbstverständliche Gleichsetzung vor: Die Abfassung des Kol durch einen »Paulusschüler« bedeute die (literari-

4. Die Konkretheit der Abfassungsverhältnisse des Kolosserbriefes findet auch darin ihren Ausdruck, daß der Brief einen unmittelbaren Anlaß besitzt. Er will gegen eine in der Gemeinde eingebrochene synkretistisch-my-

sche) Benutzung des Phlm. »Unpaulinische« Verfasserschaft wird dabei selbstverständlich mit »nachpaulinischer« identifiziert. Damit bleibt aber kein Raum für die Würdigung der konkreten Abfassungssituation des Kolosserbriefs. Für seine These von der Ausschmückung des Phlm durch den Kol macht *Lohse* geltend:

1) Die Grußliste des Phlm sei knapp, die des Kol umfänglich. Der kürzere Text sei nach bewährter Regel der ältere. – Das setzt bereits voraus, einer von beiden Texten müsse älter sein.

2) Durch die ausführlichen Charakteristiken der Mitarbeiter wolle der Brief sie als apostolisch legitimierte Diener empfehlen. Epaphras werde Kol 1,7 als »zuverlässiger Verkündiger an unserer Statt« bezeichnet. Auf diese Ansicht gründet auch *Marxsen* (Einleitung, 154–157.159f) seine Ausführungen über den nachapostolischen Pastoralbrief-Charakter des Kol. Es wurde oben (S. 101) jedoch gezeigt, daß in Kol 1,7 wahrscheinlich ὑπὲϱ ὑμῶν zu lesen ist. – Einen Nachweis für das Bestreben des Kol, die sonst in diesem Schreiben genannten Mitarbeiter des Paulus apostolisch zu legitimieren, bleibt *Lohse* schuldig. Hätte der Verfasser des Kol aber daran Interesse gehabt, dann hätte er die Mitarbeiter nicht als treue Arbeiter in der Missionsarbeit apostrophiert, was lediglich in der konkreten Situation volle Bedeutung erhält (Tychikos: »der geliebte Bruder und treue Verkündiger und Mitknecht im Herrn«; Onesimos: der »treue und geliebte Bruder«; Aristarchos: »mein Mitgefangener«, zusammen mit Markus und Jesus Justus die einzigen Judenchristen unter seinen Mitarbeitern; Epaphras: »Knecht Jesu Christi« etc.; Lukas: »der geliebte Arzt«). Er hätte sie vielmehr als Beauftragte und Bevollmächtigte des Apostels vorstellen müssen (man vergleiche 1Tim 1,2.18–20; 3,14f; 4,6ff; 5,22; 6,20; 2Tim 1,3–7; 3,10.14; 4,5; Tit 1,4.5; 2,1.7f.15). Die lobende Auszeichnung des Epaphras sowie die der übrigen Mitarbeiter entspricht vielmehr ganz der Form, in der Paulus die Mitarbeiter vor ihren Gemeinden rühmt (s. o. S. 190ff).

Die Grußliste des Kol trägt nicht die Zeichen der nachapostolischen Zeit. Sie ist, wie der gesamte Brief, konkrete, situationsbezogene Mitteilung. Das folgt auch aus einer ganzen Reihe weiterer Details:

1) Eine Anzahl von Mitteilungen setzt eine gegenseitige genaue Kenntnis der Lage voraus und bleibt deshalb späteren Lesern unverständlich: der Hinweis auf die (Empfehlungs-?)Briefe für Markus (4,10); der Gruß an die Frau (!) Nymphe (4,15); die Aufforderung an Archippos, für seine διαϰονία Sorge zu tragen (4,17). Für spätere Leser nicht verständlich ist der Hinweis auf den Brief aus (!) Laodizea (4,16). Die These von *Knox* (Philemon; *ders.*, Authenticity, 144–160), in diesem Brief den Phlm zu sehen, kann nicht so schnell vom Tisch gewischt werden, wie das *Lohse* (Kolosser, 262 Anm. 1; *ders.*, Mitarbeiter, 191 Anm. 5) mit dem einfachen Vorwurf »willkürliche(r) Kombination von Aussagen des Philemon- und des Kolosserbriefes« tut (Mitarbeiter, ebd.). Um welchen Brief es sich auch handeln mag: Sollte ein nachpaulinischer Verfasser die Authentizität seines fingierten Briefes dadurch stützen wollen, daß er einen zweiten, einen »Laodizenerbrief« erfand, ohne zugleich dafür Sorge zu tragen, daß jener Brief bekannt wurde und ebenso in Umlauf kam (der überlieferte »Laodizenerbrief« ist bekanntlich ein spätes, kümmerliches Machwerk; vgl. *Hennecke-Schneemelcher*, Apokryphen, 2,80–84)?

2) Weiter ist darauf aufmerksam zu machen, daß der Kol – als einziger unter den nichtpaulinischen Briefen! – im gleichen Sinne wie Paulus von seinen »Mitarbeitern« (συνεϱγοί; 4,11) spricht (vgl. die übrigen Prädikationen; o. S. 72ff).

3) Schließlich sind auch noch die situationsbezogenen Bemerkungen in 2,1–5 zu beachten (dazu s. u. Anm. 23).

Diese Beobachtungen widerstreiten der These, die Situation des Kol sei fingiert und seine Grußliste stelle lediglich eine Ausschmückung der kargen Notizen von Phlm 23f dar. Kol 4,7ff steckt voller situationsbezogener Anspielungen. *Der einzelne Beleg* läßt sich vielleicht auch andersherum wenden, aber *die Gesamtheit der Hinweise* spricht gegen die von *Lohse* behauptete Abhängigkeit sowie überhaupt gegen ein literarisches Verständnis der Situationsnotizen im Kol.

. sterienhafte φιλοσοφία angehen, die durch Verehrung der στοιχεῖα τοῦ κόσμου Zugang zum göttlichen πλήρωμα verspricht (2,8f). Die Unvereinbarkeit dieser »Lehre« mit dem Gemeindebekenntnis und dem Evangelium wird der Gemeinde mit dem Schreiben vor Augen geführt (1,3ff.12ff; 2,9ff). Der Kolosserbrief kämpft nicht prophylaktisch, verketzert auch nicht seine Gegner, sondern befindet sich in *direkter Auseinandersetzung* mit denen, deren Werbekraft in der Gemeinde durchaus Erfolge erzielte (2,8.16.18.20f)[15].

5.   Auch die *Situation beim Abfasser* des Kolosserbriefes trägt konkrete, *situationsgebundene* Züge (4,3f.7–18)[16]. Sowohl die Angaben über die Gefangenschaft als auch die in 4,7ff vorausgesetzte Missionssituation sowie die einzelnen Bemerkungen im Schlußteil passen sich widerspruchsfrei in die durch den Philemonbrief und die in Philipperbrief und 2. Korintherbrief vorausgesetzte Zeit der ephesinischen Gefangenschaft des Paulus ein[17].

---

15   Vgl. dazu die Anm. 1 genannte Literatur, bes. die Arbeit von *Lähnemann:* »Der Verfasser wagt es also, sich auf dieselbe Ebene zu begeben, in der die Philosophen zu Hause sind; er hält ihnen nicht unkommentierte Glaubenssätze entgegen, greift sie auch nicht persönlich an oder droht mit dem ewigen Gericht: gerade in Erkenntnis und Wandel muß die Gemeinde wachsen, allerdings, ohne sich von ihrem Grund, Christus, abbringen zu lassen« (Kolosserbrief, 52). »Besonders auffällig ist, wie er die Leser selbst an der Auseinandersetzung beteiligt, indem er sie auf ihren Anfang hin anredet (2,6f.12f), ihnen von dort aus die Konsequenzen ihres Christseins aufzeigt und sie schließlich selbst zum Mit-Urteil auffordert (2,20)« (ebd. 53). Die Behauptung *Marxsens* (Einleitung, 158), die Konzeption der Gegner werde bloß christianisiert, nicht widerlegt, die Auseinandersetzung sei »also nicht (wie bei Paulus) kritisch, sondern dekretierend«, ist angesichts der gründlichen, klar in Position und Rejektion gegliederten Ausführungen in 2,6–23 (vgl. 1,15ff; 3,1ff) exegetisch nicht haltbar (vgl. zum einzelnen *Lähnemann*, Kolosserbrief, 63–154 und 53 Anm. 102).
16   Die Sorge um die Gemeinden im Lykostal (2,1–5); die Erwähnung der Gefangenschaft mit der gleichzeitigen Aufforderung zur Fürbitte und die Hinweise, daß Paulus »um des Geheimnisses Christi willen« gebunden sei, sowie die Hoffnung, in der oder durch die Gefangenschaft die Mission vorantreiben zu können (4,3), was sich stark mit der aus Phil 1,12ff rekonstruierten Situation berührt (s. o. S. 193ff); weiter das resignative Wort über die kleine Zahl der Mitarbeiter und die darin anklingenden Spannungen mit den Judenchristen (4,10f).
17   Phlm und Phil sind aus der Haft geschrieben, vermutlich aus Ephesus. Diese nach anderen besonders von *Michaelis* (Gefangenschaft; *ders.*, Trial, 368–375; *ders.*, Datierung) vertretene These setzt sich immer mehr durch (vgl. *Gnilka*, Philipperbrief, 18–25; *Bornkamm*, Paulus, 99; *Lohse*, Philemon, 264; *Suhl*, Paulus, 144.161ff; u. a.). Belege sind unter anderem 1Kor 15,32 (?), 2Kor 6,5; 11,23; 1,8–11; Röm 16,4 (?). Daß Ephesus als Gefangenschaftsort des Paulus vorausgesetzt ist (nicht Rom oder Caesarea), läßt zunächst schon die intensive missionarische Tätigkeit des Paulus und seiner Mitarbeiter (1,1.7.29; 2,1; 4,3f.7–17) und die große Zahl der letzteren (Timotheus, Epaphras, Tychikos, Onesimos, Aristarch, Markus, Jesus Justus, Lukas, Demas) erkennen. Vor allem sprechen aber die zahlreichen Verbindungen zwischen Paulus und Kolossä dafür (1,4.8f; 2,1.5; 4,7f.9.10.12f.15.16.17). Insgesamt muß man hin und her 8 Reisen annehmen (falls Kol und Phlm in die gleiche Situation gehören 9 Reisen; außerdem kündigt Paulus eine Besuchsreise an: Phlm 22); s. o. Kap. 2 Anm. 273. – Haben wir davon auszugehen, daß Ephesus als Haftort des Paulus vorausgesetzt ist, so liegt darin ein weiteres Indiz für die »Echtheit« der Briefsituation des Kol. Denn die Paulus-Überlieferung hat seine ephesinische Gefangenschaft nicht vermerkt (Apg), diese scheint also bald in Vergessenheit geraten zu sein. Bezeichnenderweise wollen die Past aus römischer Gefangenschaft geschrieben sein.

6. Der Kolosserbrief ist kein *nach*apostolisches Schreiben[18]. Weder in dem Abschnitt über Epaphras (1,7f; 4,12f)[19] noch in dem über die apostolische Beauftragung des Paulus und seine Beziehung zur Gemeinde (1,24–2,5)[20] finden sich dafür überzeugende Belege.

7. Die vorgetragenen Beobachtungen führen zu dem Schluß, daß der Kolosserbrief zur Zeit der Gefangenschaft des Paulus in Ephesus von einem, der Paulus sehr nahestand, verfaßt wurde[21]. Vieles deutet darauf hin, daß Timotheus der Verfasser war[22]. Aber nicht dieser Name ist wichtig, sondern die Erkenntnis, daß ein enger Mitarbeiter des Paulus im Namen des

18 Abgesehen von *Suhl* (bei *Lähnemann*, Kolosserbrief, 181f Anm. 82; *ders.*, Paulus, 168 Anm. 93), gehen davon alle Vertreter der deuteropaulinischen Verfasserschaft aus.

19 Vgl. o. Anm. 14.

20 Das hat *Lähnemann* (Kolosserbrief, 35.42–49.53.112–114.150f.171–173.181) überzeugend nachgewiesen (gegen *Käsemann*, Taufliturgie, 49; *Marxsen*, Einleitung, 154f). *Lähnemann* betont, bei aller Hervorhebung des apostolischen Amtes des Paulus seien doch »alle apostolischen Funktionen der Gemeinde zugewendet« (ebd., 172). Zu beachten ist auch, daß das apostolische Amt des Paulus nicht einfach vorausgesetzt, sondern daß es begründet wird, und zwar im Evangelium (1,23). Die Art, wie Paulus als Verkündiger am Evangelium charakterisiert wird, entspricht bemerkenswert der Beschreibung der Verkündigungstätigkeit des Epaphras (1,4–7); vgl. dazu o. Kap. 7 Anm. 86. Bezeichnend ist dabei ebenso die für beide gleiche Begründung ihres διάκονος-Seins wie die Tatsache, daß die Legitimität des Epaphras nicht von seinem Verhältnis zu Paulus her abgeleitet wird. – Die Art, wie der Kol vom Apostelamt des Paulus redet, entfernt sich durchaus nicht von der des Paulus selbst (vgl. dagegen Eph 3,5; 4,11f; 1Tim 2,7; 2Tim 1,11), wenn er auch eine sichtlich andere Sprache spricht: Paulus muß gemäß dem ihm übertragenen Amt (οἰκονομία) das von Gott enthüllte Mysterium allen Menschen verkündigen (Kol 1,25–28; 4,3f). Sein Leiden geschieht um der Kirche und des Christusgeheimnisses willen (1,24; 4,3f). Zu dem ganzen Abschnitt 1,23d–2,5 s. o. ausführlich S. 221ff! – Andererseits muß besonders beachtet werden, daß außer der διακονία des Paulus kein weiteres Amt, weder beim Verfasser noch in der kolossischen Gemeinde, erwähnt ist (vgl. *Lohse*, Kolosser, 251). Epaphras ist διάκονος wie Paulus und Tychikos; die übrigen Personen sind συνεργοί (1,7; 4,7.10ff). Verkündigung und Ermahnung sind nicht etwa auf Amtsträger begrenzt, vielmehr sollen sich alle Gemeindeglieder selber gegenseitig ermahnen und belehren (3,16; vgl. 4,6.17).

21 Ebenso jüngst *Suhl* (Paulus, 168) unter Berufung auf *Lähnemann*. – Solange die Forschung nur über die paulinische oder nichtpaulinische Verfasserschaft diskutiert, muß sie entweder die theologischen den historischen oder die historischen den theologischen Beobachtungen zum Opfer bringen. Bezeichnend ist etwa auch die Debatte über den Abfassungsort des Briefes (vgl. *Kümmel*, Einleitung, 305f): Ephesus paßt zwar am besten, aber die Theologie des Kol sei so »entwickelt«, daß er erst nach dem Röm geschrieben sein könne.

22 Timotheus erscheint Kol 1,1 als Mitabsender (und deshalb 4,7ff nicht unter den Grüßenden). Er fungiert als Mitträger des paulinischen Missionswerks (s. o. S. 21f) auch sonst als Mitabsender, im Gegensatz zu allen übrigen im Kol genannten Mitarbeitern des Paulus. Er war, was besonders während der ephesinischen Gefangenschaft des Paulus offenbar wurde (Phil 2,19–23!; s. o. S. 193), der engste und vertrauteste Mitarbeiter des Paulus, dem Paulus oftmals die Angelegenheiten der Gemeinden in die Hand gab und sie dort wohl aufgehoben wußte (Phil 2,20), der »wie Paulus« in den Gemeinden als Vorbild auftrat (Phil 2,19–23; 1Kor 4,17f; 16,10f; 1Thess 3,1–6). – Gegen Epaphras als Abfasser (so *Suhl*, s. vorige Anm.!) sprechen ebenso seine Erwähnungen in 1,7f; 4,12f wie die Tatsache, daß er als Gemeindegründer und wichtige Persönlichkeit der Gemeinde gerade nicht zur konkreten Bekämpfung der Irrlehrer in die Gemeinde zurückgeht.

Apostels[23], dessen Autorität von der Gemeinde angefragt war, in eigen-
ständiger theologischer Leistung, aber im Einvernehmen mit Paulus, den
Kolosserbrief schrieb[24], was sowohl die theologische Nähe und Ferne zu
Paulus als auch die Konkretheit und allgemeine historische Situation bei der
Abfassung des Briefes sinnvoll zu erklären vermag[25].

23   Kol 2,1–5 betont die enge Beziehung des Paulus zu den Gemeinden im Lykostal. Die Gemeinden, durch Epaphras gegründet (1,7), verstanden sich offenbar als paulinisch, obgleich
Paulus sie nie gesehen hat (2,1) – ein Beleg für die Art der Umlandmission durch Mitarbeiter.
Damit erklärt sich auch, weshalb Paulus als Briefabsender genannt wird. Der Brief trägt außerdem eine Unterschrift des Paulus (4,18) wie 1Kor 16,21; Gal 6,11; vgl. 2Thess 3,17. Wie ist sie
zu beurteilen? – Der Vergleich mit 2Thess 3,17 ist lehrreich. Während der Gruß dort in Verbindung mit 1Thess 2,2 deutlich polemische Abzweckung hat und dazu dient, die Apostolizität
des Schreibens zu gewährleisten (»Diesen Gruß von meiner, des Paulus Hand. Das ist das Zeichen in *jedem* Brief, so schreibe ich.« Vgl. dazu *Dautzenberg*, Theologie, 97–105, speziell 99f;
er verweist auch zu Recht auf die ganz ähnliche summarische Formulierung in 2Petr 3,15f;
ebd., 100, Anm. 7), besitzt Kol 4,18 keine derartige Tendenz. Anschließende Schlußermahnung und Schlußsegen entsprechen paulinischen Briefschlüssen (vgl. 1Kor 16,22–24; Gal
6,12–18). Eine besonders hervorgehobene, irgendwo angedeutete Betonung liegt nicht auf
dem Schlußgruß: Der Kol wollte sich nicht mit ihm legitimieren. – Es spricht deshalb nichts
dagegen, die Unterschrift als »echt«, d. h. als von Paulus stammend anzusehen. Einen Legi-
timierungsversuch des Schreibens kann nur der darin entdecken, der schon vorher (durch andere
Gründe) von der nachpaulinischen Abfassung des Briefes überzeugt ist. – Damit hat man nun
allerdings nicht doch Paulus (im Sinne der Sekretärshypothese *Rollers*, s. o. Kap. 6 Anm. 120)
als den »eigentlichen Verfasser« anzusehen, um das »Entscheidende« retten zu können, nämlich daß »auch hinter diesen Briefen . . . als ihr Schöpfer die Gestalt des großen Heidenapostels
(steht)« (*Jeremias*, Briefe, 8, zu den Past), sonst würden die sprachlichen und theologischen Ei-
genheiten des Kol unterlaufen und andererseits die Theologie des Paulus eingeebnet.
24   Für die Frage, weshalb ein Mitarbeiter und nicht Paulus selbst den Brief schrieb, mag eine
Überlegung von *Suhl* (Paulus, 160) einen Fingerzeig geben. Er rechnet Phil 4,10ff zu Phil
1,1–3,1b und erklärt den späten *brieflichen* Dank für die Geldspende der Philipper (das Hauptargument für die Abtrennung des Stückes) damit, daß Paulus vorher wegen seiner strengen
Gefangenschaft (bevor die Situation sich bessert; Phil 1,12ff) nicht in der Lage gewesen sei zu
schreiben (vgl. noch ebd., 163 Anm. 73). Es ist gut denkbar, daß Paulus seiner Gefangenschaft
wegen den Kol nicht selber schreiben konnte.
25   Man wird also den Kol als den ersten pseudonymen Brief des NT bezeichnen können, allerdings mit Einschränkungen. Zwar schreibt der Verfasser als »Paulus« (vgl. 1,23.25; 2,1–5;
4,3.7ff), *aber nicht im Interesse seiner Autorisierung, sondern zur Entfaltung der Funktion
des Paulus für die Gemeinde*, was der Sache nach in den Paulusbriefen zahlreiche Entsprechungen besitzt (vgl. Anm. 20). Weiter ist der Kol kein konstruierter, kein fingierter Brief, keine
»Fälschung«, sondern aus einer momentanen, konkreten Situation für eine gleichzeitige konkrete Situation geschrieben. Schließlich schrieb der Verfasser in Einmütigkeit mit Paulus, und
Paulus stimmte durch seine Unterschrift nicht nur dem Inhalt zu, sondern billigte auch das
Verfahren (natürlich nicht erst nachträglich, sondern schon in der Entstehung). – Dies Verfah-
ren war aber durchaus nicht prinzipiell neu. Sondern es fand mutàtis mutandis der umgekehrte
Vorgang statt, der fast alle Briefe des Paulus kennzeichnet. Dort war Paulus der den Brief Kon-
zipierende; der im Präskript als Mitabsender genannte Timotheus hingegen verantwortete den
Inhalt des Schreibens mit (vgl. o. S. 183ff). – Zur Vertiefung der in diesem Exkurs gemachten
Beobachtungen vgl. noch o. S. 219ff.

9.2
Exkurs 2: Zur Chronologie der paulinischen Mission

Im folgenden wird das dieser Untersuchung zugrunde gelegte chronologische Gerüst tabellarisch zusammengestellt. Eine eingehende Auseinandersetzung mit abweichenden Meinungen kann hier nicht geboten werden; sie würde schnell ins Uferlose führen[26].

In der folgenden Tabelle werden jeweils die Belegstellen angeführt, die der versuchten chronologischen Einordnung zugrunde liegen, um wenigstens eine gewisse Transparenz der getroffenen Entscheidung zu ermöglichen. Außerdem dürfte eine derartige Zusammenstellung als solche hilfreich sein. Des öfteren muß die Entscheidung sehr unsicher bleiben. Die Fragezeichen deuten dies an. Insbesondere hinsichtlich der Teilungshypothesen und der zeitlichen Reihenfolge und Abfassungszeit der Einzelschreiben sei der hypothetische Charakter der Ansetzungen betont. Anschließend an die Tabelle werden einige wichtige Gesichtspunkte der Berechnungen kurz dargestellt und erläutert.

etwa Mitte 47 (?)	*Apostelkonvent in Jerusalem* (Gal 2,1–10; Apg 15,1–35)
etwa Frühjahr/ Sommer 48 (?)	Streitfall in Antiochia mit Petrus und Barnabas; *Beginn der selbständigen Mission des Paulus* (Gal 2,11ff; vgl. Apg 15,36–41)
48/49	Missionsreise nach Europa (Röm 15,19; Apg 16,1–10): Mission in Galatien (Gal 4,13; Apg 16,6); 1. Mazedonienreise des Paulus: Philippi (1Thess 2,2; 1,7f; 4,10; Phil 1,1; 4,15f; 2Kor 11,9; Apg 16,11–40); Thessalonich (1Thess 1,1; Phil 4,16; Apg 17,1–15); Beröa (Apg 20,4; 17,10–14); Athen (1Thess 3,1f; Apg 17,16–34), zusammen mit Silvanus und Timotheus (1Thess 1,1; 2Kor 1,19)
Spätherbst 49	Sendung des Timotheus nach Thessalonich (1Thess 3,1–5)
Ende 49 – Sommer 51	*Mission in Korinth* (Apg 18,1–18; 18,11; 1Kor; 2Kor; Gallio in Korinth: 1.5.51(52) – 1.5. 52(53) (Apg 18,12–17, wohl zu Beginn der Amtszeit Gallios und am Ende der Paulusmission in Korinth)

26 Die bis etwa 1960 erschienene Literatur vermerkt *Rigaux*, Briefe (Kapitel 4: Die Chronologie des Lebens und der Briefe), 99–140; an weiterer Lit. vgl. *Hahn*, Mission, 74–79; *Georgi*, Kollekte, 91–96; *Finegan*, Handbook; *Schwank*, Gallio, 265f; *Haacker*, Gallio-Episode, 252–255; *Ogg*, Chronology; *Dockx*, Chronology, 261–304; *Richards*, Romans, 14–30; *Borse*, Standort, 144–151; neuestens und vor allem *Suhl*, Paulus. Zur allgemeinen römischen und griechischen Chronologie vgl. *Samuel*, Chronology.

Anfang/ Frühjahr 50	Rückkehr des Timotheus aus Thessalonich (1Thess 3,6; vgl. 1,7) anschließend **Abfassung des 1Thess** (1Thess 2,17; 3,1–8)
Mitte 51 – Mitte 52	Reise von Korinth über Cäsarea nach Antiochia (Apg 18,18–22); Besuch der galatischen Gemeinden (Gal 4,13; Apg 18,23)
Spätsommer 52 – Herbst 54	*Mission in Ephesus* (Apg 19,8.10.22; 20,18(D).31; 1Kor 16,8.19; 15,32; 2Kor 1,8)
Spätherbst 52	**Abfassung des Gal** (Gal 1,6; 5,7); später, vor Frühjahr 53 (1Kor), gute Nachricht aus Galatien (1Kor 16,1)
Frühjahr 53	**Abfassung von Kor A** (1Kor 5,9); Apollosmission in Korinth (1Kor 1,12; 3,4ff.22; 4,6; Apg 18,22f; 19,1) Kollektenanordnung in Galatien nach guten Nachrichten (1Kor 16,1); Kämpfe in Ephesus (1Kor 15,32; 16,9) Antwortschreiben aus Korinth (1Kor 5,9ff; 7,1.25; 8,1; 12,1; 16,1) 1. Reise des Timotheus (und anderer Brüder): nach Korinth (1Kor 4,17; 16,10f; später Rückkehr: Phil 1,1; 2,19) **Abfassung des 1Kor (Kor B)** nach Gesandtschaften aus Korinth (1Kor 1,11; 16,17f); (Pläne des Paulus: Aufenthalt in Ephesus bis Pfingsten 53; Mazedonienreise mit Reiseweg Ephesus – Korinth – Mazedonien – Korinth im Sommer/Herbst 53; Korinth Winter 53/54; Jerusalem Frühjahr 54: 1Kor 16,5–8; 4,19; 2Kor 1,15f); Anweisung zur Kollekte (1Kor 16,1–4)
Sommer 53 (?)	1. (Kollekten-)Reise des Titus: nach Korinth (2Kor 8,6.10.17; 9,2; 12,17f) und Mazedonien (?) (2Kor 8,1.18ff; 9,2.4) mit einem Bruder (2Kor 12,18)
Herbst 53 bis Frühjahr 54	*Gefangenschaft in Ephesus* (2Kor 11,23; 6,5; 1,8–11; Phlm 1,9f.13.23; Phil 1,7.13f.17; 4,22; Röm 16,4 (?); Kol 1,24; 4,3.10.18; Apg 19,23–40?); Gesandtschaft (Epaphroditos) aus Philippi mit Geld (oder schon früher: Phil 4,10–20; 2,25–30) **Abfassung von Phil 4,10ff (Phil A)** als Dankesschreiben Bekehrung des Onesimos in Ephesus (Phlm 10); Aufkommen häretischer Strömungen im Lykostal (Kol 2,4.8ff)

Abfassung des Phlm, Rücksendung des Onesimos, Bitte um ihn als Mitarbeiter (Phlm 8–20;
Kol 4,9)
Abfassung des Kol, Überbringung durch Tychikos (Kol 4,7f); Zuspitzung der Gefangenschaft
(Phil 1,7.12f.19–26; 2,23f)
Abfassung von Phil 1f (Phil B)
2. Reise des Timotheus: nach Philippi (Phil
2,19–23; Apg 19,22?)
Spiritualistische Einflüsse in Korinth, Angriffe
gegen Paulus (2Kor 3ff); Ende der Gefangenschaft (2Kor 1,8–11)

Frühjahr 54   **Abfassung von 2Kor 1,1–11; 2,14–6,13; 7,2–4
(Kor C),** der sog. großen Apologie

Frühsommer 54   Kurzbesuch in Korinth (2Kor 2,1; 12,14.21;
13,1f); Zwischenfall in Korinth (2Kor 2,5–11;
7,11f; 12,16–18?); danach
Abfassung von 2Kor 10–13 (Kor D), des sog.
Tränenbriefes (2Kor 2,4.9; 7,8.12)
2. Reise des Titus: nach Korinth (2Kor 2,12f;
7,5–16)

(?)   Auftreten von Gegnern in Philippi (2Kor 7,5) danach

(?)   **Abfassung von Phil 3 (Phil C)**
Herbst 54 –   2. *Mazedonienreise des Paulus* (2Kor 1,12f; 7,5;
Anfang 55   Apg 20,1f); Mission in Troas (2Kor 2,12);
Kämpfe in Mazedonien (2Kor 7,5f); Rückkehr
des Titus aus Korinth (2Kor 7,6.13–16)
**Abfassung von 2Kor 1,12–2,13; 7,5–16 (Kor
E),** des sog. Versöhnungsbriefes
3. (Kollekten-)Reise des Titus (mit zwei Brüdern):
nach Korinth (2Kor 8,16–24; 9,3.5)
Abfassung von 2Kor 8 + 2Kor 9 (Kor F + G),
zweier Kollektenschreiben

Anfang 55 –   *Drei Monate in Korinth* (Apg 20,2f; vgl. Röm
Frühjahr 55   16,23)
Abfassung des Röm (1–16)

Frühjahr 55   3. Mazedonienreise mit den Kollektendelegierten
(Apg 20,3f); Ostern in Philippi (Apg 20,6);
Reise über Troas, Rhodos, Tyros, Cäsarea (Apg
20,5.13ff; 21,1ff) nach

Pfingsten 55   *Jerusalem* (Apg 21,15ff)

Der hier versuchten Einordnung der paulinischen Lebensdaten liegen folgende besonders hervorhebenswerte Berechnungen zugrunde:

1. Das »Judenedikt«[27] erließ Claudius[28] im 9. Amtsjahr, d. h. 49; die Anweisung bezog sich[29] möglicherweise nicht auf alle Juden (die vielleicht nicht zu einer Gesamtgemeinde zusammengeschlossen waren), sondern eher nur auf die Gemeinden, in denen die Christen Fuß gefaßt hatten. Das Datum paßt zu Apg 18,1ff und 1Kor 16,19 und dem vermutlichen Beginn der *Korinth-Mission* Ende 49.

2. Wenn die Mission des Paulus in Korinth Ende 49 begann, wenn man für die Missionsreise von Antiochia aus (Galatien – Philippi – Thessalonich – Beröa – Athen – Korinth) etwa eineinhalb Jahre veranschlagt[30] und wenn man schließlich annimmt, daß Paulus bald nach dem antiochenischen Streitfall loszog (eher später als früher angesichts nötiger Reisevorbereitungen), so wird man diesen etwa Frühjahr oder Sommer 48 ansetzen können. Geht man davon aus, daß die Auseinandersetzung nicht allzulange (ca. 1/2 bis 1 Jahr) nach dem Apostelkonvent lag, käme man für den Konvent auf etwa Mitte 47[31].

3. Die anderthalbjährige (Apg 18,11) *Korinth-Mission* kann theoretisch in die Zeit zwischen Ende 49 bis Herbst 53 gefallen sein, am ehesten aber in die früheste Zeit (Ende 49 bis Sommer 51). Diese Berechnung enthält folgende Voraussetzungen: a) Die Amtszeit Gallios in Korinth war vom 1. 5. 51 bis 1. 5. 52 (erheblich weniger wahrscheinlich: 52 bis 53); b) die Anklage der Juden gegen Paulus (Apg 18,12–17) fand zu Beginn der Amtszeit Gallios statt; c) sie fällt in das Ende der Korinth-Mission, danach reist Paulus nach Antiochia[32].

4. *Zwischen dem Ende der Korinth-Mission und dem 1Kor* liegt a) die Reise des Paulus nach Antiochia und der Besuch der dortigen Gemeinde; b) der Besuch der galatischen Gemeinden; c) der schwierige Beginn der Mission in Ephesus mit ersten Erfolgen (1Kor 16,9). Sodann fällt in diese Zeit: d) die Ankunft des Sosthenes in Ephesus; e) das Schreiben des Paulus nach Korinth (5,9); f) das Rückschreiben der Korinther (7,1); g) die Apollos-Mis-

---

27 Sueton, vita Claudii 25; vgl. Apg 18,2.
28 Nach Orosius, historia contra paganos VII 6,15f (um 400 n. Chr.); vgl. Apg 18,2.
29 Dio Cassius, LX 6,6f.
30 Vgl. Kap. 2 Anm. 20 und 138.
31 Weil *Suhl* (Paulus) den Anlaß zum Apostelkonvent nicht in einer Anfrage der Antiochener, sondern in der Überbringung einer Kollekte anläßlich des Hungerjahres 44 sieht (ebd., 316), versucht er wieder die Frühdatierung des Konvents (44 n. Chr.). Zwischen Konvent und Streitfall in Antiochia muß er darum den sehr langen Zeitraum von vier Jahren annehmen, in dem er die von Lk Apg 13f zusammengestellte Reise unterbringen will (ebd., 316f.322).
32 Diese Berechnung ist deshalb die wahrscheinlichere, weil a) Apg 18,1–11 eine längere Verkündigungstätigkeit des Paulus vor Gallios Amtsantritt beschreibt; b) Paulus nach Apg 18,18 Korinth relativ bald verlassen hat (verlassen mußte?). Fiele das Apg 18,11ff beschriebene Ereignis ans Ende der Amtszeit Gallios, so könnten sich die versuchten Berechnungen sämtlich um ein Jahr weiter verschieben. Der Beginn der Korinth-Mission läge Ende 50; der Konvent eher 49 etc.

sion in Korinth; h) die Reise des Apollos nach Ephesus; i) eine missionierende Tätigkeit des Apollos in Ephesus (1Kor 16,12); k) Einflüsse des Petrus
in Korinth (?); l) Gruppenbildungen in Korinth. Dieser Zeitraum darf nicht
zu klein gewählt werden, wegen 1Kor 16,1–4 (das gesamte Kollektenwerk
lag erst danach), aber auch nicht zu groß. Setzt man für die Besuche in Antiochia und Galatien samt Reisen ein halbes bis 3/4 Jahr an und veranschlagt
man für die erste Phase der Ephesus-Mission etwa 3/4 bis ein volles Jahr, so
kommt man für das Abfassungsdatum des 1Kor auf etwa Frühjahr 53, was
gut zu 1Kor 16,8 paßt (Alternativen wären Frühjahr 52 oder 54). Die Reise
von Korinth nach Antiochia hätte dann im Sommer 51 gelegen, bis zum
Frühjahr wäre Paulus in Antiochia geblieben, nach der Schneeschmelze
hätte er die Galater besucht und im Spätsommer Ephesus erreicht.

5.   Der *Zeitraum vom 1Kor bis zur 2. Mazedonienreise* des Paulus wird
dadurch festgelegt, daß zwischen ihm ein, aber auch nur ein Jahreswechsel
stattgefunden hat (2Kor 8,10; 9,2), im Höchstfall also knapp 2 Jahre vergangen sein können, nämlich zwischen dem Beginn der Kollekte in Korinth
(1Kor 16,1–4) und dem bevorstehenden Abschluß[33]. Am wahrscheinlichsten hielt sich Paulus an die römische Jahreseinteilung, nach der der Jahreswechsel zwischen Dezember und Januar lag[34]. Da aus der Apostelgeschichte
für den Ephesusaufenthalt etwa 2 1/2 Jahre (zwischen 1 1/2 und 3) zu be-
rechnen sind (Apg 20,31), muß man das Ende der Ephesus-Mission etwa auf
Herbst 54 verlegen, also ca. 1 3/4 Jahre nach Abfassung des 1Kor. Das paßt
sehr gut zu Apg 20,1–4.6.16.

6.   Für eine Ansetzung der *Gefangenschaft* in Ephesus *vor* dem ›Kurzbesuch‹[35] des Paulus in Korinth spricht[36]: Der im 1Kor angekündigte Besuch

---

33   Das beachtet *Georgi* (Kollekte, 94f) nicht. An dieser Zeitangabe scheitert m. E. auch der
von *Suhl* (Paulus) vorgetragene chronologische Aufriß (vgl. seine Tabelle S. 249). Er versucht
– infolge seiner Spätdatierung von Gal und 1Kor –, das gesamte Kollektenwerk von der ersten
Anordnung (1Kor 16,1) bis zur nahen Vollendung (2Kor 8) in der Zeit zwischen Frühjahr und
Spätherbst 54 unterzubringen.

34   Vgl. *Windisch*, Korintherbrief, 26–28.255f. Im Interesse seiner Gesamtkonstruktion,
nach der der Jahreswechsel, von dem Paulus spricht, zwischen März und Mitte September liegen muß (s. vorige Anm.), muß *Suhl* (Paulus, 262) dies bestreiten.

35   In der Regel wird angenommen, daß die vermutliche Gefangenschaft des Paulus in Ephesus ans Ende seiner dortigen Tätigkeit fiel. *Georgi* (Kollekte, 92) führt dafür als Argumente an,
Lk berichte Apg 19,22 im Anschluß an die zweijährige Wirksamkeit des Paulus in Ephesus, als
Einleitung zur Demetriusgeschichte, unbestimmt noch von einem weiteren »Zeitraum«, den
Paulus in Ephesus verweile. Hinter der Demetrius-Geschichte dürfe man die »Erinnerung an
einen sehr viel ernsteren Vorfall vermuten, der zu einer Gefangenschaft führte«, und 19,22
deute einen »letzte(n) Schatten eines Wissens um diese« an. Diese Vermutungen sind jedoch
unsicher und zweifelhaft (s. o. Kap. 2 Anm. 217).

36   Weil er die 1Kor 4,17; 16,10f und Phil 2,19–23 erwähnten Reisen des Timotheus miteinander identifiziert, kommt *Suhl* (Paulus, 141–144.200.213f u. ö.) zu folgenreichen Schlüssen:
a) Der Phil, in dem Paulus jenen Besuch erst ankündigt, sei aus Ephesus und vor dem 1Kor geschrieben, der voraussetze, daß Timotheus sich bereits auf der Reise (auf dem Landwege über
Mazedonien) befinde. b) Die im Phil vorausgesetzte Gefangenschaft des Paulus sei vor dem

(4,19) ließ übermäßig lange auf sich warten. Hatte Paulus für die Mission in
Ephesus zunächst etwa ein knappes Jahr veranschlagt, so wurden später
über zwei Jahre daraus. Diese Verzögerung wird von der Gefangenschaft, je
eher sie stattfand, miterklärt. Der ›Tränenbrief‹ nimmt mehrfach auf den
›Kurzbesuch‹ Bezug und kündigt zugleich einen weiteren, dritten Besuch an
(2Kor 12,14; 13,1f; vgl. auch 1,23; 2,1.3). Zwischen ›Kurzbesuch‹ und
›Tränenbrief‹ ist eine – jedenfalls nicht ganz kurze[37] – Gefangenschaft nicht
unterzubringen[38], zumal der ›Tränenbrief‹ sie auch nirgends erwähnt[39].

1Kor, also in der Frühzeit der Ephesusmission, d. h. bereits etwa ein halbes Jahr nach Ankunft
in Ephesus, anzusetzen. Darauf weise auch 1Kor 15,32. Dazu ist zu sagen:
1) Die Identifizierung der Timotheus-Reisen ist möglich, jedoch nicht beweisbar. 1Kor 4,17
muß nicht so verstanden werden, als sei Timotheus schon unterwegs. ἔπεμψα kann auch Aor.
des Briefstils sein. Erst der Nachweis, daß Phil 1f aus der Frühzeit der Ephesusmission und vor
1Kor geschrieben sein muß, würde die genannte Identifizierung erhärten. *Diesen* Beweis bleibt
Suhl allerdings schuldig; er behauptet es nur (ebd., 200). Die große Zahl der Mitarbeiter (vgl.
auch Phil 1,12ff) und die zahlreichen Beziehungen zum ephesinischen Umland, wie sie aus den
ebenfalls aus der Gefangenschaft geschriebenen Phlm- und Kol-Briefen folgen (s. o. Abschn.
2.4 und Kap. 2 Anm. 272f), machen mir eine spätere, entwickelte Phase der Ephesusmission
wahrscheinlicher.
2) Daß die Bemerkung, Paulus habe in Ephesus mit wilden Tieren gekämpft (1Kor 15,32), irreal und nicht bildlich gemeint sei (ebd., 201f), leuchtet mir angesichts der realen Aussagen in
15,29–31, deren Spitze 15,32 ist, nicht ein. Ihr realer Hintergrund kann durchaus auch im
Hinweis des Paulus auf »Widersacher« in Ephesus (1Kor 16,9) gefunden werden. Rein spekulativ erscheint mir aber, aus 15,32 zu schließen, Paulus sei des crimen laesae maiestatis angeklagt
worden (ebd., 201) – was *Suhl* meint, auch aus Phil 1f herauslesen zu können (ebd., 172f).
3) Den Bericht des Paulus in 2Kor 1,8 über eine in Ephesus überstandene Todesnot, den auch
Suhl als Anklang an die ephesinische Gefangenschaft versteht, muß *Suhl* (Paulus, 257 Anm. 5)
als einen Rückblick auf schon länger Vergangenes betrachten, wie die Rekapitulation der Reisepläne in 1,15ff. Dann läge das hier berichtete Ereignis schon über ein Jahr zurück, und Paulus
hätte inzwischen vier Briefe nach Korinth geschrieben. Dem widersetzt sich jedoch die Ein-
gangswendung in 2Kor 1,8: »Wir wollen euch, Brüder, nicht über unsre Bedrängnisse in Un-
kenntnis lassen . . .«
4) Weitere Schwierigkeiten, die sich aus der Frühansetzung der Gefangenschaft ergeben, wurden (Anm. 33 und 34) schon genannt.
So scheint mir insgesamt mehr dafür zu sprechen, daß die Gefangenschaft des Paulus etwa ein
gutes Jahr nach Beginn seiner Mission in Ephesus, wohl Herbst 53, ihren Anfang nahm.
37 Daß die Dauer der Gefangenschaft nicht ganz kurz gewesen sein kann (ebenso *Georgi*,
Kollekte, 51; *Suhl*, Paulus, 250f), zeigen die Phil 1 angesprochenen Auseinandersetzungen.
Aus den 1,21; 2Kor 1,8–10 gemachten Andeutungen wird man im Kontrast zu Phlm 10, wonach Paulus auch während der Gefangenschaft zur Verkündigung Gelegenheit hatte (vgl. Phil
1,13), mit verschiedenen Phasen der Haft rechnen müssen. Weiter lag vor der Phil 1,12 berichteten günstigen Entwicklung der Lage offenbar eine Zeit, in der Paulus keinen Fortschritt erzie-
len konnte. Schließlich scheint die Nachricht von der Gefangenschaft vor Phil 1f bereits nach
Philippi gelangt zu sein, wovon Paulus seinerseits inzwischen wieder hörte (vgl. Phil 1,7; vielleicht 4,14).
38 Nach 1,23 wurde Paulus von den Korinthern vorgeworfen, er sei nicht mehr nach Korinth
gekommen. Als Erklärung für sein Verhalten gibt er nur ein einziges Argument an: Er wollte
die Gemeinde schonen. Damit nimmt er direkt auf den »Tränenbrief«, nämlich auf
12,20–13,2, Bezug – nur daß er dort noch vorhat, sehr bald nach Korinth zu reisen (ebendarauf
bezieht sich der Vorwurf ja wohl), wobei er dann keine Schonung mehr walten lassen (13,1f)
und die Schuldigen, wie bereits während des dem Brief unmittelbar vorangehenden (zweiten,

Nach dem ›Tränenbrief‹ kann die Gefangenschaft aber noch weniger angesetzt werden: Titus, nach 2Kor 7,5ff wohl der Überbringer dieses Briefes, wurde nach Korinth entsandt, während Paulus selber zur Missionsverkündigung nach Troas aufbrach (2,12f), dann aber Titus entgegenreiste und ihn in Mazedonien antraf (2,13; 7,5). Wie nah sich die Ereignisse während des ›Kurzbesuchs‹ und der Mazedonienreise noch stehen, zeigt sich besonders daran, daß Paulus in seinem ›Versöhnungsbrief‹ über den ›Tränenbrief‹ hinweg (2,3f.9; 7,8.12) ausführlich und ausschließlich auf die Ereignisse während dieses Besuchs eingeht (2Kor 7,5ff).

Aus alledem folgt, daß die Gefangenschaft nur *vor* dem Kurzbesuch gelegen haben kann[40], vermutlich etwa Herbst 53 bis Frühjahr 54, und ihr Ende ist kurz vor Abfassung der ›Großen Apologie‹ (1,8) zu datieren.

---

sog. Zwischen- oder Kurz-)Besuchs ausdrücklich angekündigt, unnachsichtig bestrafen wolle (13,2.10); eine erneute Demütigung seinerseits werde es nicht geben (12,21). – Inzwischen hat Paulus jedoch seinen versprochenen Besuch hinausgezögert (1,23), weil er noch immer keine Nachricht (von Titus) über den Erfolg seines (»Tränen-«)Briefes besaß, auf die er sehnsüchtig wartete (2,12f; 7,5–7.8ff). Denn er wollte nicht durchgreifen müssen, nicht »zerstören« (2Kor 10,4.8; 13,10), sondern »Mitarbeiter der Gemeinde, im Dienst eurer Freude« sein (1,24), nicht Betrübnis erfahren, sondern denen Freude schaffen, von denen er Freude zu empfangen hoffte (2,3), nicht wieder einen verunglückten Besuch erleben (12,21; 2,1), sondern eine wirkliche δευτέρα χάρις bringen (1,15; vgl. dazu *Hahn*, Ja, 232), um die Liebe herrschen zu lassen (2,4.8). Deshalb schob er seinen Besuch auf und wartete auf die Resonanz seines »Tränenbriefes«. – Diese Wartezeit war die Zeit der Schonung. Aber schließlich konnte er die Ungewißheit über die Lage in der Gemeinde nicht mehr ertragen, sah er doch die Existenz der korinthischen Gemeinde auf dem Spiel stehen, und brach sogar eine längerfristige, schon erfolgreiche missionarische Tätigkeit in Troas ab, in deren Fortgang offenbar bereits eine Gemeinde entstanden war (2,12f; ἀποταξάμενος αὐτοῖς), um Titus sofort nach Mazedonien entgegenzueilen. Im Verlauf dieser Ereignisse, zwischen »Kurzbesuch« und Rückkehr des Titus, läßt sich eine Gefangenschaft des Paulus in Ephesus schlechterdings nicht unterbringen, um so weniger, als Paulus jedenfalls gar nicht mehr allzu lange in Ephesus zugebracht hat, sondern bald zur Mission nach Troas aufgebrochen sein muß. Außerdem müßte man entgegen dem eindeutigen Wortlaut in 2Kor 1,23 annehmen, Paulus habe gar nicht nach Korinth reisen *können*, weil er in Gefangenschaft lag. Aber seine Abreise aus Korinth und das Hinauszögern des angesagten Besuchs dienten – was Paulus, bereits ehe er abreiste (!), der Gemeinde unmißverständlich zu verstehen gab (13,2.3ff; 2,1ff) – *allein dem Zweck, die Gemeinde zur Besinnung kommen zu lassen.* Von einer überstürzten Rückreise aus Korinth (wie man oft liest) kann also gar keine Rede sein, noch weniger davon, daß Paulus »durch mangelnde Zeit oder erhebliche körperliche Schwäche« zu ihr genötigt wurde (gegen *Schmithals*, Gnosis, 97). Alles diente der Bewährung (δοκιμή, 13,1.5ff) der Gemeinde. Völlig richtig spricht *Suhl* (Paulus, 246) deshalb davon, »daß Paulus Korinth *demonstrativ* verließ« (Hervorhebung durch den Verfasser).

39 2Kor 11,23 gibt für die Datierung unmittelbar nichts her, sondern läßt nur erkennen, daß Paulus bereits *vor* der Abfassung des »Tränenbriefs« mehrfach in Gefangenschaft lag.

40 Das hat für die Beurteilung von 2Kor 1 Konsequenzen. Entweder 1,8–11 gehört in den sog. Versöhnungsbrief, wäre also nach dem Aufbruch aus Ephesus und der Mission in Troas sowie der Weiterreise nach Mazedonien nach dem Zusammentreffen mit Titus geschrieben. Dann könnte damit kaum auf die Gefangenschaft des Paulus angespielt sein, weil das gemeinte Ereignis noch nicht lange zurückliegen und jedenfalls, da Paulus die Korinther offenbar erstmals davon unterrichtet, erst nach dem »Zwischenbesuch« geschehen sein kann, wohin die Gefangenschaft aber nicht datiert werden kann. Oder, und diese Möglichkeit muß nun als wahrscheinlicher gelten, 1,8–11 spielt sehr wohl auf eine kürzlich überstandene, lebensbedrohende

Gefangenschaft in Ephesus an, dann kann der Abschnitt jedoch nicht Teil des Versöhnungsbriefes gewesen sein (sondern am ehesten der Beginn der sog. Großen Apologie, des frühesten
Schreibens im 2 Kor). Dieser Möglichkeit genauer nachzugehen, bedürfte es allerdings weiterer
Untersuchungen, und dafür ist hier nicht der Ort. Man beachte aber etwa den hervorragend
passenden Anschluß von 1,11 an 2,14: Der »Triumphzug«, in dem Gott den Apostel »in Christus« aufführt (2,14–16), ist der Erweis des die Toten erweckenden Gottes, der den, der zu
Tode verzweifelt war, gerettet und ins Leben zurückgeführt hat, sich mächtig erweisend, wo
die menschliche Existenz zerbrochen war (1,8–11) – gerade nicht ein Aufweis seiner menschlichen Fähigkeiten, keine »Selbstempfehlung« des Paulus (3,1), hatte er doch sein ganzes
»Selbstvertrauen« verloren und alles auf Gott gesetzt (1,9). Man beachte auch die Beziehungen
von 1,1–11 zu 4,7ff. Andererseits ist wohl auch auf den gänzlich anderen Ton von 1,1–11 und
1,12ff zu verweisen; während 1,1–11 ganz vom »Leiden um euretwillen« beherrscht ist, behandelt 1,12ff ohne Übergang und ohne Unterbrechung eine Fülle von ganz konkreten Vorwürfen, deren endgültige Klärung mit den Korinthern noch aussteht (vgl. 1,13), worin sich
wohl auch zwei verschiedene Stadien der Auseinandersetzung widerspiegeln.

Abkürzungsverzeichnis

Für die Literaturverweise in den Anmerkungen wurde stets nur der Verfassername verbunden mit einem Titelwort (in der Regel das erste in der Überschrift erscheinende Substantiv im Nominativ) zitiert. Die im Literaturverzeichnis verwendeten Abkürzungen entsprechen den in »Theologische Realenzyklopädie. Abkürzungsverzeichnis. Zusammengestellt v. S. Schwertner. Berlin, de Gruyter, 1976« aufgeführten; (zit.) bedeutet »danach zitiert«.

ANTT   Arbeiten zur neutestamentlichen Textforschung, hg. v. Institut für neutestamentliche Textforschung der westfälischen Wilhelms-Universität Münster/Westfalen, Berlin 1963ff

BNTC   Black's New Testament Commentaries, ed. by *Henry Chadwick*, London

EKK   Evangelisch-Katholischer Kommentar zum Neuen Testament (einschließlich Vorarbeiten), hg. v. *Eduard Schweizer, Ulrich Wilckens, Rudolf Schnackenburg, Josef Blank*, Zürich/Einsiedeln/Neukirchen-Vluyn 1969ff

ExVB   *Ernst Käsemann*, Exegetische Versuche und Besinnungen I/II (Gesammelte Aufsätze), Göttingen ⁴1965

Interp.   Interpretation. A Journal of Bible and Theology, ed. by *James L. Mays* a. o.

KEK   Kritisch-exegetischer Kommentar über das Neue Testament, begr. v. *Heinrich August Wilhelm Meyer*, Göttingen 1832ff.

KIG   Die Kirche in ihrer Geschichte. Ein Handbuch, hg. v. *Kurt Dietrich Schmidt* und *Ernst Wolf*, Göttingen 1962ff.

NTF   Neutestamentliche Forschungen, hg. v. *Otto Schmitz*, Gütersloh 1924ff

RNT   Regensburger Neues Testament, hg. v. *Alfred Wikenhauser* und (seit 1968 allein) *Otto Kuss*, Regensburg

StANT   Studien zum Alten und Neuen Testament, hg. v. *Vinzenz Hamp* und *Josef Schmid*, München 1960ff

SBM   Stuttgarter Biblische Monographien, hg. v. *Josef Haspecker* und *Wilhelm Pesch*, Stuttgart 1967ff

SBS   Stuttgarter Bibelstudien, hg. v. *Herbert Haag, Rudolf Kilian* und *Wilhelm Pesch*, Stuttgart 1967ff

StNT   Studien zum Neuen Testament, hg. v. *Günter Klein, Willi Marxsen* und *Wolfgang Schrage*, Gütersloh 1969ff

StUNT   Studien zur Umwelt des Neuen Testaments, hg. v. *Karl Georg Kuhn*, Göttingen 1962ff

TBLNT   Theologisches Begriffslexikon zum Neuen Testament, hg. v. *Lothar Coenen, Erich Beyreuther* und *Hans Bietenhard*, Wuppertal, Bd. 1 1967, Bd. 2,1 1969, Bd. 2,2 1971

WMANT   Wissenschaftliche Monographien zum Alten und Neuen Testament, begründet v. *Günther Bornkamm* und *Gerhard von Rad*, in Verbindung mit *Erich Gräßer* und *Hans-Jürgen Hermisson* hg. v. *Ferdinand Hahn* und *Odil Hannes Steck*, Neukirchen-Vluyn 1960ff

Literaturverzeichnis

Aland, Kurt, Die Säuglingstaufe im Neuen Testament und in der Alten Kirche. Eine Antwort an Joachim Jeremias (TEH NS 86), München 1961.

Althaus, Paul, Der Brief an die Römer (NTD 6), Göttingen [10]1966.

Amling, Ernst, Eine Konjektur im Philemonbrief, ZNW 10 (1909) 261f.

Auerbach, Erich, Mimesis. Dargestellte Wirklichkeit in der abendländischen Literatur, Bern [2]1959.

Ballance, M., The Side of Derbe. A new Inscription, AnSt 7 (1957) 147–151.

Balz, Horst R., Anonymität und Pseudepigraphie im Urchristentum. Überlegungen zum literarischen und theologischen Problem der urchristlichen und gemeinantiken Pseudepigraphie, ZThK 66 (1969) 403–436.

Barrett, Charles Kingsley, Cephas and Corinth. In: Abraham unser Vater. Festschrift für Otto Michel zum 60. Geburtstag, hg. v. *Otto Betz* u. a. (AGSU 5), Leiden/Köln 1963, 1–12.

– Christianity at Corinth, BJRL 46 (1963/64) 269–297.

– A Commentary on the First Epistle to the Corinthians (BNTC), London 1968.

– Titus. In: Neotestamentica et Semitica. Studies in Honour of Matthew Black, ed. by *E. Earle Ellis* and *Max Wilcox,* Edinbourgh 1969, 1–14.

– Die Umwelt des Neuen Testaments. Ausgewählte Quellen, hg. und übersetzt v. *Carsten Colpe* (WUNT 4), Tübingen 1959.

Barth, Markus, Justification. From Text to Sermon on Galatiens 2:11–21, Interp. 22 (1968) 147–157.

Bauer, Walter, Rechtgläubigkeit und Ketzerei im ältesten Christentum, hg. v. *Georg Strecker* (BHTh 10), Tübingen [2]1964.

– Griechisch-deutsches Wörterbuch zu den Schriften des Neuen Testamentes und der übrigen urchristlichen Literatur, Berlin [5]1971 (Nachdruck).

Bauernfeind, Otto, Die Apostelgeschichte (ThHK 5), Leipzig 1939.

– Art. στρατεύομαι κτλ, ThWNT 7, 701–713.

Baumann, Rolf, Mitte und Norm des Christlichen. Eine Auslegung von 1. Korinther 1,1–3,4 (NTA NS 5), Münster 1968.

Beare, Francis Wright, A Commentary on the Epistle to the Philippians (BNTC), London 1959.

Behm, Johannes, Art. νῆστις κτλ, ThWNT 4, 925–935.

– Art. νουθετέω κτλ, ThWNT 4, 1013–1016.

Benoit, Pierre, Les Epîtres de Saint Paul aux Philippiens, à Philémon, aux Colossiens, aux Ephésiens, Paris [3]1959.

– Rapports littéraires entre les épîtres aux Colossiens et Ephésiens. In: Neutestamentliche Aufsätze. Festschrift für Josef Schmid zum 70. Geburtstag, hg. v. *Josef Blinzler, Otto Kuss* und *Franz Mußner,* Regensburg 1963, 11–22.

Berger, Klaus, Zu den sogenannten Sätzen Heiliger Rechts, NTS 17 (1970/71) 10–40.

Bertram, Georg, Art. ἔργον κτλ, ThWNT 4, 631–653.

– Art. συνεργός κτλ, ThWNT 7, 869–875.

Best, Ernest, Bishops and Deacons: Philippians 1,1 (TU 102 = StudEv IV), Berlin 1968, 371–376.

– A Commentary on the First and Second Epistle to the Thessalonians (BNTC), London 1972.

Betz, Hans Dieter, Eine Christus-Aretalogie bei Paulus (2Kor 12,7–10), ZThK 66 (1969) 288–305.

– Nachfolge und Nachahmung Jesu Christi im Neuen Testament (BHTh 37), Tübingen 1967.

Betz, Otto, Der Katechon, NTS 9 (1962/63) 276–291.

Beyer, Hermann Wolfgang, Der Brief an die Galater (neubearbeitet von *Paul Althaus*) (NTD 8), Göttingen ¹²1970, 1–55.

– Art. διακονέω κτλ, ThWNT 2, 81–93.

– Art. ἐπίσκοπος, ThWNT 2, 604–617.

Biblia Hebraica ed. *Rud. Kittel.* Textum Masoreticum curavit *Paul Kahle,* ⁷1937 = ¹⁵1968

Bieder, Werner, Brief an Philemon (Prophezei), Zürich 1944.

Bihler, Johannes, Die Stephanusgeschichte im Zusammenhang der Apostelgeschichte (MThS 30), München 1963.

Bihlmeyer, Karl, Die Apostolischen Väter. Neubearbeitung der *Funk*schen Ausgabe, mit einem Nachtrag von *Wilhelm Schneemelcher* (SQS 2. Reihe, 1. Heft, 1. Teil), Tübingen ²1956.

Billerbeck, s. *Strack-Billerbeck.*

Bjerkelund, Carl J., Parakalo. Form, Funktion und Sinn der parakalo-Sätze in den paulinischen Briefen (BTN No. 1), Oslo u. a. 1967.

Blass, Friedrich, Grammatik des neutestamentlichen Griechisch. Bearbeitet von *Albert Debrunner,* mit einem Ergänzungsheft von *David Tabachowitz,* Göttingen ¹³1970.

Blum, Georg Günter, Das Amt der Frau im Neuen Testament, NT 7 (1964/65) 142–161.

de Boer, Willis Peter, The Imitation of Paul. An exegetical Study, Kampen 1962.

Bornkamm, Günther, Bibel. Das Neue Testament. Eine Einführung in seine Schriften im Rahmen der Geschichte des Urchristentums (ThTh 9), Stuttgart 1971.

– Das Ende des Gesetzes. Paulusstudien (Ges. Aufs. 1 [BEvTh 16]), München ⁵1966; daraus:

– Der köstlichere Weg. 1Kor 13 (S. 93–112; leicht verändert) (zit.). Urspr. in: JThSB 8, 1937 (Friedrich von Bodelschwingh zum 60. Geburtstag), 132ff.

– Zum Verständnis des Gottesdienstes bei Paulus.

A. Die Erbauung der Gemeinde als Leib Christi (113–123).

B. Das Anathema in der urchristlichen Abendmahlsliturgie (123–132) (zit.). Erweiterung eines in der ThLZ 75 (1950) Sp. 227–230 erschienenen Aufsatzes.

– Die Häresie des Kolosserbriefes (139–156) (zit.). Urspr. ThLZ 73 (1948) Sp. 11–20.

– Christus und die Welt in der urchristlichen Botschaft (157–172) (zit.). Urspr. ZThK 47 (1950) 212–226.

– Geschichte und Glaube. Zweiter Teil (Ges. Aufs. 4 [BEvTh 53]), München 1971, 71; daraus:

– Wandlungen im alt- und neutestamentlichen Gesetzesverständnis (71–119).

– Der Römerbrief als Testament des Paulus (120–139).

– Theologie als Teufelskunst (140–148).

– Das missionarische Verhalten des Paulus nach 1Kor 9,19–23 und in der Apostelgeschichte (149–161) (zit.). In englischer Sprache zuerst erschienen in: Luke-Acts. Festschrift für Paul Schubert, Nashville (USA) 1966, 194–207.

– Die Vorgeschichte des sogenannten zweiten Korintherbriefes (162–194, durchgesehene und durch einen Nachtrag erweiterte Fassung) (zit.). Urspr. SHA 1961, 2.

– Der Philipperbrief als paulinische Briefsammlung (195–205, überarbeitet und ergänzt) (zit.). Urspr. in: Neotestamentica et Patristica. Freundesgabe an Oscar Cullmann, Leiden 1962, 192–202.

– Die Hoffnung im Kolosserbrief. Zugleich ein Beitrag zur Frage der Echtheit des Briefes (206–213). Urspr. in: Studien zum Neuen Testament und zur Patristik. Festschrift für Erich Klostermann (TU 77), Berlin 1961, 56–64.

– Der Lohngedanke im Neuen Testament, EvTh 15 (1946) 143–166 = *ders.*, Studien zu Antike und Urchristentum (Ges. Aufs. 2 [BEvTh 28]), München ³1970, 69–92 (zit.).

– Art. μυστήριον κτλ, ThWNT 4, 809–834.

– Paulus (UB 119), Stuttgart u. a. 1969.

– Art. Paulus, Apostel (RGG³ 5), Sp. 166–190.

– Art. πρεσβύς κτλ, ThWNT 6, 651–683.

Borse, Udo, Der Standort des Galaterbriefes (BBB 41), Köln/Bonn 1972

Braun, Herbert, Gerichtsgedanke und Rechtfertigungslehre bei Paulus (UNT 19), Leipzig 1930.

– Jesus. Der Mann aus Nazareth und seine Zeit (ThTh 1), Stuttgart ³1972.

Brockhaus, Ulrich, Charisma und Amt. Die paulinische Charismenlehre auf dem Hintergrund der frühchristlichen Gemeindefunktionen, Wuppertal 1972.

Brox, Norbert, Lukas als Verfasser der Pastoralbriefe?, Jahrbuch für Antike und Christentum 13 (1970) 62–77.

– Die Pastoralbriefe (RNT 7,2), Regensburg ⁴1969.

Bujard, Walter, Stilanalytische Untersuchungen zum Kolosserbrief als Beitrag zur Methodik von Sprachvergleichen (StUNT 11), Göttingen 1973.

Bultmann, Rudolf, Zur Auslegung von Galater 2,15–18. In: Ecclesia semper reformanda. Ernst Wolf zum 50. Geburtstag, München 1952, 41–45 = *ders.*, Exegetica. Aufsätze zur Erforschung des Neuen Testaments, Tübingen 1967, 394–399 (zit.).

– Zur Frage nach den Quellen der Apostelgeschichte. In: New Testament Essays. Studies in Memory of Thomas Walter Manson 1893–1958, sponsored by pupils, colleagues and friends, ed. by *A. J. B. Higgins*, Manchester 1959, 68–80 = *ders.*, Exegetica 412–423 (zit.).

– Die Geschichte der synoptischen Tradition (FRLANT 29), Göttingen ⁸1970.

– Der Stil der Paulinischen Predigt und die kynisch-stoische Diatribe (FRLANT 13), Göttingen 1910.

– Theologie des Neuen Testaments, Tübingen ⁶1968.

Burchard, Christoph, Der dreizehnte Zeuge. Traditions- und kompositionsgeschichtliche Untersuchung zu Lukas' Darstellung der Frühzeit des Paulus (FRLANT 103), Göttingen 1970.

Bussmann, Claus, Themen der paulinischen Missionspredigt auf dem Hintergrund der spätjüdisch-hellenistischen Missionsliteratur (EHS.T Bd. 3), Frankfurt 1971.

Cadbury, Henry J., Erastus of Corinth, JBL 50 (1931) 42–58.

Campbell, J. Y., Κοινωνία and its Cognates in the New Testament, JBL 51 (1932) 352–380.

Campenhausen, Hans Freiherr von, Kirchliches Amt und geistliche Vollmacht in den ersten drei Jahrhunderten (BHTh 14), Tübingen ²1963.

– Der urchristliche Apostelbegriff (StTh 1), Lund 1948, 96–130 (zit.), jetzt in: Das kirchliche Amt im Neuen Testament, hg. v. *Karl Kertelge* (WdF 439), Darmstadt 1977, 237–278.

Christou, Panayotis, ΙΣΟΨΥΧΟΣ Phil 2,20, JBL 70 (1951) 293–296.

Collins, John N., Georgi's »envoys« in 2Cor 11,23, JBL 93 (1974) 88–96.

Conzelmann, Hans, Die Apostelgeschichte (HNT 7), Tübingen ²1972.

– Art. χάρις κτλ (ThWNT 9), 363–366.377–393.

– Geschichte, Geschichtsbild und Geschichtsdarstellung bei Lukas, ThLZ 85 (1960) Sp. 241–250.

– Geschichte des Urchristentums. Grundrisse zum Neuen Testament, hg. v. *Gerhard Friedrich* (NTD Ergänzungsreihe 5), Göttingen ²1971.

– Grundriß der Theologie des Neuen Testaments (EETh 2), München ²1968.

– Der Brief an die Kolosser. In: *Hermann Wolfgang Beyer, Paul Althaus, Hans Conzelmann, Gerhard Friedrich, Albrecht Oepke:* Die kleineren Briefe des Apostels Paulus (NTD 8), Göttingen ¹¹1968.

– Der erste Brief an die Korinther (KEK 5), Göttingen [11]1969.

– Miszelle zu Apg 20,4f, ZNW 45 (1954) 266.

– Die Mitte der Zeit. Studien zur Theologie des Lukas (BHTh 17), Tübingen [5]1964.

– Paulus und die Weisheit, NTS 12 (1965/66) 231–244.

Coutts, John, The Relationship of Ephesians and Colossians, NTS 5 (1957/58) 201–207.

Cremer, Hermann, Biblisch-theologisches Wörterbuch der Neutestamentlichen Gräzität, hg.
v. *Julius Kögel,* Gotha [10]1915.

Cullmann, Oscar, Der eschatologische Charakter des Missionsauftrages und des apostolischen
Selbstbewußtseins bei Paulus. In: *ders.,* Vorträge und Aufsätze 1925–1962, Zürich 1966,
305–336.

– Heil als Geschichte. Heilsgeschichtliche Existenz im Neuen Testament, Tübingen [2]1967.

Dahl, Nils Alstrup, Zur Auslegung von Gal 6,16, Jud. 6 (1950) 161–170.

– Paul and the Church at Corinth according to 1 Corinthians 1:10–4:21. In: Christian History
and Interpretation. Studies presented to John Knox, ed. by *W. R. Farmer, C. F. D. Moule,
R. R. Niebuhr,* Cambridge 1967, 313–335.

– Das Volk Gottes. Eine Untersuchung zum Kirchenbewußtsein des Urchristentums
(SNVAO.HF 1. Bind, Oslo 1942), Oslo 1941, Nachdruck Darmstadt 1963.

Dautzenberg, Gerhard, Theologie und Seelsorge aus paulinischer Tradition. Einführung in
2Thess, Kol, Eph. In: Gestalt und Anspruch des Neuen Testamentes, hg. v. *Josef Schreiner*
unter Mitwirkung von *Gerhard Dautzenberg,* Würzburg 1969, 96–119.

– Der Verzicht auf das apostolische Unterhaltsrecht. Eine exegetische Untersuchung zu 1Kor
9, Bibl 50 (1969) 212–232.

Deißler, Alfons – Schlier, Heinrich – Audet, Jean-Paul, Der priesterliche Dienst. I: Ursprung
und Frühgeschichte (QD 46), Freiburg/Basel/Wien 1970.

Deißmann, Adolf, Zur ephesinischen Gefangenschaft des Apostels Paulus. In: Anatolian Studies presented to Sir William Mitchell Ramsey, ed. by *William Hepburn Buckler* and *William Moir Calder* (Publications of the University of Manchester No. 160), Manchester 1923,
121–127.

– Licht vom Osten. Das Neue Testament und die neuentdeckten Texte der hellenistisch-römi-
schen Welt, Tübingen [4]1923.

– Paulus. Eine kultur- und religionsgeschichtliche Skizze, Tübingen [2]1925.

Delling, Gerhard, Art. ἀπαρχή, ThWNT 1, 483f.

– Lexikalisches zu τέκνον. Ein Nachtrag zur Exegese von 1Kor 7,14. In: . . . und fragten nach
Jesus. Beiträge aus Theologie, Kirche und Geschichte. Festschrift für Ernst Barnikol zum 70.
Geburtstag, Berlin 1964, 35–44 = *ders.,* Studien zum Neuen Testament und zum hellenistischen Judentum (Ges. Aufs. 1950–1968, hg. v. *Ferdinand Hahn, Traugott Holtz* und *Ni-
kolaus Walter*), Göttingen 1970, 270–280 (zit.).

– Merkmale der Kirche nach dem Neuen Testament, NTS 13 (1967) 297–316.

– Art. σύζυγος, ThWNT 7, 749f.

– Zur Taufe von »Häusern« im Urchristentum, NT 7 (1964/65) 285–311.

Dibelius, Martin, Aufsätze zur Apostelgeschichte, hg. v. *Heinrich Greeven* (FRLANT 60),
Göttingen [5]1968;.
daraus:.

– Stilkritisches zur Apostelgeschichte (9–28).

– Paulus auf dem Areopag (29–70).

– Das Apostelkonzil (84–90).

– Die Apostelgeschichte im Rahmen der urchristlichen Literaturgeschichte (163–174).

– Paulus in der Apostelgeschichte (175–180).

– An die Kolosser, Epheser, an Philemon, neu bearbeitet von *Heinrich Greeven* (HNT 12), Tübingen ³1953.

– Die Pastoralbriefe, neu bearb. v. *Hans Conzelmann* (HNT 13), Tübingen ⁴1966.

– Paulus, hg. und zu Ende geführt von *Werner Georg Kümmel* (SG 1160), Berlin ⁴1966.

– An die Thessalonicher I.II. An die Philipper (HNT 11), Tübingen ³1937.

Dibelius, Otto, Die werdende Kirche. Eine Einführung in die Apostelgeschichte, Hamburg ⁷1967.

Dick, Karl, Der schriftstellerische Plural bei Paulus, Halle 1900.

Dieterich, Albrecht, Eine Mithrasliturgie, Leipzig ³1923.

Dinkler, Erich, Art. Korintherbriefe, RGG³ 4, Sp. 17–23.

Dittenberger, Wilhelm, Sylloge Inscriptionum Graecarum, Leipzig, Bd. 1 ³1915, Bd. 2 ³1917, Bd. 3 ³1920, Bd. 4 ³1924.

Dobschütz, Ernst von, Die Thessalonicherbriefe (KEK 10), Göttingen ⁷1909, Nachdruck 1974.

– Wir und Ich bei Paulus, ZSTh 10 (1933) 251–277.

Dockx, S., Chronologie de la vie de Saint Paul, depuis sa conversation jusqu'à son séjour à Rome, NT 13 (1971) 261–304.

– Lieu et date de l'épître aux Philippiens, RB 80 (1973) 230–246.

Downey, Glanville, A History of Antioch in Syria from Seleucus to the Arab Conquest, Princeton 1961.

Dülmen, Andrea van, Die Theologie des Gesetzes bei Paulus (SBM 5), Stuttgart 1968.

Dürr, Lorenz, Heilige Vaterschaft im antiken Orient. In: Heilige Überlieferung. Ausschnitte aus der Geschichte des Mönchtums und des heiligen Kultus. Ildefons Herwegen zum silbernen Abtsjubiläum dargeboten von Freunden, Verehrern, Schülern und in deren Auftrag gesammelt von *Odo Casel* (BGAM.S), Münster 1938, 1–20.

Eckert, Jost, Die urchristliche Verkündigung im Streit zwischen Paulus und seinen Gegnern nach dem Galaterbrief (BU 6), Regensburg 1971.

Eichholz, Georg, Bewahren und Bewähren des Evangeliums: Der Leitfaden von Philipper 1–2. In: Hören und Handeln. Festschrift für Ernst Wolf zum 60. Geburtstag, hg. v. *Helmut Gollwitzer* und *Hellmut Traub*, München 1962, 84–105.

– Die Theologie des Paulus im Umriß, Neukirchen-Vluyn ²1977.

Ellis, E. Earle, »Those of the Circumcision« and the early Christian Mission (TU 102 = Stud Theol IV), Berlin 1958, 390–399.

– Paul and his Co-Workers, NS 17 (1971) 437–452.

Eltester, Walther, Lukas und Paulus. In: Eranion. Festschrift für Hildebrecht Hommel. Dargebracht von seinen Tübinger Freunden und Kollegen, hg. v. *Jürgen Kroymann* und *Jürgen Zinn*, Tübingen 1961, 1–17.

Enslin, Morton S., Once again, Luke and Paul, ZNW 61 (1970) 253–271.

Epicteti Dissertationes ab Arriano digestae ad fidem codicis Bodleiani recensuit *Henricus Schenkl*, Leipzig 1894.

Epictetus. The Discourses as reported by Arrian, the Manual and Fragments, with an English Translation by *W. A. Oldfather* (The Loeb Classical Library, ed. by *T. E. Page* a. o.), London Bd. 1 1925 (repr. 1956), Bd. 2 1928 (repr. 1959).

Fascher, Erich, Art. Timotheus, PRE 2.Reihe Bd. VI A, Sp. 1342–1354.

– Art. Titus, PRE 2. Reihe Bd. VI A, Sp. 1579–1586.

Faw, Charles Edwin, On the Writing of First Thessalonians, JBL 71 (1952) 217–225.

Feine, Paul – Behm, Johannes, Einleitung in das Neue Testament, Heidelberg ⁹1950.

Feld, Helmut, »Christus Diener der Sünde«. Zum Ausgang des Streites zwischen Petrus und Paulus, ThQ 153 (1973) 119–131.

– Lutherus Apostolus. Kirchliches Amt und apostolische Verantwortung in der Galaterbrief-Auslegung Martin Luthers. In: Wort Gottes in der Zeit. Festschrift für Karl Hermann

Schelkle, hg. v. *Helmut Feld* und *J. Nolte*, Düsseldorf 1973, 288–304.

Filson, Floyd V., Geschichte des Christentums in neutestamentlicher Zeit. Übersetzt und für die deutsche Ausgabe bearbeitet von *Franz Joseph Schierse*, Düsseldorf 1967.

Finegan, Jack, Handbook of Biblical Chronology. Principles of Time Reckoning in the Ancient World and Problems of Chronology in the Bible, Princeton, New Jersey 1964.

Fischer, Joseoh A., Die Apostolischen Väter. Eingeleitet, herausgegeben, übertragen und erläutert (SUC 1. Teil), Darmstadt ⁶1970.

Fischer, Karl Martin, Tendenz und Absicht des Epheserbriefes (FRLANT 111), Göttingen 1973.

Fishburne, Charles W., I Corinthians III. 10–15 and the Testament of Abraham, NTS 17 (1970/71) 109–115.

Fitzer, Gottfried, »Das Weib schweige in der Gemeinde«. Über den unpaulinischen Charakter der mulier-taceat-Verse in 1. Korinther 14 (TEH NS 110), München 1965.

Foerster, Werner, Art. Ἰησοῦς, ThWNT 3, 284–294.

Fridrichsen, Anton, Peristasenkatalog und Res Gestae. Nachtrag zu 2Cor 11,23ff, SO 8 (1929) 78–82.

– Zum Stil des paulinischen Peristasenkatalogs 2Cor 11,23ff, SO 7 (1928) 25–29.

– Themelios, 1Kor 3,11, ThZ 2 (1946) 316–318.

Friedrich, Gerhard, Art. εὐαγγελίζομαι κτλ, ThWNT 2, 705–735.

– Der Brief an Philemon. In: *Hermann Wolfgang Beyer, Paul Althaus, Hans Conzelmann, Gerhard Friedrich, Albrecht Oepke*: Die kleineren Briefe des Apostels Paulus (NTD 8), Göttingen ¹²1970, 188–196.

– Der Brief an die Philipper. In: *Hermann Wolfgang Beyer, Hans Conzelmann, Gerhard Friedrich, Albrecht Oepke*: Die kleineren Briefe des Apostels Paulus (NTD 8), Göttingen ¹²1970, 92–130.

– Art. προφήτης, s. *Krämer, Helmut*.

Frisk, Hjalmar, Griechisches etymologisches Wörterbuch, 2 Bände (Indogermanische Bibliothek, 2. Reihe, Wörterbücher), Heidelberg Bd. 1 1960, Bd. 2 1970.

Furnish, Victor Paul, Fellow Workers in God's Service, JBL 80 (1961) 364–370.

Gaechter, Paul, Petrus und seine Zeit. Neutestamentliche Studien, Innsbruck u. a. 1958.

Gärtner, Bertil, The Temple and the Community in Qumran and the New Testament. A comparative study in the temple symbolism of the Qumran texts and the New Testament (Society of New Testament Studies, Monograph Series 1), Cambridge 1965.

Georgi, Dieter, Die Gegner des Paulus im 2. Korintherbrief. Studien zur religiösen Propaganda in der Spätantike (WMANT 11), Neukirchen-Vluyn 1964.

– Die Geschichte der Kollekte des Paulus für Jerusalem (ThF 38), Hamburg-Bergstedt 1965.

Gerhardsson, Birger, Die Boten Gottes und die Apostel Christi, SEÅ 27 (1962) 89–131.

Gesenius, Wilhelm, Hebräisches und Aramäisches Handwörterbuch über das Alte Testament, bearbeitet von *Franz Buhl*, ¹⁷1915, unveränderter Neudruck, Berlin, Göttingen, Heidelberg 1962.

Glover, Richard, »Luke the Antiochene« and Acts, NTS 11 (1964/65) 97–106.

Gnilka, Joachim, Ist 1Kor 3,10–15 ein Schriftzeugnis für das Fegfeuer? Eine exegetisch-historische Untersuchung, Düsseldorf 1955.

– Geistliches Amt und Gemeinde nach Paulus, Kairos NF 11 (1969) 95–104.

– Der Philipperbrief (HThK X,3), Freiburg u. a. 1968.

Goguel, Maurice, Introduction au Nouveau Testament, 5 Bände, Paris 1923–1926.

Goppelt, Leonhard, Die apostolische und nachapostolische Zeit (KIG 1,A), Göttingen ²1966.

Greeven, Heinrich, Die missionierende Gemeinde nach den apostolischen Briefen. In: Sammlung und Sendung. Vom Auftrag der Kirche in der Welt. Festgabe für Heinrich Rendtorff, hg. v. *Joachim Heubach* und *Heinrich-Hermann Ulrich*, Berlin 1958, 59–71.

– Propheten, Lehrer, Vorsteher bei Paulus. Zur Frage der »Ämter« im Urchristentum, ZNW 44 (1952/53) 1–43 (zit.), jetzt in: Das kirchliche Amt im Neuen Testament, hg. v. *Karl Kertelge* (Wdf 439), Darmstadt 1977, 305–361.

– Prüfung der Thesen von J. Knox zum Philemonbrief, ThLZ 79 (1954) Sp. 373–378.

Greßmann, Hugo, Heidnische Mission in der Werdezeit des Christentums, ZMR 39 (1924) 10–24.

Grundmann, Walter, Die Apostel zwischen Jerusalem und Antiochia, ZNW 39 (1940) 110–137.

Güttgemanns, Erhardt, Der leidende Apostel und sein Herr. Studien zur paulinischen Christologie (FRLANT 90), Göttingen 1966.

– »Gottesgerechtigkeit« und strukturale Semantik. Linguistische Analyse zu δικαιοσύνη θεοῦ. In: *ders.*, studia linguistica neotestamentica (BEvTh 60), München 1971, 58–98.

– Rez. zu *Dieter Georgi:* Die Gegner des Paulus im 2. Korintherbrief, ZGK 78 (1966) 126–131.

– Theologie als sprachbezogene Wissenschaft. In: *ders.*, studia linguistica neotestamentica (BEvTh 60), München 1971, 184–230.

Gyllenberg, Rafael, Rechtfertigung und Altes Testament bei Paulus. Franz-Delitzsch-Vorlesungen an der Universität Münster 1966, hg. v. *Karl Heinrich Rengstorf*, Stuttgart etc. 1973.

Haacker, Klaus, Die Gallio-Episode und die paulinische Chronologie, BZ NS 16 (1972) 252–255.

Hadorn, Wilhelm, Die Gefährten und Mitarbeiter des Paulus. In: Aus Schrift und Geschichte. Theologische Abhandlungen, Adolf Schlatter zu seinem 70. Geburtstag dargebracht von Freunden und Schülern, Stuttgart 1922, 65–82.

Haenchen, Ernst, Acta 27. In: Zeit und Geschichte. Dankesgabe an Rudolf Bultmann zum 80. Geburtstag, Tübingen 1964, 234–254.

– Die Apostelgeschichte (KEK 3), Göttingen [15]1968 (zit.), [16]1977.

– Petrus-Probleme, NTS 7 (1960/61) 187–197 (zit.), = *ders.*, Gott und Mensch (Ges. Aufs. 1), Tübingen 1965, 55–67.

– Das »Wir« in der Apostelgeschichte und das Itinerar, ZThK 58 (1961) 329–366 (zit.) = *ders.*, Gott und Mensch (Ges. Aufs. 1), Tübingen 1965, 227–264.

Hahn, Ferdinand, Der Apostolat im Urchristentum, KuD 20 (1974) 54–77.

– Das Ja des Paulus und das Ja Gottes. Bemerkungen zu 2Kor 1,12–2,1. In: Neues Testament und christliche Existenz. Festschrift für Herbert Braun zum 70. Geburtstag am 4. Mai 1973, hg. v. *Hans Dieter Betz* und *Luise Schottroff*, Tübingen 1973, 229–239.

– Das Verständnis der Mission im Neuen Testament (WMANT 13), Neukirchen-Vluyn [2]1965.

Haller, Johannes, Die Mitarbeiter des Apostels Paulus. Lebens- und Charakterbild aus der apostolischen Missionszeit, Stuttgart, Basel 1927.

Harnack, Adolf von, κόπος (κοπιᾶν, οἱ κοπιῶντες) im frühchristlichen Sprachgebrauch, ZNW 27 (1928) 1–10.

– Lukas der Arzt. Der Verfasser des dritten Evangeliums und der Apostelgeschichte. Eine Untersuchung zur Geschichte der Fixierung der urchristlichen Überlieferung, Leipzig 1906.

– Militia Christi. Die christliche Religion und der Soldatenstand in den ersten drei Jahrhunderten, Tübingen 1905.

– Mission und Ausbreitung des Christentums in den ersten drei Jahrhunderten. Bd. 1: Die Mission in Wort und Tat. Bd. 2: Die Verbreitung, Leipzig [4]1923/24.

– Das Problem des 2. Thessalonicherbriefes (SBA, phil.-hist. Klasse), Berlin 1910, 560–578.

Harrison, Percival Neale: Onesimos and Philemon, AThR 32 (1950) 268–294.

Hauck, Friedrich, Art. κόπος κτλ, ThWNT 3, 827–829.

– Art. κοινωνός κτλ, ThWNT 3, 798–810.

Hengel, Martin, Zwischen Jesus und Paulus. Die »Hellenisten«, die »Sieben« und Stephanus (Apg 6,1–15; 7,54–8,3), ZThK 72 (1975) 151–206.

– Nachfolge und Charisma. Eine exegetisch-religionsgeschichtliche Studie zu Mt 8,21f und Jesu Ruf in die Nachfolge (BZNW 34), Berlin 1968.

– Die Ursprünge der christlichen Mission, NTS 18 (1971/72) 15–38.

Hennecke, Edgar, Neutestamentliche Apokryphen in deutscher Übersetzung, hg. v. *Wilhelm Schneemelcher.* Bd. 2: Apostolisches, Apokalypsen und Verwandtes, Tübingen [4]1971.

Henneken, Bartholomäus, Verkündigung und Prophetie im 1. Thessalonicherbrief. Ein Beitrag zur Theologie des Wortes Gottes (SBS 29), Stuttgart 1969.

Hobart, William Kirk, The Medical of St. Luke: A Proof from Internal Evidence that »The Gospel according to St. Luke« and »The Acts of the Apostles« were written by the same Person, and that the Writer was a Medical Man (Dublin University Press Studies), Dublin 1882.

Hoffmann, Paul, Studien zur Theologie der Logienquelle (NTA NS 8), Münster 1972.

Hofmann, Karl-Martin, Philema hagion (BFChThM Bd. 38), Gütersloh 1938.

Holl, Karl, Der Streit zwischen Petrus und Paulus zu Antiochien in seiner Bedeutung für Luthers innere Entwicklung, ZKG 38 (1920) 23–40 = *ders.,* Gesammelte Aufsätze zur Kirchengeschichte 3, Tübingen [2]1932, 134–146.

Holtzmann, Heinrich Julius, Kritik der Epheser- und Kolosserbriefe auf Grund einer Analyse ihres Verwandtschaftsverhältnisses, Leipzig 1872.

Hooker, Morna D., »Beyond the Things which are Written«: An Examination of I Cor. IV,6, NTS 10 (1963/64) 127–132.

Hydahl, Niels, Die Frage nach der literarischen Einheit des Zweiten Korintherbriefes, ZNW 64 (1973) 289–306.

Jang, Liem Khiem, Der Philemonbrief im Zusammenhang mit dem theologischen Denken des Apostels Paulus, Diss. theol. Bonn 1964.

Jeremias, Gert, Der Lehrer der Gerechtigkeit (StUNT 2), Göttingen 1963.

Jeremias, Joachim, Chiasmus in den Paulusbriefen, ZNW 49 (1958) 145–156 = (überarbeitet und ergänzt) *ders.,* Abba. Studien zur neutestamentlichen Theologie und Zeitgeschichte, Göttingen 1966, 276–290 (zit.).

– Zur Gedankenführung in den paulinischen Briefen. In: Studia Paulina in honorem Johannes de Zwaan, Harlem 1953, 146–154 = *ders.,* Abba, 269–276 (zit.).

– Jerusalem zur Zeit Jesu. Eine kulturgeschichtliche Untersuchung zur neutestamentlichen Zeitgeschichte, Göttingen [3]1963.

– Die Kindertaufe in den ersten vier Jahrhunderten, Göttingen 1958.

– Art. λίθος κτλ, ThWNT 4, 272–283.

– Paarweise Sendung im Neuen Testament. In: New Testament Essays. Studies in Memory of Thomas Walter Manson 1893–1958, sponsored by pupils, colleagues and friends, Manchester 1959, 136–143 = *ders.,* Abba, 132–139 (zit.).

– Die Briefe an Timotheus und Titus (NTD 9), Göttingen [9]1968.

– Untersuchungen zum Quellenproblem der Apostelgeschichte, ZNW 36 (1937) 205–221 = *ders.,* Abba, 238–255 (zit.).

– Zöllner und Sünder, ZNW 30 (1931) 293–300.

Jewett, Robert, Conflicting Movements in the Early Church as reflected in Philippians, NT 12 (1970) 362–390.

Josephus, with an English Translation by *H. St. J. Thackerey* in nine Volumes, Cambridge (Mass.) 1956–1965.

Flavius Josephus, De Bello Judaico. Der jüdische Krieg. Zweisprachige Ausgabe der sieben Bücher, hg. v. *Otto Michel* und *Otto Bauernfeind*, Darmstadt Bd. 1 1959, Bd. 2,1 1963, Bd. 2,2 und Bd. 3 1969.

Kähler, Else, Die Frau in den paulinischen Briefen unter besonderer Berücksichtigung des Begriffes der Unterordnung, Zürich/Frankfurt 1960.

Käsemann, Ernst, Amt und Gemeinde im Neuen Testament (ExVB 1) 109–134.

– Die Johannesjünger in Ephesus, ZThK 49 (1952) 144–154 = ExVB 1, 158–168 (zit.).

– Art. Kolosserbrief, RGG³ 3, Sp: 1727f.

– Die Legitimität des Apostels, ZNW 41 (1942) 33–71 (zit.), Nachdruck in: Libelli 33, Darmstadt 1956.

– Leib und Leib Christi. Eine Untersuchung zur paulinischen Begrifflichkeit (BHTh 9), Tübingen 1933.

– Paulus und der Frühkatholizismus, ZThK 60 (1963) 75–89 = ExVB 2, 239–252 (zit.).

– Das theologische Problem des Motivs vom Leibe Christi. In: *ders.*, Paulinische Perspektiven, Tübingen ²1972, 178–210.

– An die Römer (HNT 8a), Tübingen 1973.

– Sätze heiligen Rechtes im Neuen Testament, NTS 1 (1954/55) 248–260 = ExVB 2, 69–82 (zit.).

– Eine urchristliche Taufliturgie. In: Festschrift für Rudolf Bultmann, zum 65. Geburtstag überreicht, Stuttgart/Köln 1949, 133–148 = ExVB 1, 34–51 (zit.).

– Eine paulinische Variation des »Amor fati«, ZThK 56 (1959) 138–154 = ExVB 2, 223–239 (zit.).

Kasting, Heinrich, Die Anfänge der urchristlichen Mission. Eine historische Untersuchung (BEvTh 55), München 1969.

Kautzsch, Emil, Die Apokryphen und Pseudepigraphen des Alten Testaments. In Verbindung mit Fachgenossen übersetzt und herausgegeben, 2 Bände, Tübingen ²1921, Neudruck Darmstadt 1962.

Kertelge, Karl, Das Apostelamt des Paulus, sein Ursprung und seine Bedeutung, BZ NS 14 (1970) 161–181.

– Gemeinde und Amt im Neuen Testament (BH X), München 1972.

– »Rechtfertigung bei Paulus«. Studien zur Struktur und zum Bedeutungsgehalt des paulinischen Rechtfertigungsbegriffs (NTA NS 3), Münster 1967.

– Verkündigung und Amt im Neuen Testament, BiLe 10 (1969) 189–198.

Kilpatrick, George Dunbar, Apollos – Apelles, JBL 89 (1970) 77.

Kittel, Gerhard, Art. αἰχμάλωτος κτλ, ThWNT 1, 195–197.

Klein, Günter, Die zwölf Apostel. Ursprung und Gehalt einer Idee (FRLANT 77), Göttingen 1961.

– Besprechung von *Ernst Haenchen*: Die Apostelgeschichte, Göttingen ¹⁰1956, ZKG 68 (1957) 362–371.

– Rekonstruktion und Interpretation (Ges. Aufs. zum Neuen Testament [BEvTh 50]), München 1969;

daraus:

– Galater 2,6–9 und die Geschichte der Jerusalemer Urgemeinde (99–128) (zit.). Urspr. ZThK 57 (1960) 275–295.

– Der Abfassungszweck des Römerbriefes (129–144).

– Individualgeschichte und Weltgeschichte bei Paulus. Eine Interpretation ihres Verhältnisses im Galaterbrief (180–204, überarbeitet) (zit.). Urspr. EvTh 23 (1963) 424–447.

Knopf, Rudolf, Die Apostelgeschichte (SNT 3), Göttingen ³1917.

Knox, John, Chapters in a Life of Paul. New York – Nashville 1950, London 1954.

- The Pauline Chronology, JBL 58 (1939) 15–29.
- Philemon and the Authenticity of Colossians, JR 18 (1938) 144–160.
- Philemon among the Letters of Paul. A new View of its Place and Importance, Chicago 1935.
- Romans 15,14–33 and Paul's Conception of Apostolic Mission, JBL 83 (1964) 1–11.
- *Köster, Helmut,* The Purpose of the Polemic of a Pauline Fragment, NTS 8 (1961/62) 317–332.
- *Kraft, Henricus,* Clavis patrum apostolicorum. Catalogum vocum in libris patrum qui dicuntur apostolici non raro occurrentium adiuvante *Ursula Früchtel,* Darmstadt 1963.
- *Kremer, Jakob,* Was an den Leiden Christi noch mangelt. Eine interpretationsgeschichtliche und exegetische Untersuchung zu Kol 1,24b (BBB 12), Bonn 1956.
- *Kretschmar, Georg,* Ein Beitrag zur Frage nach dem Ursprung frühchristlicher Askese, ZThK 61 (1964) 27–67.
- *Kümmel, Werner Georg,* Einleitung in das Neue Testament (Neubearbeitung der Einleitung von *Feine-Behm*), Heidelberg [17]1973.
- Kirchenbegriff und Geschichtsbewußtsein in der Urgemeinde und bei Jesus (SyBU 1), Zürich/Uppsala 1943; Göttingen [2]1968.
- An die Korinther I.II. Anhang zu *Lietzmann, Hans:* An die Korinther I.II (HNT 9), Tübingen [5]1969, 165–224.
- Die Theologie des Neuen Testaments nach seinen Hauptzeugen Jesus, Paulus, Johannes. Grundrisse zum Neuen Testament (NTD Ergänzungsreihe Bd. 3), Göttingen 1969.
- *Kuss, Otto,* Die Briefe an die Römer, Korinther und Galater (RNT 6), Regensburg 1940.
- Paulus. Die Rolle des Apostels in der theologischen Entwicklung der Urkirche (Auslegung und Verkündigung 3), Regensburg 1971.
- Der Römerbrief. 1. Lieferung (Röm 1,1–6,11), 2. Lieferung (Röm 6,11–9,19), Regensburg [2]1963.
- *Lähnemann, Johannes,* Der Kolosserbrief. Komposition, Situation und Argumentation (StTh 3), Gütersloh 1971.
- *Lähnemann, Johannes – Böhm, Günter,* Der Philemonbrief. Zur didaktischen Erschließung eines Paulusbriefes (Handbücherei für den Religionsunterricht 16), Gütersloh 1973.
- *Landvogt, Peter,* Epigraphische Untersuchungen über den οἰκονόμος. Ein Beitrag zum hellenistischen Beamtenwesen, Diss. phil. masch., Straßburg 1908.
- *Lang, Friedrich,* Art. πῦρ κτλ, ThWNT 6, 927–953.
- *Larsson, Edvin,* Christus als Vorbild. Eine Untersuchung zu den paulinischen Tauf- und Eikontexten (ASNU 23), Uppsala 1962.
- *Liddell, Henry George – Scott, Robert,* A Greec – English Lexicon. A new Edition Revised and Argumented throughout by *Henry Stuart Jones* with the Assistance of *Roderick McKenzie* and others, Oxford [9]1940 = 1966.
- *Liechtenhan, Rudolf,* Die urchristliche Mission. Voraussetzungen, Motive, Methoden (AThANT 9), Zürich 1946.
- *Lietzmann, Hans,* An die Galater. Mit einem Literaturnachtrag von *Philipp Vielhauer* (HNT 10), Tübingen [4]1971.
- Geschichte der Alten Kirche, 4 Bände, Berlin Bd. 1 [4]1961, Bd. 2–4 [3]1961.
- An die Korinther I.II, ergänzt von *Werner Georg Kümmel* (HNT 9), Tübingen [5]1969.
- An die Römer (HNT 8), Tübingen [5]1971.
- *Lightfoot, Joseph Barber,* Saint Paul's Epistle to the Galatians, Cambridge/London [11]1892.
- *Limbeck, Meinrad,* Von der Ohnmacht des Rechts. Untersuchungen zur Gesetzeskritik des Neuen Testaments (tP), Düsseldorf 1972.
- Die Ordnung des Heils. Untersuchungen zum Gesetzesverständnis des Frühjudentums (KBANT), Düsseldorf 1970.
- *Lindebloom, Gerrit Arie,* Doktor Lukas, Amsterdam 1965

Linton, Olof, Das Problem der Urkirche in der neueren Forschung (Uppsala Universitets Årsskrift Theologi 2), Uppsala 1932.

– Zur Situation des Philipperbriefs (AMNSU = Coniectanea Neotestamentica II). Adolf Jülicher zum achtzigjährigen Geburtstage am 26. Januar 1937, Uppsala 1936, 9–21.

Lipsius, Richard Adelbert, Briefe an die Galater, Römer, Philipper (HC II,2), Freiburg [2]1892.

Löning, Karl, Die Saulustradition in der Apostelgeschichte (NTA NF 9), Münster 1973.

Lönning, Inge, Paulus und Petrus. Gal 2,11ff als kontroverstheologisches Fundamentalproblem, StTh 24 (1970) 1–69.

Lofthouse, William Frederick, »I« and »We« in the Pauline Letters, BiTr 6 (1955) 72–80.

Lohmeyer, Ernst, Die Briefe an die Philipper, an die Kolosser und an Philemon (KEK 9), Göttingen [13]1964.

Lohse, Eduard, Art. χειροτονέω, ThWNT 9, 426f.

– Entstehung des Neuen Testaments (ThW 2), Stuttgart u. a. 1972.

– Die Briefe an die Kolosser und an Philemon (KEK 9,2), Göttingen [14]1968.

– Grundriß der neutestamentlichen Theologie (ThW 5), Stuttgart u. a. 1974.

– Die Mitarbeiter des Apostels Paulus im Kolosserbrief. In: Verborum Veritas. Festschrift für Gustav Stählin zum 70. Geburtstag, hg. v. *Otto Böcher* und *Klaus Haacker*, Wuppertal 1970, 189–194.

– (Hg.) Die Texte aus Qumran. Hebräisch und deutsch. Mit masoretischer Punktation, Übersetzung, Einführung und Anmerkungen, Darmstadt [2]1971.

– Ursprung und Prägung des christlichen Apostolates, ThZ 9 (1953) 259–275.

Loisy, Alfred, Les Actes des Apôtres, Paris 1920.

Lührmann, Dieter, Das Offenbarungsverständnis bei Paulus und in den paulinischen Gemeinden (WMANT 16), Neukirchen-Vluyn 1965.

– Rechtfertigung und Versöhnung. Zur Geschichte der paulinischen Tradition, ZThK 67 (1970) 432–452.

Luz, Ulrich, Der alte und der neue Bund bei Paulus und im Hebräerbrief, EvTh 27 (1967) 318–336.

– Das Geschichtsverständnis des Paulus (BEvTh 49), München 1968.

Lyall, Francis, Roman Law in the Writings of Paul – the Slave and the Freedman, NTS 17 (1970/71), 73–79.

Maehlum, Helge, Die Vollmacht des Timotheus nach den Pastoralbriefen (ThDiss 1), Basel 1969.

Maly, Karl, Mündige Gemeinde. Untersuchungen zur pastoralen Führung des Apostels Paulus im 1. Korintherbrief (SBM 2), Stuttgart 1967.

– Paulus als Gemeindegründer. In: Gestalt und Anspruch des Neuen Testaments, hg. v. *Josef Schreiner* unter Mitwirkung von *Gerhard Dautzenberg*, Würzburg 1969, 75–95.

Mánek, Jindřich, Das Aposteldekret im Kontext der Lukastheologie, CV 15 (1972) 151–160.

Margot, Jean-Claude, L'apostolat dans le Nouveau Testament et la succession apostolique, VC 11 (1957) 213–225.

Martin, Jochen, Der priesterliche Dienst. III: Die Genese des Amtspriestertums in der frühen Kirche (QD 48), Freiburg/Basel/Wien 1972.

Marxsen, Willi, Einleitung in das Neue Testament, Gütersloh [3]1964.

Masson, Charles, L'épître de Saint Paul aux Colossiens (CNT(N) X), Paris/Neuchâtel 1950.

Mattern, Liselotte, Das Verständnis des Gerichts bei Paulus (AThANT 47), Zürich/Stuttgart 1966.

Mayser, Edwin, Grammatik der griechischen Papyri aus der Ptolemäer-Zeit. Mit Einschluß der gleichzeitigen Ostraka und der in Ägypten verfaßten Inschriften, Bd. 1,3 Berlin/Leipzig [2]1935, photomech. Nachdruck Berlin 1970.

Menoud, Philippe H., Le Plan des Actes des Apôtres, NTS 1 (1954/55) 44–51.

Merk, Otto, Handeln aus Glauben. Die Motivierungen der paulinischen Ethik (Marburger Theologische Studien 5), Marburg 1968.

Merklein, Helmut, Das kirchliche Amt nach dem Epheserbrief (SANT 33), München 1973.

Meuzelaar, Jacobus Johannes, Der Leib des Messias. Eine exegetische Studie über den Gedanken vom Leib Christi in den Paulusbriefen (GTB XXXV), Assen 1961.

Michaelis, Wilhelm, Die Datierung des Philipperbriefes (NTF 8), Gütersloh 1933.
– Einleitung in das Neue Testament. Die Entstehung, Sammlung und Überlieferung der Schriften des Neuen Testaments, Bern 1946, ³1961.
– Die Gefangenschaft des Paulus in Ephesus und das Itinerar des Timotheus. Untersuchungen zur Chronologie der Paulusbriefe (NTF 1. Reihe: Paulusstudien, 3. Heft), Gütersloh 1925.
– Art. μιμέομαι κτλ, ThWNT 4, 661–678.
– Art. ὁδός κτλ, ThWNT 5, 42–118.
– Der Brief des Paulus an die Philipper (ThHK 11), Leipzig 1935.
– Art. σκηνοποιός, ThWNT 7, 394–396.
– The Trial of St. Paul at Ephesus, JThS 29 (1928) 368–375.

Michel, Otto, Der Brief an die Hebräer (KEK 13), Göttingen ¹²1966, ¹³1975.
– Art. ναός, ThWNT 4, 884–895.
– Art. οἶκος κτλ, ThWNT 5, 122–161.
– Der Brief an die Römer (KEK 4), Göttingen ¹³1966.

Minear, Paul Sevier, Bilder der Gemeinde. Eine Studie über das Selbstverständnis der Gemeinde anhand von 96 Bildbegriffen des Neuen Testaments (urspr. amerik.: Images of the Church in the New Testament, Philadelphia 1960), Kassel 1964.

Moffatt, James, The First Epistle of Paul to the Corinthians (M NTC), London ⁸1954.

Morris, Leon, ΚΑΙ ΑΠΑΞ ΚΑΙ ΔΙΣ, NT 1 (1956) 205–208.

Mosbech, Holger, Apostolos in the New Testament, StTh 2 (1949/50) 166–200.

Moule, Charles Francis Digby, The Epistles of Paul the Apostle to the Colossians and to Philemon (CGTC), Cambridge 1957.

Müller, Christian, Gottes Gerechtigkeit und Gottes Volk. Eine Untersuchung zu Röm 9–11 (FRLANT 86), Göttingen 1964.

Müller, Ulrich B., Prophetie und Predigt im Neuen Testament. Formgeschichtliche Untersuchungen zur urchristlichen Prophetie (StNT 10), Gütersloh 1975.

Müller-Bardorff, Johannes, Zur Frage der literarischen Einheit des Philipperbriefes, WZ(J). GS 7 (1957/58) 591–604.

Munck, Johannes, Paulus und die Heilsgeschichte (Acta Jutlandica. Åarskrift for Åarhus Universitet, XXV,1, Teologisk Serie 6), Åarhus/Kopenhagen 1954, 1–343.

Mußner, Franz, Der Galaterbrief (HThK IX), Freiburg etc. 1974.

Neugebauer, Fritz, In Christus. Eine Untersuchung zum paulinischen Glaubensverständnis, Göttingen 1961.

Niederwimmer, Kurt, Johannes Markus und die Frage nach dem Verfasser des zweiten Evangeliums, ZNW 58 (1967) 172–188.

Nygren, Anders, Der Römerbrief, Göttingen ⁴1965.

Oepke, Albrecht, Der Brief des Paulus an die Galater (ThHK 9), Berlin ⁴1973.
– Das neue Gottesvolk in Schrifttum, Schauspiel, bildender Kunst und Weltgestaltung, Gütersloh 1950.
– Leib Christi oder Volk Gottes bei Paulus?, ThLZ 79 (1954) 363–368.
– Die Briefe an die Thessalonicher. In: *Hermann Wolfgang Beyer, Paul Althaus, Hans Conzelmann, Gerhard Friedrich, Albrecht Oepke:* Die kleineren Briefe des Apostels Paulus (NTD 8), Göttingen ¹²1971, 157–187.

Ogg, George, The Chronologie of the Life of Paul, London 1968.
– Derbe, NTS 9 (1963) 367–370.
Osten-Sacken, Peter von der, Die Apologie des paulinischen Apostolats in 1Kor 15,1–11, ZNW 64 (1973) 245–262.
Overbeck, Franz, Über die Auffassung des Streites des Paulus mit Petrus in Antiochien (Galater 2,11ff) bei den Kirchenvätern, Basel 1877, Nachdruck Darmstadt 1968.
Pape, Johann Georg Wilhelm, Griechisch-Deutsches Handwörterbuch, Braunschweig ³1914, photomech. Nachdruck Graz 1954.
Passow, Franz, Handwörterbuch der Griechischen Sprache, neubearb. v. *V. C. F. Rost, F. Palm, O. Kreussler, K. Keil, F. Peter, G. E. Benseler,* Leipzig Bd. 2,1 ⁵1852, Bd. 2,2 ⁵1857.
Percy, Ernst, Der Leib Christi (Σῶμα Χριστοῦ) in den paulinischen Homologumena und Antilegomena (LUÅ NF Avd 1 Bd. 38 Nr. 1), Lund/Leipzig 1942.
– Die Probleme der Kolosser- und Epheserbriefe (SHVL 39), Lund 1946.
Pesch, Wilhelm, Der Sonderlohn für die Verkündiger des Evangeliums (1Kor 3,8.14f und Parallelen). In: Neutestamentliche Aufsätze. Festschrift für Josef Schmid zum 70. Geburtstag, hg. v. *Josef Blinzler, Otto Kuss, Franz Mußner,* Regensburg 1963, 199–206.
Peterson, Erik, Ἔργον in der Bedeutung »Bau« bei Paulus, Bibl 22 (1941) 439–441.
– La λειτουργία des prophètes et des didascales à Antioche, RSR 36 (1949) 577–579.
Pfammatter, Josef, Die Kirche als Bau. Eine exegetisch-theologische Studie zur Ekklesiologie der Paulusbriefe (Analecta Gregoriana Vol. 110, Series Facultatis Theologicae: sectio B, n. 33), Rom 1960.
Pfitzner, Victor C., Paul and the Agon Motif. Traditional Athletic Imagery in the Pauline Literature (NTS 16), Leiden 1967.
Philonis Alexandrini Opera quae supersunt, ed. *Leopold Cohn,* Berlin Bd. 1 1896, Bd. 2 1897, Bd. 3 1898, Bd. 4 1902, Bd. 5 1906, Bd. 6 1915.
Philonis Alexandrini Opera quae supersunt, Bd. 7: Indices ad Philonis Alexandrini Opera, composuit *Johannes Leisegang,* Pars 1, Berlin 1926.
Pölzl, Franz Xaver, Die Mitarbeiter des Weltapostels Paulus, Regensburg 1911.
– Der Weltapostel Paulus, Regensburg 1905.
Preisigke, Friedrich, Namenbuch, enthaltend alle griechischen etc. Menschennamen. Mit einem Anhange von *Enno Littmann,* Heidelberg 1922.
– Wörterbuch der griechischen Papyrusurkunden mit Einschluß der griechischen Inschriften, Aufschriften, Ostraka, Mumienschilder usw. aus Ägypten, Berlin Bd. 1 1925, Bd. 2 1927, Bd. 3 1931.
Preisker, Herbert, Apollos und die Johannesjünger in Apg 18,24–19,6, ZNW 30 (1931) 301–304.
Preuschen, Erwin, Die Apostelgeschichte (HNT 4,1), Tübingen 1912.
Procksch, Otto – *Kuhn, Karl Georg,* Art. ἅγιος κτλ, ThWNT 1, 87–116.
Quell, Gottfried, Art. πατήρ im AT, ThWNT 5, 959–974.
Rad, Gerhard von – *Delling, Gerhard,* Art. ἡμέρα, ThWNT 2, 945–956.
Rathjens, Bruce Donald, The Three Letters of Paul to the Philippians NTS 6 (1959/60) 167–173.
Reallexikon für Antike und Christentum. Sachwörterbuch zur Auseinandersetzung des Christentums mit der antiken Welt, hg. v. *Theodor Klauser* in Verbindung mit *Franz Joseph Dölger* und *Hans Lietzmann* und unter besonderer Mitwirkung von *Jan Hendrik Waszink* und *Leopold Wenger,* Stuttgart 1950ff.
Redlich, Edwin Basil, S. Paul and his Companions, London 1913.
Reitzenstein, Richard, Die hellenistischen Mysterienreligionen. Nach ihren Grundgedanken und Wirkungen, Leipzig/Berlin ³1927, fotomech. Nachdruck Darmstadt 1956.

Die Religion in Geschichte und Gegenwart. Handwörterbuch für Theologie und Religionswissenschaft, hg. v. *Kurt Galling*, Bd. 1–6, ³Tübingen 1957–1962.

Rengstorf, Karl Heinrich, Art. ἁμαρτωλός κτλ, ThWNT 1, 320–339.
– Art. ἀποστέλλω κτλ, ThWNT 1, 397–448.
– Art. διδάσκω κτλ, ThWNT 2, 138–168.
– Art. δοῦλος κτλ, ThWNT 2, 268–283.
– Art. ὑπηρέτης κτλ, ThWNT 8, 530–544.

Reumann, John, »Stewards of God« – Pre-Christian Religious Application of OIKONOMOS in Greek, JBL 77 (1958) 339–349.

Reuß, Joseph, Die Kirche als »Leib Christi« und die Herkunft dieser Vorstellung bei dem Apostel Paulus, BZ NS 2 (1958) 103–127.

Richards, J. R., Romans and I Corinthians: Their Chronological Relationship and Comparative Dates, NTS 13 (1966/67) 14–30.

Ridderbos, Herman, Paulus. Ein Entwurf seiner Theologie, Wuppertal 1970 (Original: Paulus. Ontwerp van zijn theologie), Kampen 1966.

Rigaux, Béda, Saint Paul. Les Epîtres aux Thessaloniciens (ÉtB), Paris 1956.
– Paulus und seine Briefe. Der Stand der Forschung (BiH 2), München 1964.

Rissi, Mathias, Studien zum Zweiten Korintherbrief. Der alte Bund – Der Prediger – Der Tod (AThANT 56), Zürich 1969.

Roller, Otto, Das Formular der paulinischen Briefe. Ein Beitrag zur Lehre vom antiken Brief (BWANT 4. Ser. 6), Stuttgart 1933.

Roloff, Jürgen, Apostolat – Verkündigung – Kirche. Ursprung, Inhalt und Funktion des kirchlichen Apostelamtes nach Paulus, Lukas und den Patoralbriefen, Gütersloh 1965.

Samuel, Alan E., Greek and Roman Chronology. Calendars and Years in Classical Antiquity (HAW 1. Abt., 7. Teil), München 1972.

Sanders, Ed. Parish, Literary Dependence in Colossians, JBL 85 (1966) 28–45.

Sanders, Jack T., Paul's »Autobiographical« Statements in Galatiens 1–2, JBL 85 (1966) 335–343.
– The Transition from Opening Epistolary Thanksgiving to Body in the Letters of the Pauline Corpus, JBL 81 (1962) 348–362.

Saß, Gerhard, Die Apostel in der Didache. In: In Memoriam Ernst Lohmeyer, hg. v. *Werner Schmauch*, Stuttgart 1951, 233–239.
– Der paulinische Apostelbegriff, Diss. theol. masch., Greifswald 1938.
– Zur Bedeutung von δοῦλος bei Paulus, ZNW 40 (1941) 24–32.

Satake, Akira, Apostolat und Gnade bei Paulus, NTS 15 (1968/69) 96–107.

Schelkle, Karl Hermann, Die Petrusbriefe. Der Judasbrief (HThK XIII,2), Freiburg u. a. ³1970.

Schenk, Wolfgang, Der 1. Korintherbrief als Briefsammlung, ZNW 60 (1969) 219–243.

Schenke, Hans-Martin, Der Widerstreit gnostischer und kirchlicher Christologie im Spiegel des Kolosserbriefes, ZThK 61 (1964) 391–403.

Schille, Gottfried, Anfänge der Kirche. Erwägungen zur apostolischen Frühgeschichte (BEvTh 43), München 1966.
– Die Fragwürdigkeit eines Itinerars der Paulusreisen, ThLZ 84 (1959) Sp. 165–174.
– Das vorsynoptische Judenchristentum (AzTh I.Reihe, Heft 43), Stuttgart 1970.
– Die urchristliche Kollegialmission (AThANT 48), Zürich/Stuttgart 1967

Schlatter, Adolf, Gottes Gerechtigkeit. Ein Kommentar zum Römerbrief, Stuttgart ⁴1965.
– Paulus, der Bote Jesu. Eine Deutung seiner Briefe an die Korinther, Stuttgart ⁴1970.

Schlier, Heinrich, Art. ἀνήκει, ThWNT 1, 361.
– Der Apostel und seine Gemeinde. Auslegung des ersten Briefes an die Thessalonicher, Freiburg 1972.

– Christus und die Kirche im Epheserbrief (BHTh 6), Tübingen 1930.
– Art. διαιρέω κτλ, ThWNT 1, 184.
– Die Einheit der Kirche nach dem Neuen Testament, Catholica 14 (1960) 161–177 = ders., Besinnung auf das Neue Testament. Exegetische Aufsätze und Vorträge II, Freiburg, Basel, Wien 1964, 176–192 (zit.).
– Art. γάλα, ThWNT 1, 644f.
– Der Brief an die Galater (KEK 7), Göttingen ¹³1971.
– Art. παρρησία κτλ, ThWNT 5, 869–884.
Schlunk, Martin, Paulus als Missionar (AMS 23), Gütersloh 1937.
Schmauch, Werner, Beiheft zu: Ernst Lohemeyer: Die Briefe an die Philipper, Kolosser und an Philemon (KEK 9), Göttingen 1964.
– Art. Philemonbrief, EKL 3, Sp. 183.
Schmidt, Hans Wilhelm, Der Brief des Paulus an die Römer (ThHK 6), Berlin ³1972.
Schmithals, Walter, Das kirchliche Apostelamt. Eine historische Untersuchung (FRLANT 81), Göttingen 1961.
– Die Gnosis in Korinth. Eine Untersuchung zu den Korintherbriefen, Göttingen ³1969.
– Die Korintherbriefe als Briefsammlung, ZNW 64 (1973) 263–288.
– Paulus und die Gnostiker. Untersuchungen zu den kleinen Paulusbriefen (ThF 35), Hamburg-Bergstedt 1965;
daraus:
– Die Irrlehrer des Philipperbriefes (47–87, überarbeitet), (zit.). Urspr. ZThK 54 (1957) 297–341.
– Die historische Situation der Thessalonicherbriefe (89–157).
– Die Irrlehrer von Röm 16,17–20 (159–173, überarbeitet), (zit.). Urspr. StTh 8 (1959) 51–69.
– Paulus und Jakobus (FRLANT 85), Göttingen 1963.
– Rez. zu Dieter Georgi: Die Geschichte der Kollekte des Paulus für Jerusalem, Hamburg-Bergstedt 1965, ThLZ 92 (1967) 668–672.
– Der Römerbrief als historisches Problem (StNT 9), Gütersloh 1975.
– Die Thessalonicherbriefe als Briefkompositionen. In: Zeit und Geschichte. Dankesgabe an Rudolf Bultmann zum 80. Geburtstag, hg. v. Erich Dinkler, Tübingen 1964, 295–315.
Schmoller, Alfred, Handkonkordanz zum griechischen Neuen Testament, Stuttgart ¹⁴1968.
Schnackenburg, Rudolf, Apostel vor und neben Paulus. In: ders., Schriften zum Neuen Testament. Exegese in Fortschritt und Wandel, München 1971, 338–358.
– Die Aufnahme des Christushymnus durch den Verfasser des Kolosserbriefes (EKK. V 1), 1969, 33–50.
– Die Kirche im Neuen Testament. Ihre Wirklichkeit und theologische Deutung und ihr Wesen und Geheimnis (QD 14), Freiburg/Basel/Wien 1961.
– Lukas als Zeuge verschiedener Gemeindestrukturen, BiLe 12 (1971) 232–247.
Schneemelcher, Wilhelm, Die Apostelgeschichte des Lukas und die Acta Pauli. In: Apophoreta. Festschrift für Ernst Haenchen zu seinem 70. Geburtstag am 10. Dezember 1964, hg. v. Walter Eltester und Franz Heinrich Kettler (BZNW 30), Berlin 1964, 236–250.
Schneider, Johannes, Art. μετασχηματίζω, ThWNT 7, 957–959.
Schneider, Norbert, Die rhetorische Eigenart der paulinischen Antithese (HUTh 11), Tübingen 1970.
Schnider, Franz, Jesus der Prophet (OBO 2), Freiburg/Göttingen 1973.
Schrage, Wolfgang, »Ekklesia« und »Synagoge«. Zum Ursprung des urchristlichen Kirchenbegriffs, ZThK 60 (1963) 178–202.

– Die konkreten Einzelgebote in der paulinischen Paränese. Ein Beitrag zur neutestamentlichen Ethik, Gütersloh 1961.

– Der erste Petrusbrief. In: Die »Katholischen« Briefe. Die Briefe des Jakobus, Petrus, Johannes und Judas, übersetzt und erklärt von *Horst Balz* und *Wolfgang Schrage* (NTD 10), Göttingen ¹¹1973 (1. Aufl. der Neufassung), 59–117.

Schreiben der deutschen Bischöfe über das priesterliche Amt. Eine biblisch-dogmatische Handreichung. Sonderdruck, hg. v. Sekretariat der Deutschen Bischofskonferenz, Trier 1969.

Schrenk, Gottlob, Art. διαλέγομαι κτλ, ThWNT 2, 93–98.

– Art. πατήρ κτλ, ThWNT 5, 946–959.974–1024.

Schulz, Anselm, Nachfolgen und Nachahmen. Studien über das Verhältnis der neutestamentlichen Jüngerschaft zur urchristlichen Vorbildethik (SANT 6), München 1962.

Schulz, Siegfried, Die Decke des Moses, ZNW 49 (1958) 1–30.

– Die Stunde der Botschaft. Einführung in die Theologie der vier Evangelisten, Hamburg ²1970.

Schulze, Günter, Das Paulusbild des Lukas. Ein historisch-exegetischer Versuch als Beitrag zur Erforschung der lukanischen Theologie, Diss. theol., Kiel 1961.

Schwank, Benedikt, Der sogenannte Brief an Gallio und die Datierung des 1Thess, BZ NS 15 (1971) 265f.

Schweizer, Eduard, Die Bekehrung des Apollos, Apg 18,24–26, EvTh 15 (1955) 247–254 = *ders.*, Beiträge zur Theologie des Neuen Testaments. Neutestamentliche Aufsätze (1955–1970), Zürich 1970, 71–79 (zit.).

– Gemeinde und Gemeindeordnung im Neuen Testament (AThANT 35), Zürich ²1962.

– Neotestamentica. Deutsche und englische Aufsätze 1951–1963, Zürich/Stuttgart 1963; daraus:

– Die Kirche als Leib Christi in den paulinischen Homologumena (272–292) (zit.). Urspr. ThLZ 86 (1961) 161–174.

– Die Kirche als Leib Christi in den paulinischen Antilegomena (293–316) (zit.). Urspr. ThLZ 86 (1961) 241–256 und SEÅ 26 (1961) 108–124 (schwedisch).

– The Church as the Missionary Body of Christ (317–329).

– Zur Frage der Echtheit des Kolosser- und des Epheserbriefes (429) (zit.). Urspr. ZNW 47 (1956) 287.

– Der erste Petrusbrief (ZBK), Zürich ³1972.

– Art. σῶμα κτλ (ThWNT 7), 1024–1091.

Selwyn, Edward Gordon, The First Epistle of St. Peter. The Greek Text with Introduction, Notes and Essays, London ²1955.

Septuaginta, hg. v. *Alfred Rahlfs*, 2 Bände, Stuttgart ⁸1965.

Siotis, Markos A., Luke the Evangelist as St. Paul's Collaborator. In: Neues Testament und Geschichte. Oscar Cullmann zum 70. Geburtstag, hg. v. *Heinrich Baltensweiler* und *Bo Reicke*, Zürich/Tübingen 1972, 105–111.

Söder, Rosa, Die apokryphen Apostelgeschichten und die romanhafte Literatur der Antike. Würzburger Studien zur Altertumswissenschaft, hg. v. *Karl Hosius, Friedrich Pfitzer* und *Joseph Vogt*, Bd. 3, Stuttgart 1932.

Stählin, Gustav, Die Apostelgeschichte (NTD 5), Göttingen ¹²1968 (3. Aufl. der Neubearbeitung).

Stauffer, Ethelbert, Art. ἀγαπάω κτλ, ThWNT 1, 20–55.

Steinmetz, Franz Josef, Protologische Heils-Zuversicht. Die Strukturen des soteriologischen und christologischen Denkens im Kolosser- und Epheserbrief (FTS 2), Frankfurt/Main 1969.

Stephan(us), Heinrich (Henricus), Thesaurus Graecae Linguae (unter Mitarbeit von *Karl Benedict Hase, Wilhelm* und *Ludwig Dindorf*), Paris Bd. 1–8, 1865ff.

Stolle, Volker, Der Zeuge als Angeklagter. Untersuchungen zum Paulusbild des Lukas (BWANT 6. Folge, Heft 2; der ganzen Sammlung Heft 102), Stuttgart 1973.

Storch, Rainer, Die Stephanusrede Apg 7,2–53, Diss. theol., Göttingen 1968.

Strack, Hermann L. – Billerbeck, Paul, Kommentar zum Neuen Testament aus Talmud und Midrasch, München Bd. 1–4 ⁵1969, Bd. 5/6 ³1969.

Strathmann, Hermann, Art. λειτουργέω κτλ, ThWNT 4, 221–229.232–238.

Straub, Werner, Die Bildersprache des Apostels Paulus, Tübingen 1937.

Strecker, Georg, Die sogenannte zweite Jerusalemreise des Paulus (Apg 21,27–30), ZNW 53 (1962) 67–77.

– Paulus in nachpaulinischer Zeit, Kairos 12 (1970) 208–216.

Strobel, August, Der Begriff des »Hauses« im griechischen und römischen Privatrecht, ZNW 56 (1965) 91–100.

– Lukas der Antiochener, ZNW 41 (1958) 131–134.

– Schreiben des Lukas? Zum sprachlichen Problem der Pastoralbriefe, NTS 15 (1968/69) 191–210.

Stuhlmacher, Peter, Christliche Verantwortung bei Paulus und seinen Schülern, EvTh 28 (1968) 165–186.

– Das paulinische Evangelium. I. Vorgeschichte (FRLANT 95), Göttingen 1968.

– Evangelium – Apostolat – Gemeinde, KuD 17 (1971) 28–45.

– Gerechtigkeit Gottes bei Paulus (FRLANT 87), Göttingen 1965.

– Der Brief an Philemon (EKK), Zürich/Neukirchen-Vluyn 1975.

Stumpff, Albrecht, Art. ζημία κτλ, ThWNT 2, 890–894.

Suhl, Alfred, Paulus und seine Briefe. Ein Beitrag zur paulinischen Chronologie (StNT 11), Gütersloh 1975.

Synofzik, Ernst, Die Gerichts- und Vergeltungsaussagen bei Paulus. Eine traditionsgeschichtliche Untersuchung, Diss. theol., Göttingen 1972.

Tachau, Peter, »Einst« und »Jetzt« im Neuen Testament. Beobachtungen zu einem urchristlichen Predigtschema in der neutestamentlichen Briefliteratur und zu seiner Vorgeschichte (FRLANT 105), Göttingen 1972.

Theißen, Gerd, Legitimation und Lebensunterhalt. Ein Beitrag zur Soziologie urchristlicher Missionare, NTS 21 (1974/75) 222–248.

– Soziale Schichtung in der korinthischen Gemeinde. Ein Beitrag zur Soziologie des hellenistischen Urchristentums, ZNW 65 (1974) 232–272.

– Die Starken und die Schwachen in Korinth. Soziologische Analyse eines theologischen Streites, EvTh 35 (1975) 155–172.

– Untersuchungen zum Hebräerbrief (StNT 2), Gütersloh 1969.

– Wanderradikalismus. Literatursoziologische Aspekte der Überlieferung von Worten Jesu im Urchristentum, ZThK 70 (1973) 245–271.

Theologisches Wörterbuch zum Neuen Testament, hg. v. *Gerhard Kittel,* ab Bd. 5 v. *Gerhard Friedrich,* Bd. 1–9, Tübingen 1933–1973.

Thüsing, Wilhelm, »Milch« und »feste Speise« (1Kor 3,1f und Hebr 5,11–6,3). Elementarkatechetische und theologische Vertiefung in neutestamentlicher Sicht, TThZ 76 (1967) 233–246.261–280.

Thyen, Hartwig, Der Stil der Jüdisch-Hellenistischen Homilie (FRLANT 65), Göttingen 1955.

Townsend, John T., 1 Corinthians 3,15 and the School of Shammai, HThR 61 (1968) 500–505.

Trilling, Wolfgang, Untersuchungen zum 2. Thessalonicherbrief (EThSt 27), Erfurt 1972.

Ulonska, Herbert, Die Doxa des Mose, EvTh 7 (1966) 378–388.

Unnik, Willem Cornelis van, Reisepläne und Amen-Sagen. Zusammenhang und Gedanken-folge in 2. Korinther 1,15–24. In: Studia Paulina in honorem Johannis de Zwaan. Haarlem 1953, 215–234.

Vielhauer, Philipp, Oikodome. Das Bild vom Bau in der christlichen Literatur vom Neuen Testament bis Clemens Alexandrinus, Diss., Heidelberg 1939.

– Zum »Paulinismus« der Apostelgeschichte, EvTh 10 (1950/51) 1–15 = *ders.*, Aufsätze zum Neuen Testament (ThB 31), München 1965, 9–27.

Vögtle, Anton, Das Neue Testament und die Zukunft des Kosmos (KBANT), Düsseldorf 1970.

Wegenast, Klaus, Das Verständnis der Tradition bei Paulus und in den Deuteropaulinen (WMANT 8), Neukirchen-Vluyn 1962.

Weigandt, Peter, Zur sogenannten »Oikosformel«, NT 6 (1963) 49–74.

Weiß, Bernhard, Lehrbuch der Einleitung in das Neue Testament, Berlin ³1897.

Weiß, Johannes, Der erste Korintherbrief (KEK 5), ⁹1910, Neudruck Göttingen 1970

Wendland, Heinz-Dietrich, Die Briefe an die Korinther (NTD 7), Göttingen ¹²1968.

Wendt, Hans Hinrich, Die Apostelgeschichte (KEK 3), Göttingen ⁹1913.

Wengst, Klaus, Der Apostel und die Tradition. Zur theologischen Bedeutung urchristlicher Formeln bei Paulus, ZThK 69 (1972) 145–162.

Wickert, Ulrich, Der Philemonbrief – Privatbrief oder apostolisches Schreiben?, ZNW 52 (1961) 230–238.

Wikenhauser, Alfred, Die Kirche als der mystische Leib Christi nach dem Apostel Paulus, Freiburg ²1940.

Wilckens, Ulrich, Die Bekehrung des Paulus als religionsgeschichtliches Problem, ZThK 56 (1959) 273–293.

– Die Missionsreden der Apostelgeschichte. Form- und traditionsgeschichtliche Untersuchungen (WMANT 5), Neukirchen-Vluyn ²1963.

– Das Neue Testament, übersetzt und kommentiert von –, beraten von *Werner Jetter, Ernst Lange* und *Rudolf Pesch*, Hamburg 1970.

– Was heißt bei Paulus: »Aus Werken des Gesetzes wird niemand gerecht«? (EKK. V 1) 51–77.

– Art. σοφία κτλ, ThWNT 7, 465–475.497–529.

– Art. ὑποκρίνομαι κτλ, ThWNT 8, 558–571.

– Art. ὕστερος κτλ, ThWNT 8, 590–600.

– Weisheit und Torheit. Eine exegetisch-religionsgeschichtliche Untersuchung zu 1Kor 1 und 2 (BHTh 26), Tübingen 1959.

Windisch, Hans, Die katholischen Briefe, bearbeitet von *Herbert Preisker* (HNT 15), Tübingen ³1951.

– Der zweite Korintherbrief (KEK 6), Göttingen ⁹1924, hg. v. *Georg Strecker*, Neudruck 1970.

Wrede, William, Paulus (RV I,5–6), Tübingen ²1907, jetzt in: Das Paulusbild in der neueren deutschen Forschung, hg. v. *K. H. Rengstorf* (WdF 24), Darmstadt 1964, 1-97.

Zahn, Theodor, Die Apostelgeschichte des Lukas (KNT 5), Leipzig/Erlangen Bd. 1 ³ ⁴1922, Bd. 2 ³ ⁴1927.

– Einleitung in das Neue Testament, 2 Bände, Leipzig ³1924.

– Der Brief des Paulus an die Galater (KNT 9), Leipzig ³1922.

– Der Brief des Paulus an die Römer (KNT 6), Leipzig ³1925.

Zeilinger, Franz, Der Erstgeborene der Schöpfung. Untersuchungen zur Formalstruktur und Theologie des Kolosserbriefes, Wien 1974.

Zimmermann, Karl, Der Apostel Paulus. Ein Lebensbild, Zürich/Stuttgart 1962.

Register

Griechische Wörter

Register der biblischen Namen

274

Register

204.244f.249
Trophimos 1.46
Tryphaina und Tryphosa 75
Tychikos 1.9.44.49f.60f.88.93.107.
194.226.238f

Urbanus 1.9.51

Zenas 1.41.50

Bibelstellenregister (nur Neues Testament; in Auswahl!)

Mt		9,26f	14
6,19–21.		11,19–26	14f.152.155f
25–34	154	11,22	82
8,20.21f	154	11,27–30	17.36
10,1ff.9–15	153f.155	12,3–19	48
16,18	140	12,24f	11
18,16; 26,59f	153	13f	11.246
28,19	152	13,1–3	10–12.14f.82f.94.
			151–153.156–159
Mk		13,5	48.102
3,25; 6,7ff	154f	13,13	12f
10,17ff.29f	154	14,4.14	10.16.82f
16,15	152	14,26f	157
16,20	66	15,1ff	15
		15,2	12.14f
Lk		15,22ff	11.18f.153
9,1–5.35.59f	154	15,36ff	12f.47.94.152.156
10,1ff	153f	16,1–3	20f.23.54.78.94
12,2–9.22–31	154	16,6–10	55f
12,33f.51–54	154	16,10ff	29.44.57
14,26f	154	17,1–10	29
19,11	156	17,10–15	55
22,35–38	154	17,34	30.44
24,47f	152	18,1f	24f.117.152.246
		18,5	18f.112
Joh		18,8	30
8,17	153	18,11	246
15,1–17	141	18,18–23	27.33.55f.126
20,21	152	18,24–28	38–41.152
		18,27	191
Apg		19,1–7	38.41
1,8.13	152f	19,9f	117
2,32ff	153	19,21f	50f.53.55.102.153.248
4,36f	14f	19,27	61
6,1ff	73.152.155	19,29	46.107.159
8,1ff	152.155f	19,30	199
8,36–38	90	20,1–4	6.16
9,2	191	20,1	47.56
9,15.20	9	20,2f	56.58
9,25	10	20,4	23.46f.49.51.52–58.
			107.159.247

4,19–21	128.165.201.248	16,19f	78.94
5,9	1.61.164.247	16,19	9.25f.38.246
5,12f	140.219	16,21ff	58.185.242
6,15–17	146.149		
6,19f	136–138	*2Kor*	
7,1	61.96.247	1,1–11	60.250
7,7	154	1,1	78.129.136
7,29ff	118.137.154	1,8ff	42.240.248–250
9,1f	82.127.218	1,15ff	61.128.248f
9,4–18	117.159.188	1,19	9.18f.21
9,5f	9.15f.34.82f.117.126.	1,23	248f
	153.206	1,24	1.68.70f.175.249
9,12	117	2,13	9.35.61.78
9,16	117.178.201.225	2,14ff	60.250
10,23	139.219	3ff	74.179
11,1f	181f.218	3,1	83.153.191.250
11,2ff	26.116.188	4,7ff	250
11,23ff	118.135.229	5,13f	139
12	141–146.149	6,1–3	69.74
12,4–11	137.166	6,1	66.70.175
12,8–10	89.142	6,4–10	132.191
12,12ff	141–145	6,5	75.102.240
12,14–27	142	6,10	154
12,28f	10.84–89.121.149.156	6,14–7,1	137
13,1ff	139	7,5ff	35f.61.249
14,1ff	139.219	7,5	77.113
14,16ff	141.148	8,10	35.61.247
14,23	129.160	8,16ff	36f.52f.61.183
14,33–36	26.137	8,16f	95.182.192.194.204
15,3ff	52.81f.118	8,18.22	32.52.61.80f.83.129.
15,7–10	17f.51.81f.129.151.		182.192
	165.175.178.218	8,19f	73.80.120
15,32	240.248	8,23	9.35.52.70f.77.79f.83.
16,1–4	17.35.54f.247		99.120
16,3	52.61.80.182.191	9,1–4	35–37.54f.61
16,5ff	61.128	9,2	247
16,8f	38.247f	10ff	74.179.200
16,10	9.22f.38.61.70.171.	10,12–18	94.176f.191
	181–183.241.248	10,16	117
16,11	42.61.107.124	11,4	169.177.202
16,12	38.41.61.78.182.204.	11,5	82.153
	215.217.247	11,7–10	117
16,15–18	9.42.99f.119f.123.	11,9	42.60f.78
	159.192	11,13	82f.153
16,15f	74.85f.96	11,23ff	75.83.102.126.129.
16,15	55.70.79.106.120.182		132.191.240
16,16	66.71.75.106	11,32f	10
16,17f	96–98.103.120.122.	12,10	140.191
	164	12,13–18	117

Verfasserregister

Register

Register 279

Bauer 11.18.29.31.45f.58.60.72.124.167.189